CRONICAS DE AMERICA

historia 16

PEDRO DE CIEZA DE LEON

La crónica del Perú

Edición de Manuel Ballesteros

historia 16

Primera edición: Octubre de 1984
Segunda edición: Noviembre de 1984
Tercera edición: Octubre de 1985

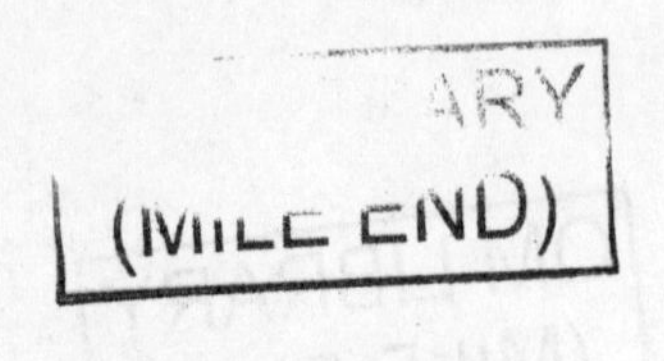

Director de colección: Manuel Ballesteros Gaibrois
Edición, introducción y notas: Manuel Ballesteros Gaibrois
Diseño colección: Neslé Soulé.

I.S.B.N.: 84-85229-60-6
Depósito legal. M. 33.927.—1984
Impreso en España - *Printed in Spain*
Impreso por RAYCAR, S. A. Matilde Hernández, 27. 28019 Madrid

LA CRONICA DEL PERU

INTRODUCCION

LA CRONICA DEL PERU

Si comenzaramos este estudio preliminar al estilo de los viejos cronistas clasicos españoles, deberiamos iniciarlo con las siguientes palabras, que indican, desde un comienzo, el significado de lo que contiene esta edicion de la *Primera Parte de la Crónica del Perú*: «Amigo lector, tienes ante ti uno de los libros mas originales, mas importantes que sobre las Indias Occidentales se han escrito en toda la historia de la literatura historiografica española, obra de uno de los autores mas singulares, fecundo, inteligente, observador, incansable y prolifico».

Y asi es, en efecto. No sin razon se ha titulado, y todos lo repetimos, que Pedro Cieza de Leon, joven extremeño de conocida familia, es el *Principe de los Cronistas de Indias*, titulo merecidisimo por la calidad de sus escritos, la amplitud de los temas que abarca, por la sistematica ordenacion de los materiales informativos que comprende, por el fluido, vivido, jugoso estilo con que estan redactados, y por la brevedad del tiempo en que fueron compuestos. Pero no adelantemos juicios que seran expuestos mas adelante, al ritmo del conocimiento de la biografia de Cieza y el analisis de su obra. Basten por el momento las palabras dichas, como introduccion ante los lectores del estudio que sigue.

Una de las singularidades de esta obra —cuya *Primera parte* se edita en el presente libro— es que siendo sin duda la mas antigua que se escribe de un modo minucioso y sistematico sobre los acontecimientos del Perú —y de la Nueva Granada, y de las costumbres, por primera vez descritas, de los altos y de su historia—, solo se conocio durante siglos lo que ahora damos a luz (después de muchas ediciones, desde el siglo XVI), mediando ignorado, oculto, perdido, aprovechado a

INTRODUCCION

Si comenzáramos este estudio preliminar al estilo de los viejos cánones clásicos españoles, deberíamos iniciarlo con las siguientes palabras, que indican, desde un comienzo, el significado de lo que contiene esta edición de la *Primera Parte de la Crónica del Perú:* «Amigo lector, tienes ante ti uno de los libros más originales, más importantes que sobre las Indias Occidentales se han escrito en toda la historia de la literatura historiográfica española, obra de uno de los autores más singulares, fecundo, inteligente, observador, incansable y prolífico.»

Y así es, en efecto. No sin razón se ha titulado, y todos lo repetimos, que Pedro Cieza de León, joven extremeño de conocida familia, es el *Príncipe de los Cronistas de Indias,* título merecidísimo por la calidad de sus escritos, la amplitud de los temas que abarca, por la sistemática ordenación de los materiales informativos que comprende, por el fluido, vívido, jugoso estilo con que están redactados, y por la brevedad del tiempo en que fueron compuestos. Pero no adelantemos juicios, que serán expuestos más adelante, al ritmo del conocimiento de la biografía de Cieza y el análisis de su obra. Basten por el momento las palabras dichas, como introducción ante los lectores del estudio que sigue.

Una de las singularidades de esta obra —cuya *Primera parte* se edita en el presente libro— es que siendo sin duda la más antigua que se escribe de un modo minucioso y sistemático sobre los acontecimientos del Perú —y de la Nueva Granada, y de las costumbres, por primera vez descritas, de los indios y de su historia—, sólo se conoció durante siglos lo que ahora damos a luz (después de muchas ediciones, desde el siglo XVI), quedando ignorado, oculto, perdido, aprovechado o plagiado el resto, hasta casi nuestros propios días. ¿Qué significa esta peculiaridad, triste peculiaridad? Pues que por los avatares, que se indican posteriormente, Cieza pierde su primacía, que ocupan otros, con menos documentación, con menos valores, dejando a nuestro autor como un simple iniciador de una somera —pero noticiosa— *Primera parte* de una obra que (al menos en opinión del público lector) se creyó nunca terminada. O ni siquiera redactada.

La noticia que el propio Cieza da, como veremos más adelante, del plan de su obra, y la afirmación de que lo tenía todo terminado, o casi, produjo durante los siglos siguientes la curiosidad de bibliógrafos, historiadores y —finalmente— de peruanistas y americanistas. Desfilaron en la galería de los que dieron información sobre Cieza, copiaron manuscritos suyos, los editaron o intentaron su biografía, Nicolás Antonio, Antonio de León Pinelo, Markham, Prescott, Jiménez de la Espada, Loredo, Porras Barrenechea, Santisteban Ochoa, Esteve Barba, Maticorena y Aranibar (1). Gracias a estos esfuerzos podemos hoy conocer íntegramente la obra de Pedro Cieza de León, pues aunque no haya aparecido todavía, cuando esto se escribe, la edición que prepara el P. Carmelo Sáenz de Santamaría (maestro en estas lides), es evidente que hoy lo sabemos casi todo sobre el autor extremeño, y que podemos ofrecer al conocimiento general su biografía y la noticia de su obra total. Quedarán, como siempre, los futuros estudios eruditos, las valoraciones sobre la información histórica que sus libros ofrecen, la exégesis de su estilo y de las fuentes en que bebió, así como el análisis de su personalidad. Todo ello, naturalmente, intentamos hacerlo en este estudio preliminar sobre la *Primera parte de la Crónica del Perú,* dejando el análisis más profundo sobre lo que significa su obra para el conocimiento del mundo incaico —que fue sin duda el primero que ofreció una visión de conjunto— a la edición, que preparamos también, de la *Segunda parte,* más conocida por el título que le dieron algunos de sus editores de *Señorío de los Incas.* Queda, por el momento, fuera de nuestras intenciones editoriales el llegar hasta la *tercera* y *cuarta* partes, con los varios libros de esta última, cuyos títulos, sin embargo, daremos al lector en este estudio.

(1) Las citas bibliográficas indicarán sólo el autor, la fecha de impresión y las páginas a que se refiere la cita.

La vida de Pedro Cieza

Poco se supo durante muchos años sobre Cieza de León, desde el punto de vista biográfico, pues varios de sus editores (2), equivocaron fecha y lugar de nacimiento, hasta que D. Marcos Jiménez de la Espada, uno de los más beneméritos americanistas de la ciencia española, editó *La Guerra de Quito* (3). El profundo conocimiento de los textos inéditos de Cieza y de la historia americana, y un paciente espigar en ellos, permitió a D. Marcos entresacar de las propias noticias autobiográficas de Cieza el primer *curriculum* vital de nuestro autor, quedando en suspenso qué fue de él una vez impresa en Sevilla (1553) la *Primera parte* que ahora editamos. Pero la ciencia ha tenido la suerte —que siempre acompaña al que sabe buscar en los archivos— de que un joven investigador peruano, residente muchos años en Sevilla (4), bien asesorado por sus maestros sevillanos, localizara en el Archivo General de Indias y en de Protocolos de Sevilla, documentos esclarecedores de los últimos años de nuestro cronista (5), de la importancia, entre otros, de su propio testamento, en que se hace luz no sólo sobre su persona, familia y proyectos, sino también sobre la amplitud de su obra, confirmando lo que se había intuido por algunos investigadores, y proporcionando, además, la fecha exacta de su fallecimiento.

Nacimiento, familia y salida para las Indias.—Cuando nació Cieza no había todavía partidas de nacimiento, sólo algunos párrocos hacían registro de bautismos, pero no es este el caso, ya que no hay documento alguno que nos informe sobre el particular. Dos aspectos tiene la fijación de su nacimiento: lugar y fecha. Quizá por figurar en varios sitios como vecino de Sevilla se creyó que era natural de la ciudad del Guadalquivir, y así lo afirma Nicolás Antonio (6), lo cree Precott (7) y desde entonces lo han venido afirmando todos, copiándose unos a otros, sin haber leído al propio Cieza, que claramente lo dice en sus textos. Herrera —que como veremos lo saquea impunemente— incorpora de tal modo el texto de Cieza, que le deja hablar a él mismo, y así aparecen bien claros varios

(2) Como Markhan, 1864.
(3) 1877.
(4) Precisamente en la calle de Alfonso XII, sede de la Escuela de Estudios Americanos, fundada por don Antonio Ballesteros Beretta, que es el nombre actual desde 1883, y que se llamó *Calle de las Armas* en el siglo XVI. Véase Montoto, 1940, págs. 41-43. Allí vivió Cieza.
(5) Ver Maticorena, 1955 (impreso en 1957).
(6) 1788, pág. 184.
(7) *Conquista del Perú,* Adición al libro IV.

puntos (8) en que Cieza afirma ser de Llerena, en Extremadura. Jiménez de la Espada se dio cuenta de ello, por su meticulosidad en la lectura de los escritos del propio cronista, y la intuición del gran erudito ha venido a ser comprobada por las investigaciones de Miguel Maticorena. Cieza, sevillano de adopción, si queremos, pero nacido en Llerena, de donde era toda su familia, que seguramente se desplazó tempranamente a Sevilla, por la fiebre de los viajes, negocios y posibilidades que ofrecía el Nuevo Mundo.

En cuanto al lugar del nacimiento, no hay pues dudas, por sus propias palabras y otros testimonios (9) que fue la población de Llerena, que figura incluso como uno de sus apellidos familiares.

Por la inexistencia de los registros, como decíamos, para saber cuándo nació, y por lo tanto cuántos años vivió, debemos manejarnos con suposiciones basadas en razonamientos lógicos, empleando las mismas palabras que él estampa en sus escritos. Este procedimiento ha sido usado por la mayoría de los que se han asomado a su biografía. Fecha de cierta seguridad es la que Cieza consigna al fin de la *Primera parte,* que ahora se edita, al afirmar que concluía su libro el 8 de septiembre de 1550, a la edad de treinta y dos años, después de haber estado diecisiete en las Indias. En aquel tiempo las gentes tenían muy poca seguridad en el paso del tiempo y hasta llegaban a no estar seguros de su propia edad (10). Analicemos este aserto de nuestro autor.

En primer lugar hay un error de dos años en lo que se refiere al tiempo que estuvo en las Indias, ya que, como veremos en este mismo parágrafo, sale de España en 1535, luego no pudo estar diecisiete años en América, sino quince. En otro lugar afirma que salió de la patria apenas con trece años. Si él creyó ciertamente que tenía treinta y dos años y que había estado diecisiete en Indias, y que había salido de trece, tampoco sale la cuenta, porque en vez de treinta y dos tendría sólo treinta. Muy largos debieron parecer a Cieza los años consumidos en exploraciones, batallas, hallazgos de tesoros y... redacción de sus libros, para que creyera que había permanecido fuera de España dos años más de lo cierto. Esta contradicción deja el asunto de la fecha exacta de su nacimiento en el mismo sitio en que —sin documentos— estaba Marcos Ji-

(8) *Década* VI, Libro VI, Cap. iv, y *Década* VII, Libro IX, capítulo xix.

(9) Fernández de Piedrahita, 1688, 1.ª Parte, Libro IV, Cap. II.

(10) Recordemos el caso de Ximénez de Quesada, el conquistador de la Nueva Granada, que llamado a una declaración dijo creer que tenía sesenta años, equivocándose por una década.

ménez de la Espada (11) y —con documentos— Miguel Maticorena (12): que pudo nacer entre 1518 (si tenía treinta y dos en 1550) y 1520 (si salió de trece y había estado diecisiete en Indias). De todos modos hay dos datos preciosos, que salió de España, sobre lo que volveremos, muy niño, y que apenas cumplidos los treinta años ya tiene redactada su voluminosa obra. Ambos datos merecen un comentario en relación con la capacidad intelectual y de trabajo de Cieza y sobre su educación.

Por documentos publicados por Miguel Maticorena tenemos una idea completa de la constitución de la familia de Pedro Cieza de León. Los documentos (13) nos informan que los padres eran Lope de León y Leonor de Cazalla (apellido que luego nos sugerirá algunas conexiones, ya en Indias), vecinos de la villa de Llerena. Los hermanos que tuvo el cronista fueron Rodrigo de Cieza, que juega un papel importante, tras la muerte de Pedro, en relación con los originales de sus obras; Leonor de Cieza, Beatriz de Cazalla y María Alvarez. Las dos primeras estaban casadas, respectivamente, con Luis de Zapata y Pedro de Cazorla, todos ellos vecinos de Llerena. Sabemos que María Alvarez recibía en 8 de agosto de 1554 la herencia que le dejara el cronista, su hermano. Es curioso que la Escribanía en que figuran todos estos documentos y datos sea la de Alonso de Cazalla (16), apellido que —como vimos— era el de la madre de Pedro Cieza de León.

Con estas informaciones podemos reconstruir mentalmente un poco, en grandes líneas, la historia familiar. Se trata de un pequeño y cerrado clan llerenés, de gente acomodada, entre la que hay escribanos y comerciantes (15), que se desplazan (quizá recorriendo a la inversa la antiquísima *ruta de la plata)* a Sevilla, atraídos por la importancia creciente de esta ciudad «cabecera de las Indias», de donde salían expediciones de las que regresaban unos pocos, pero éstos ricos o ennoblecidos. Siguió este clan familiar la marcha de tantos otros extremeños, pero sin arriesgarse como ellos a empresas de conquista, sino de administración o comercio. Salvo uno: Pedro Cieza, un casi niño, entre trece y quince años.

Es curioso que ninguno de los autores que se han ocupado de Cieza haya hecho el menor comentario sobre la marcha del

(11) Prólogo a *La Guerra de Quito,* pág. XLI.

(12) 1955, pág. 621.

(13) De los archivos sevillanos de Protocolos notariales y General de Indias.

(14) Archivo de Protocolos, Oficio XV, Libro 2.º, de 1554, folios 324 y ss.

(15) Figuran también en otros documentos, publicados por Maticorena.

adolescente a las Indias, que ninguno se haya planteado las necesarias cuestiones de a qué iba, cómo iba, si era con el consentimiento paterno o no, si se escapaba, si era atraído por el oropel de las aventuras, o si iba consignado a alguien. Y en verdad que todas estas preguntas precisan de contestaciones, o de hipótesis, que nos sitúen al muchacho dentro de un cuadro lógico. No debe bastarnos el dato, sino valorar lo que éste significa. Pasemos a las informaciones que los documentos nos dan, y que vienen a confirmar lo que con lúcida intuición y lógicos razonamientos dijera Marcos Jiménez de la Espada.

D. Marcos pensó que el paso a Indias debió verificarse entre enero de 1534 y enero de 1535, apoyándose en lo que Cieza dice en esta *Primera parte* de los lugares en que se halló en un comienzo en América. Gracias a los *Libros de Asientos de Pasajeros a Indias* (16) hallamos dos Asientos referidos a un Pedro de León —que es nuestro cronista—: uno de 2 de abril de 1535, en que se consignan los nombres de los padres, para mayor identificación, afirmando que son vecinos de Llerena, diciendo que sale para Cartagena, añadiendo que «no es de los proybidos» (17). Aunque el asiento dice que «pasó con Juan de Junco a Cartagena», en tiempo pasado, lo cierto es que no debió pasar entonces (18), porque hay otro asiento, de 3 de junio de 1535, en que figura que pasa a Santo Domingo «en la nao de Manuel de Maya», jurando por valedores Alonso López y Luis de Torres, que lo conocían y que no era de los prohibidos.

Ya tenemos embarcado rumbo a La Española al futuro cronista, pero sin que se resuelvan las preguntas o cuestiones que he planteado antes. No parece que salga de escondidas, ya que hombres de responsabilidad, cumpliendo los Reglamentos de la Casa de Contratación, juraron por él, y en el asiento figuran (en los dos) los nombres de los padres. Cuando progresemos en su biografía veremos que hay varios Cazallas ya en Indias, o que comercian con ellas. No es demasiado arriesgado pensar que la familia, el propio escribano Cazalla, dejaron marchar a un muchacho a «correr» aventuras, aunque éste fuera después su quehacer primero, en Indias. Más vale pensar que iba consignado a amigos, corresponsales del clan, para que se hicieran cargo de él. Si las cosas marcharon de otro modo, Cieza no lo consigna en su *crónica.*

(16) Véase Bermúdez Plata, 1942, vol. II (1535-1538), pág. 27, número 434.
(17) Moriscos, judíos, gitanos, etc.
(18) Salvo que saliera y regresara, para salir nuevamente, en menos de dos meses, lo que no parece probable.

Nos queda aún una importante reflexión por hacer: ¿qué formación o estudios había realizado el mozuelo hasta los trece o quince años? Indudablemente había aprendido bien a escribir, quizá en la escribanía de su *tío* (19) Alonso de Cazalla, que luego actuaría en los momentos posteriores a su fallecimiento. En Indias no es probable que tuviera ocasión, como en esta misma *Primera parte* puede leerse, para hacer aprendizaje alguno, sino todo lo contrario, escribe y escribe como el que ya está habituado a ello. Pero, todo lo demás, ¿dónde lo aprendió? No tuvo tiempo material para frecuentar ningún centro docente superior y, sin embargo, cita en su obra a Valerio Máximo, a Tolomeo, con cierta seguridad, lo que nos lleva a poder afirmar que, aunque fuera «de oídas», Pedro Cieza podemos considerarlo un hombre culto y autodidacta. Al hablar de su estilo, más adelante, volveremos sobre este tema.

Primeros tiempos en Indias: 1535-1547.—Aunque el lector puede en esta *Primera parte de la Crónica del Perú* ir siguiendo la peripecia de Cieza de León, cómo ella va mezclada con las aventuras y desventuras de los jefes a los que sirvió como hombre de armas, o de confianza, y las descripciones de lugares, naturaleza de la tierra, carácter de las organizaciones indígenas, frutos, introducción de cultivo, etc., hagamos una síntesis de sus correrías hasta que sale para el Perú. Síntesis como lo hiciera Jiménez de la Espada.

Aunque su destino, como vimos, era Santo Domingo, ya en el mismo 1535 se halla en Cartagena de Indias, o en su zona, puesto que afirma (20) que se hallaba por entonces en Cenú, donde se habían descubierto las célebres sepulturas, llenas de *tunjos* de oro, que provocaron la codicia de los conquistadores y pleitos posteriores. No cabe duda de que estaba recién llegado. Que entró en las Indias por Cartagena, lo afirma en otro lugar de esta misma *Primera parte,* al referirse a su llegada al Perú, ... *al cual por tierra* [*vine*] *desde la provincia de Cartagena.* Doce años pasa, pues, en las tierras que hoy son de Colombia y Ecuador, inmerso, como vamos a ver, en las contiendas limítrofes entre los diversos capitanes, en fundaciones, en gestiones, conociendo a los principales protagonistas de los *grandes hechos.* No extraña, por ello, que los neogranadinos consideren a Cieza tan cronista de la Nueva Granada como del Perú (21).

(19) Suponiendo, provisionalmente, tal, lo que de todos modos no parece disparatado.
(20) En el cap. LXII de esta *Primera Parte.*
(21) Ver Otero D'Costa, 1938, y Hernández de Alba, 1951.

Marquemos los jalones de sus movimientos, año por año, según sus propias informaciones, que muchas veces han sido confirmadas por otros escritos —posteriores— o por documentos y pleitos de los conquistadores.

1536. *Yo me hallé en la ciudad de San Sebastián de Buenavista, año de 1536* (22). No dice la fecha exacta, pero sabemos que en 24 de octubre de ese año había salido la expedición de Alonso de Cáceres desde Cartagena de Indias.

1537. Se halla en Urute, con dicho capitán (23). A fines de este año había salido la expedición del juez Vadillo, yendo a parar a Cali. Allí se instala Lorenzo de Aldana, enviado por Pizarro, al que le viene muy bien el refuerzo de la gente de Vadillo.

1539. Fortalecido con estas gentes, Aldana envía a Jorge Robledo a la campaña de Ancerma, que sale de Cali el 14 de febrero de este año. Entre los expedicionarios va Cieza de León. Se halla presente en la fundación de la villa de Santa Ana de los Caballeros (15 de agosto), luego llamada de Ancerma.

1540. Sigue Cieza con Robledo y asiste a la fundación de la población de Cartago, en septiembre de este año. Ya lleva cinco años y, como veremos, se ha convertido en un *baquiano* o práctico de la tierra. Su amistad o devoción con Robledo se va fortaleciendo.

1541. Con Robledo está en la fundación de Antioquía, el 25 de noviembre de este año, siguiendo los expedicionarios hacia el norte, en dirección a Urabá. Robledo seguía cumpliendo su cometido, sin saber que estaba en tierras que correspondían a otra concesión, realizada a favor de Alonso de Heredia. Por eso, cuando llegan los exploradores a San Sebastián de Urabá, Heredia toma preso a Robledo, por haber fundado en territorio de su demarcación, enviándolo a España.

1542. Es en este momento, en que según nuestras cuentas Cieza de León debería contar entre veinte y veintidós años, y se revela que sus jefes ya lo distinguían. Robledo preso, pide permiso a Heredia para enviar una persona que informe en Tierra Firme de la cuestión, y Heredia lo concede: el designado es Pedro Cieza.

Diligentemente Cieza cumple su cometido, y pasando a Nombre de Dios y luego a Panamá se embarca para el Sur, llegando al Puerto de Buena Ventura, pasando de allí a Cali, donde encuentra a Sebastián de Belalcázar, al que ha correspondido la gobernación de aquellos territorios, indignado con

(22) *Primera Parte,* cap. IX.
(23) *Primera Parte,* cap. II.

el proceder de Robledo, que al fin y al cabo ha cumplido lo que le ordenara Aldana.

En este movido año, de que nos ha dejado abundantes noticias, Cieza participa aún —desde Cartago— en la campaña contra la sublevación de los indios, rebelados por los abusos y crueldades de Juan de Cabrera y Miguel Muñoz, tenientes de Belalcázar. Habiendo fundado Muñoz la villa de Arma, Cieza se avecina en ella, recibiendo una pequeña encomienda en términos del cacique Aopiramo (24). Tras siete años de residencia en las Indias, parecía que el destino le proporcionaba la posibilidad de asentarse, con la pequeña renta de su encomienda. Pero la celeridad con que se sucedían los acontecimientos en aquellas vastísimas latitudes, le iba a impedir la serenidad de un prolongado asentamiento.

1543. Las *Leyes Nuevas,* que se habían dictado en la Metrópoli (a juicio de muchos, inspiradas por Fr. Bartolomé de las Casas) producían efectos levantiscos. Vientos de rebelión entre los conquistadores, que veían perderse sus privilegios y sus prebendas, constreñidos por el espíritu y la letra de unas disposiciones legales, que frenaban su ilimitada acción. En el Perú está el virrey Blasco Núñez Vela, que se empeña en hacer frente a la revuelta, por la fuerza, pero con escasos medios. Belalcázar está al norte, con él hay suficiente gente, cuyo empleo en sofocar la rebelión bastaría. A Belalcázar acude el virrey, solicitando ayuda, a lo que accede éste, a cambio de que por parte de la Corona se reconocieran como suyas las fundaciones hechas por Robledo. Precio alto, al que el virrey se doblega.

Pero... para Cieza no ha llegado aún el momento en que haya de pasar al Perú, donde cimentará su fama imperecedera de gan cronista. Hombre de confianza, como vimos, de Robledo, recibe carta de éste, en que le dice que ha sido elevado a Mariscal de Antioquía, su fundación, y que regresa a las Indias, y que vaya a reunirse con él. Cieza, que se disponía a partir hacia el Perú, como voluntario, a favor del virrey, se detiene de este intento, y pasa a Cali, pensando que el nuevo Mariscal Robledo desembarcará en Buenaventura, pero no fue así. Habían de comenzar las amarguras para Cieza, que aunque había pasado hambres y miserias, no se había visto hasta entonces enzarzado en conflictos entre capitanes.

Robledo —que va desde entonces de desacierto en desacierto— se encuentra en Cartagena con el licenciado Díaz de Armendáriz, pariente suyo, que venía nombrado juez y visitador

(24) Como él mismo relata en el cap. CIX de *La Guerra de Quito.*

para las gobernaciones de Santa Marta, Bogotá y Popayán, pero que aún no había tomado posesión. Armendáriz aconseja a Robledo que se afirme en la gobernación no sólo de Antioquía, que era suya, sino también en Arma y Cartago, que Belalcázar pretendía le correspondían. Cieza, al encontrarse con su antiguo capitán (al que recordará incluso en el momento de redactar sus últimas voluntades) y saber los propósitos que tenía de hacerse con otras villas a más de Antioquía, quiere disuadirlo. Leamos lo que el propio Cieza nos dice:

Algunas veces, platicando yo este negocio con el Mariscal, y aún afeando la entrada, me respondió que temía de muchos que no le eran amigos, aunque en verdad yo muchas veces le dije que se retirara a la ciudad de Antiocha, pues Belalcázar venía poderoso y al fin era Gobernador del Rey, y él tenía voz de teniente de un juez no visto ni recebido por tal como S. M. mandaba (25).

Robledo, desgraciadamente para él, no hizo caso de consejos, marchó a las tierras que Belalcázar consideraba (y con razón) suyas, abrió cajas, ordenó cambios, etc., mientras Belalcázar estaba haciendo que combatía a Gonzalo Pizarro. Pero regresó y pensó en tomar represalia y echar a Robledo del campo, conminándole para que lo hiciera. Este se replegó e intentó pactar, pero todo resultaría inútil. Habían pasado ya unos años decisivos para Cieza.

1546. Las gestiones de Robledo no dieron, finalmente, resultado, retirado de lo que ocupara, no desconfió de Belalcázar, pero éste había tomado sus medidas. Cieza sí desconfiaba y aconsejaba prepararse de modo armado, pero Robledo le dijo que estuviera en Arma, esperando los acontecimientos. Acontecimientos que serían los últimos de la vida del inocente Robledo. Belalcázar lo sorprende en la loma del Poza, habiendo cercado la villa de Arma, y lo derrota, ordenando, el 5 de octubre de este año, que se le diera garrote. Belalcázar fue duro hasta el final, pues después de muerto le mandó cortar la cabeza y sobre ella puso un escrito que decía:

Si de esta vez no escarmienta Robledo, yo le tendré por muy grandioso necio.

Y aunque sus amigos quisieron llevarlo a enterrar a Arma, no lo permitió y el cadáver fue devorado por los indios, pese a que se cubrió su cuerpo con los restos de unas casas incendiadas.

(25) *La Guerra de Quito,* caps. CXCI y CXCIII.

Cieza, amigo, hombre de confianza de Robledo, temió, en tales circunstancias de venganzas crueles, que le pasaría algo similar (aunque no había tomado parte en el hecho de armas, en que fuera aprisionado su capitán) y se ocultó en unas minas de Quimbayá, de donde le hizo salir Hernández Girón, diciéndole que estuviera en Cali. Tranquilizado ya, se volvió a Arma, a arreglar sus asuntos económicos, regresando a Cali. Es entonces cuando tiene noticia de que, después de la muerte de Blasco Núñez Vela, en su insensato intento de reducir a los rebeldes, sin fuerzas suficientes, desde España se enviaba a una persona llena de autoridad, un clérigo que se había acreditado en los problemas de los moriscos valencianos (esto quizá no lo sabía Cieza), y que llegaba para poner orden en la Gobernación que había sido de Francisco Pizarro, cuyo hermano Gonzalo en el Perú (26) capitaneaba la rebelión.

1547. De esto tuvo conocimiento en Cartago, donde se hallaba, al tiempo que desde Tumbez D. Pedro de la Gasca, que era el clérigo enviado desde España, escribía a Belalcázar, de cuya fidelidad no dudaba, que mantuviese en su gobernación el número de gente suficiente para que no hubiera peligro ni interior (con los españoles) ni exterior (con los indios). Belalcázar actúa correctamente y organiza una tropa de 200 hombres (entre los que iba Cieza), con la que sale desde Popayán.

Los años peruanos: 1548-50.—La tropa de Belalcázar va por la costa hacia el Sur, uniéndose al Presidente la Gasca en enero de 1548 en Andahuylas. Los acontecimientos se precipitan, el Presidente ya no es sólo un clérigo que con su «estola y su breviario» fuera a pacificar un reino, como parece que dijera, sino el representante del Rey, unido de patentes firmadas en blanco, para indultar o para condenar a muerte, argumentos poderosos que hicieron que muchos de los seguidores de Gonzalo Pizarro fueran abandonándolo, para engrosar la hueste real. Atravesado el Apurimac, llegan todos —Cieza entre ellos— a principios de abril a Sacsahuana (27), chocando los dos contingentes en batalla el 9 del mismo mes, donde se decidiría la suerte de la rebelión, siendo hecho prisionero Gonzalo Pizarro, y ejecutado. Cieza se traslada a Lima (Ciudad de los Reyes, en la terminología del tiempo, que usa Cieza en sus escritos), donde recibe el 17 de septiembre al victorioso Presidente, que va a dedicarse a poner orden en la Gobernación, en tanto la Metrópoli designa un virrey (28).

(26) Hernando se hallaba en prisión en España.

(27) Lo que Cieza llama Xaquixahuana, título del último de sus libros.

(28) Que sería Antonio de Mendoza.

En vista de los hechos subsiguientes, en que el Presidente encarga a Pedro Cieza que *continúe* con sus escritos, salta la lógica pregunta: ¿Cómo supo Pedro de la Gasca que un oscuro conquistador, venido con la hueste de Belalcázar, se dedicaba a escribir? Hay que explicar el puente que une al soldado con el Presidente. Jiménez de la Espada, tan agudo en la deducción, pasa por alto este dato importante. Copiemos lo que dice al respecto:

Por este tiempo, Gasca, instruido de los trabajos históricos que ocupaban al modesto soldado, y estimándolos en todo lo que valían, le ordenó que escribiese o acabase la Crónica del Perú... (29).

¿Cómo fue *instruido* Gasca de estos quehaceres? Nadie lo ha explicado hasta ahora y creo que es fácil, sin embargo, hacer una suposición bastante lógica, sobre los datos que la investigación de Maticorena nos proporciona. El secretario de Pedro de la Gasca era Pedro López de Cazalla, Escribano Mayor de la Nueva Castilla (nombre oficial del Perú), y es mucha coincidencia que lleve el mismo apellido que la madre de Cieza. No parece arriesgado suponer que en el tiempo que media entre la batalla de Sacsahuana o Jaquijahuana (abril de 1548) y la llegada de Gasca a Lima (septiembre del mismo año), Cieza, que se ha trasladado a Lima, tomara contacto con el que suponemos pariente suyo, le mostrara las notas que había ido tomando y quizá los folios que redactara en los tranquilos tiempos de Arma, y surgiera entre ambos el proyecto de que Cieza se convirtiera en el *cronista* de los últimos sucesos. Si esto es cierto, todo se explica mejor y tiene sentido que el proyecto fuera aceptado por el Presidente, que lo nombra *Cronista oficial de Indias* (30), con el encargo de redactar también la parte de lo últimamente acaecido, así como lo sucedido anteriormente.

Con el debido respeto a la memoria científica del gran maestro Jiménez de la Espada, creo que hay que rectificar alguna de las palabras —y los conceptos que ellas encierran— del párrafo copiado. A Gasca no le importa que sean *históricos* los trabajos del «oscuro soldado», sino que sean relatos de hechos

(29) Prólogo a *La Guerra de Quito*, pág. CII.

(30) Aunque Cieza, en la edición de la *Segunda Parte*, se da a sí mismo este título, la comprobación de su legitimidad se halla en una certificación de Antonio de Herrera, Cronista Mayor de Indias, dada en Valladolid a 7 de julio de 1603, en que dice textualmente: «En un libro escrito de mano que salió de la Cámara Real..., el cual escribió Pedro de Cieza, cronista de aquellas partes, por orden del presidente Gasca, y viene aprobado por la Real Chancillería de la ciudad de Los Reyes...».

sucedidos contemporáneamente, porque este era, según la terminología imperante en la Castilla del siglo XV, el cometido de un *cronista,* al que no se diputaba historiador. Recuérdese que desde el siglo XIII hay la distinción, por obra de Alfonso X, *el Sabio,* entre la *General Storia* y la *Crónica General;* la primera es reconstrucción del pasado histórico; la segunda, el relato de lo que va sucediendo. Por eso, además del nombramiento, Gasca le proporciona las notas que ha ido tomando sobre los últimos sucesos de la pacificación del reino.

No podemos dudar de que el Presidente, para depositar este tipo de confianza, tuvo que cerciorarse por sí mismo de la calidad de los escritos del «oscuro soldado», y hallaría en ellos que no sólo «contaba» sucesos, sino que describía tierras y hombres, costumbres y productos, animales y plantas, por lo que sería necesario que hiciese lo mismo en el Perú. A tal fin se organiza un viaje de Cieza por las partes de la tierra que ni el mismo Gasca conocía, al cual fin el Presidente proporciona cartas para los corregidores y justicias de los lugares que ha de visitar (Cuzco, Potosí, La Plata, etc.) desde la costa hasta el Collao (el antiguo *Collasuyu* de los incas), para que le faciliten la consulta de papeles oficiales y le busquen los medios para que tenga plena información (31).

Así, el «oscuro soldado» se convierte en *cronista* y en primer investigador oficial de las *cosas* (32) del país que visitaba. Cieza atraviesa desde 1549 hasta septiembre de 1550, que lo hallamos ya en Lima, los lugares más importantes del Perú, preguntando, inquiriendo, ordenando y probablemente redactando sobre la marcha. En Lima, según sus propias palabras, como veremos, da la obra primera por terminada. En ese 1550, después de quince años (y no diez y siete como él afirma, equivocándose, como vimos) de estancia en las Indias, regresa definitivamente a España.

Pero antes de volver a la patria, Cieza ya tenía pensado lo que en ella haría: editar su libro y... casarse, para lo cual, en Lima, el 19 de agosto de ese mismo año de 1550, acuerda con el mercader Juan López, hijo de Juan de Llerena —otra vez la patria chica de Cieza— y María de Abréu, el casamiento con la hermana de aquél, Isabel López. Este acuerdo se formaliza ante el notario de la Ciudad de los Reyes, Simón de Alzate (33), indicando el monto de las aportaciones económicas de

(31) Ver caps. XCV y CIX de esta *Primera Parte.*

(32) Como entonces se decía, recuérdese que Fr. Bernardino de Sahagún tituló su obra *Historia de las Cosas de la Nueva España,* y Fr. Diego de Landa su trabajo sobre los mayas, *Relación de las Cosas del Yucatán.*

(33) Su original se conserva en la Colección Markness. Ver *Harkness Collection,* pág. 182.

cada uno: Cieza aportaría 2.000 coronas y la dote de Isabel sería de 4.000. Como vemos, Cieza no regresaba empobrecido. En 11 de septiembre Cieza otorgaba una carta de poder para poder casarse con Isabel en Sevilla (34).

Los años españoles: 1550-1554.—De estos últimos años muy poco se sabía hasta que Maticorena buceó en los archivos hispalenses, bien guiado por su instinto y el consejo de sus amigos y profesores sevillanos (35). Hemos, pues, de abandonar las informaciones y deducciones de D. Marcos, para seguir los datos del investigador peruano. Hasta entonces sólo se sabía que había visitado a Felipe, infante de España todavía (36), en Toledo, y que editaba su *Primera Parte de la Crónica del Perú,* en 1553. No se sabía en qué año había muerto, asegurando algún autor que en 1560, pobre y olvidado (37).

Repasemos, a grandes trazos, como hemos hecho hasta ahora, el quehacer de Cieza en España, especialmente en Sevilla, residiendo en la calle de Armas, sus aspectos económicos y familiares, reveladores, aunque no gratos, porque concluyen prontamente con el óbito del gran cronista. Ya dijimos que dos ideas traía a España —aparte de algunos bienes no despreciables— y las dos las cumpliría: casarse y editar su obra. Para lo primero venía con los poderes y acuerdos tomados en Lima con el hermano de su futura esposa —vinculada también a la nativa Llerena—; para lo segundo sabía que tenía que conseguir licencias, permisos, censuras, etc., pero venía provisto del nombramiento de *cronista* que le había dado Gasca en el Perú, documentación que depositaría seguramente en el Consejo de Indias, pues sin ello, muchos años después, no habría podido certificarlo el cronista oficial Antonio de Herrera.

Las gentes de su familia habían mantenido desde antiguo relaciones con las Indias, y por ello había conocido en el Perú al que sería luego su cuñado. Su futuro suegro, Juan de Llerena, tenía grandes y seguros negocios en Tierra Firme, pues en Nombre de Dios residía su corresponsal —¡otra vez un apellido familiar!—, Alonso de Cazalla. No hubo, pues, dificultad

(34) Original conservado en el Archivo de Lima. Ver *Revista del Archivo Histórico Nacional del Perú,* tomo VIII, págs. 132-133. Lima, 1935.

(35) A los que dirige palabras de agradecimiento en la primera nota de su magnífica investigación. Ver Maticorena, 1955.

(36) No «al Rey Felipe II», que aún no lo era, como dice Araníbar, 1967, pág. XVI de su edición del *Señorío de los Incas,* por otra parte excelente.

(37) Es Antonio Chacón el que da esta fecha, siguiéndole Nicolás Antonio, que dice que Cieza «Obisse eum Hispali Anno MDLX» (1788, t. 2.º, pág. 184). Por su autoridad le siguen todos los demás, hasta la moderna investigación de Maticorena.

para el matrimonio con Isabel López, celebrado en Sevilla. En 10 de agosto de 1551 Cieza hace una donación, en arras, de 2.000 coronas, de 350 maravedís cada una, a su esposa, que también participaba con una sustanciosa dote, pagada —en *pronto pago*— con 2.000 escudos y el resto en especies muy valiosas.

No hemos de suponer que los trámites notariales y matrimoniales absorbieran todo el tiempo del cronista, que debió repasar sus escritos, ponerlos en limpio —y ampliarlos, porque da noticia en ellos de sucesos acaecidos después de su regreso de las Indias—, para presentarlos a donde tenía pensado. A donde tenía pensado era nada menos que al Príncipe Felipe, pocos años después rey de España, como Felipe II. Con un certero instinto, de que si el que había sido regente de algunos reinos de su padre Carlos I, y ya tenía experiencia de gobierno y autoridad personal, quedaba complacido por la lectura de su *Crónica*, los trámites irían más ligeros. Y, en efecto, así fue. Visitando probablemente a comienzo de 1552 a Felipe en Toledo, obtenía las licencias para imprimir su libro en Sevilla (38) en 1553. Quien haya escrito libros sabe el placer paternal que experimenta el autor, al verlo en negro sobre blanco, en numerosos ejemplares que permitan que su lectura llegue a muchas personas. Este fue quizá el último goce que disfrutó en vida Pedro Cieza.

El año 1554 es fatal para la familia que ha constituido Cieza. En mayo fallece Isabel, y la delicada salud de Pedro (no tenemos noticia de cuál fuera su dolencia, y cabe pensar que fuera algo contraído en Indias) se agrava inmediatamente, ya que el 23 de junio hace testamento, tan débil que no puede redactar el borrador, y ha de ser su suegro el que vaya escribiendo las últimas voluntades, pues el cronista no podía ya mover las manos —que tantos y tantos folios habían emborronado—, aunque su cabeza estaba firme. Once días después, Pedro Cieza de León entregaba su alma a Dios. Según sus deseos fue enterrado en la Parroquia de San Vicente, al lado de su esposa.

Su testamento es un documento inapreciable, desde todos los puntos de vista. En él va retratado su espíritu cristiano, su fe en Dios, su honestidad económica, su pesar por los males que habían producido los españoles en las Indias, sobre todo con sus guerras entre ellos. Pero también, desde nuestro punto de vista, es un documento insustituible para conocer muchos detalles de sus relaciones personales, de la naturaleza y volumen de su obra, del destino que pensaba darle, si viviera, o que encomendaba a sus albaceas que le dieran. Viene, en fin,

(38) Al tratar de la obra daremos noticia de la edición.

retratado su amor por la patria chica, por Llerena. Entre las muchas mandas y donaciones que hace para instituciones religiosas e iglesias, destacan especialmente las destinadas a Santa Catalina de Llerena, y a todos los hospitales de la villa, así como 200 ducados para las obras del Monasterio de Nuestro Señor de los Remedios de la misma. Minuciosamente ordena la devolución de dineros que se le habían confiado, o que debía a gentes de Indias. Penetrado del profundo sentido cristiano de la restitución, ordena mandas para que se reparen los males que, ignorando a quién, haya producido en Indias. Es emocionante destacar dos especiales recuerdos: a su capitán Robledo (informándonos de paso que salió económicamente garante por él) y reparación a los indios. Vale la pena copiar lo que a ellos se refiere:

Yten digo que porque soy en cargo y soy obligado a restitución de trezientos ducados que me dieron ciertos indios, que tuve encomendados para que los endustriase, lo qual yo no hize y porque son muertos y no se podría en ninguna manera hazer restitución a ellos, que por descargo de mi conciencia, y por que ellos no eran cristianos ni lo son, y viven mal, mando que estos trezientos ducados se den en limosna a tres hermanas que yo tengo, muy pobres...

Más adelante añade, pidiendo se haga composición con la Cruzada:

... por razón de yo haber andado en el descubrimiento de algunas partes de las Yndias, y haberme hallado con la gente de guerra en muchos trances que contra yndios ha habido, así en descubrimiento como en guerras personales (39), *y en daños que con gente de guerra me he hallado, que se han hecho contra los dichos yndios y sus pueblos y haciendas, así ofendiendo como defendiendo, de los cuales daños no tengo ni puedo tener cierta razón, ni memoria para restituirlo, y por esto para seguridad de mi conciencia y quitar cualquier escrúpulo que dello podría tener, les ruego y encargo a los dichos mis albaceas que si yo no hiciese la dicha composición, que ellos la hagan por mí.*

Observa Maticorena que en estos párrafos asoma un espíritu lascasiano, producto de la difusión de las doctrinas del dominico, pero que no son única muestra de tal espíritu —como el lector podrá comprobar en varios párrafos de esta *Primera parte de la Crónica del Perú*—, ya que en muchos

(39) Guerras civiles entre españoles.

capítulos asoma este sentimiento cristiano de dolor por los daños de la Conquista, daños sufridos por los indios. Pero no se trata sólo de una deducción, sino que puede haber una certeza de la admiración que tiene por Fr. Bartolomé, cuando encomienda a sus albaceas que si sus libros inéditos no se publicasen, que los enviaran al obispo de Chiapas. Flota en este mandato su admiración y confianza en la persona y criterio de Fr. Bartolomé.

La obra, en conjunto

Como ya se ha dicho, al comienzo de este estudio preliminar, la obra de Cieza de León ha estado desconocida en su conjunto durante mucho tiempo, hasta el punto de que lo único que le dio fama con las repetidas ediciones de la misma fue precisamente esta *Primera Parte,* sospechando muchos estudiosos que el plan que él esboza y dice que va haciendo, o ha terminado, nunca lo acabó. Incluso Prescott, como veremos, creyó que la *Segunda Parte,* o *Señorío de los Incas,* no era de él (pues ni lo sospechó), por la confusión que existe entre los anglosajones (y también franceses y alemanes) entre el *por* y el *para,* según estudiaremos más adelante.

Por esta razón, aunque dediquemos una especial atención a la *Primera Parte,* que en la presente edición estudiamos y editamos, es conveniente que veamos cómo fue la obra en conjunto del cronista, para juzgar de su ciclópeo intento, que llevó a cabo con singular diligencia y enorme esfuerzo, casi inconcebible, con una tenacidad y sacrificio —en muy poco tiempo— que a las generaciones actuales deja estupefactas. Trataremos, pues, en este apartado, de la obra total, para que el lector juzgue de lo importante de la empresa literaria y cronística de Cieza, aunque a nuestro intento sólo interese, en esta edición, la *Primera Parte,* y en el plan editorial de esta colección sólo la *Segunda,* vulgarmente conocida como *Señorío de los Incas,* dejando fuera de nuestro proyecto las partes restantes.

Planeó su obra Cieza con un extraordinario rigor lógico. No nos cabe duda que cuando recibe del Presidente Gasca la orden o encargo, ya tenía mucho escrito, quizá como un a modo de memorias o notas tomadas de sus largos años desde Cartagena (por donde entró, según él mismo nos dice varias veces en esta *Primera Parte),* que constituirán algo así como el prólogo de su gran obra. Quizá —diríamos seguramente— Gasca le encomendó algo así como una *crónica* (al estilo del tiempo) de lo que había sucedido desde la sublevación de Gonzalo Pizarro, que sería un memorial de los hechos del Presidente, pero redactado por otra persona, lo que permitiría a ésta el prodigar elogios, que el propio protagonista no hubiera considerado discreto decir de sí mismo, si lo hubiera redactado.

Pero Cieza, cuando recibe la comisión —y es ésta una idea que siempre he tenido y expuesto (40)— se resiste a comenzar una cosa nueva, dejando sus notas y folios ya escritos, como algo independiente, intuyendo con clarividencia que todo estaba íntimamente enlazado, y que el éxito transitorio de Gonzalo sobre Blasco Núñez Vela está vinculado a la contienda anterior, y ésta con el sangriento enfrentamiento de pizarristas y almagristas, desde su primer capítulo en la Batalla de las Salinas, a las puertas de Cuzco... Pero que este enfrentamiento nace de las querellas limítrofes por la disputa de Cuzco, entre los dos grandes capitanes (Pizarro y Almagro), lo cual sucede porque se ha descubierto el Perú y lo ha conquistado. ¿Es el Perú una tierra como las anteriores, del Caribe y Tierra Firme, habitada por indios casi miserables, que ni edificaban ni formaban organizaciones como la de los aztecas, o por el contrario, sí era como éstos? Cieza comprendió que había que decir cómo era la tierra y cómo eran sus pobladores, y las grandes cosas que habían hecho. Y así, en madura pero rápida reflexión, vio que lo que había escrito hasta su entrada al Perú, con la hueste de Belalcázar, en ayuda de Gasca, podría ser la primera parte de la que titularía *Crónica del Perú,* pues prácticamente ya tenía escrita la que luego llevaría por título *Guerra de Quito,* a la que habría que añadir algunas noticias, que iba recogiendo sobre la marcha, desde su llegada a Lima, después de Jaquijahuana. Es por esta razón por la que, en el proemio de esta *Primera Parte,* ya puede anunciar la estructura de toda la obra.

Elaboración y estructura.—Después de las reflexiones hechas de cómo llegó a planear toda la obra, veamos, por lo que él mismo nos dice en su obra, cómo fue concebida y elaborada. Ya en el comienzo esboza lo que va a ser, quizá, como venimos diciendo, porque ya en parte lo tenía escrito.

Digamos, por adelantado, que toda la obra iba a ser titulada *Crónica del Perú,* por lo cual a la que ahora editamos la llamó *Primera Parte,* y si en el curso de nuestra colección seguimos con toda la obra de Cieza (41), el título que será con-

(40) En mis cursos de *Historia del Americanismo,* para el doctorado en Historia de América, de la Universidad Complutense de Madrid.

(41) De momento sólo están previstas las ediciones de esta *Primera Parte* y del *Señorío de los Incas.*

servado será el de *Crónica*. El plan, que los sucesivos descubrimientos de manuscritos han comprobado que se realizó, era el siguiente:

I. *Primera parte de la Crónica del Perú*. A modo de introducción, puesto que arranca desde las tierras colombianas y los sucesos de ellas, hasta enlazar con Belalcázar y la hueste que el Gobernador de Popayán conduce para auxiliar al Presidente Gasca.

II. *Segunda parte. Del señorío de los yngas Yupanquis*. Cuyo título es más amplio, como veremos, y que es la lógica introducción histórica, como se indicaba anteriormente, que explique qué fue lo que se conquistó.

III. *Tercera Parte. Del descubrimiento y conquista deste reino del Perú*.

IV. *Las guerras civiles del Perú*. Que en su testamento llama «personales», dividida en cinco libros. Arrancando de las discordias entre conquistadores (almagristas y pizarristas), sin que ello signifique rebeldía contra la Corona, pero que son la semilla del espiritu levantisco y combatiente de las gentes del Perú. Estos cinco libros, de desigual fortuna en su conocimiento por parte de los historiadores, hasta el punto de que aún no han sido publicados todos, son los siguientes:

LIBRO I. *La Guerra de las Salinas*. Entre almagristas y pizarristas, por la disputa sobre la ciudad del Cuzco, finalizada en la batalla de este nombre, ganada por Hernando Pizarro, y subsecuente muerte de Almagro, ejecutado.

LIBRO II. *La Guerra de Chupas*. Historia de la rebelión de Almagro *el Mozo* y su fin en la batalla de este nombre, por obra del Gobernador Vaca de Castro, que en realidad era el fin de la rivalidad entre pizarristas y almagristas.

LIBRO III. *La Guerra de Quito*, es la narración del transitorio éxito de los sublevados, y la desgracia de Blasco Núñez Vela.

LIBRO IV. *La Guerra de Huarina*, realmente de la campaña de este nombre, que precede —por obra del Presidente Gasca— al final de las *guerras civiles*, comprendidas en esta Cuarta Parte.

LIBRO V. *La Guerra de Jaquijahuana*, con el aplastamiento de la rebelión (42).

(42) Sobre sus últimos libros, ver Loredo, 1941, pág. 223, y las ediciones que este erudito ha hecho de fragmentos de Cieza.

Pero el afán de Cieza, que, como veremos, tenía ya en el telar, y casi concluidas las partes integrantes de su obra, no descansaba en tomar notas, en seguir informándose, hasta el momento mismo de salir del Perú, y quizá después, ya en España, y por eso añade aún dos *Comentarios,* de los que Jiménez de la Espada (43) dice no haber sabido nada, pero cuyo contenido se conoce hoy. El primero sobre los hechos *que pasaron en el reino del Perú después de fundada la Audiencia hasta que el Presidente* —se refiere a Gasca— *salió de allí,* y el segundo a los acontecimientos subsiguientes, estando ya Gasca en Panamá, hasta la llegada del Virrey Antonio de Mendoza en el año 1551. Es evidente que estos últimos hubo de redactarlos ya en España, puesto que como vimos por sus datos biográficos, había regresado en 1550.

Hoy sabemos que las dudas de Prescott sobre la realización del plan de la obra, suponiendo que el autor de la *Crónica del Perú* (44) *había muerto sin realizar parte alguna del magnífico plan que con tanta confianza se trazara,* no eran acertadas, pues no sólo Cieza en la *Primera Parte,* que ahora editamos, afirma en muchos lugares (45) que sí ha podido llevarlo a cabo —es decir, escribir la totalidad de la obra— sino que, paulatinamente, han ido apareciendo las diversas partes, editándose por separado.

Si pensamos que Cieza no llega a cumplir los cuarenta años, y que a lo sumo llegó a tener (según pensamos que nació en 1518 o en 1520) treinta y seis, asombra su capacidad de trabajo y su rapidez en redactar. Hubo de robar horas al sueño y al descanso, lo que no es una suposición, pues en la dedicatoria de esta *Primera Parte,* afirma que *... muchas veces, cuando los otros soldados descansaban, cansaba yo escribiendo,* lo que nos lleva a los comienzos de su estancia en Indias, y no sólo a los más sosegados tiempos —pese al trajín de los viajes al Alto Perú— posteriores al triunfo de Gasca, porque habla de *soldados,* lo que él ya no es —o no se siente como tal— en la época final de su estancia en América.

Tenemos pues, ya, dos aspectos importantes de la obra y manera de escribir de Cieza: el plan y la tenacidad constante en redactar, tomar notas. Veamos otro aspecto muy importante: su estilo. Muchos fueron los «escritores de Indias» que, como Cieza, no dejaron pasar la ocasión de informarse, y de

(43) Prólogo a *La Guerra de Quito,* págs. XXI-XXII.

(44) Pues ignoró que el autor fuera Cieza, como ya dijimos, atribuyéndolo a Luis Sarmiento, destinatario, como Presidente del Consejo de Indias, de la copia que Prescott conoció.

(45) En los caps. IV, IX, XXXVII, XXXIX, XLI, XLII, XLIX, LV, LVI, LXXXIX y C. Concretamente en el L afirma que ya tiene escrita la Tercera Parte, o sea *Descubrimiento y Conquista.*

poner lo que sabían en el papel, y lo hicieron de muchos modos, en prosa y en verso, pero la mayoría de las veces sin cuidado estilístico alguno, fabricando empachosos textos, en que la novedad de lo que cuentan hace legibles, pero no la galanura del estilo. Quizá esto explique el éxito de Garcilaso, culto y elegante en su estilo, no rebuscado, pero con esa difícil facilidad de los buenos escritores.

Cieza, medio siglo antes que Cervantes, usa ya un castellano castizo, claro, rotundo, suelto, que no exige una segunda lectura en ningún momento, para ser entendido. A la vez que narrativo, expositivo, va intercalando comentarios y reflexiones, y no pesa nunca su amplitud minuciosa y prolija. Este estilo es hijo de su método y racional ordenación de la materia, ya que al tiempo que narra sucesos, explica el entorno geográfico y cuenta cómo son las gentes, sus costumbres, sus vicios y virtudes, su economía. Planificación y redacción se entremezclan.

Difusión y conocimiento de la obra de Cieza.—Ya hemos insistido suficientemente en que la obra de Cieza quedó desconocida por mucho tiempo, tanto que en su edición de 1853 Enrique de Vedia da por perdida la mayor parte de ella, diciendo:

...Por desgracia para las letras sólo gozamos la parte primera que es la impresa, habiéndose extraviado y perdido cuanto en su continuación escribió Cieza, que no sabemos si llegó a concluir su trabajo... (46).

Pero también sabemos que gran parte de la obra se ha salvado, aunque su conocimiento haya sido tardío, salvo el Libro de la *Guerra de Huarina* y el de *Jaquijahuana,* aunque las noticias que hoy tenemos permitan abrigar la esperanza de que acabará pronto la incógnita que aún ensombrece el conocimiento total del trabajo de Cieza.

Dejando para un parágrafo exclusivo todo lo relativo a la difusión de la *Primera Parte de la Crónica del Perú,* que ahora se edita, veamos el destino de los manuscritos (verdadero calvario) y la cronología de la reaparición de los mismos y su progresiva edición. Es gracias a Miguel Maticorena y a quienes le ayudaron en su búsqueda en los archivos hispalenses, que podemos saber el camino que tomaron los originales de Cieza a partir del momento en que muere, «las peripecias de los manuscritos», como Maticorena denomina al periplo de lo que dejara el cronista, partiendo precisamente de la última voluntad de éste (47).

(46) Vedia, 1853, pág. X.
(47) Maticorena, 1955, pág. 630, 16 de la tirada aparte.

Cieza manda que *...por quanto yo escreuí un libro, digo tres libros, de las guerras civiles del Perú, todo escrito de mano, guarnecidos en pergamino,* que guarda en un escritorio, donde hay otras relaciones y papeles, que se saque por sus albaceas todo lo que hay en dicho escritorio y se dejen en él los tres libros indicados, se pongan dos candados pequeños, y se deposite el escritorio, con acta de escribano, en el monasterio de Las Cuevas de Sevilla, o en el que decidan sus albaceas, y que no se publique los manuscritos hasta quince años después de su muerte, porque su lectura, antes de este tiempo, podría causar daños a las personas de las que se habla en ellos. Si se cumplieron estos requisitos testamentarios no lo sabemos, pero sí que no debieron los albaceas ser muy cumplidores, porque las noticias que tenemos no hacen referencia a que estuvieran custodiados como el testamento mandaba, ni que se hubieran entregado al padre Bartolomé de las Casas, como en el mismo se ordenaba, ya que éste, que sí utilizó la *Primera Parte,* no hace alusión a manuscrito alguno, ni en su obra hay rastro de que conociera su contenido o existencia.

Fray Pedro Aguado, cuando estuvo en España entre 1575 y 1583 (48), que había utilizado la *Primera Parte,* que tanto concierne al Nuevo Reino de Granada, que estaba historiando, pudo ver los manuscritos de la *Cuarta Parte* (Guerras Civiles), pero ya en 1629 León Pinelo da por perdidos los originales. Ya años antes había comenzado el trasiego, pues parece claro que el Consejo de Indias sabía de la existencia de la obra y dónde estaba, porque por Real Cédula de 29 de noviembre de 1563 se ordena al inquisidor de Sevilla, Andrés Gascó, que la entregue (se habla de dos libros) al Consejo de Indias, así como papeles de Gonzalo Fernández de Oviedo. Parece que el Inquisidor hizo oídos sordos, porque en 1566 una nueva Real Cédula (49) ordenaba a sus herederos —pues él había muerto— que cumplan la orden so pena de una multa de diez mil maravedís. Quizá el inquisidor los había tenido en depósito, siendo su propietario Rodrigo Cieza, hermano del cronista y cura de Castilleja de la Cuesta (Sevilla), que debió hacer la entrega entre 1566 y 68, al Consejo de Indias. El Consejo los dio a su vez a Alonso de Santa Cruz, cosmógrafo del Consejo y no los devolvió, comenzando Rodrigo Cieza sus reclamaciones, alegando que fue despojado de los manuscritos. Sus gestiones tienen relativo éxito —al menos oficial— porque por Real Cédula de octubre de 1568 se ordena que —muerto

(48) Ver Aguado, 1916.
(49) Fechada el 24 de julio «... en el Bosque de Segovia», a pocos kilómetros de donde se está redactando este estudio.

Alonso de Santa Cruz— se devuelvan a Rodrigo Cieza los manuscritos, pues éste quiere imprimirlos. Nada se debió hacer, porque en años siguientes Rodrigo Cieza continúa insistiendo, y en los documentos que hay sobre el particular se afirma que los manuscritos están en poder de Juan López de Velasco, del Consejo de Indias, procedentes del *arca de Santa Cruz*, con lo que llegamos a febrero de 1568, en que el cura de Castilleja sigue reclamando, e incluso pide que el alguacil *ponga en la cárcel* a López de Velasco, hasta que haga la devolución. Que Cieza, hermano y heredero de Pedro, no consiguió su objetivo, parece probarlo el que el original de la *Segunda Parte* o *Señorío de los Incas*, conservado en El Escorial, lleva una anotación, en letra de la época, en que se dice que procede «De las relaciones del tiempo de la visita», refiriéndose sin duda a la larga *visita* o inspección realizada por Ovando al Consejo de Indias entre 1567 y 1570. Pero la prueba definitiva que nos persuade de que no salieron de este Consejo es la utilización sin límites que hace del escrito de Cieza —como veremos en el apartado siguiente— el cronista de Indias, nombrado en mayo de 1596, Antonio de Herrera y Tordesillas.

Y ya no hay más pistas sobre el destino de los manuscritos, aunque, como veremos en el siguiente parágrafo, Herrera se lucró de ellos. Admitido esto, provisionalmente, tenemos pues que el primer descubridor de lo que dejara en su encandado escritorio Cieza, es Herrera, a fines del siglo XVI. Habrían de pasar tres siglos para que se fueran, poco a poco, exhumando los textos del cronista. Fue Obadiah Rich, librero anticuario, el que dio noticia (50) de haber visto en Madrid la Segunda y Tercera partes del manuscrito, tomando por esta última a lo que realmente era el Libro Tercero o *Guerra de Quito*, de la *Cuarta Parte*. Este libro lo tuvo Ternaux Compans. Desde 1896 pertenece a la Biblioteca Pública de Nueva York. La *Segunda Parte* o *Señorío de los Incas*, empieza a revelarse a finales del siglo XIX, por una inconclusa edición de Manuel Toribio González de la Rosa, y por la edición de 1880 de Marcos Jiménez de la Espada. En el estudio preliminar de esta *Segunda Parte*, que aparecerá en esta misma colección, nos detendremos más en ella.

La *Tercera Parte* comenzó a conocerse también por obra de don Marcos, en 1897, completándose su conocimiento gracias a las dosis avaramente proporcionadas a la ciencia americanista, sin demasiada prisa, por el cuidadoso investigador peruano Rafael Loredo (51).

(50) Rich, Obadiah, 1845.
(51) Ver Loredo, 1946; Pacheco Vélez, 1955, y Rodríguez Crespo, 1956.

Ya vimos que respecto a los cinco libros de la *Cuarta Parte*, y los *Comentarios*, se duda mucho de que llegaran a ser terminados éstos y los de Huarina y Jaquijahuana. Entra en escena, para dar a conocer *La Guerra de Las Salinas* y *La Guerra de Chupas* otro erudito, al que debe mucho la ciencia histórica española, don Feliciano Ramírez de Arellano, Marqués de la Fuensanta del Valle, que en 1877, en la *Colección de Documentos inéditos para la Historia de España* (tomo LXVIII), publica el primero de ellos. En 1881, en la misma *Colección* (tomo LXXVI) se editaba el segundo. Sabido es que esta colección documental —que incluye, como vemos no solamente documentos, sino crónicas— fue dirigida también por don José Sancho Rayón.

Para conocer al editor del tercer libro —*La guerra de Quito*— volvemos al maestro Jiménez de la Espada (52), que comenzaba a publicar este libro en una edición extraordinaria por el magnífico *Prólogo*, en que hace el más profundo estudio y análisis que sobre el cronista se ha realizado, y que sigue siendo guía insustituible para saber de él. Lamentablemente la edición sólo aportaba los primeros 53 capítulos. Otro importante historiador tomaría el relevo, y subsanaría la falta de los restantes capítulos: Manuel Serrano y Sanz. Este erudito, autor de importantes investigaciones americanistas, edita en 1890 la totalidad de *La Guerra de Quito*, en el tomo XV de la *Nueva Biblioteca de Autores Españoles*, y dentro de ella el segundo de *Historiadores de Indias*.

No cabe duda de que si este lento aparecer de la obra completa de Cieza no hubiera ocurrido, es decir, si tras la publicación en 1553 de la *Primera Parte*, que hoy volvemos a editar, se hubiera continuado por sus herederos o albaceas la serie, la fama que hoy tiene Cieza de «Príncipe de los cronistas del Perú», se hubiera acuñado desde el siglo XVI, y probablemente hubiera servido de modelo a muchos otros, tanto que sin haberse editado, sus manuscritos fueron saqueados. Si hay que buscar una *culpa* —valga la acusación—, ésta corresponde a los escrúpulos del propio Cieza, que ordenó a sus albaceas que esperaran quince años para dar a luz los escritos que ya tenía concluidos. Nadie puede prever el futuro y aunque su hermano, el cura de Castilleja, insistió ante el

(52) Lo llamamos *maestro* porque lo fue en el Americanismo español, al que proporcionó un tono de severidad crítica perfectamente moderno. Pese a sus trabajos de carácter histórico, como las ediciones de Cieza, las *Cartas de Indias*, *Relaciones Geográficas de Indias*, *Tres relaciones de antigüedades peruanas*, etc., su profesión no era la de historiador, sino la de facultativo del Museo de Ciencias Naturales de Madrid, al que aportó importantes colecciones, traídas de su viaje a América, que atravesó desde el Pacífico al Atlántico.

Consejo de Indias —con afán de editar los manuscritos, como las Reales Cédulas atestiguan— comenzaría la peregrinación de que hemos hecho mérito.

Plagios y seguidores.—La incierta fortuna de los manuscritos, como hemos visto, desembocaría en la mayor empresa histórica americana del Consejo de Indias, cuando se encargó al Cronista del mismo, Antonio de Herrera y Tordesillas la redacción de la historia del Descubrimiento y conquista de las Indias, que él titularía cuando la redactó, *Historia de los hechos de los castellanos en Tierra Firme e Islas del Mar Océano.* Don Antonio Ballesteros, en su estudio preliminar a la edición de esta obra por la Real Academia de la Historia (53), muestra cómo Herrera hizo llegar a sus manos todos los libros editados, y gran parte inéditos, de que se sabe que entre ellos se contaban los papeles de Fr. Bartolomé de las Casas y muchos de la Real Cámara. Quizá entre éstos se contaron los de Cieza.

Como se sabe, por los documentos relacionados con las reclamaciones de Rodrigo Cieza, y las cédulas despachadas para que Santa Cruz y López de Velasco devolvieran los libros incautados por el Consejo de Indias, en los inventarios posteriores éstos no figuran. Pese a ello, lo cierto es que Antonio de Herrera los conoció, pues se lucra de un modo total de la obra de Cieza, sin citarlo, sin decir que lo que presenta como suyo, en relación con el Perú, no es otra cosa que obra ajena. Lo más que hace (y porque la *Primera Parte* estaba impresa) es decir *Este Pedro de Cieza es el que escribió la historia de las provincias de Quito y Popayán, con mucha puntualidad, aunque (contra lo que se debe esperar de los príncipes), tuvo la poca dicha que otros en el premio de sus trabajos.*

Herrera, pues, plagia inconsideradamente a Cieza. El primero en localizar este hecho es Jiménez de la Espada, en el estudio preliminar a *La Guerra de Quito* (54), cuyas palabras es mejor copiar que glosar. Dice así:

Ninguno de los historiadores de Indias, sin embargo, ha llegado donde Antonio de Herrera en esto de apropiarse los trabajos ajenos... el Cronista de Castilla y mayor de Indias, sobre haber incurrido en otras comisiones semejantes (55), *se atrevió a sepultar en sus* Décadas *una crónica entera y mo-*

(53) *Proemio,* 1934.
(54) Págs. IX y ss.
(55) Se refiere a otros plagios, que perpetró para la redacción de su *Historia...* Tuvo también problemas con el conde de Puñoenrostro, que se quejaba del trato que daba a la memoria de su abuelo, Pedrarias Dávila.

delo en su clase, y con ella el nombre de un soldado valiente y pundonoroso, los afanes y desvelos de un soldado honrado y de elevada inteligencia y una reputación de historiador más grande y bien ganada que la suya (56).

El plagio de Herrera, suponiendo que no hubiera intentado corregir algo, fue tan descarado y —podemos decirlo— tan indiscriminado que al repetir lo escrito por Cieza llega a reproducir palabras de él, en que se queja de los padecimientos y autoalaba su empresa, por el servicio del rey y el interés de todos, y del esfuerzo de su trabajo. Copiemos, como lo hace Jiménez de la Espada, algunos de estos pasajes, que Herrera reproduce y que no pudo —a poco que hubiera puesto atención— atribuirse a sí mismo en primera persona:

Y verdaderamente yo estoy tan cansado y fatigado del continuo trabajo y vigilias que he tomado, por dar fin a tan grande escritura, que más estaba para darme algún poco de contento y gastar mi tiempo en leer lo que otros han escrito, que no es proseguir cosa tan grande y tan prolija.

En otro lugar vuelve Cieza sobre ello:

Y hago a Dios por testigo de lo que en ello yo trabajo, y cierto, muchas veces determiné de dejar esta escritura, porque ya casi ha quitado todo el ser de mi persona trabajar tanto en ella, y ser por ella de algunos no poco murmurado...

Baste ya de Herrera y pasemos a los seguidores. Estos, naturalmente usan lo que era conocido, o sea la ya impresa *Primera Parte.* El padre Las Casas, ignorante sin duda del testamento de Cieza, y que nunca tuvo en sus manos los manuscritos que, de no ser publicados, le iban destinados, aprovecha en su *Apologética* las informaciones de Cieza, así como cosmógrafos posteriores, como Jerónimo de Girava, Santa Cruz y el geógrafo —que tanto se resistió a devolver papeles— López de Velasco.

Como hemos visto, a fines del siglo XVI comienza en España, en el Consejo de Indias, un afán historicista acerca de las Indias, y de lo que en ellas hicieron «los castellanos», cuyo mejor ejemplo es Antonio de Herrera. Es este un modo o moda que dura todo el siglo XVII, con el padre Bernabé Cobo, Antonio Solís y muchos más. Quizá a esto se deba, aparte de sus méritos literarios, el auge y fama de la obra del Inca

(56) No se refiere a la actual, sino a la ganada con la *Primera Parte,* naturalmente.

Garcilaso, creador de la aureola del Incanato. Asombra la memoria de este mestizo ilustre para presentar, con términos exactos de la lengua quechua, la brillante estructura del Tahuantinsuyu o imperio de «Las Cuatro Regiones»; pero no todo el mérito hay que achacárselo a esta memoria y su documentación, sino también a su búsqueda de informes sobre las cosas de su tierra, y Cieza fue una de las fuentes que utiliza, pero más honesto que Herrera, lo cita muchas veces en sus escritos.

No podemos consignar en la lista de sus seguidores a los que editaron sus obras —cuyo mérito ya ha sido hecho en parágrafos anteriores— sino a los que se aprovecharon de ellas como fuente. Entre ellos cuenta el primero, en el siglo XIX, el por tantos motivos benemérito y asombroso investigador (57) norteamericano Guillermo Prescott. Este conseguía sus fuentes —disponía de saneada fortuna— por medio de corresponsales, uno de ellos Obadiah Rich, que le proporcionó una copia del *Señorío de los Incas,* probablemente de la conservada en El Escorial (como veremos en la edición de esta obra de Cieza, en esta misma colección), que por la equivocación, ya indicada anteriormente, del *por* y el *para* atribuyó al Presidente del Consejo de Indias, Sarmiento, que fue el mismo que en 1563 había reclamado al inquisidor Gascó un libro de «Zieza». Era la copia *para* el Presidente. Prescott (1847) usó liberalmente de esta crónica, que como vimos luego editaría Jiménez de la Espada.

Información y documentación.—Si a Cieza se le titula «Príncipe de los cronistas» es precisamente por el caudal de información que brinda en cada una de las cuatro partes de su obra, y por la seguridad de veracidad que respiran sus escritos en cada página. Podemos dividir sus fuentes de información en tres tipos: a) *Personales,* de su propia observación y experiencia; b) *Encuestador* o inquiridor, y c) *Documentales.* Añadamos que sometió a revisión sus originales (no la obligada del permiso de impresión) ante personas que juzgó competentes. En este último extremo sabemos que en septiembre de 1550, en Lima, entregaba a Hernando de Santillán (que también escribió sobre la materia) y a Melchor Bravo de Saravia su manuscrito —que había terminado el 8 de ese mes— para que lo vieran. Lo mismo hizo con lo que tenía escrito de la Tercera y Cuarta Parte.

(57) Asombroso por su perspicacia histórica y por el hecho de haber realizado su obra mediante corresponsales y secretarios, pues estaba casi ciego, y no podía leer ni escribir, habiendo llegado a «redactar» en su memoria más de quince páginas, que luego dictaba sin interrupción.

Uno de los tipos de fuentes, quizá el más importante, es el que hemos calificado de *Personal*. Especialmente en la *Primera Parte,* que ahora ve nuevamente luz pública, siempre va por delante su testimonio, no solamente de sucesos —que interesan al historiador—, sino de paisajes (que interesan al geógrafo) y de productos de la tierra, en los reinos vegetal, animal y mineral. Y también cómo son los habitantes, sus costumbres, buenas o malas —a juicio del cronista, con mentalidad del siglo XVI—, como, por ejemplo, el canibalismo o el «pecado nefando», todo lo cual es inapreciable botín informativo para el antropólogo.

Viajeros hay muchos en el curso de la Historia, desde la monja Roswitha a Benjamín de Tudela, que han informado de lo que ven, o narran cosas que les «han contado», generalmente las más maravillosas. La curiosidad de los siglos XV y XVI es ávida de noticias exóticas, y por ello tuvieron tanto éxito las ediciones de las cartas de Pedro Martyr de Anghiera y su *Décadas de Orbe Novo,* así como las *Cartas de Relación* de Hernán Cortés, o el *Sumario,* de Gonzalo Fernández de Oviedo. Como lo había tenido el falsario autor que se enmascaró con el nombre de Sir John de Mandeville (Mandavila, en castellano) con sus fantásticos y apócrifos viajes por todo el mundo. Cieza —lo hemos dicho, y lo han dicho muchos autores fiables— es un hombre honesto, honrado, que escribe para que su Rey —lo repite mucho— sepa lo que sus vasallos han hecho en las Indias, y para que los españoles sepan igualmente, cómo son las tierras indianas, que si ricas, para hacerse con ellas hay que sufrir grandes penalidades. Como lo que narra Cieza, a él mismo le parece extraordinario —exótico decimos hoy (58)— no quiere solamente *contarlo* o describirlo, sino que, convencido de la confianza que le harían los lectores, en cada caso afirma que lo vio con sus ojos. Y esta frase es la que emplea él mismo, como veremos.

Las frases de Cieza, aseguradoras de que lo que narra o describe *lo vio,* son frecuentes. Un ejemplo que ha servido mucho a los arqueólogos modernos (59), es lo que dice de

(58) El descubrimiento de América desencadenó una curiosidad por todo lo exótico, es decir, lo que es extraño a lo «nuestro». Curiosidad que había sido alimentada durante el siglo XV por los libros de viajes y por fantasías, que en las Indias se transformaban en realidades visibles y tangibles. A este afán exoticista se debe la difusión de noticias dadas por las cartas de Pedro Martyr de Anghiera, y sin duda es la causa del éxito editorial que tuvo, como se verá en este estudio, la edición de la *Primera Parte,* en Sevilla, y las repetidas ediciones posteriores.

(59) En la antigua Cacha existen unas ruinas muy importantes, que consisten en un gran edificio de 92 metros de largo por 29 de ancho, diez patios con seis viviendas cada uno, doscientas *collcas* o

su curiosidad de ver el ídolo que había en Cacha (él dice Cachan), lugar que hoy se llama Racchi:

Yo pasando por aquella provincia, fui a ver este ídolo, porque los españoles publican y afirman que podría ser algún apóstol, y aún a muchos oí decir que tenía cuentas en las manos, lo cual es burla, si yo no tenía los ojos ciegos (60), *porque aunque mucho la miré, no pude ver tal ni más de que tenía puestas las manos encima de los cuadriles...* (61).

En otra ocasión, hablando de los indios payaneses, dice *y una cosa noté, porque infinitas veces lo vi con mis propios ojos...* o asegura *lo cual yo vi cuando íbamos a juntarnos* y *yo digo lo que vi;* o afirma de tal o cual cosa que lo vio *en todas las partes de las Indias que yo he andado.* En una palabra, Cieza es un testigo *de visu,* que cuando informa afirma que es experiencia o conocimiento personal.

Este «yoismo» no le abandona, o no lo olvida, en ningún caso, hasta cuando lo que asegura se le ha informado o narrado. Con lo que pasamos al segundo aspecto de su información, el que he llamado *encuestador.* Este se manifiesta especialmente en la *Segunda* y *Tercera Parte,* porque ni él vivió en los tiempos incáicos, a los que dedica su *Señorío de los Incas,* ni él tomó parte en las expediciones descubridoras y de conquista. Pero incluso en la *Primera Parte,* en que tiene que dar información de latitudes y situaciones, procura tener información segura, y bien claramente lo dice en el Capítulo V de esta *Primera Parte,* al hablar de distancias y latitudes, en que al tiempo que afirma *yo he estado,* dice que para mayor seguridad había consultado con pilotos y navegantes, que son —en la mentalidad pragmática de los conquistadores— los que saben de estas cosas. Del mismo modo —lo cual trataremos más ampliamente en la edición del *Señorío—* en 1550, en Cuzco, reúne a Cayu Tupac Yupanqui, descendiente de Huayna Capac, y a otros orejones y capitanes, para conocer del origen de los incas y de la organización del Imperio.

En cuanto al tercer aspecto, *documentación,* Cieza la obtiene de dos formas, la primera utilizando los papeles que

depósitos y otros interesantes restos, amén de una fuente de cinco caños. Desde Garcilaso se tuvo por lugar sagrado, llamando «templo» a la gran *kallanka.* Gracias a Cieza y sus noticias, se ha podido distinguir la existencia de un pequeño santuario, con una estatua, citada en el texto que se reproduce, y de un gran centro fabril o de distribución.

(60) El subrayado es nuestro.

(61) En la *Primera Parte,* o sea en este libro, cap. CCV, dice: *Yendo yo el año 1549 a los Charcas, a ver las provincias y ciudades que aquella tierra hay...*

le dio el Presidente Gasca (de cuyo orden en anotarlo todo lo que sucedía, se hace lenguas), y la segunda utilizando su calidad de *cronista* en las Indias nombrado por el mismo Gasca, y las recomendaciones para que se les abrieran los archivos oficiales. Los corregidores de Potosí, La Plata y Cuzco le facilitaron la consulta de los papeles, así como los notarios de estas poblaciones. No ocultó Cieza la liberalidad o interés de Gasca en facilitarle papeles, y en el Capítulo CCXXXIII de *La Guerra de Quito*, dice textualmente:

E sepan los que esto leyeren que el licenciado Gasca desde que salió de España hasta que volvió a ella, tuvo una orden maravillosa para que las cosas no fuesen olvidadas, y fue, que todo lo que sucedió de día lo escribía de noche en borradores quel tenía para este fin, y así, por sus días, meses y años contaba con mucha verdad todo lo que pasaba. E como yo supiese él tener tan buena cuenta y tan verdadera en los acaecimientos, procuré de haber sus borradores y dellos sacar un traslado, el cual tengo en mi poder, y por él iremos escribiendo hasta que se de la batalla de Xaquixahuana, desde donde daremos también noticia de la manera con que escribimos lo que más contamos en nuestros libros (62).

Aunque no podemos figurarnos dónde pudo leer, o cómo llegaron a su poder libros como la *Historia* de Fernández de Oviedo, lo cierto es que lo cita —llamándolo Hernández— en el Capítulo LII. Tuvo, pues, Cieza toda la escrupulosidad necesaria a un historiador, pero... con las dificultades en que hubo de desenvolverse en Indias. Suponemos que hubo de hacer retoques en España, pero también, como en toda su vida, con prisa, con apremio, con los pocos años de existencia que le quedaban, como él mismo debía suponer, por la enfermedad que le minaba y que le llevaría a la tumba.

Valor y significado de Cieza como cronista.—Aunque parezca una disquisición bizantina, no lo es la distinción entre *cronista* e *historiador*, aunque en ocasiones el que escribe sea a la vez las dos cosas. Recordando lo que era el cargo de cronista y lo sigue siendo (63) hasta el presente. *Cronista* es el que narra *lo que va sucediendo* (así aún hablamos de los «cronistas de sociedad», a quienes nadie llamaría historiadores),

(62) Jiménez de la Espada (Prólogo a *La Guerra de Quito*, página CIV): *Yo he visto entre los papeles que Gasca trajo del Perú, alguno de los documentos originales que Cieza afirma haber tenido en su poder.*

(63) Todavía en España subsisten en provincias y ciudades los cargos de cronistas, cuya tarea, según su reglamento, consiste en ir anotando los hechos sobresalientes del distrito —urbano o provincial— de su cometido.

y tal era el cargo que en Castilla existía desde la Edad Media, y cuando las Indias fueron descubiertas y ocupadas, acabó creándose, dentro del Consejo de Indias un cargo similar. Rómulo D. Carbia ha estudiado suficientemente el tema y a él nos remitimos (64), aunque este autor yerra al creer que Fernández de Oviedo fue el primer cronista oficial de Indias.

Siguiendo una tradición castellana consagrada, es por lo que Gasca designa a Cieza *cronista* en las Indias, con la finalidad —y por ello le da sus papeles, de que Cieza hizo *traslado,* como vimos— de que narre lo que ha sucedido en el Perú, desde que los castellanos entraron en aquella tierra. Cieza, en cierto modo, se extralimitó, introduciendo todo lo relativo al *Señorío de los Incas,* por el sentido lógico historiográfico de que ya hemos hecho mérito.

Sentados estos conceptos nos encontramos con que Pedro Cieza de León fue simultáneamente *cronista* (de aquello que había vivido y conocido personalmente), pero también *historiador* de lo que supo por informaciones, por consultas o por papeles que se le dieron. El se incorpora con Belalcázar a las huestes realistas cuando ya Pedro de la Gasca llevaba tiempo en la tierra peruana. Contaría de allí adelante lo que él vivió —cronísticamente— pero lo anterior *históricamente.* Y en los dos aspectos fue maestro.

Copiemos lo que la autoridad, todavía indiscutible, de Jiménez de la Espada escribe de esta faceta, la más importante, de la obra de nuestro escritor:

Ejercitó nuestro cronista, ciertamente, sus grandes cualidades de historiador en ésta (65) *como en la primera parte de su obra; aunque, a decir verdad, en ambas lucen en primer término el tino con que observa e investiga, la animación y propiedad con que describe y la facilidad con que su pluma discurre por donde se le antoja. Mas cuando aquéllos se mostraron con toda su virtud, fue al entrar ya de lleno en el asunto capital de su crónica: los ecos de los conquistadores, y especialmente sus guerras intestinas..., donde para juzgar y discernir lo criminoso de lo heroico, lo justo de lo malo, era preciso ser dueño de una prudencia consumada, una imparcialidad a toda prueba, una intención sanísima, un juicio perspicaz y reposador, y una cabeza y voluntad de hierro.*

Leída la magistral opinión de don Marcos, no cabe añadir mucho más. Pero si comparamos a Cieza, por ejemplo, con Miguel de Estete o con Zárate, que *cuentan,* a veces sin de-

(64) Carbia, 1940.
(65) *La Guerra de Quito.* Pág. XXIX del *Prólogo* a su edición.

masiada exactitud, lo que vieron, pero sin valorarlo, como periodistas poco experimentados, y farragosamente, sobresale el juicio de Cieza, que al tiempo que hace la exposición narrativa de sucesos, hace crítica de ellos, afirmando una fe muy castellana en el valor de las instituciones (audiencias, virreinatos, adelantamientos, leyes, etc.) para poner orden en la anarquía de las pasiones desatadas, por la codicia o por la emulación, creada por lo que él llama «guerras personales».

Valor y significado de la obra de Cieza como fuente.—No parece necesario insistir sobre el tema, porque ha quedado suficientemente claro en las líneas que llevamos escritas, pero no sobra que lo digamos. Jiménez de la Espada repite continuamente que de tal o cual suceso o noticia de las Indias, Cieza goza de primacía cronológica absoluta, y esto es totalmente cierto: él es el primero que escribe sobre los sucesos de la Nueva Granada y de los conflictos entre las jurisdicciones de los conquistadores, hasta la trágica muerte de Robledo, y también el primero que describe las gentes y las tierras, desde Cartagena de Indias y Cenú hasta Popayán. Todos los que escriben después se nutren de sus noticias. Así lo han estimado autoridades científicas modernas, como Hermann Trimborn (66).

Y si esto es ciertísimo, no nos cabe la menor duda sobre lo relativo a los Incas, ya que, aunque desconocida por siglos su obra sobre el *Señorío de los Incas*, es también la primera que trata de un modo sistemático y no superficial lo que fue la organización e historia del pueblo rey del Tahuantinsuyu. Lo mismo cabe decir de lo relativo a las Guerras Civiles entre los castellanos y la rebelión provocada por las *Leyes Nuevas* y el dramático final de los encomenderos y conquistadores sublevados, a las órdenes de Gonzalo Pizarro.

Como cronista es la fuente principal, y Pedro Pizarro, movido por rencores familiares, y los demás, sólo aportan precisiones sobre tal o cual cosa, sin desmentir lo fundamental trazado por Cieza.

Juicios sobre la obra de Cieza.—Podíamos emitir un juicio personal —que ya lo venimos emitiendo— sobre Cieza, verdadero «Príncipe de los cronistas», pero para proporcionar una visión de cómo han ido opinando las grandes autoridades peruanistas de la ciencia histórica repasemos los términos en los que ellas se fueron manifestando. Veamos estos juicios.

(66) Trimborn, 1949.

Jiménez de la Espada —comencemos por el primero que se dedicó a exhumar la obra de Cieza—, al corregir la suposición de que Cieza no había concluido su obra, afirma:

Su crónica está hecha, el magnífico plan (67) *realizado, y el reino que conquistó don Francisco Pizarro, cuenta con la historia mejor, más concienzuda y más completa que se ha escrito de las regiones sur-americanas* (68).

Espigando opiniones, vemos que Luis Baudin, en su *Imperio socialista de los Incas,* opina que la obra de Cieza es una especie de *Baedeker* (guía turística, con explicaciones científicas) del Perú de su tiempo; el británico Markham (69) lo califica del ... *más grande y muy ilustre entre los historiadores del Perú,* y del ... *más valioso de todos los escritores relativos al Perú.* Luis Alberto Sánchez, considera a Cieza *el más completo de todos [los cronistas], por la extensión y alcance de su obra y por su estupenda objetividad* (70).

Aranibar (71), el minucioso editor de *El Señorío de los Incas,* resume su juicio diciendo: *Es mérito del organizado espíritu de Cieza haber trazado a mediados del XVI un primer esquema de la historia peruana. Concibió una correcta y balanceada* (72) *crónica general, donde Oviedo o Las Casas hicieron amasijo; y casi elevó a historia lo que antes de él, en manos de Mena, Xerez, Estete o Sancho no pasó de relaciones y noticias. Y es lo más curioso, quizá, que resultara fecundo su programa a pesar de no haber publicado de sus escritos otra cosa ...que la* Primera Parte, *o crónica del Perú.*

Probablemente el juicio más autorizado, por la calidad del que lo hace, sea el del gran historiador peruano Raúl Porras Barrenechea, muchas veces invocado para afirmar la calidad y valía de la obra de Cieza. Copiemos lo que dice:

Admira como en una época tan convulsa como la de 1548 a 1550, en que estuvo Cieza en el Perú, haya podido escribir obra de tan sólida armazón, documentación tan segura y verídica, y de tanta madurez, sobre la historia e instituciones del Imperio (73). *No había antes de Cieza sino escasos y dispersos apuntes en los cronistas sobre la historia incaica... El avance realizado por Cieza de esos desordenados y escasos datos*

(67) Lo subrayado son las palabras de Prescott.
(68) Prólogo a *La Guerra de Quito,* págs. XX-XXI.
(69) 1883, pág. XXVI, y 1913, pág. IX.
(70) Sánchez, L. A., 1950, pág. 72.
(71) 1967, pág. XV.
(72) Equilibrada.
(73) Incaico, naturalmente.

a la obra orgánica y definitiva que es el Señorío de los Incas, *produce en el terreno histórico el mismo efecto de un brusco salto a la cadena de las especies biológicas. La historia del Incario nace adulta con Cieza.*

Cerremos esta lista de juicios, que podríamos aumentar mucho más, con el que sobre la persona del cronista hace Maticorena (64), editor de la documentación sobre la estancia de Cieza en Sevilla, como ya vimos:

Estos documentos encajan perfectamente en el contorno vital de Cieza, en una vida corta, oscura y diligente, fecunda y fatigosa, proyectada en una búsqueda interior llena de armonía y equilibrio, pero contenida por una resignación sencilla y melancólica.

La primera parte de La crónica del Perú

Llegamos ya al momento en que debemos hablar de la obra de Cieza que ahora se edita nuevamente, enriquecida por gran número de notas y observaciones, e introducida por este estudio preliminar, que si largo, creemos que ha cumplido el objetivo de situar a la *Primera Parte* en el conjunto de la importante obra de este único, primero y singular cronista-historiador. Analicemos ahora el valor de esta obra introductoria a la totalidad de un plan que sólo, como hemos ido considerando, se ha podido completar con el paso de los años y la incansable acción de beneméritos investigadores e historiógrafos.

Contenido y redacción de la Primera Parte.—El contenido, en grandes líneas, es el resultado de su trajinar desde 1535 hasta 1550, en viajes, exploraciones y batallas, desde Cartagena a Lima, pasando por Popayán, Quito, Lima, el Collao, Cuzco y nuevamente Lima. Soldado —extraña que lo fuera a los trece años que dice tenía al salir de España, y aún a los quince que otros le calculamos— con Alonso de Cáceres (extremeño como él), Jorge Robledo y Belalcázar, pasa al Perú, acudiendo con este último capitán a la llamada del *Pacificador*. Visitó Cenú, conociendo sus fabulosas tumbas, repletas de *tunjos* de oro, y estuvo presente en las fundaciones de Ancerma y Cartago. Esta es la base del contenido de este libro, la materia prima: sus viajes, sus peripecias y... sus observaciones.

(74) 1955, pág. 640.

Quien lea esta *Primera Parte* irá conociendo sus peripecias y no es cosa de hacer un resumen de ellas, aunque si se hiciera no se rompería el encanto inimitable de su estilo y la jugosidad de las noticias de primera mano que va proporcionando a cada paso. No es de este contenido del que queremos tratar en esta ocasión, sino analizar el contenido etnográfico, el descriptivo, la valoración de lo que luego se llamarían «antiguallas» y hoy Arqueología, y —finalmente— la referencia a lo prehispánico, en que Cieza tiene una primacía que nadie puede disputarle.

Copiemos, una vez más, un texto de Jiménez de la Espada, en que define el valor de esta *Primera Parte* como eslabón indispensable para el desarrollo del plan total:

Reputación [*la de Cieza*] *que comenzó con un libro por ventura sin par e inimitable, especie de itinerario geográfico, o más bien animada y exacta pintura de la tierra y el cielo, de las razas, costumbres, monumentos y trajes del dilatado imperio de los incas y países del Norte, comarcanos, y de las poblaciones recién fundadas por los españoles, fondo maravilloso del gran cuadro de la conquista...* (75).

Aunque ya hemos referido cuándo comenzó a escribir, conviene que recordemos que empezó en 1541, es decir, cuando llevaba seis en las Indias y apenas habría cumplido pocos más de veinte. Así lo afirma al final de esta *Primera Parte.* Leyendo su obra puede seguirse, por esa vertiente que ella tiene, sobre todo en este libro, de autobiografía o de memoria y relato de experiencias personales, el ritmo de su producción. En el capítulo XXVI dice *este año de 47,* aunque en el XXIV afirma escribir en 1548, *el año pasado de 1547,* que no es un pasado remoto, pues en castellano, aún hoy, el *año pasado* es el inmediatamente anterior. Pese a lo cual puede haber opiniones sobre esto, ya que en el capítulo LII dice *en este año de 1550,* y en el mismo vuelve a decir, *año pasado de 1546.* Quizá esto debe producirse porque, por una parte, tomaba notas o hacía una redacción provisional y luego corregía, aumentaba y reescribía, ya que de su acuciosidad en estar siempre con la pluma en la mano tenemos sobradas declaraciones propias.

Es impresión generalizada entre los críticos y editores de la obra de Cieza, especialmente referente a esta *Primera Parte,* que al salir de Lima, en 1550, ya estaba totalmente redactado y dispuesto para la imprenta el original de ella, pero no cabe la menor duda de que hubo de retocarlo en Sevilla, porque en los capítulos XCVI y CIX hace referencia a hechos del 1551.

(75) Prólogo a *La Guerra de Quito,* pág. X.

Lo descriptivo en Cieza.—Entendemos por tal todo lo relativo a la geografía, al paisaje y a la que generalmente se llama Historia Natural. Copiemos nuevamente a Jiménez de la Espada, por dos razones: por lo acertado de sus palabras y por lo inasequible que es la consulta de *La Guerra de Quito,* desaparecida en alguna biblioteca en cuyos catálogos consta. Dice así D. Marcos (76):

Pedro Cieza de León reconoció en persona el país, teatro de la historia que proyectaba, desde el puerto de Panamá a la costa de Arica, y desde las salvajes y boscosas montañas de Abibe a los desnudos y argentíferos cerros de los Charcas (12º lat. N.-20º lat. S.), demarcando como experto geógrafo la variedad de sus regiones y clima; situando las fundaciones españolas y los pueblos indianos; observando como naturalista las especies más útiles y curiosas, bravías o domésticas, de animales y plantas... (77), *gozándose en pintar a grandes rasgos la fisonomía de la tierra y el cielo, en la magnificencia de los nevados y volcanes, la grandeza y multitud de los ríos, la espesura y misterio de las gigantes selvas y la yerma soledad de las* xacllas *y* punas; *en el humbroso y risueño frescor de los valles marítimos, y en la aridez de los quemados arenales que con ellos alternan a lo largo de la extensa comarca de los yuncas* (78).

Fino espíritu observador, como dice el finlandés Karsten, Cieza, en su *especie de itinerario geográfico,* como lo calificara Jiménez de la Espada, fija los lugares, grados y leguas, costas, mareas y sus puertos (los bonancibles y los malos), los vientos y su aplicación a las navegaciones. Anota la calidad de los ríos, el clima, las estaciones, lluvias y sequías y la fertilidad y situación de las regiones.

Como recorre las tierras del norte de Suramérica cuando ya han transcurrido algunos años de la conquista (aunque se sigue en las exploraciones y dominaciones de territorios aún no conocidos), y ya se han establecido las encomiendas y repartimientos, en su calidad de naturalista va anotando cómo son los vegetales y los animales, pero haciendo la observación, para que el lector no se confunda, cuáles son las fieras y las alimañas (que no fueron importadas, naturalmente) y cuáles son los animales domésticos, tanto indianos como procedentes de España. En cuanto a los vegetales, describe los culti-

(76) Pág. XXVII.
(77) El párrafo intermedio marcado por los puntos suspensivos se refiere a los indios.
(78) Esta bella descripción de Jiménez de la Espada no es poesía ni retórica, sino expresión del conocimiento que él tenía, como se dijo (Ver nota 3), de la tierra americana.

vables y su explotación (antes y después de la Conquista), describiendo especies nuevas o desconocidas en España, con sus propiedades y anécdotas relacionadas con éstas, así como la preparación de ponzoñas. Habiendo visitado las regiones mineras del Collao, habla de los ríos auríferos, de la sal y de explotación, aguas termales, etc.

Le impresionó especialmente Potosí (que visita entre 1548 y 1549) que, apenas fundado en 1545, ya tiene una explotación increíblemente grande del *Cerro Rico,* habiéndose perforado infinitas galerías. Su exposición de la visión nocturna del Cerro Rico, con las *guayras* encendidas, que son *como los albahaqueros de mi tierra* —dice Cieza— y que a las distancias parecen *luciérnagas.* Su descripción, no sólo es real y vivísima, sino hasta poética (79).

Descripciones como esta que hemos visto de Potosí, las multiplica, alabando lo que ve como paradisíaco, sin dejar de ser exacto, como podemos ver en los capítulos LXVI y LXVII de esta *Primera Parte.* Pero no siempre es así de laudatorio, pues como va dejando constancia, a modo de un acta notarial, también habla del despoblamiento y abandono de caminos y edificios (apenas dieciocho años después de la conquista), por causa de la llegada de los castellanos, la emigración de los indios y las ruinas producidas por las *guerras personales.*

Lo etnográfico en la Crónica de Cieza.—Dejando para el estudio a realizar en la introducción a la *Segunda Parte (Señorío de los Incas),* en que veremos lo que Cieza significa para el conocimiento del Inkario, es evidente que Cieza supera a todos los otros cronistas en información etnográfica. Sólo quizá Gonzalo Fernández de Oviedo sea su mejor parangón, pero sólo —como en el caso del propio Cieza— de aquello que conoce por propia experiencia, que es lo relativo al Caribe y su zona circundante, hasta Panamá. Los indígenas le preocupan, habla de ellos continuamente, describe sus fiestas, etc., como veremos, pero en todo su escribir hay claramente dos aspectos interesantes, que no son contrapuestos: su afán descriptivo de cronista, que ha de informar de cómo son las gentes de los lugares por donde pasa, pero además un humanitario sentimiento de solidaridad de hombre con ellos, que no son culpables de su baja condición cultural, por ignorar el Evangelio, que no sólo se refleja en este libro, sino que culmina en los *items* de su postrer escrito, de su testamento.

Respecto a esto que venimos ponderando, bien dice Porras Barrenechea (80) que *el espíritu predominante de Cieza, no*

(79) Ballesteros Gaibrois, 1955.
(80) 1944, pág. 64.

obstante su españolismo o acaso por esto, que ser español es ser amigo y paladín de los débiles —díganlo Las Casas y Cieza—, es su sentimiento de simpatía y amistad para los indios.

Etnógrafo o antropólogo sin saberlo (porque tales ciencias no existían como tales en el siglo XVI), como tantos otros en su tiempo —recordemos en México a Fr. Bernardino de Sahagún— describe la vida y costumbres de los indígenas con minuciosidad, distinguiendo las diferentes razas y lenguas, anotando el sistema social y de organización familiar —que nos documenta sobre sociedades matriarcales—, cuya noticia se hubiera perdido sin esta *Primera Parte,* como muy bien ha puesto de manifiesto el Prof. Trimborn en su estudio sobre el valle del Cauca, en Colombia. Es tan justo apreciador de la materia etnológica que su modo de trabajar, sus descripciones y a veces sus generalizaciones bien fundamentadas, recuerda a las obras de Frazer o Malinowsky. Que en esta curiosidad hay también amor o compasión, lo han notado sus editores y estudiosos. Jiménez de la Espada escribe (81): *El amor al prójimo indiano y un generoso sentimiento de conmiseración por la triste suerte a que le había reducido la Conquista, brillan en multitud de lugares de la Crónica de Cieza,* y Prescott (82) lanza el siguiente elogio: *... y mientras que hace completa justicia al mérito y capacidad de las razas conquistadas, habla con indignación de las atrocidades de los españoles y de la tendencia desmoralizadora de la Conquista. No era fanático, puesto que su corazón estaba lleno de benevolencia para el desgraciado indígena; y en su lenguaje, si no se descubre la llama abrasadora del misionero, se encuentra un rayo generoso de filantropía, que envuelve tanto al conquistador como al conquistado, considerándolos hermanos.*

No creo sea necesario ponderar más, como ya lo hicimos por nuestra cuenta, que en la obra de Cieza alienta lo mejor de una notable actitud hermanadora hacia el indio, años antes de que la legislación y los teólogos sancionaran la consideración de su naturaleza humana. Por ello no atribuye sus aberraciones (canibalismo, pecado nefando, supersticiones) a una naturaleza corrompida del indio, sino a su ignorancia, cayendo incluso en la ingenua creencia de que sus ritos y prácticas religiosas obedecían a que *hablaban con el demonio,* o éste con sus *shamanes* y brujos o sacerdotes. Incluso lógica y razonablemente quiere descubrir en sus tradiciones, entre tanta broza mítica, la verdad que ellas contenían sobre sus orí-

(81) Prólogo a *La Guerra de Quito,* pág. XXXVI.
(82) *La Conquista del Perú,* adición al Libro I.

genes, queriendo encontrar para todas ellas explicaciones razonables, como hace en el capítulo XCV de esta *Primera Parte.*

Su capacidad de etnólogo intuitivo aparece en esta *Parte* en cada capítulo en el que trate de los indígenas, cuyas costumbres describe no como un naturalista, sino como propias de sociedades humanas, cuyas reglas no se explica, como en el caso de los bárbaros *pozos* —aliados, sin embargo, de Belalcázar—, cuyos prisioneros se someten, como una norma admitida, a la *masacre* que sobre ellos se hace, atontándolos con un golpe en la nuca —para lo cual bajan la cabeza no con resignación, sino como algo fatal— para descuartizarlos luego y convertirlos en manjar de la fiesta (83).

Copiemos del trabajo de Maticorena un juicio muy concreto sobre su actitud, que este autor considera lascasiana indudablemente, por contacto con la doctrina del dominico (84):

En sus crónicas muchas veces se muestra severo enjuiciando los abusos derivados del contacto entre indios y españoles. Mas insiste también en la necesidad de enmendarlos para bien de las repúblicas cristianas de Indias. Los párrafos citados coinciden en lo que tienen de afirmativo con la actitud apostólica de Las Casas. Pero distan mucho de la exageración desmesurada del famoso testamento del perulero Mancio Sierra de Legízamo. En ellos encontramos un testimonio más que de la prédica lascasiana trascendía e influía en el ánimo de soldados y encomenderos. La restitución en este caso será imperfecta, mientras no se concrete, pero es un ejemplo más del estado de conciencia creado por el indigenismo cristiano del siglo XVI, formulado especialmente por Las Casas, y propagado por la escuela dominicana. Recordemos, entre otras cosas, la vinculación de Cieza con el dominico y quechuista sevillano fray Domingo de Santo Tomás, cuya obra tiene tanta importancia en la Nueva Castilla.

Lo arqueológico y lo monumental.—Cieza procede de un mundo, el español, que vive el pleno Renacimiento, en que se valora lo antiguo, se sacan estatuas de las ruinas romanas y se copian los modelos clásicos. Las ruinas entonces no se destruían, sino que se limpiaban, para conseguir ejemplos de cómo se construía en el brillante tiempo greco-romano. Por ello, Cieza presta atención a las construcciones antiguas, a los monumentos que va encontrando en su peregrinar desde el norte de Suramérica hacia el Perú y el Collao. Su descripción en

(83) Cap. XCV de esta *Primera Parte.*
(84) Maticorena, 1955, págs. 629-30.

muchos casos —sin levantamiento de planos, como Squier, en el siglo XIX— se asemeja a la de los viajeros novecentistas o a la de los arqueólogos modernos. Indica cómo son, su estado ruinoso, asombrándose a veces de que en tan poco tiempo desde que fueron abandonados los edificios estén ya caducos, olvidada la función que desempeñaban antes de que la oleada española los convirtiera en obsoletos.

Si noticioso es en lo que va viendo del modo de construir de los indígenas neogranadinos y ecuatorianos —con detalle de la disposición de sus casas, techumbres, etc.—, su imaginación se excita más cuando, por el encargo de Gasca, hace su viaje al Collao, pasando por Cuzco y siguiendo la ruta meridional, que le permite visitar Cacha (con las agudas observaciones que hace sobre *los grandes edificios* que allí hay, así como *el bulto de la estatura de un hombre),* Ayaviri, varios centros importantes y Tiahuanaco, cuyo sistema constructivo distingue, porque tenía la vista crítica de que habla Karsten, del de los incas. Y cuando sólo halla ruinas, se informa por los indígenas de cómo eran antes las edificaciones y para qué uso estaban destinadas.

Los arqueólogos —como ya se ha dicho— hemos hallado en las noticias de Cieza informaciones que nos sitúan en el estado de las construcciones cuatrocientos años antes de que se inicien excavaciones y estudios en nuestro tiempo.

Lo prehispánico en la obra de Cieza.—Es evidente que lo que completó la fama de Pedro Cieza de León, después del éxito editorial (que estudiamos a continuación) de la *Primera Parte de la Crónica del Perú,* fue la publicación de la *Segunda* o *Señorío de los Incas,* en que por primera vez se hace una historia orgánica del Tahuantinsuyu, en época increíblemente temprana para haber tenido la conciencia y mente despierta suficientes para trazar una historia que nunca fue escrita, y que sólo se conservaba en la memoria de los *amautas,* orejones y *quipucamayocs.* Esta evidencia hizo pensar que sólo se le ocurrió hacer dicha historia cuando realizó su expedición al Collao, y estuvo especialmente en Cuzco, consultando a los viejos y a Cayu Tupac Yupanqui. Creerlo así es una equivocación.

Es una equivocación porque, como comprobará el lector de esta edición de la *Primera Parte,* ya en la mente de Cieza, desde que tomó contacto con la tierra peruana, bulle la idea de desentrañar de las leyendas y tradiciones que le cuentan lo que haya de verdad histórica y no mero mito. Le preocupa el origen de los Incas, y también de la raza americana en general, especialmente porque —como hemos dicho— tiene conciencia de la diversidad de pueblos, grados de cultura y, sobre todo, de lenguas.

Desde este punto de vista es evidente que Cieza es también el primer prehispanista-peruanista de la historiografía. El se da cuenta de que aquella sólida armazón imperial que los españoles —acompañados por la fortuna o por la providencia divina— han debelado, por ser humana tuvo que tener una historia después de su mítico origen, y que aquellas calzadas, edificios, templos y *huacas* respondían a una organización, a una estructura político-social y económica.

Por lo dicho, cuando se le facilita —con recomendaciones y cartas patentes para oficiales reales, notarios, corregidores y mandos coloniales— el viaje al Collao, ve llegada la ocasión única (y en verdad lo fue) para ponerse en contacto con gentes bien informadas, que le dieran noticia de lo que había sido el Tahuantinsuyu. A ello dedicaría su *Segunda Parte* o *Señorío de los Incas,* pero en su mente ya estaba decidida la organización del libro y por ello el plan está definido desde el comienzo, como en el planteamiento de un *puzzle,* en el que sólo había que ir encajando las piezas que completaran la imagen prevista.

Edición de la Primera Parte *y éxito editorial.*—Como sabemos, y hemos repetido en su biografía, Cieza tenía tal confianza en el valor de la obra que había concebido, que se atreve a solicitar audiencia con el Príncipe Felipe, quizá apoyado por su nombramiento de *cronista,* dado por Gasca, que entonces gozaba de una sólida fama, por su éxito en la pacificación del Perú. La audiencia fue concedida, quizá sin mucha urgencia, ya que sólo se efectúa en 1552, en Toledo, pero el Príncipe Felipe —luego Felipe II— debió quedar impresionado, ya que el Consejo de Indias, en el mismo año da la autorización para que sea impreso el libro. Gozoso con la noticia, Cieza se pone en contacto con el impresor Martín de Montes de Oca (en la impresión aparece Montesdoca), que terminaba su trabajo en 15 de marzo de 1553, lanzando a la venta un libro pulcro, con el gran escudo de España, rodeado por el imperial *Toisson d'Or,* heredado por Carlos V de su padre flamenco, Felipe «el Hermoso», y bajo él el ampuloso título e identificación del autor:

PARTE PRIMERA / De la chronica del Peru. Que tracta la demarca / ción de sus provincias: la descripción dellas. Las / fundaciones de las nuevas ciudades. Los ritos / costumbres de los indios. Y otras cosas extrañas / dignas de ser sabidas. Fecha por Pedro de Cieça / de Leon vezino de Seuilla. / 1553 / Con priuilegio real.

El éxito fue inmediato y Maticorena (85) informa que en 1554 Juan Espinosa, en Medina del Campo, vendió 130 ejemplares; Juan Sánchez de Andrada, en Toledo, 30, y en Córdoba, Diego Gutiérrez de los Ríos, 8. En Sevilla, Villalón, situado cerca de la Magdalena, encargó 15 ejemplares; Rodrigo de Valles, 8; el editor Montes de Oca, otros 8, y Juan Canalla (¿Cazalla?) tomó 100. Ejemplares de esta edición fueron mandados a Santo Domingo y Honduras. Debemos suponer que también al Perú. Cerca de 300 ejemplares —más los que desconocemos—, en aquella época de los «góticos», era uno de los mayores éxitos editoriales. Pero sigamos.

Sólo en el siglo XVI tuvo diez ediciones más, todas en Europa, aunque no exclusivamente en castellano, sino también en italiano (86). En 1554, tres en Amberes (de lo que aún pudo tener noticia Cieza); en 1555, una en Venecia y otra en Roma; en 1557, nuevamente en Venecia en 1560, dos en Venecia, y otra en la misma ciudad en el año 1560. En el siglo XVII, nada. Esta ausencia de ediciones en este siglo puede explicarse por la aparición en 1609 de la obra de Garcilaso, que explicaba a los ojos de los lectores lo que Cieza había anunciado y no publicado (por las razones que ya conocemos) y por el comienzo de ediciones de la obra de Herrera. En 1709 aparecía la primera traducción inglesa en Londres, pero como relato de viajes, aunque sólo con 94 capítulos de los 121 de la *Crónica*.

En el siglo XIX sólo dos ediciones: la de la *Biblioteca de Autores Españoles* de Vedia, en 1853, reproducción de la de Sevilla, y la traducción inglesa de Clemens R. Markham, de 1864. La de Vedia ha sido el texto que luego se ha reproducido en las ediciones de este siglo, iniciadas por Calpe en 1922, en el volumen XXIV de su colección de *Los grandes viajes clásicos*.

Desde hace más de veinte años —pese al éxito de las ediciones de Espasa-Calpe en sus diversas colecciones— no hay edición importante de esta *Primera Parte de la Crónica del Perú*, y las que se han hecho, pese al progreso del conocimiento de la historia primitiva del Perú, no tienen un aparato crítico abundante, que esclarezca palabras indígenas, lugares y puntos de interés.

CRITERIO EDITORIAL

Por la razón expresada en las últimas líneas precedentes, esta Colección que ahora se inicia ha creído necesario realizar

(85) 1955, pág. 628.
(86) La ficha completa puede verse en el Apéndice bibliográfico de las ediciones de las obras de Cieza que aparecerá en la edición de *El Señorío de los Incas*.

una edición cuidada del texto de Cieza, conservando los términos geográficos, topónimos, las palabras indígenas, etc., tal como Cieza las escribió, aclarando en nota aquello que pueda ilustrar al lector.

No nos hemos propuesto, sin embargo, hacer lo que se llama científicamente una «edición crítica», en que se comparen los datos proporcionados por Cieza con los de otras fuentes, pues nuestro intento es brindar la obra, con las mayores aclaraciones posibles, a un público lector culto, que pueda comprender, sin pesada erudición de autores y criterios que no tiene por qué conocer, la valía e información de lo que compusiera, en su ajetreado y lúcido escribir, el gran Príncipe de los cronistas del Perú.

Acompañamos una bibliografía que no es exhaustiva de todo lo que se ha escrito (en libros o artículos eruditos) sobre la obra de Cieza, sino de las obras que se han ido citando en esta introducción y de las notas al texto de Cieza. Para no alargarlas con la repetición de los títulos de cada libro, en las notas se indica solamente el autor, la fecha de impresión y la página en que se encuentra la cita.

* * *

Con ilusión, no con vanidad de trabajo, esperamos con esta edición haber contribuido a afirmar una vez más la fama y gloria de un hombre del siglo XVI, que en medio de mil dificultades compuso una obra única y magnífica.

Manuel Ballesteros Gaibrois

Navas de Riofrío (Segovia)
Verano de 1984

BIBLIOGRAFIA

ACOSTA, Miguel.
Ver FERNÁNDEZ DE PIEDRAHÍTA, Lucas.
AGUADO, Fr. Pedro.
1916 *Historia de Santa Marta y Nuevo Reino de Granada.* Prólogo y notas de Jerónimo Bécker. Madrid.
ANTONIO, Nicolás.
1788 *Bibliotheca Hispana Nova.* Madrid.
ARANA DE VALFLORA, Fermín.
1691 *Hijos de Sevilla ilustres en Santidad, Letras, Armas, Armas o Dignidad.* Sevilla.
ARANÍBAR, Carlos.
Ver CIEZA DE LEÓN, Pedro, 1967.
BALLESTEROS BERETTA, Antonio.
1934 *Proemio.* (Estudio preliminar a la Historia de Herrera y Tordesillas. T. I. págs. IX-LXXXVIII.) Madrid.
BALLESTEROS GAIBROIS, Manuel.
1935 «Un manuscrito colonial desconocido. Su interés etnográfico». Journal de la Société des Americanistes. París.
1940-41 *Escritores de Indias.* Colección Ebro. Zaragoza.
1955 *Descubrimiento y fundación de Potosí.* Institución Fernando el Católico. Zaragoza.
1964 *Descubrimiento y Conquista del Perú.* Salvat Eds. Barcelona.
BÉCKER, Jerónimo.
Ver AGUADO, Fr. Pedro.
BERMÚDEZ PLATA, Cristóbal.
1942 *Catálogo de Pasajeros a Indias.* Sevilla.
CARBIA, Rómulo D.
1940 *La crónica oficial de las Indias Occidentales. Estudio histórico y crítico acerca de la historiografía mayor de His-*

panoamérica en los siglos XVI a XVIII, con una introducción sobre la Crónica oficial de Castilla. Buenos Aires.

CARO, Miguel A.
Ver FERNÁNDEZ DE PIEDRAHÍTA, Lucas.

COROMINAS, Joan.
1961 *Breve diccionario etimológico de la Lengua Castellana.* Ed. Gredos. Madrid.

COYNE, Andrée.
1957 «Un español en las Indias: Cieza de León». *Revista del Museo Nacional,* tomo XXVI, págs. 11-40. Lima.

CUSIHUAMAN, Antonio.
1976 *Diccionario quéchua: Cuzco-Collao.* Ministerio de Educación. Lima.

DÍAZ DE VALDERRAMA, Fernando.
Ver ARANA DE VALFLORA, Fermín.

ESTEVE BARBA, Francisco.
1964 *Historiografía Indiana.* Ed. Gredos. Madrid.

FERNÁNDEZ DE OVIEDO, Gonzalo.
1950 *Sumario de la Natural Historia de las Indias.* Edición y notas de José Miranda. Fondo de Cultura Económica. México.

FERNÁNDEZ DE PIEDRAHÍTA, Lucas.
1688 *Historia general de las conquistas del Nuevo Reino de Granada.* Juan Bautista Verdussen. Amberes.
1881 (Mismo título) con un discurso de Miguel A. Caro y noticia biográfica de Miguel Acosta. Bogotá.
1942 *Historia General del Nuevo Reino de Granada.* Biblioteca popular de Cultura Colombiana. Bogotá.

FRIEDERICI, Georg.
1946 *Amerikanistisches Wörterbuch.* Univ. de Hamburgo. Cram, de Gruyter & Co. Hamburg.

HERNÁNDEZ DE ALBA, Guillermo.
1951 «Elogio del cronista del Nuevo Reino de Granada y del Perú, Pedro Cieza de León». *Boletín de la Real Academia de la Historia.* T. CXXVIII, págs. 379-88. Madrid.

HERNÁNDEZ AQUINO, Luis.
1969 *Diccionario de voces indígenas de Puerto Rico.* Editorial Vasco-americana, S. A. Bilbao.

HERRERA Y TORDESILLAS, Antonio de.
1934 *Historia General de los hechos de los castellanos en Tierra Firme e islas del Mar Océano.* Edición de la Real Academia de la Historia, iniciada por D. Antonio Ballesteros Beretta. 17 vols. Madrid.

HORKHEIMER, H.
1947 «Breve bibliografía sobre el Perú prehispánico». *Fénix,* página 200. Lima.

LARREA, Juan.
1959 *Corona Incaica.* Buenos Aires.
LOREDO, Rafael.
1941 «Alardes y derramas». *Revista Histórica.* Instituto Histórico del Perú. T. XIV. Lima.
1951 *Nota preliminar a La Tercera Parte de la Crónica del Perú* (caps. 1 a 15), de Pedro Cieza de León. *Mercurio Peruano,* año XXI, vol. XXVIII, núm. 233. Lima.
1951 *Nota preliminar* a «Algunos capítulos de Pedro Cieza de León» (caps. 16-21). *Mercurio Peruano,* año XXVI, volumen XXXI, núm. 289. Con un comentario de Raúl Porras Barrenechea. Lima.
LOREDO, Rafael.
Ver PACHECO VÉLEZ, 1955.
MARKHAM, Clemens, R.
1864 *Introduction* de *The Travels of Pedro Cieza de León.* Col. Hakluyt, vol. XXXIII. London.
1883 *Introduction* de la *Second Part of the Chronicle,* de Cieza de León. Colección Hakluyt. London.
MATICORENA ESTRADA, Miguel.
1955 «Cieza de León en Sevilla y su muerte en 1554. Documentos». (1957) *Anuario de Estudios Americanos.* Tomo XII. *Estudio,* pags. 615-41. *Documentos,* págs. 642-74. Sevilla.
MEANS, Philip Ainsworth.
1928 *Biblioteca Andina.* New Haven. Connecticut.
MIRANDA, José.
Ver FERNÁNDEZ DE OVIEDO, Gonzalo.
MONTOTO, Santiago.
1940 *Las Calles de Sevilla.* Sevilla.
MUÑOZ PÉREZ, José.
1959 «Recientes aportaciones al estudio de Cieza de León». *Revista de Indias,* págs. 123-28. Madrid.
OTERO D'COSTA, Enrique.
1938 «Pedro Cieza de León (Estudio cronológico-biográfico)». *Actas* del II Congreso Internacional de Historia de América, Buenos Aires, 1937. t. V, págs. 250-75. Buenos Aires.
PACHECO VÉLEZ, César.
1955 «Nuevos capítulos de la Tercera Parte de la Crónica del Perú de Pedro Cieza de León. El Tercer Viaje de Pizarro». *Mercurio Peruano,* año XXX, vol. XXXVI, núm. 340.
POMA DE AYALA, Felipe Huamán.
1936 *Nueva Crónica y Buen Gobierno.* (Codex peruvièn illustré). Introducción y notas de Richard Pietschmann. Institut d'Ethnologie. París.

PORRAS BARRENECHEA, Raúl.
1941 *Los cronistas del Perú (1528-1650).* Lecciones en la Universidad de San Marcos. Lima.
1955 *Fuentes históricas peruanas.* Juan Megía Baca, ed. Lima.
1957 «Nueva luz peruana sobre Pedro Cieza de León». *Mercurico Peruano.* Núm. 361, págs. 240-46. Lima.
s. a. «Crónicas perdidas, presuntas y olvidadas sobre la conquista del Perú. *Documenta,* Revista de la Sociedad Peruana de Historia. Num. II. Lima.
PORRAS BARRENECHEA, Raúl.
Ver LOREDO, Rafael, 1951.
PRESCOTT, William H.
1847 *History of the Conquest of Peru.* (Hay edición en español, *Historia de la Conquista del Perú,* Buenos Aires, 1955.)
RICH, Obadiah.
1845 *Catalogue of a Collection of manuscripts principally in Spanish relating to America.* Printed by William Bowden. London.
RIVA AGÜERO, José de la
1952 *La Historia en el Perú.* Segunda Ed. Madrid.
RODRÍGUEZ CRESPO, Pedro.
1956 «Nuevos capítulos de la Tercera Parte de la Crónica del Perú de Pedro Cieza de León» (Caps. 34-41). *Mercurio Peruano.* Año XXXI, vol. XXXVIII, núm. 347. Lima.
ROSENBLAT, Angel.
1945 *La Población Indígena de América, desde 1492 hasta la actualidad.* Institución Cultural Española. Buenos Aires.
1954 *La población indígena y mestiza de América.* I. *La población Indígena (1492-1950),* II. *El mestizaje y las castas coloniales.* Editorial Nova. 2 vols. Buenos Aires.
1966 *Problemas y métodos de demografía histórica. Los cálculos de la población precolombina.* XXXVI Congreso Internacional de Americanistas. Mar del Plata. Original completo mimeografiado (propiedad del autor de este estudio).
1967 *La Población de América en 1492.* El Colegio de México. México.
SÁNCHEZ, Luis Alberto.
1950 *La literatura peruana. Derrotero para una historia espiritual del Perú.* Buenos Aires.
TRIMBORN, Hermann.
1949 *Señorío y barbarie en el Valle del Cauca.* Versión castellana de José María Gimeno Capella. Instituto Gonzalo Fernández de Oviedo (C. S. I. C.), Madrid.

SALAS, Alberto María.
1938 «Breve ensayo sobre don Pedro Cieza de León y los caracteres de la conquista índica». *Anales de la Sociedad Científica Argentina.* T. CXXV, págs. 67-80 y 301-17. Buenos Aires.
SÁNCHEZ ALONSO, Benito.
1944 *Historia de la Historiografía Española.* Madrid.
SANTISTEBAN OCHOA, Julián.
1946 *Los cronistas del Perú (contribución al estudio de las fuentes de la historia peruana).* Cuzco.
VEDIA, Enrique de.
1853 *Pedro Cieza de León.* En la introducción a la *Crónica del Perú.* Biblioteca de Autores Españoles, vol. 26.

SALAS, Alberto María.
1938 «Breve ensayo sobre don Pedro Cieza de León y los caracteres de la conquista incaica». *Anales de la Sociedad Científica Argentina*, T. CXXV, págs. 67-80 y 101-17. Buenos Aires.
SÁNCHEZ ALONSO, Benito.
1944 *Historia de la Historiografía Española*. Madrid.
SANTISTEBAN OCHOA, Julián.
1946 *Los cronistas del Perú (contribución al estudio de las fuentes de la historia peruana)*. Cuzco.
VEDIA, Enrique de.
1853 *Pedro Cieza de León*. En la introducción a la Crónica del Perú, Biblioteca de Autores Españoles, vol. 26.

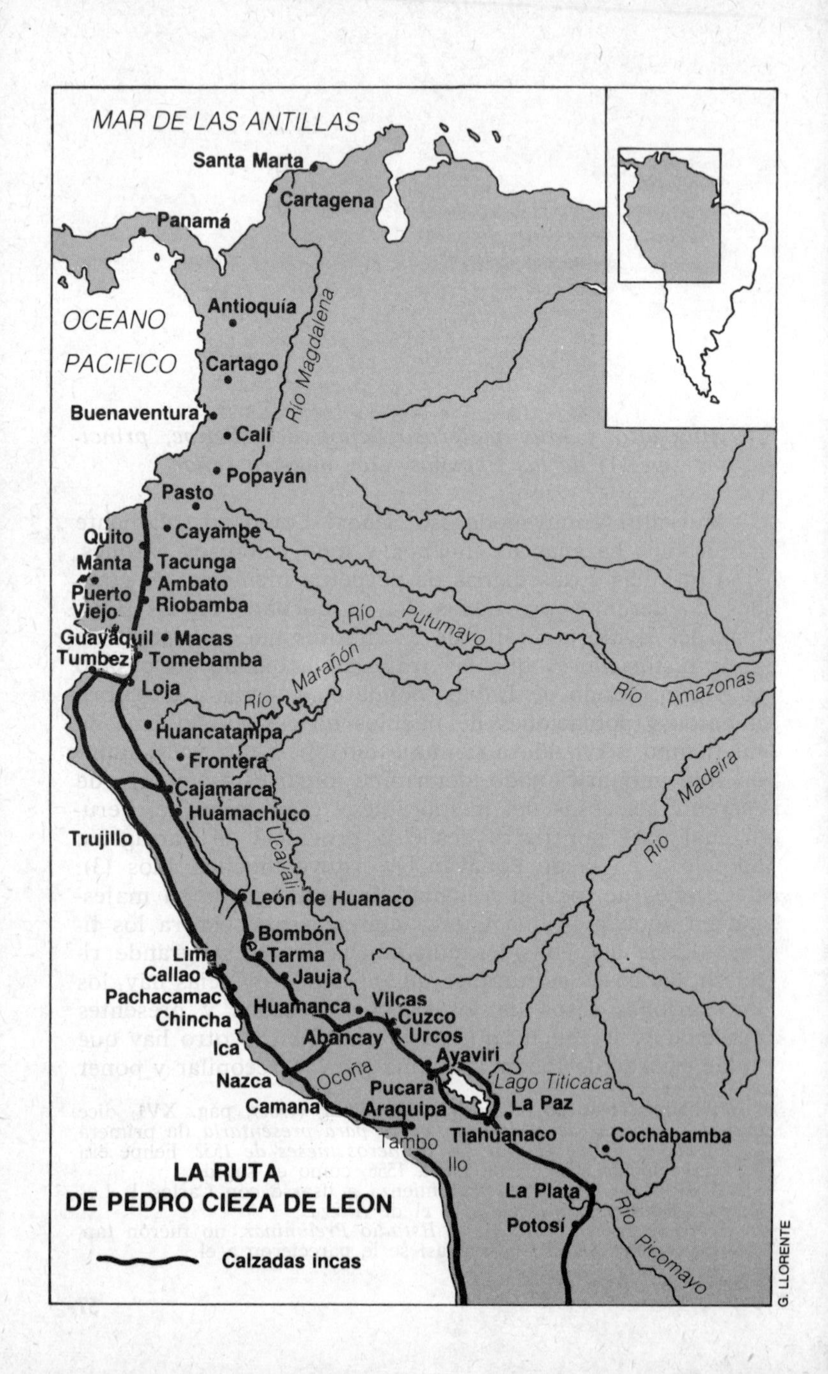
MAR DE LAS ANTILLAS
Santa Marta
Cartagena
Panamá
OCEANO
PACIFICO
Antioquía
Cartago
Río Magdalena
Buenaventura
Cali
Popayán
Pasto
Cayambe
Quito
Manta
Tacunga
Ambato
Puerto
Viejo
Riobamba
Guayaquil
Macas
Tumbez
Tomebamba
Loja
Río Putumayo
Río Marañón
Río Amazonas
Huancatampa
Frontera
Cajamarca
Huamachuco
Trujillo
Ucayali
Río Madeira
León de Huanaco
Bombón
Tarma
Lima
Callao
Jauja
Pachacamac
Huamanca
Vilcas
Cuzco
Chincha
Urcos
Abancay
Ica
Ayaviri
Oconña
Lago Titicaca
Nazca
Pucara
La Paz
Camana
Araquipa
Tambo
Tiahuanaco
Cochabamba
Ilo
LA RUTA
DE PEDRO CIEZA DE LEON
La Plata
Potosí
Río Picomayo
Calzadas incas
G. LLORENTE

Al muy alto y muy poderoso Señor don Felipe, príncipe (1) *de las Españas, etc., nuestro señor*

Muy alto y muy poderoso Señor: Como no solamente admirables hazañas de muchos y muy valerosos varones, sino infinitas cosas dignas de perpetua memoria, de grandes y diferentes provincias, hayan quedado en las tinieblas del olvido por falta de escriptores que las refiriesen y de historiadores que las tratasen, habiendo yo pasado al Nuevo Mundo de Indias, donde en guerras y descubrimientos y poblaciones de pueblos he gastado lo más de mi tiempo, sirviendo a su majestad (2), a que yo siempre he sido muy aficionado, determiné tomar esta empresa de escrebir las cosas del memorable y gran reino del Perú, al cual pasé por tierra desde la provincia de Cartagena, adonde, y en la de Popayán, yo estuve muchos años (3). Y después de me haber hallado en servicio de su majestad en aquella última guerra que se acabó contra los tiranos rebeldes, considerando muchas veces su grande riqueza, las cosas admirables que en sus provincias hay, los tan varios sucesos de los tiempos pasados y presentes acaecidos y lo mucho que en lo uno y en lo otro hay que notar, acordé de tomar la pluma para lo recopilar y poner

(1) Felipe II luego, como rey. Aranibar (1967), pág. XVI, dice que *se sabe que Cieza viajó a Toledo para presentarla* (la primera parte) *al rey Felipe II, por los primeros meses de 1552*. Felipe era todavía príncipe y no reina hasta 1556, como es sabido.

(2) El título de *Magestad* comienza a usarse con Carlos I. Los Reyes Católicos emplearon sólo el de *Alteza*.

(3) Como hemos visto en el *Estudio Preliminar,* no fueron tantos, pero como hombre joven, así se le parecieron a él.

en efeto mi deseo y hacer con él a vuestra alteza algún señalado servicio, de manera que mi voluntad fuese conocida; teniendo por cierto vuestra alteza recibiría servicio en ello, sin mirar las flacas fuerzas de mi facultad; antes confiado juzgará mi intención conforme a mi deseo, y con su real clemencia admirará la voluntad con que ofrezco este libro a vuestra alteza, que trata de aquel gran reino del Perú, de que Dios se la hecho señor. No dejé de conocer, serenísimo y muy esclarecido Señor, que para decir las admirables cosas que en este reino del Perú ha habido y hay conviniera que las escribiera un Tito Livio o Valerio (4), o otro de los grandes escriptores que ha habido en el mundo, y aun éstos se vieran en trabajo en lo contar; porque, ¿quién podrá decir las cosas grandes y diferentes que en él son, las sierras altísimas y valles profundos por donde se fue descubriendo y conquistando, los ríos tantos y tan grandes, de tan crecida hondura; tanta variedad de provincias como en él hay, con tan diferentes calidades; las diferencias de pueblos y gentes con diversas costumbres, ritos y cerimonias extrañas; tantas aves y animales, árboles y peces tan diferentes y ignotos? Sin lo cual, ¿quién podrá contar los nunca oídos trabajos que tan pocos españoles en tanta grandeza de tierra han pasado? ¿Quién pensará o podrá afirmar los inopinados casos que en las guerras y descubrimientos de mil y seiscientas leguas de tierra les han sucedido; las hambres, sed, muertes, temores y cansancio? (5). De todo esto hay tanto que decir, que a todo escriptor cansara en lo escrebir (6). Por esta causa, de lo más importante dello, muy poderoso Señor, he hecho y copilado esta historia de lo que yo vi y traté y por in-

(4) Su formación cultural debió hacerla sobre la marcha, ya en Indias, como hemos observado ya Valerio es Valerio Máximo, autor de la obra *Factorum et dictorum memorabilium (Hechos y dichos memorables)*, que sirvió de inspiración a Petrarca en 1344. Valerio vivió del 15 a. C. al 35 d. C.

(5) Serie de interrogantes que muestran que para poder valorar los hechos de los españoles en Indias hay que conocer la naturaleza, las dificultades del medio, *las diferencias de pueblos*... Es la incorporación a la Historia —cuyo primer autor es Cieza— de la Geografía y la Etnografía, que será nota común de los escritores de Indias.

(6) En varias ocasiones, pero ésta es la primera, el propio Cieza, al exponer los motivos que le llevan a escribir, hace la ponderación de su mérito.

formaciones ciertas de personas de fe pude alcanzar. Y no tuviera atrevimiento de ponerla en juicio de la contrariedad del mundo si no tuviera esperanza que vuestra alteza (7) como cosa suya la ilustrará, amparará y defenderá de tal suerte que por todo él libremente ose andar; porque muchos escriptores ha habido que con este temor buscan príncipes de gran valor a quien dirigir sus obras, y de algunas no hay quien diga haber visto lo que tratan, por ser lo más fantasiado y cosa que nunca fue. Lo que yo aquí escribo son verdades y cosas de importancia, provechosas, muy gustosas y en nuestros tiempos acaecidas, y dirigidas al mayor y más poderoso príncipe del mundo, que es a vuestra alteza. Temeridad parece intentar un hombre de tan pocos letras lo que otros de muchas no osaron, mayormente estando tan ocupado en las cosas de la guerra; pues muchas veces cuando los otros soldados descansaban cansaba yo escribiendo. Mas ni esto ni las esperezas de tierras, montañas y ríos ya dichos, intolerables hambres y necesidades, nunca bastaron para estorbar mis dos oficios de escrebir y seguir a mi bandera y capitán sin hacer falta (8). Por haber escripto esta obra con tantos trabajos y dirigirla a vuestra alteza, me parece debría bastar para que los lectores me perdonasen las faltas que en ella, a su juicio, habrá. Y si ellos perdonaren, a mí me basta haber escripto lo cierto; porque esto es lo que más he procurado, porque mucho de lo que escribo vi por mis ojos estando presente, y anduve muchas tierras y provincias por ver lo mejor; y lo que no vi trabajé de mi informar de personas de gran crédito, cristianos y indios (9). Plega al todopoderoso Dios, pues fue servido de hacer a vuestra alteza señor de tan grande y rico rino como es el Perú, le deje vivir y reinar por muchos y muy felices tiempos, con aumento de otros muchos reinos y señoríos.

(7) Segunda comprobación de lo indicado en la nota 1.
(8) Autodescripción: soldado y escritor.
(9) Cieza afirma en esta frase que no habla *de oidas,* sino de lo que vio por sí mismo o recogió de informaciones dignas de fe.

PROEMIO DEL AUTOR

En que se declara el intento desta obra y su división della

Habiendo yo salido de España donde fui nacido y criado, de tan tierna edad que casi no había entonces trece años, y gastando en las Indias del mar Océano tiempo de más de diez y siete años, los más dellos en conquistas y descubrimientos y otros en nuevas poblaciones y en andar por unas y por otras partes, y como notase tan grandes y peregrinas cosas como en este Nuevo Mundo de Indias hay, vínome gran deseo de escrebir algunas dellas, de lo que yo por mis propios ojos había visto y también de lo que había oído a personas de gran crédito. Mas como mirase mi poco saber, desechaba de mí este deseo, teniéndolo por vano, porque a los grandes juicios y doctos fue concedido el componer historias dándoles lustre con sus claras y sabias letras, y a los no tan sabios aun pensar en ello es desvarío, y como tal pasé algún tiempo sin dar cuidado a mi flaco ingenio, hasta que el todopoderoso Dios, que lo puede todo, favoreciéndome con su divina gracia, tornó a despertar en mí lo que ya yo tenía olvidado. Y cobrando ánimo, con mayor confianza determiné de gastar algún tiempo de mi vida en escrebir historia. Y para ello me movieron las causas siguientes:

La primera, ver que en todas las partes por donde yo andaba ninguno se ocupaba en escrebir nada de lo que pasaba. Y que el tiempo consume la memoria de las cosas

PROEMIO DEL AUTOR

En que se declara el intento desta obra y la división della

Habiendo yo salido de España, donde fuí nacido y criado, de tan tierna edad que casi no había enteros trece años, y gastando en las Indias del mar Océano tiempo de más de diez y siete, muchos dellos en conquistas y descubrimientos y otros en nuevas poblaciones y en andar por unas y por otras partes, y como notase tan grandes y peregrinas cosas como en este Nuevo Mundo de Indias hay, vínome gran deseo de escrebir algunas dellas, de lo que yo por mis propios ojos había visto y también de lo que había oído a personas de gran crédito. Mas como mirase mi poco saber, desechaba de mí este deseo, teniéndolo por vano; porque a los grandes juicios y dotos fue concedido el componer historias dándoles lustre con sus claras y sabias letras, y a los no tan sabios, aun pensar en ello es desvarío; y como tal, pasé algún tiempo sin dar cuidado a mi flaco ingenio, hasta que el todopoderoso Dios, que lo puede todo, favoreciéndome con su divina gracia, tornó a despertar en mí lo que ya yo tenía olvidado. Y cobrando ánimo, con mayor confianza determiné de gastar algún tiempo de mi vida en escrebir historia. Y para ello me movieron las causas siguientes:

La primera, ver que en todas las partes por donde yo andaba ninguno se ocupaba en escrebir nada de lo que pasaba. Y que el tiempo consume la memoria de las cosas de tal manera, que si no es por rastros y vías exquisitas, en lo venidero no se sabe con verdadera noticia lo que pasó (10).

La segunda, considerando que, pues nosotros y estos indios todos, todos, traemos origen de nuestros antiguos padres Adán y Eva, y que por todos los hombres el Hijo de Dios descendió de los cielos a la tierra, y vestido de nuestra humanidad recibió cruel muerte de cruz para nos redemir y hacer libres del poder del demonio, el cual demonio tenía estas gentes, por la permisión de Dios, opresas y captivas tantos tiempos había, era justo que por el mundo se supiese en qué manera tanta multitud de gentes como destos indios había fue reducida al gremio de la santa madre Iglesia con trabajo de españoles; que fue tanto, que otra nación alguna de todo el universo no los pudiera sufrir. Y así, los eligió Dios para una cosa tan grande más que a otra nación alguna (11).

Y también porque en los tiempos que han de venir se conozca lo mucho que ampliaron la corona real de Castilla. Y cómo siendo su rey y señor nuestro invictísimo emperador se poblaron los ricos y abundantes reinos de la Nueva España y Perú y se descubrieron otros ínsulas (12) y provincias grandísimas.

Y así, al juicio de varones dotos y benévolos suplico sea mirada esta mi labor con equidad, pues saben que la malicia y murmuración de los ignorantes y insipientes es tanta, que nunca les falta que redargüir ni que notar. De donde muchos, temiendo la rabiosa envidia destos escorpiones, tuvieron por mejor ser notados de cobardes que de animosos en dar lugar que sus obras saliesen a luz.

Pero yo ni por temor de lo uno ni de lo otro dejaré de salir adelante con mi intención, teniendo en más el fa-

(10) Cieza expone con claridad lo que he designado en mis estudios como la *angustia* del explorador español, sensible a la certeza de que lo que contempla está en trance de desaparición. Esta angustia suele calmarse canalizándola a través de sus escritos.

(11) Cuando escribe Cieza está aún sobre el tapete todo el problema de la naturaleza del indio. En él, como se va a ver a lo largo de esta *Primera Parte,* prima el sentido de la unidad del género humano y del papel providencial que toca a los españoles, ya que *así los eligió Dios* para esta labor evangelizadora.

(12) Islas. Pero ínsulas, sinónimo, tiene también significado de reino, condado, gobernación. Recuérdese la *Barataria* del Quijote

vor de los pocos y sabios que el daño que de los muchos y vanos me puede venir.

También escrebí esta obra para que los que, viendo en ella los grandes servicios que muchos nobles caballeros y mancebos hicieron a la corona real de Castilla, se animen y procuren de imitarlos. Y para que, notando, por el consiguiente, cómo otros no pocos se extremaron en cometer traiciones, tiranías, robos y otros yerros, tomando ejemplo en ellos y en los famosos castigos que se hicieron, sirvan bien y lealmente a sus reyes y señores naturales.

Por las razones y causas que dicho tengo, con toda voluntad de proseguir, puse mano en la presente obra; la cual, para que mejor se entienda, la he dividido en cuatro partes, ordenadas en la manera siguiente:

Es primera parte trata la demarcación y división de las provincias del Perú, así por la parte de la mar como por la tierra, y lo que tienen de longitud y latitud; la descripción de todas ellas; las fundaciones de las nuevas ciudades que se han fundado de españoles; quién fueron los fundadores; en qué tiempo se poblaron; los ritos y costumbres que tenían antiguamente los indios naturales, y otras cosas extrañas y muy diferentes de las nuestras, que son dignas de notar (13).

En la segunda parte trataré el señorío de los ingas yupangues, reyes antiguos que fueron del Perú, y de sus grandes hechos y gobernación; qué número dellos hubo, y los nombres que tuvieron; los tempos tan soberbios y suntuosos que edificaron; caminos de extraña grandeza que hicieron, y otras cosas grandes que en este reino se hallan. También en este libro se da relación de lo que cuentan estos indios del diluvio y de cómo los ingas engrandescen su origen.

En la tercera parte trataré el descubrimiento y conquistas deste reino del Perú y de la grande constancia que tuvo en él el marqués don Francisco Pizarro, y los muchos trabajos que los cristianos pasaron cuando trece dellos, con el mismo marqués (permitiéndolo Dios), lo descubrie-

(13) Aunque Fernández de Oviedo ya había publicado su *Sumario*, puede afirmarse que el primero que hace énfasis en lo que hoy llamamos *Etnografía* es Cieza, que además afirma claramente su intención de detenerse en lo exótico.

ron. Y después que el dicho don Francisco de Pizarro fue por su majestad nombrado por gobernador, entró en el Perú, y con ciento sesenta españoles lo ganó, prendiendo a Atabaliba (14). Y asimesmo en esta tercera parte se trata la llegada del adelantado don Pedro de Albarado y los conciertos que pasaron entre él y el gobernador don Francisco Pizarro. También se declaran las cosas notables que pasaron en diversas partes deste reino, y el alzamiento y rebelión de los indios en general, y las causas que a ello les movió. Trátase la guerra tan cruel y porfiada que los mismos indios hicieron a los españoles que estaban en la gran ciudad del Cuzco, y las muertes de algunos capitanes españoles y indios; donde hace fin esta tercera parte en la vuelta que hizo de Chile el adelantado don Diego de Almagro, y con su entrada en la ciudad del Cuzco por fuerza de armas, estando en ella por justicia mayor el capitán Hernando Pizarro, caballero de la orden de Santiago.

La cuarta parte es mayor escriptura que las tres dichas y de más profundas materias. Es dividida en cinco libros, y a éstos intitulo *Las guerras civiles del Perú* (15); donde se verán cosas extrañas que en ninguna parte del mundo han pasado entre gente tan poca y de una misma nación.

El primero libro destas *Guerras civiles* es de la guerra de las Salinas: trata la prisión del capitán Hernando Pizarro por el adelantado don Diego de Almagro, y cómo se hizo recebir por gobernador en la ciudad del Cuzco, y las causas por que la guerra se comenzó entre los gobernadores Pizarro y Almagro; los tratos y conciertos que entre ellos se hicieron hasta dejar en manos de un juez árbitro el debate; los juramentos que se tomaron y vistas que se hicieron de los mismos gobernadores, y las provisiones reales y cartas de su majestad que el uno y el otro tenían; la sentencia que se dio, y cómo el Adelantado soltó de la prisión en que tenía a Hernando Pizarro; y la vuelta al Cuzco del Adelantado, donde con gran cruel-

(14) Atau-Huallpa. Es curioso que todos los cronistas españoles lo llamen Atabaliba, bastante diferente de cómo lo pronuncian los quéchuas. Quizá la palatal *ll*, inusual en castellano, originó el sonido *li*.

(15) Cieza consolida este nombre definitivamente. Sobre el origen y difusión de *Perú* como territorio conquistado por Pizarro, véase Porras Barrenechea.

dad y mayor enemistad se dio la batalla en las Salinas, que es media legua del Cuzco. Y cuéntase la abajada del capitán Lorenzo de Aldana, por general del gobernador don Francisco Pizarro, a las provincias de Quito y Popayán; y los descubrimientos que se hicieron por los capitanes Gonzalo Pizarro, Pedro de Candía, Alonso de Albarado, Peranzúrez y otros. Hago fin con la ida de Hernando Pizarro a España.

El segundo libro se llama *La guerra de Chupas*. Será de algunos descubrimientos y conquistas y de la conjuración que se hizo en la ciudad de los Reyes por los de Chile, que se entienden los que habían seguido al adelantado don Diego de Almagro antes que le matasen, para matar al marqués don Francisco Pizarro de la muerte que le dieron; y cómo don Diego de Almagro, hijo del Adelantado, se hizo recebir por toda la mayor parte del reino por gobernador, y cómo se alzó contra él el capitán Alonso de Albarado en las Chachapoyas, donde era capitán y justicia mayor de su majestad por el marqués Pizarro y Perálvarez Holgín y Gómez de Tordoya, con otros, en el Cuzco. Y de la venida del licenciado Cristóbal Vaca de Castro por gobernador; de las discordias que hubo entre los de Chile, hasta que, después de haberse los capitanes muertos unos a otros, se dio la cruel batalla de Chupas, cerca de Guamanga, de donde el gobernador Vaca de Castro fue al Cuzco y cortó la cabeza al mozo don Diego, en lo cual concluyo en este segundo libro.

El tercero libro, que llamo *La guerra civil de Quito*, sigue a los dos pasados, y su escriptura será bien delicada y de varios acaescimientos y cosas grandes. Dase en él noticia cómo en España se ordenaron las nuevas leyes (16), y los movimientos que hubo en el Perú, juntas y congregaciones, hasta que Gonzalo Pizarro fue recebido en la ciudad del Cuzco por procurador y capitán general;

(16) Llámanse así a las dictadas —seguramente por inspiración de Fr. Bartolomé de las Casas— para regularizar la acción de los conquistadores, colonizadores y beneficiarios de encomiendas. Su aplicación supuso no sólo el desposeimiento de los españoles de Indias de lo que habían conseguido, sino su sublevación, que en el caso peruano significó la segunda etapa de *guerras civiles*, cuyo historiador, en las partes siguientes de esta *Crónica*, será precisamente Cieza.

y lo que sucedió en la ciudad de los Reyes (17) entre tanto que estos ñublados pasaban, hasta sel el Visorey preso por los oidores, y de su salida por la mar; y la entrada que hizo en la ciudad de los Reyes Gonzalo Pizarro, adonde fue recebido por gobernador, y los alcances que dio al Visorey, y lo que más entre ellos pasó hasta que en la campaña de Añaquito el Visorey fue vencido y muerto. También doy noticia en este libro de las mudanzas que hubo en el Cuzco y Charcas y en otras partes; y los recuentras que tuvieron el capitán Diego Centeno, por la parte del Rey, y Alonso de Toro y Francisco de Carvajal, en nombre de Pizarro, hasta que el constante varón Diego Centeno, constreñido de necesidad, se metió en lugares ocultos, y Lope de Mendoza, su maestre de campo, fue muerto en la de Pecona. Y lo que pasó entre los capitanes Pedro de Hinojosa, Juan de Illanes, Melchior Verdugo y los más que estaban en la Tierra Firme.

Y la muerte que el adelantado Belalcázar dio al mariscal don Jorge Robledo en el pueblo de Pozo; y cómo el Emperador nuestro señor, usando de su grande clemencia y benignidad, envió perdón, con apercebimiento que todos se reduciesen a su servicio real; y del proveimiento del licenciado Pedro de la Gasca por presidente, y de su llegada a la Tierra Firme, y los avisos y formas que tuvo para atraer a los capitanes que allá estaban al servicio del Rey; y la vuelta de Gonzalo Pizarro a la ciudad de los Reyes, y las crueldades que por él y sus capitanes eran hechas; y la junta general que se hizo para determinar quién irían por procuradores generales a España; y la entregada del armada al presidente. Y con esto haré fin, concluyendo con lo tocante a este libro.

En el cuarto libro, que intitulo de *La guerra de Guarina,* trato de la salida del capitán Diego Centeno, y cómo con los pocos que pudo juntar entró en la ciudad del Cuzco y la puso en servicio de su majestad; y cómo asimismo, determinado por el presidente y capitanes, salió de Panamá Lorenzo de Aldana, y llegó al puerto de los Reyes con otros capitanes, y lo que hicieron; y cómo muchos,

(17) La Ciudad de los Reyes, porque se fundó en el 6 de enero, es la actual Lima, que ya popularmente se llamó así desde un comienzo. Se fundó en el valle del Rimac, que por *leismo* hizo cambiar la *R* en *L,* perdiendo la *c* final, quéchua.

desemparando a Gonzalo Pizarro, se pasaban al servicio del Rey. También trato las cosas que pasaron entre los capitanes Diego Centeno y Alonso de Mendoza hasta que juntos todos dieron la batalla en el campo de Guarina a Gonzalo Pizarro, en la cual Diego Centeno fue vencido y muchos de sus capitanes y gente muertos y presos; y de lo que Gonzalo Pizarro proveyó y hizo hasta que entró en la ciudad del Cuzco.

El quinto libro, que es de la guerra de Jaquijaguana, trata de la llegada del presidente Pedro de la Gasca al valle de Jauja, y los proveimientos y aparejos de guerra que hizo sabiendo que Diego Centeno era desbaratado; y de su salida deste valle y allegada al de Jaquijaguana, donde Gonzalo Pizarro con sus capitanes y gentes le dieron batalla, en la cual el presidente, con la parte del Rey, quedaron por vencedores, y Gonzalo Pizarro y sus secuaces y valedores fueron vencidos y muertos por justicia en este mismo valle. Y cómo allegó al Cuzco el presidente y por pregón público dio por traidores a los tiranos, y salió al pueblo que llaman de Guaynarima, donde repartió la mayor parte de las provincias deste reino entre las personas que le paresció. Y de allí fue a la ciudad de los Reyes, donde fundó la Audiencia real que en ella está.

Concluído con estos libros, en que se incluye la cuarta parte, hago dos comentarios: el uno, de las cosas que pasaron en el reino del Perú después de fundado el Audiencia hasta que el presidente salió dél.

El segundo, de su llegada a la Tierra Firme y la muerte que los Contreras dieron al obispo de Nicaragua, y cómo con pensamiento tiránico entraron en Panamá y robaron gran cantidad de oro y plata, y la batalla que les dieron los vecinos de Panamá junto a la ciudad, donde los más fueron presos y muertos, y de otros hecho justicia; y cómo se sobró el tesoro. Concluyo con los motines que tuvo en el Cuzco y con la ida del mariscal Alonso de Albarado, por mandato de los señores oidores, a lo castigar; y con la entrada en este reino, para ser Visorey, el ilustre y muy prudente varón don Antonio Mendoza.

Y si no va escripta esta historia con la suavidad que da a las letras la sciencia ni con el ornato que requería, va a lo menos llena de verdades, y a cada uno se da lo que es suyo con brevedad, y con moderación se reprenden las cosas mal hechas.

Bien creo que hubiera otros varones que salieran con el fin deste negocio más al gusto de los lectores, porque siendo más sabios, no lo dudo; mas mirando mi intención, tomarán lo que pude dar, pues de cualquier manera es justo se me agradezca. El antiguo Diodoro Sículo (18), en su proemio, dice que los hombres deben sin comparación mucho a los escriptores, pues mediante su trabajo viven los acaescimientos hechos por ellos grandes edades. Y así, llamó a la escriptura Cicerón testigo de los tiempos, maestra de la vida, luz de la verdad. Lo que pido es que, en pago de mi trabajo, aunque vaya esta escriptura desnuda de retórica, sea mirada con moderación, pues, a lo que siento, va tan acompañada de verdad. La cual subjeto al parecer de los dotos y virtuosos, y a los demás pido se contenten con solamente la leer, sin querer juzgar lo que no entienden.

(18) Escritor griego, de Sicilia, del siglo I a. C. (90-20), autor de una *Biblioteca histórica*.

CAPITULO PRIMERO

En que se trata el descubrimiento de las Indias y de algunas cosas que en los principios de su descubrimiento se hicieron y de las que agora son

Pasado habían mil y cuatrocientos y noventa y dos años que la princesa de la vida, gloriosa virgen María, Señora nuestra, parió el unigénito Hijo de Dios, cuando, reinando en España los católicos reyes don Fernando y doña Isabel, de gloriosa memoria, el memorable Cristóbal Colón salió de España con tres carabelas y noventa españoles (19), que los dichos reyes le mandaron dar. Y navegando mil y doscientas leguas por el ancho mar Océano la vía del poniente, descubrió la isla Española, donde agora es la ciudad de Santo Domingo. Y de allí se descubrió la isla de Cuba, San Juan de Puerto Rico, Yucatán, Tierra Firme y la Nueva España, y las provincias de Guatimala y Nicaragua, y otras muchas, hasta la Florida; y después el gran reino del Perú, Río de la Plata y estrecho de Magallanes; habiendo pasado tantos tiempos y años que en España de tan gran grandeza de tierra no se supo ni della se tuvo noticia. En cuya navegación y descubrimiento de tantas tierras, el prudente lector podrá considerar cuántos trabajos, hambre y sed, temores, peligros y muertes los

(19) En cuanto al número de tripulantes, Cieza no sirve como fuente, pues sólo repite lo que todos sabían desde decenios antes. Nótese que emplea la palabra *españoles,* en lugar de castellanos, como aún era usual, y que sería la empleada todavía, en el siglo XVII, por el historiador Antonio de Herrera y Tordesillas.

españoles pasaron; cuánto derramamiento de sangre y vidas suyas costó (20). Lo cual todo, así los Reyes Católicos, como la real majestad del invictísimo césar don Carlos, quinto emperador deste nombre, rey y señor nuestro (21), han permitido y tenido por bien por que la doctrina de Jesucristo y la predicación de su santo Evangelio por todas partes del mundo se extienda y la santa fe nuestra sea ensalzada (22). Cuya voluntad, así a los ya dichos Reyes Católicos como de su majestad, ha sido y es que gran cuidado se tuviese de la conversión de las gentes de todas aquellas provincias y reinos, porque éste era su principal intento; y que los gobernadores, capitanes y descubridores, con celo de cristiandad, les hiciesen el tratamiento que como a prójimos se debía (23); y puesto que la voluntad de su majestad ésta es y fue, algunos de los gobernadores y capitanes lo miraron siniestramente, haciendo a los indios muchas vejaciones y males, y los indios, por defenderse, se ponían en armas y mataron a muchos cristianos y algunos capitanes (24). Lo cual fue causa que estos indios padecieran crueles tormentos, quemándolos y dándoles otras recias muertes. No dejo yo de tener que, como los juicios de Dios sean muy justos, permitió que estas gentes, estando tan apartadas de España, padeciesen de los españoles tantos males; pudo ser que su dicha justicia lo permitiese por sus pecados, y de sus pasados, que debían ser muchos, como aquellos que carecían de fe (25). Ni tampoco afirmo que estos males que

(20) Vuelve a insistir, como hará en todo este libro, en los padecimientos de los descubridores y conquistadores, como servicio a la humanidad, por haber hallado y dominado un nuevo mundo.

(21) Al afirmar que reina Carlos I nos indica que escribe cuando aún el Príncipe Felipe, al que va a ofrecer la obra, no es rey (ver nota 1).

(22) Antes que el pleito de los *Justos Títulos* haya concluido, Cieza muestra el sentir general de la justificación de la soberanía española por el título de la evangelización.

(23) Cieza zanja por su propia cuenta el problema de la humanidad y capacidad del indio, como *prójimo*.

(24) Contemporáneo de Fr. Bartolomé de las Casas, como se irá viendo en este libro, Cieza no regatea la acusación a quienes oprimían al indio. Nótese que aún emplea el término *cristianos* para designar a los españoles, indudable terminología de las guerras de Reconquista contra los musulmanes.

(25) Sentido de la aplicación de la justicia divina, por el pecado de la paganidad. Retorcido argumento, ya que incluso por los abusos, los españoles aparecen como instrumentos de esta justicia.

en los indios se hacían eran por todos los cristianos; porque yo sé y vi muchas veces hacer a los indios buenos tratamientos por hombres templados y temerosos de Dios; porque si algunos enfermaban, los curaban y sangraban ellos mismos, y les hacían otras obras de caridad; y la bondad y misericordia de Dios, que no permite mal alguno de que no saque los bienes que tiene determinado, ha sacado destos males muchos y señalados bienes, por haber venido tanto número de gentes al conoscimiento de nuestra santa fe católica y estar en camino para poderse salvar. Pues sabiendo su majestad de los daños que los indios recibían, siendo informado dello y de lo que convenía al servicio de Dios y suyo y a la buena gobernación de aquestas partes, ha tenido por bien de poner visorreyes y audiencias, con presidentes y oidores; con lo cual los indios parece han resucitado y cesado sus males (26). De manera que ningún español, por muy alto que sea, les osa hacer agravio. Porque, demás de los obispos, religiosos, clérigos y frailes que con tino su majestad provee, muy suficientes para enseñar a los indios la doctrina de la santa fe y administración de los santos sacramentos, en estas audiencias hay varones doctos y de gran cristiandad que castigan a aquellos que a los indios hacen fuerza y maltratamiento y demasía alguna. Así que ya en este tiempo no hay quien ose hacerles enojo y son en la mayor parte de aquellos reinos señores de sus haciendas y personas, como los mismos españoles, y cada pueblo está tasado moderadamente lo que ha de dar de tributo. Acuérdome que estando yo en la provincia de Jauja pocos años ha, me dijeron los indios, con harto contento y alegría: «Este es tiempo alegre, bueno, semejable al de Topainga Yupangue» (27). Este era un rey que ellos tuvieron antiguamente muy piadoso. Cierto, desto todos los que somos cristianos nos debemos alegrar y dar gra-

(26) Cieza quiere demostrar que la *pacificación,* o sea el establecimiento de las instituciones legales y de gobierno, es la contrabalanza de los abusos de los que entraron primero, creando situaciones irregulares.

(27) Tupac-Inca-Yupanqui. En lo sucesivo, cuando los nombres indígenas no se ajusten a la fijación que la ciencia ha efectuado, los indicaremos en su correcta ortografía. No olvidemos que Cieza, como todos en su tiempo, escribían palabras y nombres tomados al oído, ya que los peruanos no tuvieron escritura.

cias a nuestro Señor Dios, que en tanta grandeza y tierra, y tan apartada de nuestra España y de toda Europa, haya tanta justicia y tan buena gobernación; y juntamente con esto, ver que en todas partes hay templos y casas de oración donde el todopoderoso Dios es alabado y servido y el demonio alanzado y vituperado y abatido; y derribados los lugares que para su culto estaban hechos tantos tiempos había, agora estar puestas cruces, insignias de nuestra salvación, y los ídolos y simulacros quebrados, y los demonios, con temor, huídos y atemorizados (28). Y que el sacro Evangelio es predicado y poderosamente va volando de levante en poniente y de septentrión al mediodía, para que todas naciones y gentes reconozcan y alaben un solo Dios y Señor.

CAPITULO II

De la ciudad de Panamá y de su fundación, y por qué se trata della primero que de otra alguna

Antes que comenzara a tratar las cosas deste reino del Perú (29) quisiera dar noticia de lo que tengo entendido del origen y principio que tuvieron las gentes destas Indias o Nuevo Mundo, especialmente los naturales del Perú, según ellos dicen que lo oyeron a sus antiguos, aunque ello es un secreto que sólo Dios puede saber lo cierto dello. Mas como mi intención principal es en esta primera parte figurar la tierra del Perú y contar las fundaciones de las ciudades que en él hay, los ritos y ceremonias de los indios deste reino, dejaré su origen y principio (digo lo que ellos cuentan y podemos presumir) (30) para la segunda parte, donde lo trataré copiosamente. Y pues, como digo, en esta parte he de tratar de la fundación de

(28) Los autores de *quebramiento* de ídolos fueron los llamados *extirpadores de idolatrías*. Aun cuando en América se establece la Inquisición (con tribunales en México, Cartagena de Indias y Lima), ésta no intervino nunca en las idolatrías indígenas, ni cuando se practicaban clandestinamente.

(29) *Deste* es palabra que indica que escribe en tierra peruana.

(30) Cieza muestra en este párrafo su acuciosa atención a una fuente histórica que sabe apreciar: la tradición oral.

muchas ciudades, considero yo que si en los tiempos antiguos, por haber Elisa Dido fundado a Cartago y dándole nombre y república, y Rómulo a Roma y Alejandro a Alejandría, los cuales por razón destas fundaciones hay dellos perpetua memoria y fama, cuánto más y con más razón se perpetuarán en los siglos por venir la gloria y fama de su majestad, pues en su real nombre se han fundado en este gran reino del Perú tantas ciudades y tan ricas, donde su majestad a las repúblicas ha dado leyes con que quieta y pacíficamente vivan. Y porque, sin las ciudades que se poblaron y fundaron en el Perú, se fundó y pobló la ciudad de Panamá, en la provincia de Tierra Firme, llamada Castilla de Oro, comienzo por ella, aunque hay otras en este reino de más calidad. Pero hágolo porque el tiempo que él se comenzó a conquistar salieron della los capitanes que fueron a descubrir al Perú (31), y los primeros caballos y lenguas (32) y otras cosas pertenecientes para las conquistas. Por esto hago principio en esta ciudad, y después estaré por el puerto de Urabá, que cae en la provincia de Cartagena, no muy lejos del gran río del Darién (33), donde daré razón de los pueblos de indios y las ciudades de españoles que hay desde allí hasta la villa de Plata y asiento de Potosí, que son los fines del Perú por la parte de sur, donde a mi ver hay más de mil y doscientas leguas de camino; lo cual yo anduve todo por tierra y traté, vi y supe las cosas que en esta historia trato; las cuales he mirado con grande estudio y diligencia, para las escribir con aquella verdad que debo, sin mezcla de cosa siniestra (34). Digo, pues, que la ciudad de Panamá es fundada (35) junto a la mar del Sur y diez y ocho leguas del Nombre de Dios, que está poblado junto a la mar del Norte. Tiene poco circuito donde está situada, por causa de una palude o laguna que por la una parte la ciñe, la cual, por los malos vapores que desta laguna salen, se tiene por enferma. Está trazada y edificada

(31) Por esta razón inicia su exposición desde Panamá, de donde partieron los descubridores.

(32) *Lengua* significa, en la terminología de la época, intérprete.

(33) Que fue por donde Cieza entró en las Indias.

(34) Cieza hace constante protesta de su preocupación por informarse fielmente, sin mezcla de fantasía o *cosa siniestra.*

(35) Por Pedrarias Dávila, en 1519.

de levante a poniente, en tal manera, que saliendo el sol no hay quien pueda andar por ninguna calle della, porque no hace sombra ninguna. Y esto siéntese tanto porque hace grandísimo calor y porque el sol es tan enfermo, que si un hombre acostumbra andar por él, aunque no sea sino pocas horas, le dará tales enfermedades que muera; que así ha acontescido a muchos. Media legua de la mar había buenos sitios y sanos, y a donde pudieran al principio poblar esta ciudad. Mas como las casas tienen gran precio, porque cuestan mucho a hacerse, aunque ven el notorio daño que todos reciben en vivir en tan mal sitio, no se ha mudado; y principalmente porque los antiguos conquistadores son ya todos muertos, y los vecinos que agora hay son contratantes y no piensan estar en ella más tiempo de cuanto puedan hacerse ricos; y así, idos unos, vienen otros, y pocos o ningunos miran por el bien público. Cerca desta ciudad corre un río que nasce en unas sierras. Tiene asimismo muchos términos y corren otros muchos ríos, donde en algunos dellos tienen los españoles sus estancias y granjerías, y han plantado muchas casas de España, como son naranjas, cidras, higueras. Sin esto, hay otras frutas de la tierra, que son piñas olorosas y plátanos, muchos y buenos, guabayas, caimitos (36), aguacates y otras frutas de las que suele haber de la misma tierra. Por los campos hay grandes hatos de vacas, porque la tierra es dispuesta para que se críen en ella; los ríos llevan mucho oro; y así luego que se fundó esta ciudad se sacó mucha cantidad; es bien proveída de mantenimiento, por tener refresco de entrambas mares; digo de entrambas mares, entiéndase la del Norte, por donde vienen las naos de España a Nombre de Dios, y la mar del Sur, por donde se navega de Panamá a todos los puertos del Perú. En el término desta ciudad no se da trigo ni cebada. Los señores de las estancias cogen mucho maíz, y del Perú y de España traen siempre harina. En todos los ríos hay pescado, y en la mar lo pescan bueno, aunque diferente de lo que se cría en la mar de España; por la costa, junto a las casas de la ciudad, hallan entre la arena unas almejas muy menudas que llaman

(36) Arbol de la familia de la sapotáceas *Crysophillum caimito*, cuyo fruto tiene una pulpa azucarada.

chucha, de la cual hay gran cantidad; y creo yo que al principio de la población desta ciudad, por causa destas almejas se quedó la ciudad en aquesta parte poblada, porque con ellas estaban seguros de no pasar hambre los españoles. En los ríos hay gran cantidad de lagartos, que son tan grandes y fieros que es admiración verlos (37); en el río del Cenu (38) he yo visto muchos y muy grandes y comido hartos huevos de los que ponen en las playas; un lagarto destos hallamos en seco en el río que dicen de San Jorge, yendo a descubrir con el capitán Alonso de Cáceres las provincias de Urute, tan grande y disforme que tenían más de veinticinco pies en largo, y allí le matamos con las lanzas, y era cosa grande la braveza que tenía; y después de muerto lo comimos, con la hambre que llevábamos; es mala carne y de un olor muy enhastioso; estos lagartos o caimanes (39) han comido a muchos españoles y caballos y indios, pasando de una parte a otra, atravesando estos ríos. En el término desta ciudad hay poca gente de los naturales, porque todos se han consumido por malos tratamientos que recibieron de los españoles y con enfermedades que tuvieron. Toda la más desta ciudad está poblada, como ya dije, de muchos y muy honrados mercaderes de todas partes; tratan en ella y en el Nombre de Dios; porque el trato es tan grande, que casi se puede comparar con la ciudad de Venecia; porque muchas veces acaesce venir navíos por la mar del Sur a desembarcar en esta ciudad, cargados de oro y plata; y por la mar del Norte es muy grande el número de las flotas que allegan al Nombre de Dios, de las cuales gran parte de las mercaderías viene a este reino por el río que llaman de Chagre, en barcos, y del que está cinco leguas de Panamá los traen grandes y muchas recuas que los mercaderes tienen para este efecto. Junto a la ciudad hace la mar un ancón grande, donde cerca dél surgen las naos, y con la marea entran en el puerto, que es muy bueno para pequeños navíos. Esta ciudad de Panamá fundó y pobló Pedrarias de Avila, gobernador que fue de Tierra Firme, en nombre del invictísimo césar don Carlos

(37) Caimanes.
(38) Recuerdo de sus primeras aventuras, aún muy joven.
(39) Sabe que se llaman caimanes, pero sigue empleando la palabra *lagarto* para que el lector comprenda qué forma tienen.

Augusto, rey de España, nuestro señor, año del Señor de 1520 (40), y está en casi ocho grados de la equinocial a la parte del norte; tiene un buen puerto, donde entran las naos con la menguante hasta quedar en seco. El flujo y reflujo desta mar es grande, y mengua tanto, que queda la playa más de media legua descubierta del agua, y con la cresciente se torna a henchir; y quedar tanto creo yo que lo causa tener poco fondo, pues quedan las naos de baja mar en tres brazas, y cuando la mar es crecida están en siete. Y pues en este capítulo he tratado de la ciudad de Panamá y de su asiento, en el siguiente diré los puertos y ríos que hay por la costa hasta llegar a Chile, porque será grande claridad por esta obra.

CAPITULO III

De los puertos que hay desde la ciudad de Panamá hasta llegar a la tierra del Perú, y las leguas que hay de uno a otro, y en los grados de altura que están

A todo el mundo es notorio cómo los españoles, ayudados por Dios, con tanta felicidad han ganado y señoreado este Nuevo Mundo que Indias se llama. En el cual se incluyen tantos y tan grandes reinos y provincias, que es cosa de admiración pensarlos, y en las conquistas y descubrimientos tan venturosos, como todos los que en esta edad vivimos sabemos. He yo considerado que, como el tiempo trastornó con el tiempo largo otros estados y monarquías y las traspasó a otras gentes, perdiéndose la memoria de los primeros, que andando el tiempo podría suceder en nosotros lo que en los pasados, lo cual Dios nuestro Señor no permita, pues estos reinos y provincias fueron ganadas y descubiertas en tiempo del cristianísimo y gran Carlos semper Augusto, emperador de los romanos, rey y señor nuestro, el cual tanto cuidado ha tenido y tiene de la conversión destos indios. Por las cuales causas yo creeré que para siempre España será la cabeza deste reino, y todos los que en él vivieren reconoscerán

(40) Equivoca el año. Véase nota 35.

por señores a los reyes della. Por tanto, en este capítulo quiero dar a entender a los que esta obra leyeren la manera de navegar por los rumbos y gardos que en el camino del mar hay de la ciudad de Panamá al Perú. Donde digo que el navegar de Panamá para el Perú es por el mes de enero, febrero y marzo, porque en este tiempo hay siempre grandes brisas y no reinan los vendavales, y las naos con brevedad allegan a donde van, antes que reine otro viento, que es el sur, el cual gran parte del año corre en la costa del Perú; y así, antes que viente el sur, las naos acaban su navegación. También pueden salir por agosto y setiembre, mas no van tan bien como en el tiempo ya dicho. Si fuera destos meses algunas naos partieren de Panamá, irán con trabajo, y aun harán mala navegación y muy larga; y así, muchas naos arriban sin poder tomar la costa. El viento sur y no otro reina mucho tiempo, como dicho he, en las provincias del Perú desde Chile hasta cerca de Tumbez, el cual es provechoso para venir del Perú a la Tierra Firme, Nicaragua y otras partes, mas para ir es dificultoso. Saliendo de Panamá, los navíos van a reconoscer las islas que llaman de las Perlas, las cuales están en ocho grados escasos a la parte del sur. Serán estas islas hasta veinticinco o treinta, pegadas a una que es la mayor de todas. Solían ser pobladas de naturales, mas en este tiempo ya no hay ninguno. Los que son señores dellas tienen negros y indios de Nicaragua y Cubagua, que les guardan los ganados y siembran las sementeras, porque son fértiles. Sin esto se han sacado gran cantidad de perlas ricas, por lo cual les quedó el nombre de islas de Perlas. Destas islas van a reconoscer a la punta de Carachine, que está dellas diez leguas norueste-sueste con la isla Grande. Los que llegaren a este cabo verán ser la tierra alta y montañosa; está en siete grados y un tercio. Desta punta corre la costa a puerto de Piñas a sudueste cuarta del sur, y está della ocho leguas, en seis grados y un cuarto. Es tierra alta, de grandes breñas y montañas; junto a la mar hay grandes piñales, por lo cual le llaman puerto de Piñas; desde donde vuelve la costa al sur cuarta de sudueste hasta cabo de Corrientes, el cual sale a la mar y es angosto. Y prosiguiendo el camino por el rumbo ya dicho se va hasta llegar a la isla que llaman de Palmas, por los grandes palmares que en ella hay; terná en contorno poco más de legua y media; hay en ella ríos de buena agua, y solía ser poblada. Está de cabo de Corrientes veinte y cinco leguas y en cuatro grados y un tercio. Desta isla corre la costa por el mismo rumbo hasta llegar a la Bahía de la Buena ventura, y está de la isla tres leguas, poco más; junto a la bahía, la cual es muy grande, está un peñol o farallón alto; está la entrada de la bahía en tres grados y dos tercios; toda aquella parte está llena de grandes montañas, y salen a la mar muchos y muy grandes ríos, que nacen en la sierra; por el uno dellos entran las naos hasta llegar al pueblo o puerto de la Buena ventura (41). Y el piloto que entrare ha de saber bien el río, y si no, pasará gran trabajo, como lo he pasado yo y otros muchos, por llevar pilotos nuevos. Desta bahía corre la costa al este cuarta del sueste hasta la isla que llaman de Gargona (42), la cual está de la Bahía veinte y cinco leguas. La costa que corre en este término es baja, llena de manglares y otras montañas bravas. Salen a la costa muchos ríos grandes, y entre ellos el mayor y más poderoso es el río de San Juan, el cual es poblado de gentes bárbaras, y tienen las casas armadas en grandes horcones a manera de barbacoas o tablados (43), y allí viven muchos moradores, por ser los canelles (44) o casas largas y muy anchas. Son muy riquísimos estos indios de oro, y la tierra que tienen muy fértil, y los ríos llevan abundancia deste metal; mas es tan fragosa y llena de paludes o lagunas, que por ninguna manera se puede conquistar si no es a costa de mucha gente y con gran trabajo. La isla de la Gorgona es alta, y adonde jamás deja de llover y tronar, que paresce que los elementos unos con otros combaten. Terná dos leguas

(41) En la costa colombiana actual del Pacífico.

(42) Es la isla donde se refugió Pizarro con los *trece de la fama.* La Gorgona, mito griego, en vez de cabellos tenía serpientes. La cantidad de riachuelos que vertían en el mar hizo surgir en la mente de los españoles la comparación con los míticos cabellos de la Gorgona.

(43) Se trata de palafitos. Una *barbacoa,* en palabra taina, es siempre una plataforma de cañas entrelazadas, ya sea para asar a la brasa o en una torre.

(44) *Caney,* en palabra taina o de las Antillas, significa casa importante. El plural debía ser *caneyes* (véase Hernández Aquino, 1969).

de contorno, llenas de montañas; hay arroyos de buen agua y muy dulce, y en los árboles se ven muchas pavas, faisanes y gatos pintados y grandes culebras, y otras aves nocturnas; parece que nunca fue poblada. Aquí estuvo el marqués don Francisco Pizarro con trece cristianos (45) españoles, compañeros suos, que fueron los descubridores desta tierra que llamamos Perú. Muchos días (como diré en la tercera parte desta obra) ellos y el gobernador pasaron grandes trabajos y hambres, hasta que enteramente Dios fue servido que descubriese las provincias del Perú. Esta isla de la Gorgona, está en tres grados; della corre la costa al oessudueste hasta la isla de Gallo (46), y toda esta costa es baja y montañosa y salen a ella muchos ríos. Es la isla de Gallo pequeña; terná de contorno casi una legua; hace unas barrancas bermejas en la misma costa de tierra firme a ella; está en dos grados de la equinocial. De aquí vuelve la costa al sudueste hasta la punta que llaman de Manglares (47), la cual está en otros dos grados escasos, y hay de la isla a la punta ocho leguas, poco más o menos. La costa es baja, montañosa y salen a la mar algunos ríos, los cuales la tierra dentro están poblados de las gentes que dije que hay en el río de San Juan. De aquí corre la costa al sudueste hasta la bahía que llaman de Santiago, y hácese una gran ensenada, donde hay un ancón que nombran de Sardinas; está en él el grande y furioso río de Santiago, que es donde comenzó la gobernación del marqués don Francisco Pizarro. Está quince leguas la bahía de Punta Manglares, y acaece las naos tener la proa en ochenta brazas y estar la popa zabordada en tierra, y también acontece ir en dos brazas y dará luego en más de quince, lo cual hace la furia del río; mas aunque hay estos bancos no son peligrosos ni dejan las naos de entrar y salir a su voluntad. Está la bahía de oeste en demanda del cabo de San Francisco, que está de la bahía diez leguas. Está este cabo en tierra alta, y junto a él se hacen unas barrancas bermejas y blan-

(45) Sigue la terminología —cristianos— de la Reconquista. A partir de la segunda mitad del siglo XVI no vuelve a aparecer esta palabra para designar a los españoles.

(46) Allí quedó Pizarro inicialmente, con los trece acompañantes.

(47) *Mangle,* y de ahí manglar, según Corominas (1961) aparece en los escritos en 1519.

cas también altas, y está este cabo de San Francisco en un grado a la parte del norte de la equinocial. Desde aquí corre la costa al sudueste hasta llegar al cabo de Passaos, que es por donde pasa la línea equinocial. Entre estos dos cabos o puntas salen a la mar cuatro ríos muy grandes, a los cuales llaman los Quiximies; hácese un puerto razonable, donde las naos toman agua muy buena y leña. Hácense del cabo de Passaos a la tierra firme unas sierras altas que dicen de Quaque; el cabo es una tierra no muy baja, y vense unas barracas como las pasadas.

CAPITULO IV

En que se declara la navegación hasta llegar al Callao de Lima, que es el puerto de la ciudad de los Reyes

Declarado he, aunque brevemente, de la manera que se navega por este mar del Sur hasta llegar al puerto de los Quiximies, que ya es tierra del Perú, y agora será bien proseguir la derrota hasta llegar a la ciudad de los Reyes. Saliendo, pues, de cabo de Passaos, va la costa al sur cuarta del sudueste hasta llegar a Puerto Viejo, y antes de llegar a él está la bahía que dicen de los Caraques, en la cual entran las naos sin ningún peligro; y es tal, que pueden dar en él carena (48) a navíos aunque fuesen de mil toneles. Tiene buena entrada y salida, excepto que en medio de la furna (49) que se hace de la bahía están unas rocas o isla de peñas; mas por cualquier parte pueden entrar y salir las naos sin peligro alguno, porque no tiene más recuesta de la que ver por los ojos. Junto a Puerto Viejo, dos leguas de tierra dentro, está la ciudad de Santiago, y un monte redondo al sur, otras dos leguas, al cual llaman Monte Cristo; está Puerto Viejo en un grado de la equinocial a la parte del sur. Más adelante, por la misma derrota a la parte del sur cinco leguas, está el

(48) Poner a flote.
(49) Significa algo profundo. Procede sin duda del latín *furnus* horno. Es curioso que María Moliner, en su *Diccionario,* presente esta palabra —en su forma de *furnia*— como un cubanismo, cuyo significado es *sima.*

cabo de San Lorenzo, y tres leguas dél al sudueste está la isla que llaman 6de la Plata, la cual terná en circuito legua y media, donde en los tiempos antiguos solían tener los indios naturales de la Tierra Firme sus sacrificios, y mataban muchos corderos y ovejas (50) y algunos niños, y ofrecían la sangre dellos a sus ídolos o diablos, la figura de las cuales tienen en piedras adonde adoraban. Viniendo descubriendo el marqués don Francisco Pizarro con sus trece compañeros, dieron en esta isla, y hallaron alguna plata y joyas de oro, y muchas mantas y camisetas de lana muy pintadas y galanas; desde aquel tiempo hasta agora se le quedó, por lo dicho, el nombre que tiene de isla de Plata. El cabo de San Lorenzo está en un grado a la parte del sur. Volviendo al camino, digo que va prosiguiendo la costa al sur cuarta del sudueste hasta la punta de Santa Elena: antes de llegar a esta punta hay dos puertos; el uno se dice Callo y el otro Zalango, donde las naos surgen y toman agua y leña. Hay del cabo de San Lorenzo a la punta de Santa Elena quince leguas, y está en dos grados largos; hácese una ensenada de la punta a la parte del norte, que es buen puerto. Un tiro de ballesta dél está una fuente, donde nasce y mana gran cantidad de un betún que parece pez natural y alquitrán; salen desto cuatro o cinco ojos. Desto y de los pozos que hicieron los gigantes (51) en esta punta, y lo que cuentan dellos, que es cosa de oír, se tratará adelante. Desta punta de Santa Elena van al río de Tumbez, que está della veinte y cinco leguas; está la punta con el río al sur cuarta al sudueste; entre el río y la punta se hace otra gran ensenada. Al nordeste del río de Tumbez está una isla, que terná de contorno más de diez leguas y ha sido riquísima y muy poblada; tanto, que competían los naturales con los de Tumbez y con otros de la Tierra Firme, y se dieron entre unos y otros muchas batallas y hubo grandes guerras; y con el tiempo, y con la que tuvieron con los españoles, han venido en gran diminución. Es la isla muy fértil y abundante y llena de árboles; es de su majestad.

(50) Estos animales, que Cieza llama así, son evidentemente las llamas y las alpacas.

(51) A Cieza le causó mucha impresión el hallazgo de osamentas de animales terciarios, que los indígenas atribuían a gigantes, en la punta de Santa Elena.

Hay fama que de antiguamente está enterrado en ella gran suma de oro y plata en sus adoratorios. Cuentan los indios que hoy son vivos que usaban los moradores desta isla grandes religiones, y eran dados a mirar en agüeros y en otros abusos, y que eran muy viciosos; y aunque sobre todo muchos dellos usaban el pecado abominable de la sodomía, dormían con sus hermanas carnales y hacían otros grandes pecados. Cerca desta isla de la Puna (52) está otra más metida en la mar, llamada Santa Clara; no hay ni hubo en ella población ni agua ni leña; pero los antiguos de la Puna tenían en esta isla enterramientos de sus padres y hacían sacrificios; y había puesto en las alturas donde tenían sus aras gran suma de oro y plata y fina ropa, dedicado y ofrecido todo al servicio de su dios. Entrados los españoles en la tierra, lo pusieron en tal parte (a lo que cuentan algunos indios) que no se puede saber dónde está. El río de Tumbez es muy poblado, y en los tiempos pasados lo era mucho más (53). Cerca dél solía estar una fortaleza muy fuerte y de linda obra, hecha por los ingas, reyes del Cuzco y señores de todo el Perú, en la cual tenían grandes tesoros, y había templo del sol y casa de mamaconas (54), que quiere decir mujeres principales vírgenes, dedicadas al servicio del templo, las cuales casi al uso de la costumbre que tenían en Roma las vírgenes vestales vivían y estaban. Y porque desto trato largo en el segundo libro desta historia, que trata de los reyes ingas y de sus religiones y gobernación, pasaré adelante. Ya está el edificio desta fortaleza muy gastado y deshecho, mas no para que deje de dar muestra de lo mucho que fue. La boca del río de Tumbez está en cuatro grados al sur; de allí corre la costa hasta Cabo Blanco al sudueste; del cabo al río hay quince

(52) Puná. No confundir este nombre con las *punas* de la alta sierra.

(53) Cieza, en su afán de veracidad, va inconscientemente testificando el descenso demográfico producido desde la llegada de los españoles. (Véase Angel Rosenblat, 1945, 1954, 1966 y 1967.)

(54) *Mama-cuna* en quéchua. *Cuna* es el plural general de esta lengua, al que los españoles, redundantemente, añadieron la *s* del plural castellano. *Mama* puede ser madre (como en *Pachamama*, madre tierra) o *señora*, que es este caso, pues las *mama-cuna* eran las mujeres de edad que cuidaban de los *acllahuasi* o lugares de recogimiento (conventos los llamaron los españoles) de las vírgenes del Sol.

leguas, y está en tres grados y medio, de donde vuelve la costa al sur hasta isla de Lobos. Entre Cabo Blanco y isla de Lobos está una punta que llaman de Parina, y sale a la mar casi tanto como el cabo que hemos pasado; desta punta vuelve la costa al sudueste hasta Paita. La costa de Tumbez para delante es sin montañas, y si hay algunas sierras son peladas, llenas de rocas y peñas; lo demás todo es arenales, y salen a la mar pocos ríos. El puerto de Paita está de la punta pasadas ocho leguas, poco más; Paita es muy buen puerto, donde las naos limpian y dan cebo; es la principal escala de todo el Perú y de todas las naos que vienen a él. Está este puerto de Paita en cinco grados; de la isla de Lobos (que ya dijimos) córrese deste oeste hasta llegar a ella, que estará cuatro leguas; y de allí, prosiguiendo la costa al sur, se va hasta llegar a la punta del Aguja. Entre medias de isla de Lobos y punta de Aguja se hace una grande ensenada, y tiene gran abrigo para reparar las naos; está la punta del Aguja en seis grados; al sur della se ven dos islas que se llaman de Lobos Marinos, por la gran cantidad que hay dellos. Norte sur con la punta está la primera isla, apartada de Tierra Firme cuatro leguas; pueden pasar todas las naos por entre la tierra y ella. La otra isla, más forana (55), está doce leguas desta primera y en siete grados escasos. De punta de Aguja vuelve la costa al su-sudueste hasta el puerto que dicen de Casma. De la isla primera se corre noruestesudueste hasta Mal Abrigo, que es un puerto que solamente con bonanza pueden las naos tomar puerto y lo que les conviene para su navegación. Diez leguas más adelante está el arrecife que dicen de Trujillo; es mal puerto, y no tiene más abrigo que el que hacen las boyas de las anclas; algunas veces toman allí refresco las naos; dos leguas la tierra dentro está la ciudad de Trujillo. Deste puerto, que está en siete grados y dos tercios, se va al puerto de Guanape, que está siete leguas de la ciudad de Trujillo, en ocho grados y un tercio. Más adelante al sur está el puerto de Santa, en el cual entran los navíos, y está junto a él un gran río y de muy sabrosa agua; la costa toda es sin montaña (como dije atras), arenales y sierras peladas de grandes rocas y piedras; está Santa en nueve grados. Más

(55) De más afuera, hacia alta mar.

adelante, a la parte del sur, está un puerto cinco leguas de aquí, que ha por nombre Ferrol, muy seguro, mas no tiene agua ni leña. Seis leguas adelante está el puerto de Casma, adonde hay también otro río y mucha leña (56), do los navíos toman siempre refresco; está en diez grados. De Casma corre la costa al sur hasta los farallones que dicen de Guabra; más adelante está Guarmey, por donde corre un río, de donde se va por la misma derrota hasta llegar a la Barranca, que está de aquí veinte leguas a la parte del sur. Más adelante seis leguas está el puerto de Guaura, donde las naos pueden tomar toda la cantidad de sal que quisieren; porque hay tanta, que bastaría para proveer a Italia y a toda España, y aun no la acabarían, según es mucha. Cuatro leguas más adelante están los farallones; córrese de la punta que hace la tierra con ellos nordeste sudueste; ocho leguas en la mar está el farallón más forano; y están estos farallones en ocho grados y un tercio. De allí vuelve la costa al sudueste hasta la isla de Lima; a medio camino, algo más cerca de Lima que de los farallones, está una baja que ha por nombre Salmerina, la cual está de tierra nueve o diez leguas. Esta isla hace abrigo al Callao, que es el puerto de la ciudad de los Reyes; y con este abrigo que da la isla está el puerto muy seguro, y así lo están las naos. El Callao, que, como digo, es el puerto de la ciudad de los Reyes, está en doce grados y un tercio.

CAPITULO V

De los puertos y ríos que hay desde la ciudad de los Reyes hasta la provincia de Chile, y los grados en que están, y otras cosas pertenecientes a la navegación de aquellas partes

En la mayor parte de los puertos y ríos que he declarado he yo estado, y con mucho trabajo he procurado in-

(56) Cieza, tan minucioso en sus descripciones, hace siempre hincapié en esto, ya que la falta de arbolado fue uno de los problemas del Perú, teniendo que importarse la madera muchas veces de cientos de kilómetros de distancia, desde la montaña o selva tropical.

vestigar la verdad de lo que cuento, y lo he comunicado con pilotos diestros y expertos en la navegación destas partes, y en mi presencia han tomado el altura; y por ser cierto y verdadero lo escribo. Por tanto, prosiguiendo adelante, en este capítulo daré noticia de los más puertos y ríos que hay en la costa desde este puerto de Lima (57) hasta llegar a las provincias de Chile, porque de lo del estrecho de Magallanes no podré hacer cumplida relación por haber perdido una copiosa relación que hube de un piloto de los que vinieron en una de las naos que envió el obispo de Plasencia (58). Digo, pues, que, saliendo las naos del puerto de la ciudad de los Reyes (59), van corriendo al sur hasta llegar al puerto de Sangalla, el cual es muy bueno, y al principio se tuvo por cierto que la ciudad de los Reyes se fundara cerca dél; el cual está della treinta y cinco leguas, y en catorce grados escasos de la equinocial a la parte del sur. Junto a este puerto de Sangalla hay una isla que llaman de Lobos Marinos. Toda la costa de aquí adelante es baja, aunque a algunas partes hay sierras de rocas peladas, y todo arenales muy espesos, en los cuales nunca jamás creo llovió ni agora llueve, ni cae más de un pequeño rocío, como adelante trataré deste admirable secreto de naturaleza. Cerca desta isla de Lobos hay otras siete o ocho isletas pequeñas, las cuales están en triángulo unas de otras; algunas dellas son altas, y otras bajas, despobladas, sin tener agua ni leña ni árbol ni hierba ni otra cosa, sino lobos marinos y arenales no poco grandes. Solían los indios, según ellos mismos dicen, ir de la tierra firme a hacer en ellas sus sacrificios, y aun se presume que hay enterrados grandes tesoros. Estarán de la tierra firme estas isletas poco más de cuatro leguas. Más adelante, por el rumbo ya dicho, está otra isla, que también llaman de Lobos, por los muchos que en ella hay, y está en catorce grados y un tercio. Desta isla van prosiguiendo el viaje de la navegación, corriendo la costa al

(57) Aunque Cieza llama a Lima casi siempre Ciudad de los Reyes, en ocasiones, como la presente, se le escapa el nombre vulgar, que se dio en la colonia a la capital del virreinato.

(58) Este es un dato importante de cómo buscó Cieza documentar su exposición, con papeles como los de la perdida *relación* a la que hace referencia.

(59) El Callao.

sudueste cuarta el sur. Y después de haber andado doce leguas más adelante de la isla se allega a un promontorio que nombran de la Nasca (60), el cual está en quince grados menos un cuarto. Hay en él abrigo para las naos, pero no para echar las barcas ni salir a tierra con ellas. En la misma derrota está otra punta o cabo, que se dice de San Nicolás, en quince grados y un tercio. Desta punta de San Nicolás vuelve la costa al sudueste, y después de haber andado doce leguas se allega al puerto de Hacari, donde las naos toman bastimento, y traen agua y leña del valle, que estará del puerto poco más de cinco leguas. Este este puerto de Hacari en diez y seis grados. Corriendo la costa adelante deste puerto se va hasta llegar al río de Ocona. Por esta parte es la costa brava; más adelante está otro río, que se llama Camana, y adelante está también otro, llamado Quilca. Cerca deste río media legua está una caleta muy buena y segura y a donde los navíos paran. Llaman a este puerto Quilca, como al río; y de lo que en él se descarga se provee la ciudad de Arequipa, que está del puerto diez y siete leguas. Y está este puerto y la misma ciudad en diez y siete grados y medio. Navegando deste puerto por la costa adelante se ve en unas islas dentro en la mar cuatro leguas, a donde siempre están indios, que van de la tierra firme a pescar en ellas. Otras tres leguas más adelante está otra isleta, muy cerca de la tierra firme, y a sotavento della surgen las naos, porque también las envían deste puerto a la ciudad de Arequipa, al cual nombran Chulí, que es más adelante de Quilca doce leguas; está en diez y siete grados y medio largos. Más adelante deste puerto está a dos leguas un río grande que se llama Tambopalla. Y diez leguas más adelante deste río sale a la mar una punta más que toda la tierra una legua, y están sobre ella tres farallones. Al abrigo de esta punta, poco más de una legua antes della, está un buen puerto que se llama Ilo, y por él sale a la mar un río de agua muy buena, que tiene el mismo nombre del puerto, el cual está en diez y ocho grados y un tercio. De aquí se corre la costa al sueste cuarta leste. Y siete leguas más adelante está un promontorio, que los

(60) La ortografía es Nazca, pero no es raro que un andaluz usara la *s* en lugar de la *z*.

hombres de la mar llaman Morro de los Diablos. Toda aquella costa es (como ya dije) brava y de grandes riscos. Más adelante deste promontorio cinco leguas está un río de buen agua, no muy grande, y deste río al sueste cuarta leste, doce leguas más adelante, sale otro morro alto, y hace unas barrancas. Sobre este morro está una isla, y junto a ella el puerto de Arica, el cual está en veinte y nueve grados y un tercio. Deste puerto de Arica corre la costa al su-sudueste nueve leguas; sale a la mar un río que se llama Pizagua. Deste río hasta el puerto de Tarapacá se corre la costa por la misma derrota, y habrá del río al puerto cantidad de veinte y cinco leguas. Cerca de Tarapacá está una isla que terná de contorno poco más de una legua, y está de la tierra firme legua y media, y hace una bahía, donde está el puerto, en veinte y uno grados. De Tarapacá se va corriendo la costa por la misma derrota, y cinco leguas más adelante hay una punta que ha por nombre de Tacama. Pasada esta punta, diez y seis leguas más adelante, se allega al puerto de los Moxilones, cual está en veinte y dos grados y medio. Deste puerto de Moxilones corre la costa al su-sudueste cantidad de noventa leguas. Es costa derecha, y hay en ella algunas puntas y bahías. En fin dellas está una grande, en la cual hay un buen puerto y agua, que se llama Copayapo; está en veinte y seis grados. Sobre esta ensenada o bahía está una isla pequeña, media legua de la tierra firme. De aquí comienza lo poblado de las provincias de Chile. Pasado este puerto de Copayapo, poco más adelante están dos farallones pequeños, y en cabo de la bahía está un río de agua muy buena. El nombre deste río es el Guasco. La punta dicha está en veinte y ocho grados y un cuarto. Dc aquí se corre la costa al sudueste. Y diez leguas adelante sale otra punta, la cual hace abrigo para las naos, mas no tiene agua ni leña. Cerca desta punta está el puerto de Coquimbo; hay entre él y la punta pasada siete islas. Está el puerto en veinte y nueve grados y medio. Diez leguas más adelante, por la misma derrota, sale otra punta, y en ella se hace una gran bahía que ha por nombre de Atongayo. Más adelante cinco leguas está el río de Limara. Deste río se va por el mismo rumbo hasta llegar a un bahía que está dél nueve leguas, la cual tiene un farallón y no agua ninguna, y está en treinta y un grados; llámase Coapa. Más adelante, por la misma derrota, cantidad de veinte y una leguas, está un buen puerto que se llama de Quintero; está en treinta y dos grados; y más adelante diez leguas está el puerto de Valparaíso, y de la ciudad de Santiago, que es lo que decimos Chile, está en treinta y dos grados y dos tercios. Prosiguiendo la navegación por la misma derrota, se allega a otro puerto, que se llama Potocalma, que está del pasado veinte y cuatro leguas. Doce leguas más adelante se ve una punta; a un cabo della está un río, al cual nombran de Mauque o Maule. Más adelante catorce leguas está otro río, que se llama Itata, y caminando al sur cuarta sudueste veinte y cuatro leguas está otro río, que se llama Biobio, en altura de treinta y ocho grados escasos. Por la misma derrota, cantidad de quince leguas, está una isla grande, y se afirma que es poblada, cinco leguas de la tierra firme; esta isla se llama Luchengo. Adelante desta isla está una bahía muy ancha, que se dice de Valdivia, en la cual está un río grande que nombran de Ainilendos. Está la bahía en treinta y nueve grados y dos tercios. Yendo la costa al su-sudueste está el cabo de Santa María, en cuarenta y dos grados y un tercio a la parte del sur. Hasta aquí es lo que se ha descubierto y se ha navegado. Dicen los pilotos que la tierra vuelve al sueste hasta el estrecho de Magallanes. Uno de los navíos que salieron de España con comisión del obispo de Plasencia desembocó por el estrecho y vino a aportar al puerto de Quilca, que es cerca de Arequipa. Y de allí fue a la ciudad de los Reyes y a Panamá. Traía buena relación de los grados en que estaba el estrecho y de lo que pasaron en su viaje y muy trabajosa navegación, la cual relación no pongo aquí porque al tiempo que dimos la batalla a Gonzalo Pizarro, cinco leguas de la ciudad del Cuzco, en el valle de Jaquijaguana, la dejé entre otros papeles míos y registros, y me la hurtaron, de que me ha pesado mucho, porque quisiera concluir allí con esta cuenta; recíbase mi voluntad en lo que he trabajado, que no ha sido poco, por saber la verdad, mirando las cartas nuevas de marear que se han hecho por los pilotos descubridores desta mar. Y porque aquí se concluye lo que toca a la navegación desta mar del sur que hasta agora se ha hecho, de que yo he visto y podido haber noticia; por tanto, de aquí pasaré a dar cuenta de las provincias y naciones que hay desde el puerto de Urabá hasta la villa de Plata, en cuyo camino habrá más de dos mil y doscientas leguas de una parte a otra. Donde pondré la traza y figura de la gobernación de Popayán y del reino del Perú.

Y porque antes que trate desto conviene, para claridad de lo que escribo, hacer mención deste puerto de Urabá (porque por él fue el camino que yo llevé), comenzaré dél, y de allí pasaré a la ciudad de Antiocha y a los otros puertos como en la siguiente orden parescerá.

CAPITULO VI

Cómo la ciudad de San Sebastián estuvo poblada en la Culata de Urabá, y de los indios naturales que están en la comarca della

En los años de 1500 fueron gobernadores de la Tierra Firme Alonso de Ojeda y Nicuesa, y en la provincia del Darién se pobló una ciudad que tuvo por nombre Nuestra Señora del Antigua, donde afirman algunos españoles de los antiguos que se hallaron la flor de los capitanes que ha habido en estas Indias. Y entonces, aunque la provincia de Cartagena estaba descubierta, no la poblaron, ni hacían los cristianos españoles más que contratar con los indios naturales, de los cuales, por vía de rescate y contratación, se había gran suma de oro fino y bajo. Y en el pueblo grande de Taruaco (61), que está de Cartagena (que antiguamente se nombraba Calamar) cuatro leguas, entró el gobernador Ojeda, y tuvo con los indios una porfiada batalla, donde le mataron muchos cristianos, y entre ellos al capitán Juan de la Cosa, valiente hombre y muy determinado. Y él, por no ser también muerto a manos de los mismos indios, le convino dar la vuelta a las naos. Y después desto pasado, el gobernador Ojeda fundó

(61) Turbaco. El error debe ser del copista o impresor, pues Cieza conocía bien esos lugares.

un pueblo de cristianos en la parte que llaman de Urabá, adonde puso por su capitán y lugarteniente a Francisco Pizarro, que después fue gobernador y marqués. Y en esta ciudad o villa de Urabá pasó muchos trabajos este capitán Francisco Pizarro con los indios de Urabá, y con hombres y enfermedades, que para siempre quedará dél fama. Los cuales indios (según decían) no eran naturales de aquella comarca ,antes era su antigua patria la tierra que está junto al río grande del Darién. Y deseando salir de la subjeción y mando que sobre ellos los españoles tenían, por librarse de estar subjetos a gente que tan mal los trataba, salieron de su provincia con sus armas, llevando consigo sus hijos y mujeres. Los cuales, llegados a la Culata que dicen Urabá, se hubieron de tal manera con los naturales de aquella tierra, que con gran crueldad los mataron a todos y les robaron sus haciendas, y quedaron por señores de sus campos y heredades.

Y entendido esto por el gobernador Ojeda, como tuviese grande esperanza de haber en aquella tierra alguna riqueza, y por asegurar a los que se habían ido a vivir a ella, envió a poblar el pueblo que tengo dicho, y por su teniente a Francisco Pizarro, que fue el primer capitán cristiano que allí hubo. Y como después feneciesen tan desastradamente estos dos gobernadores Ojeda y Nicuesa, habiendo habido los del Darién con tanta crueldad con Nicuesa como es público entre los que han quedado vivos de aquel tiempo, y Pedrarias viniese por gobernador a la Tierra Firme, no embargante que se hallaron en la ciudad del Antigua más de dos mil españoles, no se atendió en poblar a Urabá.

Andando el tiempo, después de haber el gobernador Pedrarias cortado la cabeza a su yerno el adelantado Vasco Núñez de Balboa, y lo mismo el capitán Francisco Hernández en Nicaragua, y haber muerto los indios del río del Cenu al capitán Becerra con los cristianos que con él entraron; y pasados otros trances, viniendo por gobernador de la provincia de Cartagena don Pedro de Heredia, envió al capitán Alonso de Heredia, su hermano, con copia (62) de españoles muy principales, a poblar segunda vez a Urabá, intitulándola ciudad de San Sebastián de

(62) Buen número, abundancia.

Buena Vista, la cual está asentada en unos pequeños y rasos collados de campaña (63), sin tener montaña (64), si no es en los ríos o ciénagas. La tierra a ella comarcana es doblada, y por muchas partes llena de montañas y espesuras. Estará del mar del Norte casi media legua. Los campos están llenos de unos palmares muy grandes y espesos, que son unos árboles gruesos, y llevan unas ramas como palma de dátiles, y tiene el árbol muchas cáscaras hasta que llegan a lo interior dél; cuando lo cortan sin ser la madera recia, es muy trabajosa de cortar. Dentro deste árbol, en el corazón dél, se crían unos palmitos tan grandes, que en dos dellos tiene harto que llevar un hombre; son blancos y muy dulces. Cuando andaban los españoles en las entradas y descubrimientos, en tiempo que fue teniente de gobernador desta ciudad Alonso López de Ayala y el comendador Hernán Rodríguez de Sosa, no comían muchos días otra cosa que estos palmitos; y es tanto trabajo cortar el árbol y sacar el palmito dél, que estaba un hombre con una hacha cortando medio día primero que lo sacase; y como los comían sin pan y bebían mucha agua, muchos españoles se hinchaban y morían, y así murieron muchos dellos. Dentro del pueblo a las riberas de los ríos hay muchos naranjales, plátanos, guayabas y otras frutas. Vecinos hay pocos, por ser la contratación casi ninguna. Tiene muchos ríos que nacen en las sierras. La tierra dentro hay algunos indios y caciques, que solían ser muy ricos por la gran contratación que tenían con los que moran en la campaña pasadas las sierras y en el Dabaybe (65). Estos indios que en estos tiempos señorean esta región, ya dije cómo muchos dellos dicen su naturaleza haber sido pasado el gran río del Darién, y la causa por que salieron de su antigua patria. Son los señoretes o caciques de los indios obedescidos y temidos, todos generalmente dispuestos y limpios, y sus mujeres son de las hermosas y amorosas que yo he visto en la mayor parte destas Indias donde he andado. Son en el comer limpios, y no acostumbran las fealdades que otras naciones. Tienen pequeños pueblos, y las casas son a manera de ramadas largas de muchos

(63) Campiña.
(64) *Montaña* equivale a lo que hoy llamamos *monte bajo* y así se designa en el Perú a la selva oriental.
(65) Se llama hoy Darién.

estantes. Dormían y duermen en hamacas (66); no tienen ni usan otras camas. La tierra es fértil, abundante de mantenimientos y de raíces gustosas para ellos y también para los que usaren comerlas. Hay grandes manadas de puercos zainos (67) pequeños, que son de buena carne sabrosa, y muchas dantas (68) ligeras y grandes; algunos quieren decir que eran de linaje o forma de cebras. Hay muchos pavos y otra diversidad de aves, mucha cantidad de pescado por los ríos. Hay muchos tigres grandes, los cuales matan a algunos indios y hacían daño en los ganados. También hay culebras muy grandes y otras alimañas por las montañas y espesuras, que no sabemos los nombres; entre los cuales hay los que llamamos pericos ligeros, que no es poco de ver su talle tan fiero y con la flojedad y torpeza que andan (69). Cuando los españoles daban en los pueblos destos indios y los tomaban de sobresalto, hallaban gran cantidad de oro en unos canastillos que ellos llaman habas, en joyas muy ricas de campanas, platos, joyeles, y unos que llaman caricuries, y otros caracoles grandes de oro bien fino, con que se atapaban sus partes deshonestas; también tenían zarcillos y cuentas muy menudas, y otras joyas de muchas maneras, que les tomaban; tenían ropa de algodón mucha. Las mujeres andas vestidas con unas mantas que les cubren de las tetas hasta los pies, y de los pechos arriba tienen otra manta con que se cubren. Précianse de hermosas; y así, andan siempre peinadas y galanas a su costumbre. Los hombres andan desnudos y descalzos, sin traer en sus cuerpos otra cobertura ni vestidura que la que les dio natura. En las partes deshonestas traían atados con unos hilos unos caracoles de hueso o de muy fino oro, que pesaban algunos que yo vi a cuarenta y a cincuenta pesos cada uno, y a algunos a más, y pocos a menos. Hay entre ellos grandes mercaderes y contratantes que llevan a vender a tierra dentro muchos puercos de los que se crían en la misma tierra, diferentes

(66) Esta palabra antillana ya tiene carta de naturaleza en el castellano casi desde comienzos del siglo XVI, y por ello la emplea Cieza sin explicarla.

(67) Pecaris. El pecari es un porcino, por lo que Cieza no es inexacto.

(68) Tapires.

(69) Fernández de Oviedo, en su *Sumario*, ya le da este mismo nombre.

de los de España porque son más pequeños y tienen el ombligo a las espaldas, que debe ser alguna cosa que allí les nace (70). Llevan también sal y pescado; por ello traen oro, ropa y de lo que más ello tienen necesidad; las armas que usan son unos arcos muy recios, sacados de unas palmeras negras, de una braza cada uno, y otros más largos con muy grandes y agudas flechas, untadas con una hierba tan mala y pestífera (71) que es imposible al que llega y hace sangre no morir, aunque no sea la sangre más de cuanta sacarían de un hombre picándole con un alfiler. Así, que pocos o ninguno de los que han herido con esta hierba dejaron de morir.

CAPITULO VII

De cómo hace la hierba tan ponzoñosa con que los indios de Santa Marta y Cartagena tantos españoles han muerto

Por ser tan nombrada en todas partes esta hierba ponzoñosa que tienen los indios de Cartagena y Santa Marta me pareció dar aquí relación de la composición della, la cual es así. Esta hierba es compuesta de muchas cosas; las principales yo las investigué y procuré saber en la provincia de Cartagena, en un pueblo de la costa, llamado Bahaire, de un cacique o señor dél, que había por nombre Macuri, el cual me enseñó unas raíces cortas, de mal olor, tirante el color dellas a pardas. Y díjome que por la costa del mar, junto a los árboles que llamamos manzanillos, cavaban debajo la tierra, y de las raíces de quel pestífero árbol sacaban aquéllas, las cuales queman en unas cazuelas de barro y hacen dellas una pasta, y buscan unas hormigas tan grandes como un escarabajo de los que se crían en España, negrísimas y muy malas, que solamente de picar a un hombre se le hace una roncha, y le da tan gran dolor que casi lo priva de su sentido, como acontesció yendo caminando en la jornada que hecimos con el licen-

(70) Los pecaris tienen en el lomo una glándula que expele un humor maloliente.

(71) *Curare.* Hoy sabemos que no es un veneno propiamente dicho, sino un paralizante que, naturalmente, produce la muerte.

ciado Juan de Vadillo, acertando a pasar un río un Noguerol y yo, a donde aguardamos ciertos soldados que quedaban atrás, porque él iba por cabo de escuadra en aquella guerra, a donde le picó una de aquestas hormigas que digo, y le dio tan gran dolor que se le quitaba el sentido y se le hinchó la mayor parte de la pierna, y aun le dieron tres o cuatro calenturas del gran dolor, hasta que la ponzoña acabó de hacer su curso. También buscan para hacer esta mala cosa unas arañas muy grandes, y asimismo le echan unos gusanos peludos, delgados, complidos como medio dedo, de los cuales yo no me podré olvidar, porque, estando guardando un río en las montañas que llaman de Abibe, abajó por un ramo de un árbol donde yo estaba uno de estos gusanos, y me picó en el pescuezo, y llevé la más trabajosa noche que en mi vida tuve, y de mayor dolor. Hácenla también con las alas del morciélago y la cabeza y cola de un pescado pequeño que hay en el mar, que ha por nombre peje tamborino, de muy gran ponzoña, y con sapos y colas de culebras, y unas manzanillas que parecen en el color y olor naturales de España. Y algunos recién venidos della a estas partes, saltando en la costa, como no saben la ponzoña que es, las comen. Yo conoscía un Juan Agraz (que agora le vi en la ciudad de San Francisco del Quito), que es de los que vinieron de Cartagena con Vadillo, que cuando vino de España y salió del navío en la costa de Santa Marta comió diez o doce destas manzanas, y le oí jurar que en el olor, color y sabor no podían ser mejores, salvo que tienen una leche que debe ser la malentía tan mala que se convierte en ponzoña; después que las hubo comido pensó reventar, y si no fuera socorrido con aceite, ciertamente muriera. Otras hierbas y raíces también le echan a esta hierba, y cuando la quieren hacer aderezan mucha lumbre en un llano desviado de sus casas o aposentos, poniendo unas ollas; buscan alguna esclava o india que ellos tengan en poco, y aquella india la cuece y pone en la perfición que ha de tener, y del olor y vaho que echa de sí muere aquella persona que la hace, según yo oí.

CAPITULO VIII

En que se declaran otras costumbres de los indios sujetos a la ciudad de Urabá

Con aquesta hierba tan mala como he contado untan los indios las puntas de sus flechas, y están tan diestros en el tirar y son tan certeros y tiran con tanta fuerza, que ha acaescido muchas veces pasar las armas y caballo de una parte a otra, o al caballero que van encima, si no son demasiadamente las armas buenas y tienen mucho algodón; porque en aquella tierra, por su aspereza y humidad, no son buenas las cotas ni corazas, ni aprovechan nada para la guerra destos indios, que pelean con flechas. Mas con todas sus mañas y con ser tan mala la tierra, los han conquistado y muchas veces saqueado soldados de a pie, dándoles grandes alcances, sin llevar otra cosa que una espada y una rodela. Y diez o doce españoles que se hallan juntos acometen a ciento y a doscientos dellos. No tienen casa ni templo de adoración alguna, ni hasta agora se les ha hallado más de que ciertamente hablan con el diablo los que para ellos señalan, y le hacen la honra que pueden, teniéndolo en gran veneración; el cual se les aparece (según yo he oído a algunos dellos) en visiones espantables y terribles, que les pone su vista gran temor. No tienen mucha razón para conocer las cosas de naturaleza. Los hijos heredan a los padres, siendo habidos en la principal mujer. Cásanse con hijas de sus hermanos, y los señores tienen muchas mujeres. Cuando se muere el señor, todos sus criados y amigos se juntan en su casa de noche, con las tinieblas, sin tener lumbre ninguna; teniendo gran cantidad de vino hecho de su maíz (72), beben, llorando el muerto; y después que han hecho sus cerimonias y hechicerías lo meten en la sepultura, enterrando con el cuerpo sus armas y tesoro, y mucha comida y cántaros de su chicha o vino, y algunas mujeres vivas. El demonio les hace entender que allá donde van ha de tornar a vivir en otro reino que los tiene aparejado, y que para el camino les conviene llevar el mantenimiento que digo, como si el infierno estuviese lejos. Esta ciudad

(72) *Chicha*. Se consigue por la fermentación de maíz.

de San Sebastián fundó y pobló Alonso de Heredia, hermano del adelantado don Pedro de Heredia, gobernador por su majestad de la provincia de Cartagena, como ya dije.

CAPITULO IX

Del camino que hay entre la ciudad de San Sebastián y la ciudad de Antiocha, y las sierras, montañas y ríos y otras cosas que allí hay, y cómo y en qué tiempo se pueden andar

Yo me hallé en esta ciudad de San Sebastián de Buena Vista el año de 1536, y por el 37 salió della el licenciado Juan de Vadillo, juez de residencia y gobernador que en aquel tiempo era de Cartagena, con una de las mejores armadas que han salido de la Tierra Firme, según que tengo escripto en la cuarta parte desta historia. Y fuimos nosotros los primeros españoles que abrimos camino del mar del Norte al del Sur. Y desde pueblo de Urabá hasta la villa de Plata, que son los fines del Perú, anduve yo, y me apartaba por todas partes a ver las provincias que más podía, para poder entender y notar lo que en ellas había. Por tanto, de aquí adelante diré lo que vi y se me ofrece, sin querer angrandescer ni quitar cosa de lo que soy obligado; y desto los lectores reciban mi voluntad. Digo, pues, que saliendo de la ciudad de San Sebastián de Buena Vista, que es el puerto que dicen de Urabá, para ir a la ciudad de Antiocha (73), que es la primera población y la última del Perú a la parte del norte, van por la costa cinco leguas hasta llegar a un pequeño río que se llama Río Verde, del cual a la ciudad de Antiocha hay cuarenta y ocho leguas. Todo lo que hay deste río hasta unas montañas de que luego haré mención, que se llaman de Abibe, es llano, pero lleno de muchos montes y muy espesas arboledas y de muchos ríos. La tierra es despoblada junto al camino, por haberse los naturales retirado a otras partes

(73) Antioquia, hoy en la República de Colombia hay un Departamento de este nombre.

desviadas dél. Todo lo más del camino se anda por ríos, por no haber otros caminos, por la grande espesura de la tierra. Para poderla caminar y pasar seguramente las sierras sin riesgo han de caminarlo por enero, febrero, marzo y abril; pasados estos meses hay grandes aguas y los ríos van crecidos y furiosos; y aunque se puede caminar, es con gran trabajo y mayor peligro. En todo tiempo los que han de ir por este camino han de llevar buenas guías que sepan atinar y salir por los ríos. En todos estos montes hay grandes manadas de los puercos que he dicho; en tanta cantidad, que hay hatajo de más de mil juntos, con sus lechoncillos, y llevan gran ruido por do quiera que pasan. Quien por allí caminare con buenos perros no le faltará de comer. Hay grandes dantas, muchos leones y osos crescidos (74), y mayores tigres. En los árboles andan de los más lindos y pintados gatos que puede ser en el mundo, y otros monos tan grandes, que hacen tal ruido, que desde lejos los que son nuevos en la tierra piensan que es de puercos. Cuando los españoles pasan debajo de los árboles por donde los monos andan, quiebran ramos de los árboles y les dan con ellos, cocándoles (75) y haciendo otros visajes. Los ríos llevan tanto pescado que con cualquiera red se tomara gran cantidad. Viniendo de la ciudad de Antiocha a Cartagena, cuando la poblamos, el capitán Jorge Robledo y otros, hallábamos tanto pescado que con palos matábamos los que queríamos. Por los árboles que están junto a los ríos hay una que se llama iguana, que paresce serpiente; para apropiarla, remeda en gran manera a un lagarto de los de España, grande, salvo que tiene la cabeza mayor y más fiera y la cola más larga; pero en la color y parecer no es más ni menos. Quitado el cuero y asadas o guisadas son tan buenas de comer como conejos, y para mí más gustosas las hembras; tienen muchos huevos; de manera que ella es una buena comida, y quien no las conoce huiría dellas, y antes le pondría temor y espanto su vista que no deseo de comerla. No sé determinar si es carne o pescado, ni ninguno lo acaba de entender; porque vemos que se echa de los árboles al agua

(74) No se pueden identificar estos osos. La zona a que se refiere Cieza es muy septentrional de Suramérica para que se trate del llamado *oso de los Andes*.

(75) Dar golpes en la cabeza, o *cocas*, familiarmente.

y se halla bien en ella, y también la tierra dentro, donde no hay río, ninguna se halla. Hay otras que se llaman hicoteas, que es también buen mantenimiento; son de manera de galápagos; hay muchos pavos, faisanes, papagayos de muchas maneras y guacamayas, que son mayores, muy pintadas; asimismo se ven algunas águilas pequeñas y tórtolas, perdices, palomas y otras aves nocturnas y de rapiña. Hay, sin esto, por estos montes culebras muy grandes. Y quiero decir una cosa y contarla por cierta, aunque no la vi, pero sé haberse hallado presentes muchos hombres dignos de crédito, y es, que yendo por este camino el teniente Juan Greciano, por mandado del licenciado Santa Cruz, en busca del licenciado Juan de Vadillo, y llevando consigo ciertos españoles, entre los cuales iba un Manuel de Peralta y Pedro de Barros y Pedro Jimón, hallaron una culebra o serpiente tan grande que tenía de largo más de veinte pies y de muy grande anchor. Tenía la cabeza rosilla, los ojos verdes, sobresaltados; y como los vio, quiso encarar para ellos, y el Pedro Jimón le dio tal lanzada que, haciendo grandes bascas, murió, y le hallaron en su vientre un venado chico, entero como estaba cuando lo comió; y oí decir que ciertos españoles, con la hambre que llevaban, comieron el venado y aun parte de la culebra. Hay otras culebras no tan grandes como ésta, que hacen cuando andan un ruido que suena como cascabel (76). Estas, si muerden a un hombre, lo matan. Otras muchas serpientes y animalías fieras dicen los indios naturales que hay por aquellas espesuras, que yo no pongo por no las haber visto. De los palmares de Urabá hay muchos, y de otras frutas campesinas.

(76) Evidentemente, la serpiente *de cascabel* aún no había recibido su nombre, pues en este caso Cieza no hubiera hecho la descripción.

CAPITULO X

De la grandeza de las montañas de Abibe y de la admirable y provechosa madera que en ella se cría

Pasados estos llanos y montañas desuso dichas se allega a las muy anchas y largas sierras que llaman de Abibe. Esta sierra prosigue su cordillera al occidente; corre por muchas y diversas provincias y partes otras que no hay poblado. De largura no se sabe cierto lo que tiene; de anchura, a partes tiene veinte leguas y a partes mucho más, y a cabos poco menos. Los caminos que los indios tenían, que atravesaban por estas bravas montañas (porque en muchas partes dellas hay poblado), eran tan malos y dificultosos que los caballos no podían ni podrán andar por ellos. El capitán Francisco César, que fue el primero que atravesó por aquellas montañas, caminando hacia el nascimiento del sol, hasta que con gran trabajo dio en el valle del Cuaca (77), que está pasada la sierra, que cierto son asperísimos los caminos, porque todo está lleno de malezas y arboledas; las raíces son tantas que enredan los pies de los caballos y de los hombres. Lo más alto de la sierra, que es una subida muy trabajosa y una abajada de más peligro, cuando la bajamos con el licenciado Juan de Vadillo, por estar en lo más alto della unas laderas muy derechas y malas, se hizo con gruesos horcones y palancas grandes y mucha tierra una como pared, para que pudiesen pasar los caballos sin peligro, y aunque fue provechoso, no dejaron de depeñarse muchos caballos y hacerse pedazos, y aun españoles se quedaron algunos muertos, y otros estaban tan enfermos, que por no caminar con tanto trabajo se quedaban en las montañas, esperando la muerte con grande miseria, escondidos por la espesura, por que no los llevasen los que iban sanos si los vieran. Caballos vivos se quedaron también algunos que no pudieron pasar por ir flacos. Muchos negros se huyeron y otros se murieron. Cierto, mucho mal pasamos los que por allí anduvimos, pues íbamos con el trabajo que digo (78). Poblado no hay ninguno en lo alto de la sierra, y si lo hay es-

(77) Cauca. Errata seguramente del impresor.
(78) Información valiosa sobre las andanzas de Vadillo.

tá apartado de aquel lugar por donde la atravesamos; porque en el anchor destas sierras por todas partes hay valles, y en estos valles gran número de indios, y muy ricos de oro. Los ríos que abajan desta sierra o cordillera hacia el poniente se tiene que en ellos hay mucha cantidad de oro. Todo lo más del tiempo del año llueve; los árboles siempre están destilando agua de la que ha llovido. No hay hierba para los caballos, si no son unas palmas cortas que echan unas pencas largas. En lo interior deste árbol o palma se crían unos palmitos pequeños de gran amargor. Yo me he visto en tanta necesidad y tan fatigado de la hambre, que los he comido. Y como siempre llueve y los españoles y más caminantes van mojados, ciertamente si les faltase lumbre creo morirían todos los más. El dador de los bienes, que es Cristo, nuestro Dios y Señor, en todas partes muestra su poder y tiene por bien de nos hacer mercedes y darnos remedio para todos nuestros trabajos; y así, en estas montañas, aunque no hay falta de leña, toda está tan mojada, que el fuego que estuviese encendido apagara, cuanto más dar lumbre. Y para suplir esta falta y necesidad que se pasaría en aquellas sierras, y aun en mucha parte de las Indias, hay unos árboles largos, delgados, que casi parecen fresnos, la madera de dentro blanca y muy enjuta; cortados éstos, se enciende luego la lumbre y arde como tea, y no se apaga hasta que es consumida y gastada por el fuego. Enteramente nos dio la vida hallar esta madera. A donde los indios están poblados tienen mucho bastimento y frutas, pescado y gran cantidad de mantas de algodón muy pintadas. Por aquí ya no hay de la mala hierba de Urabá; y no tienen estos indios montañeses otras armas sino lanzas de palma y dardos y macanas (79). Y por los ríos (que no hay pocos) tienen hechas puentes de unos grandes y recios bejucos, que son como unas raíces largas que nacen entre los árboles, que son tan recios algunos de ellos como cuerdas de cáñamo; juntando gran cantidad hacen una soga o maroma muy grande, la cual echan de una parte a

(79) Palabra antillana, significa maza o bate. Cieza, como todos los españoles de Indias, en su tiempo, difundieron por el continente las palabras tainas, como *canoa, cacique*, etc. Al no explicar lo que es una *macana*, Cieza prueba que era de general conocimiento su significado.

otra del río y la atan fuertemente a los árboles, que hay muchos junto a los ríos, y echando otras, las atan y juntan con barrotes fuertes, de manera que queda como puente. Pasan por allí los indios y sus mujeres, y son tan peligrosas, que yo querría ir más por la de Alcántara que no por ninguna dellas; no embargante que, aunque son tan dificultosas, pasan (como ya dije) los indios y sus mujeres cargadas, y con sus hijos, si son pequeños, a cuestas, tan sin miedo como si fuesen por tierra firme. Todos los más destos indios que viven en estas montañas eran subjetos a un señor o cacique grande y poderoso, llamado Nutibara. Pasadas estas montañas se allega a su muy lindo valle de campaña o cabaña, que es tanto como decir que en él no hay montaña ninguna, sino sierras peladas muy agras y encumbradas para andar, salvo que los indios tienen sus caminos por las lomas y laderas bien desechados.

CAPITULO XI

Del cacique Nutibara y de su señorío, y de otros caciques subjetos a la ciudad de Antiocha

Cuando en este valle entramos con el licenciado Juan de Vadillo estaba poblado de muchas casas muy grandes de madera, la cobertura de una paja larga; todos los campos, llenos de toda manera de comida de la que ellos usan. De lo superior de las sierras nascen muchos ríos y muy hermosos; sus riberas estaban llenas de frutas de muchas maneras y de unas palmas delgadas muy largas, espinosas; en lo alto dellas crían un racimo de una fruta que llamamos pixivaes, muy grande y de mucho provecho, porque hacen pan y vino con ella, y si cortan la palma sacan de dentro un palmito de buen tamaño, sabroso y dulce. Había muchos árboles que llamamos aguacates, y muchas guabas y guayabas, muy olorosas piñas. Desta provincia era señor o rey uno llamado Nutibara, hijo de Anunaibe; tenía un hermano que se decía Quinuchu. Era en aquel tiempo su lugarteniente en los indios montañeses que vivían en las sierras de Abibe (que ya pasamos) y en otras partes, el cual proveyó siempre a este señor de muchos puercos, pescado, aves y otras cosas que en aquellas tierras se crían, y le daban en tributo mantas y joyas de oro. Cuando iba a la guerra le acompañaba mucha gente con sus armas. Las veces que salía por estos valles caminaba en unas andas engastonadas (80) en oro, y en hombros de los más principales; tenía muchas mujeres. Junto a la puerta de su aposento, y lo mesmo en todas las casas de sus capitanes, tenían puestas muchas cabezas de sus enemigos, que ya habían comido, las cuales tenían allí como en señal de triunfo. Todos los naturales desta región comen carne humana, y no se perdonan en este caso; porque en tomándose unos a otros (como no sean naturales de un propio pueblo), se comen. Hay muchas y muy grandes sepulturas, y que no deben ser poco ricas. Tenían primero una grande casa o templo dedicado al demonio; los horcones y madera vi yo por mis propios ojos. Al tiempo que el capitán Francisco César entró en aquel valle le llevaron los indios naturales dél a aquesta casa o templo, creyendo que, siendo tan pocos cristianos los que con él venían, fácilmente y con poco trabajo los matarían. Y así, salieron de guerra más de veinte mil indios con gran tropel y con mayor ruido; mas aunque los cristianos no eran más de treinta y nueve y trece caballos, se mostraron tan valerosos y valientes, que los indios huyeron, después de haber durado la batalla buen espacio de tiempo, quedando el campo por los cristianos; a donde ciertamente César se mostró ser digno de tener tal nombre. Los que escribieren de Cartagena tienen harto que decir deste capitán; lo que yo toco no lo hago por más que por ser necesario para claridad de mi obra. Y si los españoles que entraron con César en este valle fueran muchos, cierto, quedaran todos ricos y sacaran mucho oro, que después los indios sacaron por consejo del diablo, que de nuestra venida les avisó, según ellos proprios afirman y dicen. Antes que los indios diesen la batalla al capitán César le llevaron a aquesta casa que digo, la cual tenían (según ellos dicen) para reverenciar al diablo; y cavando en cierta parte hallaron

(80) Recubiertas, chapadas.

una bóveda muy bien labrada, la boca al nascimiento del sol, en la cual estaban muchas ollas llenas de joyas de oro muy fino, porque era todo lo más de veinte y veinte en un quilate, que montó más de cuarenta mil ducados. Dijéronle que adelante estaba otra casa donde había otra sepultura como aquélla, que tenía mayor tesoro, sin lo cual, le afirmaban más que en el valle hallaría otras mayores y más ricas, aunque la que le decían lo era mucho. Cuando después entramos en Vadillo hallamos algunas destas sepulturas sacadas y la casa o templo quemada. Una india que era de un Baptista Zimbrón me dijo a mí que después que César volvió a Cartagena se juntaron todos los principales y señores destos valles, y hechos sus sacrificios y ceremonias, les aparesció el diablo (que en su lengua se llama *Guaca)* (81), en figura de tigre, muy fiero, y que les dijo cómo aquellos cristianos habían venido de la otra parte del mar, y que presto habían de volver otros muchos como ellos y habían de ocupar y procurar de señorear la tierra; por tanto, que se aparejasen de armas para les dar guerra. El cual, como esto les hobiese hablado, desapareció; y que luego comenzaron de aderezarse, sacando primero grande suma de tesoros de muchas sepulturas.

CAPITULO XII

De las costumbres destos indios y de las armas que usan y de las ceremonias que tienen, y quién fue el fundador de la ciudad de Antiocha

La gente destos valles es valiente para entre ellos, y así, cuentan que eran muy temidos de los comarcanos. Los hombres andan desnudos y descalzos y no traen sino unos maures angostos, con que se cubren las partes vergonzosas, asidos con un cordel, que traen atado por la cintura. Précianse de tener los cabellos muy largos; las ar-

(81) *Huaca* o *Guaca* es palabra quéchua, de la que se aclarará el significado más adelante, cuando la use Cieza en sus referencias al Perú. Sobre lo que va relatando Cieza, véase Trimborn, 1949.

mas con que pelean son dardos y lanzas largas, de la palma negra que arriba dije; tiraderas, hondas y unos bastones largos, como espadas de a dos manos, a quien llaman macanas. Las mujeres andan vestidas de la cintura abajo con mantas de algodón muy pintadas y galanas. Los señores, cuando se casan, hacen una manera de sacrificio a su dios, y juntándose en una casa grande, donde ya están las mujeres más hermosas, toman por mujer la que quieren, y el hijo désta es el heredero, y si no lo tiene el señor hijo hereda el hijo de su hermana. Confinan estas gentes con una provincia que está junto a ella, que se llama Tatabe, de muy gran población de indios muy ricos y guerreros. Sus costumbres conforman con estos sus comarcanos. Tienen armadas sus casas sobre árboles muy crescidos, hechas de muchos horcones altos y muy gruesos, y tiene cada una más de doscientos dellos; la varazón es de no menos grandeza; la cobija que tienen estas tan grandes casas es hojas de palma. En cada una dellas viven muchos moradores con sus mujeres y hijos. Extiéndense estas naciones hasta la mar del Sur, la vía del poniente. Por el oriente confinan con el gran río del Darién. Todas estas comarcas son montañas muy bravas y muy temerosas. Cerca de aquí dicen que está aquella grandeza y riqueza del Dabaybe (82), tan mentada en la Tierra Firme. Por otra parte deste valle, donde es señor Nutibara, tiene por vecinos otros indios, que están poblados en unos valles que se llaman de Nore, muy fértiles y abundantes. En uno dellos está agora asentada la ciudad de Antiocha. Antiguamente había gran poblado en estos valles, según nos lo dan a entender sus edificios y sepulturas, que tiene muchas y muy de ver, por ser tan grandes que parescen pequeños cerros. Estos, aunque son de la misma lengua y traje de los de Guaca, siempre tuvieron grandes pendencias y guerras; en tanta manera, que unos y otros vinieron en gran diminución, porque todos los que se tomaban en la guerra los comían y ponían las cabezas a las puertas de sus casas. Andan desnudos éstos como los demás; los señores y principales algunas veces

(82) Es el nombre del cacique del Darién en tiempos de Vasco Núñez de Balboa.

se cubren con una gran manta pintada, de algodón. Las mujeres andan cubiertas con otras pequeñas mantas de lo mismo. Quiero, antes que pase adelante, decir aquí una cosa bien extraña y de grande admiración. La segunda vez que volvimos por aquellos valles, cuando la ciudad de Antiocha fue poblada en las sierras que están por encima dellos, oí decir que los señores o caciques destos valles de Nore buscaban de las tierras de sus enemigos todas las mujeres que podían, las cuales traídas a sus casas, usaban con ellas como con las suyas propias; y si se empreñaban dellos, los hijos que nacían los criaban con mucho regalo hasta que habían doce o treces años, y desta edad, estando bien gordos, los comían con gran sabor, sin mirar que era su sustancia y carne propria; y desta manera tenían mujeres para solamente engendrar hijos en ellas para después comer; pecado mayor que todos los que ellos hacen (83). Y háceme tener por cierto lo que digo ver lo que pasó a uno destos principales con el licenciado Juan de Vadillo, que en este año está en España, y si le preguntan lo que yo escribo, dirá ser verdad, y es que la primera vez que entraron cristianos españoles en estos valles, que fuimos yo y mis compañeros, vino de paz un señorete que había por nombre Nabonuco, y traía consigo tres mujeres; y viniendo la noche, las dos dellas se echaron a la larga encima de un tapete o estera y la otra atravesada, para servir de almohada; y el indio se echó encima de los cuerpos dellas muy tendido, y tomó de la mano otra mujer hermosa que quedaba atrás con otra gente suya que luego vino. Y como el licenciado Juan de Vadillo le viese de aquella suerte, preguntóle que para qué había traído aquella mujer que tenía de la mano; y mirándolo al rostro el indio, respondió mansamente que para comerla, y que si él no hubiera venido lo hubiera ya hecho. Vadillo, oído esto, mostrando espantarse, le dijo: «Pues ¿cómo, siendo tu mujer, la has de comer?» El cacique, alzando la voz, tornó a responder, diciendo: «Mira, mira, y aun al hijo que pariere tengo también de comer.» Esto que he dicho pasó en el valle de Nore y en el de Guaca (84), que

(83) Trimborn, 1949, se extiende en esta práctica de caza de mujeres para obtener hijos, que sirven luego de alimento.
(84) Trimborn toma esta palabra para designar a estos territorios.

es el que dije quedar atrás. Oí decir a este licenciado Vadillo algunas veces cómo supo por dicho de algunos indios viejos, por las lenguas que traíamos, que cuando los naturales dél iban a la guerra, a los indios que prendían en ella hacían sus esclavos, a los cuales casaban con sus parientas vecinas, y los hijos que habían en ellas aquellos esclavos los comían, y que después que los mismos esclavos eran muy viejos y sin potencia para engendrar, los comían también a ellos. Y a la verdad, como estos indios no tenían fe, ni conoscían al demonio, que tales pecados les hacía hacer, cuán malo y perverso era, no me espanto dello, porque hacer esto más lo tenían ellos por valentía que por pecado. Con estas muertes de tanta gente hallábamos nosotros, cuando descubrimos aquellas regiones, tanta cantidad de cabezas de indios a las puertas de las casas de los principales que parecía que en cada una dellas había habido carnecería de hombres. Cuando se mueren los principales señores destos valles llóranlos muchos días arreo, y tresquílanse sus mujeres, y mátanse las más queridas, y hacen una sepultura tan grande como un pequeño cerro, la puerta della hacia el nascimiento del sol. Dentro de aquella tan gran sepultura hacen una bóveda mayor de lo que era menester, muy enlosada, y allí meten al difunto lleno de mantas y con el oro y armas que tenía; sin lo cual, después que con su vino, hecho de maíz o de otras raíces, han embeodado a las más hermosas de sus mujeres y algunos muchachos sirvientes, los metían vivos en aquella bóveda, y allí los dejaban para que el señor abajase más acompañado a los infiernos. Esta ciudad de Antiocha está fundada y asentada en un valle destos que digo, el cual está entre los famosos y nombrados y muy riquísimos ríos del Darién y de Santa Marta, porque estos valles están en medio de ambas cordilleras. El asiento de la ciudad es muy bueno y de grandes llanos, junto a un pequeño río. Está la ciudad más allegada al norte que ninguna de las del reino del Perú (85). Corren junto a ella otros ríos, muchos y muy buenos, que nascen de las cordilleras que están a los lados, y muchas fuentes manantiales

(85) Cieza hace esta referencia para dar orientación geográfica, cuando ya se ha constituido el virreinato. Evidentemente distingue lo que es la Nueva Granada y Popayán de lo que él entiende por Perú, o sea el de los incas.

de muy clara y sabrosa agua; los ríos, todos los más llevan oro en gran cantidad y muy fino, y están pobladas sus riberas de muchas arboledas de frutas de muchas maneras; a toda parte cercana de grandes provincias de indios muy ricos de oro, porque todos los cogen en sus propios pueblos. La contratación que tienen es mucha. Usan de romanas pequeñas y de pesos para pesar el oro. Son todos grandes carniceros de comer carne humana. En tomándose unos a otros no se perdonan. Un día vi yo en Antiocha, cuando le poblamos, en unas sierras donde el capitán Jorge Robledo la fundó (que después, por mandado del capitán Juan Cabrera, se pasó donde agora está), que estando en un maizal vi junto mí cuatro indios, y arremetieron a un indio que entonces llegó allí, y con las macanas le mataron; y a las voces que yo di lo dejaron, llevándole las piernas; sin lo cual, estando aún el pobre indio vivo, le bebían la sangre y le comían a bocados sus entrañas. No tienen flechas ni usan más armas de las que he dicho arriba. Casa de adoración o templo no se les ha visto más de aquella que en la Guaca quemaron. Hablan todos en general con el demonio, y en cada pueblo hay dos o tres indios antiguos y diestros en maldades que hablan con él; y éstos dan las respuestas y denuncian lo que el demonio les dice que ha de ser (86). La inmortalidad del ánima no la alcanzan enteramente. El agua y todo lo que la tierra produce lo echan a naturaleza, aunque bien alcanzan que hay Hacedor; mas su creencia es falsa, como diré adelante. Esta ciudad de Antiocha pobló y fundó el capitán Jorge Robledo en nombre de su majestad el emperador don Carlos, rey de España y de estas Indias, nuestro señor, y con poder del adelantado don Sebastián de Belalcácar, su gobernador y capitán general de la provincia de Popayán, año del nascimiento de nuestro Señor de 1541 años. Esta ciudad está en siete grados de la equinocial, a la parte del norte.

(86) Está haciendo la descripción de los *shamanes*.

CAPITULO XIII

De la descripción de la provincia de Popayán, y la causa por que los indios della son tan indómitos y los del Perú son tan domésticos

Porque los capitanes del Perú poblaron y descubrieron esta provincia de Popayán, la porné con la misma tierra del Perú, haciéndola toda una; mas no la apropiaré a ella, porque es muy diferente la gente, la disposición de la tierra y todo lo demás della; por lo cual será necesario que desde el Quito (que es donde verdaderamente comienza lo que llamamos Perú) ponga la traza de todo y el sitio della; y desde Pasto, que es también donde por aquella parte comienza esta provincia, y se acaban en Antiocha. Digo, pues, que esta provincia se llamó de Popayán por causa de la ciudad de Popayán, que en ella está poblada. Tendrá de longitud docientas leguas, poco más o menos, y de latitud treinta y cuarenta, y a partes más y a cabos menos. Por la una parte tiene la costa de la mar del Sur y unas montañas altísimas muy ásperas, que van de luego della al oriente. Por la otra parte corre la larga cordillera de los Andes, y de entrambas cordilleras nascen muchos ríos, y algunos muy grandes, de los cuales se hacen anchos valles; por el uno dellos, que es el mayor de todas estas partes del Perú, corre el gran río de Santa Marta. Inclúyese en esta gobernación la villa de Pasto, la ciudad de Popayán, la villa de Timamá, que está pasada la cordillera de los Andes, la ciudad de Cali, que está cerca del puerto de la Buena ventura, la villa de Ancerma, la ciudad de Cartago, la villa de Arma, ciudad de Antiocha, y otras que se habrán poblado después que yo salí della. En esta provincia hay unos pueblos fríos y otros calientes, unos sitios sanos y otros enfermos, en una parte llueve mucho y en otra poco, en un tierra comen los indios carne humana y en otras no la comen. Por una parte tiene por vecino al nuevo reino de Granada, que está pasados los montes de los Andes; por otra parte, al reino del Perú, que comienza del largo della al oriente. Al poniente confina con la gobernación del río San Juan; al norte con la de Cartagena. Muchos se espantan cómo estos indios, teniendo muchos dellos sus pueblos en partes dispuestas para conquistarlos, y que en toda la gobernanación (dejando la villa de Pasto) no hace frío demasiado ni calor, ni deja de haber otras cosas convenientes para la conquista, cómo han salido tan indómitos y porfiados; y las del Perú, estando sus valles entre montañas y sierras de nieve y muchos riscos y ríos, y más gentes en número, que los de acá, y grandes despoblados, cómo sirven y han sido y son tan subjetos y domables. A lo cual diré que todos los indios subjetos a la gobernación de Popayán han sido siempre, y lo son, behetrías (87). No hubo entre ellos señores que se hiciesen temer. Son flojos, perezosos, y sobre todo aborrescen el servir y estar subjetos, que es causa bastante para que recelasen de estar debajo de gente extraña y en su servicio. Mas esto no fuera parte para que ellos salieran con su intención; porque, constreñidos de necesidad, hicieran lo que otros hacen. Mas hay otra causa muy mayor, la cual es que todas estas provincias y regiones son muy fértiles, y a una parte y a otra hay grandes espesuras de montañas, de cañaverales y de otras malezas. Y como los españoles los aprietan, queman las casas en que moran, que son de madera y paja, y vanse una legua de allí o dos o lo que quieren, y en tres o cuatro días hacen una casa, y en otros tantos siembran la cantidad de maíz que quieren, y lo cogen dentro de cuatro meses. Y si allí también los van a buscar, dejado aquel sitio van adelante o vuelven atrás, y a donde quiera que van o están hallan qué comer y tierra fértil y aparejada y dispuesta para darles fruto; y por esto sirven cuando quieren y es en su mano la guerra o la paz, y nunca les falta de comer. Los del Perú sirven bien y son domables porque tienen más razón que éstos y porque todos fueron subjetos por los reyes ingas, a los cuales dieron tributo, sirviéndoles siempre, y con aquella condición nascían; y si no lo querían hacer,

(87) Parcialidades, sin un cacique o señor general, como explica a continuación. *Behetría* es palabra institucional propia de la Edad Media. Deriva de la palabra latina *benefactoría,* que también era institucional. Las villas del norte de España debían acogerse a un señor, ya fueran de *linaje* obligado o de *mar a mar,* elegibles entre los diferentes de las tierras comprendidas entre el Cantábrico y el Atlántico. El lector de Cieza aún podía entender lo que significaba *behetría.*

la necesidad los constreñía a ello, porque la tierra del Perú toda es despoblada, llena de montañas y sierras y campos nevados. Y si se salían de sus pueblos y valles a estos desiertos no podían vivir, ni la tierra da fructo ni hay otro lugar que lo dé que los mismos valles y provincias suyas; de manera que por no morir, sin ninguno poder vivir, han de servir y no desamparar sus tierras, que es bastante causa y buena razón para declarar la duda susodicha. Pues pasando adelante, quiero dar noticia particularmente de las provincias desta gobernación y de las ciudades de españoles que en ella están pobladas, y quién fueron los fundadores. Digo, pues, que desta ciudad de Antiocha tenemos dos caminos: uno para ir a la villa de Ancerma, otro para ir a la ciudad de Cartago; y antes que diga lo que se contiene en el que va a Cartago y Arma diré lo tocante a la villa de Ancerma, y luego volveré a hacer lo mismo destotro.

CAPITULO XIV

En que se contiene el camino que hay desde la ciudad de Antiocha a la villa de Ancerma, y qué tanto hay de una parte a otra, y de las tierras y regiones que en este camino hay

Saliendo de la ciudad de Antiocha y caminando hacia la villa de Ancerma verse ha aquel nombrado y rico cerro de Buritica, que tanta multitud de oro ha salido dél en el tiempo pasado. El camino que hay de Antiocha a la villa de Ancerma son setenta leguas; es el camino muy fragoso, de muy grandes sierras peladas, de poca montaña. Todo ello o lo más está poblado de indios, y tienen las casas muy apartadas del camino. Luego que salen de Antiocha se allega a un pequeño cerro que se llama Corome, que está en unos vallecetes, donde solía haber muchos indios y población; y entrados los españoles a conquistarlos, se han diminuído en grande cantidad. Tiene este pueblo muy ricas minas de oro y muchos arroyos donde los pueden sacar. Hay pocos árboles de fruta y maíz se da poco. Los indios son de la habla y costumbres de los que hemos pasado; de aquí se va a un asiento que está encima de un gran cerro, donde solía estar un pueblo junto de grandes casas, todas de mineros, que cogían oro por su riqueza. Los caciques comarcanos tienen allí sus casas, y les sacaban sus indios harta cantidad de oro. Y cierto se tiene que deste cerro fue la mayor parte de la riqueza que se halló en el Cenu en las grandes sepulturas que en él se sacaron; que yo vi sacar hartas y bien ricas antes que fuésemos al descubrimiento de Urate con el capitán Alonso de Cáceres. Pues volviendo a la materia: acuérdome cuando descubrimos este pueblo con el licenciado Juan de Vadillo, que un clérigo que iba en el armada, que se llamaba Francisco de Frías, halló en una casa o bohío deste pueblo de Buritica una totuma (88), que es a manera de una albornía grande, llena de tierra, y se apartaban los granos de oro de entre ella muy espesos y grandes; vimos también allí los nascimientos y minas donde lo cogían, y las macanas o coas con que lo labraban. Cuando el capitán Jorge Robledo pobló esta ciudad de Antiocha fue a ver estos nacimientos, y lavaron una batea de tierra, y salió cantidad de una cosa muy menuda. Un minero afirmaba que era oro, otro decía que no, sino lo que llamamos margajita; y como íbamos de camino, no se miró más en ello. Entrados los españoles en este pueblo, lo quemaron los indios, y nunca han querido volver más o poblarlo. Acuérdome que yendo a buscar comida un soldado llamado Toribio, halló en un río una piedra tan grande como la cabeza de un hombre, toda llena de vetas de oro, que penetraban la piedra de una parte a otra, y como la vido, se la cargó en sus hombros para la traer al real; y viniendo por una sierra arriba encontró con un perrillo pequeño de los indios, y como lo vido, arremetió a lo matar para comer, soltando la piedra de oro, la cual se volvió rodando al río, y el Toribio mató al perro, teniéndolo por de más precio que al oro, por la hambre que tenía, que fue causa que la piedra se quedase en el río donde primero estaba. Y si se tornara en cosa que se pudiera comer, no faltara quien la volviera a buscar, porque ciertos teníamos necesidad muy grande de bas-

(88) Es vasija u olla. Esta palabra aún se usa en Colombia.

timento. En otro río vi yo a un negro del capitán Jorge Robledo de una bateada de tierra sacar dos granos de oro bien crecidos: en conclusión, si la gente fuera doméstica y bien inclinada y no tan carniceros de comerse unos a otros, y los capitanes y gobernadores más piadosos, para no haberlos apocado, la tierra de aquellas comarcas muy rica es. Deste pueblo que estaba asentado en este cerro, que se llama Buritica, nasce un pequeño río; hace mucha llanada, casi a manera de valle, donde está asentada una villa de minas que ha por nombre Santa Fe, que pobló el mismo capitán Jorge Robledo, y es sufragana a la ciudad de Antiocha; por tanto, no hay que decir della. Las minas se han hallado muy ricas junto a este pueblo, en el río grande de Santa Marta, que pasa junto a él. Cuando es verano sacan los indios y negros en las playas harta riqueza, y por tiempos sacarán mayor cantidad, porque habrá más negros. También está junto a este pueblo otra población, que se llama Xundabe, de la misma nación y costumbres de los comarcanos a ellos. Tienen muchos valles muy poblados y una cordillera de montaña en medio, que divide las unas regiones de las otras. Más adelante está otro pueblo que se llama Caramanta, y el cacique o señor, Cauroma.

CAPITULO XV

De las costumbres de los indios desta tierra y de la montaña que hay para llegar a la villa de Ancerma

La gente desta provincia es dispuesta, belicosa, diferente en la lengua a las pasadas. Tiene a todas partes este valle montañas muy bravas, y pasa un espacioso río por medio dél, y otros muchos arroyos y fuentes, donde hacen sal; cosa de admiración y hazañosa de oír. Dellas y de otras muchas que hay en esta provincia hablaré adelante, cuando el discurso de la obra nos diere lugar. Una laguna pequeña hay en este valle, donde hacen sal muy blanca. Los señores o caciques y sus capitanes tienen casas muy grandes, y a las puertas dellas puestas unas cañas gordas de las destas partes, que parescen pequeñas vigas; encima dellas tienen puestas muchas cabezas de sus enemigos. Cuando van a la guerra, con agudos cuchillos de pedernal, o de unos juncos o de cortezas o cáscaras de cañas, que también los hacen dellas bien agudos, cortan las cabezas a los que prenden. Y a otros dan muertes temerosas cortándoles algunos miembros, según su costumbre, a los cuales comen luego, poniendo las cabezas, como he dicho, en lo alto de las cañas. Entre estas cañas tienen puestas algunas tablas, donde esculpen la figura del demonio, muy fiera, de manera humana, y otros ídolos y figuras de gatos (89), en quien adoran. Cuando tienen necesidad de agua o de sol para cultivar sus tierras, piden (según dicen los mismos indios naturales) ayuda a estos sus dioses. Hablan con el demonio los que para aquella religión están señalados, y son grandes agoreros y hechiceros, y miran en prodigios y señales y guardan supersticiones las que el demonio les manda: tanto es el poder que ha tenido sobre aquellos indios, permitiéndolo Dios nuestro Señor por sus pecados o por otra causa que El sabe. Decían las lenguas cuando entramos con el licenciado Juan de Vadillo, la primera vez que los descubrimos, que el principal señor dellos, que había por nombre Cauroma, tenía muchos ídolos de aquellos, que parescían de palo, de oro finísimo (90), y afirmaban que había tanta abundancia deste metal, que en un río sacaba el señor ya dicho la cantidad que quería.

Son grandes carinceros de comer carne humana. A las puertas de las casas que he dicho tienen plazas pequeñas, sobre las cuales están puestas las cañas gordas, y en estas plazas tienen sus mortuorios y sepulturas al uso de su patria, hechas de una bóveda, muy hondas, la boca al oriente. En las cuales, muerto algún principal o señor, lo meten dentro con muchos llantos, echando con él todas sus armas y ropa y el oro que tiene, y comida. Por donde conjeturamos que estos indios ciertamente dan algún crédito a pensar que el ánima sale del cuerpo, pues lo principal que metían en sus sepulturas es mantenimiento y

(89) Representación del jaguar.
(90) Al decir *de palo* hace referencia a la forma de las figuras, de oro, propias del arte de la región.

las cosas que más ya he dicho; sin lo cual, las mujeres que en vida ellos más quisieron las enterraban vivas con ellos en las sepulturas, y también enterraban otros muchachos y indias de servicio. La tierra es de mucha comida, fértil para dar el maíz y las raíces que ellos siembran. Arboles de fructa casi no hay ninguno, y si los hay, son pocos. A las espaldas de ella, hacia la parte de oriente, está una provincia que se llama Cartama, que es hasta donde descubrió el capitán Sebastián de Belalcázar, de la lengua y costumbres destos. Son ricos de oro y tienen las casas pequeñas, y todos andan desnudos y descalzos, sin tener más de unos pequeños maures, con que cubren sus vergüenzas. Las mujeres usan unas mantas de algodón pequeñas, con que se cubren de la cintura abajo; lo demás anda descubierto. Pasada la provincia de Caramanta está luego una montaña que dura poco más de siete leguas, muy espesa, a donde pasamos mucho trabajo de hambre y frío cuando íbamos con Vadillo, y bien podré yo afirmar en toda mi vida pasé tanta hambre como en aquellos días, aunque he andado en algunos descubrimientos y entradas bien trabajosas (91). Hallámonos tan tristes en vernos metidos en unas montañas tan espesas que el sol ahína no lo veíamos, y sin camino ni guías, ni con quien nos avisase si estábamos lejos o cerca del poblado, que estuvimos por nos volver a Cartagena. Mucho nos valió hallar de aquella madera verde que conté haber en Abibe, porque con ella hicimos siempre lumbre toda la que queríamos. Y con el ayuda de Dios, a fuerza de nuestros brazos, con los cuales íbamos abriendo camino, pasamos estas montañas, en las cuales se quedaron algunos españoles muertos de hambre, y caballos muchos. Pasado este monte está un valle pequeño, sin montañas, raso, de poca gente; mas luego, un poco adelante, vimos un grande y hermoso valle muy poblado, las casas juntas, todas nuevas, y algunas dellas muy grandes; los campos llenos de bastimento de sus raíces y maizales. Después se perdió toda la más desta población, y los naturales dejaron su antigua tierra. Muchos dellos, por huir de la crueldad de

(91) Hay mezclados en estas frases diversos elementos. Por un lado da detalles, para que haya credibilidad; por otro, una autoalabanza; y finalmente la información, que ha servido a los historiadores.

los españoles (92), se fueron a unas bravas y altas montañas que están por encima deste valle, que se llama Cima. Más adelante deste valle está otro pequeño, dos leguas y media dél, que se hace de una loma que nasce de la cordillera donde está fundada y asentada la villa de Ancerma, que primero se nombró la ciudad de Santa Ana de los Caballeros, la cual está asentada entre medias de dos pequeños ríos, en una loma no muy grande, llana de una parte y otra, llena de muchas y muy hermosas arboledas de frutales, así de España como de la misma tierra, y llena de legumbres, que se dan bien. El pueblo señorea toda la comarca por estar en lo más alto de las lomas, y de ninguna parte puede venir gente que primero que llegue no sea vista de la villa, y por todas partes está cercada de grandes poblaciones de muchos caciques o señoretes. La guerra que con ellos tuvieron al tiempo que los conquistaron se dirá en su lugar. Son todos los más destos caciques amigos uno de otros; sus pueblos están juntos; las casas, desviadas alguna distancia unas de otras.

CAPITULO XVI

De las costumbres de los caciques y indios que están comarcanos a la villa de Ancerma, y de su fundación y quién fue el fundador

El sitio donde está fundada la villa de Ancerma es llamado por los indios naturales Umbra; y al tiempo que el adelantado don Sebastián de Belalcázar entró en esta provincia cuando la descubrió, como no llevaba lenguas, no pudo entender ningún secreto de la provincia. Y oían a los indios que en viendo sal la llamaban y nombraban ancer, como es la verdad, y entre los indios no tiene otro nombre, por lo cual los cristianos, de allí adelante, hablando en ella, la nombraban Ancerma, y por esta causa se la puso a esta villa el nombre que tiene. Cuatro leguas

(92) Sin ser Fr. Bartolomé de las Casas, sin hacer argumento de un tipo u otro, Cieza deja constancia de lo que dañó la presencia española a la población india.

della al occidente está un pueblo no muy grande, pero es bien poblado y de muchos indios, por tener muy grandes casas y ancha tierra. Pasa un río pequeño por él, y está una legua del grande y muy rico río de Santa Marta, del cual, si a Dios pluguiere, haré capítulo por sí, contando por orden su nascimiento a dónde es y de qué manera se divide en dos brazos. Estos indios tenían por capitán o señor a uno de ellos bien dispuesto, llamado Ciricha. Tiene, o tenía cuando yo lo vi, una casa muy grande a la entrada de su pueblo, y otras muchas a todas partes dél, y junto aquella casa o aposento está una plaza pequeña, toda a la redonda llena de las cañas gordas que conté en lo de atrás haber en Caramanta, y en lo alto dellas había puestas muchas cabezas de los indios que habían comido. Tenía muchas mujeres. Son estos indios de la habla y costumbres de los de Caramanta, y más carniceros y amigos de comer la humana carne. Por que entiendan los trabajos que se pasan en los descubrimientos los que esto leyeren, quiero contar lo que aconteció en este pueblo al tiempo que entramos en él con el licenciado Juan de Vadillo, y es que como tenían alzados los mantenimientos en algunas partes, no hallábamos maíz ni otra cosa para comer, y carne había más de un año que no la comíamos, si no era de los caballos que se morían o de algunos perros; ni aun sal no teníamos; tanta era la miseria que pasábamos. Y saliendo veinte y cinco o treinta soldados, fueron a renchat, o, por decirlo más claro, a robar lo que pudiesen hallar; y junto con el río grande dieron en cierta gente que estaba huída por no ser vistos ni presos de nosotros, a donde hallaron una olla grande llena de carne cocida; y tanta hambre llevaban, que no miraron en más de comer, creyendo que la carne era de unos que llaman curies, porque salían de la olla algunos; mas ya que estaban todos bien hartos, un cristiano sacó de la olla una mano con sus dedos y uñas; sin lo cual, vieron luego pedazos de pies, dos o tres cuartos de hombres que en ella estaban; lo cual visto por los españoles que allí se hallaron, les pesó de haber comido aquella vianda, dándoles grande asco de ver los dedos y manos; mas a la fin se pasó, y volvieron hartos al real, de donde primero había salido muertos de hambre. Nascen de una montaña que está por alto deste pueblo muchos ríos pequeños, de los cuales se ha sacado y saca mucho oro, y muy rico, con los mismos indios y con negros. Son amigos y confederados estos y los de Caramanta, y con los demás sus comarcanos siempre tuvieron enemistad y se dieron guerra. Un peñol fuerte hay en este pueblo, donde en tiempo de guerra se guarescen. Andan desnudos y descalzos, y las mujeres traen mantas pequeñas y son de buen parescer, y algunas hermosas. Más adelante desde pueblo está la provincia de Zopia. Por medio destos pueblos corre un río rico de minas de oro, donde hay algunas estancias que los españoles han hecho. También andan desnudos los naturales desta provincia. Las casas están desviadas (93), como las demás, y dentro dellas, en grandes sepulturas, se entierran sus difuntos. No tienen ídolos, ni casa de adoración no se les ha visto. Hablan con el demonio. Cásanse con sus sobrinas y algunos con sus mismas hermanas, y hereda el señorío o cacicazgo el hijo de la principal mujer (porque todos estos indios, si son principales, tienen muchas) (94); y si no tienen hijos, el de la hermana dél. Confinan con la provincia de Cartatama, que no está muy lejos della, por la cual pasa el río grande arriba dicho. De la otra parte dél está la provincia de Pozo, con quien contratan más. Al oriente tiene la villa otros pueblos muy grandes (los señores, muy dispuestos, de buen parecer), llenos de mucha comida y frutales. Todos son amigos, aunque en algunos tiempos hubo enemistad y guerra entre ellos. No son tan carniceros como los pasados de comer carne humana. Son los caciques muy regalados; muchos dellos, antes que los españoles entrasen en su provincia, andaban en andas y hamacas. Tienen muchas mujeres, las cuales, por ser indias, son hermosas; traen sus mantas de algodón galanas, con muchas pinturas.

Los hombres andan desnudos, y los principales y señores se cubren con una manta larga, y traen por la cintura maures (95), como los demás. Las mujeres andan vestidas como digo; traen los cabellos muy peinados, y en los cue-

(93) Que no estaban alineadas en calles, como las europeas.
(94) Matriarcado mixto.
(95) Maure es una especie de faja que se pasaba probablemente por entre las piernas, como zaragüelles. Deriva la palabra de *moro* o *mauritano*, morisco.

llos muy lindos collares de piezas ricas de oro, y en las orejas sus zarcillos; las ventanas de las narices se abren para poner unas como peloticas de oro fino; algunas destas son pequeñas y otras mayores. Tenían muchos vasos de oro los señores, con que bebían, y mantas, así para ellos como para sus mujeres, chapadas de unas piezas de oro hechas a manera redonda, y otras como estrelletas, y otras joyas de muchas maneras tenían deste metal. Llaman al diablo Xixarama, y los españoles, tamaraca. Son grandes hechiceros algunos dellos, y herbolarios. Casan a sus hijas después de estar sin su virginidad, y no tienen por cosa estimada haber la mujer virgen cuando se casan. No tienen ninguna cerimonia en sus casamientos. Cuando los señores se mueren, en una parte desta provincia que se llama Tauya, tomando el cuerpo, se ponen una hamaca y a todas partes ponen fuego grande, haciendo unos hoyos, en los cuales cae la sanguaza y gordura, que se derrite con el calor. Después que ya está el cuerpo medio quemado, vienen los parientes y hacen grandes lloros y acabados, beben su vino (96) y rezan sus salmos o bendiciones dedicadas a sus dioses, a su uso y como los aprendieron de sus mayores; lo cual hecho, ponen el cuerpo, envuelto en mucha cantidad de mantas, en un ataúd, y sin enterrarlo lo tienen allí algunos años, y después de estar bien seco, los ponen en las sepulturas que hacen dentro en sus casas. En las demás provincias, muerto un señor, hacen en los cerros altos las sepulturas muy hondas, y después que han hecho grandes lloros meten dentro al difunto, envuelto en muchas mantas, las más ricas que tienen, y a una parte ponen sus armas y a otra mucha comida y grandes cántaros de vino y sus plumajes y joyas de oro, y a los pies echan algunas mujeres vivas, las más hermosas y queridas suyas, teniendo por cierto que luego ha de tornar a vivir y aprovecharse de lo que con ellos llevan. No tienen obra política ni mucha razón. Las armas que usan son dardos, lanzas, macanas de palma negra y de otro palo blanco, recio, que en aquellas partes se cría. Casa de adoración no se la habemos visto ninguna. Cuando hablan con el demonio dicen que es a escuras, sin lumbre, y que uno que para ello está señalado habla por todos,

(96) *Chicha.*

el cual da las respuestas. La tierra en que tienen asentadas las poblaciones son sierras muy grandes, sin montaña (97) ninguna. La tierra dentro, hacia el poniente, hay una gran montaña que se llama Cima, y más adelante, hacia la mar Austral, hay muchos indios y grandes pueblos, donde se tiene por cierto que nasce el gran río del Darién. Esta villa de Ancerma pobló y fundó el capitán Jorge Robledo en nombre de su majestad, siendo su gobernador y capitán general de todas estas provincias el adelantado don Francisco Pizarro; aunque es verdad que Lorenzo de Aldana, teniente general de don Francisco Pizarro, desde la ciudad de Cali nombró el cabildo, y señaló por alcaldes a Suer de Nava y a Martín de Amoroto, y por alguacil mayor a Ruy Venegas, y envió a Robledo a poblar esta ciudad, que villa se llama agora, y le mandó que le pusiese por nombre Santa Ana de los Caballeros. Así que a Lorenzo de Aldana se puede atribuir la mayor parte desta fundación de Ancerma, por la razón susodicha.

CAPITULO XVII

De las provincias y pueblos que hay desde la ciudad de Antioca a la villa de Arma, y de las costumbres de los naturales dellas

Aquí dejaré de proseguir por el camino comenzado que llevaba, y volveré a la ciudad de Antiocha para dar razón del camino que va de allí a la villa de Arma, y aun hasta la ciudad de Cartago; donde digo que, saliendo de la ciudad de Antiocha para ir a la villa de Arma, se allega al río grande de Santa Marta (98), que está doce leguas della pasado el río, que para lo pasar hay una barca, o nunca faltan vallas o de qué hacellas. Hay pocos indios a las riberas del río, y los pueblos son pequeños, porque se han

(97) A lo largo de los últimos capítulos usa mucho Cieza la palabra *montaña, con* o *sin montaña,* como en este caso. Recordemos lo dicho en notas anteriores: *montaña* es sinónimo de vegetación espesa.

(98) Probablemente el Magdalena.

retirado todos del camino. Después de haber andado algunas jornadas se allega a un pueblo que solía ser muy grande; llamábase el Pueblo Llano; y como entraron los españoles en la tierra, se retiraron adentro de unas cordilleras que estaban de aquel lugar poco más de dos leguas. Los indios son de pequeños cuerpos, y tienen algunas flechas traídas de la otra parte de la montaña de los Andes, porque los naturales de aquellas partes las tienen. Son grandes contratantes; su principal mercadería es sal. Andan desnudos; sus mujeres lo mismo, porque no traen sino unas mantas muy pequeñas, con que se atapan del vientre hasta los muslos. Son ricos de oro, y los ríos llevan harto deste metal. En las demás dostumbres parescen a sus comarcanos. Desviado deste pueblo está otro que se llama Mugia, donde hay muy gran cantidad de sal y muchos mercaderes que la llevan pasada la cordillera, por la cual traen mucha suma de oro y ropa de algodón, y otras cosas de las que ellos han menester. Desta sal, y dónde la sacan y cómo la llevan, adelante se tratará. Pasando desde pueblo hacia el oriente está el valle de Aburra; para ir a él se pasa la serranía de los Andes muy fácilmente y con poca montaña y aun sin tardar mas que un día; la cual descubrimos con el capitán Jorge Robledo, y no vimos más de algunos pueblos pequeños y diferentes de los que habíamos pasado, y no tan ricos. Cuando entramos en este valle de Aburra fué tanto el aborrescimiento que nos tomaron los naturales dél, que ellos y sus mujeres se ahorcaban de sus cabellos o de los maures, de los árboles, y aullando con gemidos lastimeros dejaban allí los cuerpos y abajaban las ánimas a los infiernos. Hay en este valle de Aburra muchas llanadas; la tierra es muy fértil, y algunos ríos pasan por ella. Adelante se vio un camino antiguo muy grande, y otros por donde contratan con las naciones que están al oriente, que son muchas y grandes; las cuales sabemos que las hay más por fama que por haberlo visto. Más adelante del Pueblo Llano se allega a otro que ha por nombre Cenufara; es rico, y adonde se cree que hay grandes sepulturas ricas. Los indios son de buenos cuerpos, andan desnudos como los que hemos pasado, y conforman con ellos en el traje y en lo demás. Adelante está otro pueblo que se llama el Pueblo Blanco, y dejamos para ir a la villa de Arma el río grande a la diestra mano.

Otros ríos muchos hay en este camino, que por ser tantos y no tener nombres no los pongo. Cabe Cenufara queda un río de montaña y de muy gran pedrería, por el cual se camina casi una jornada; a la siniestra mano está una grande y muy poblada provincia, de la cual luego escrebiré. Estas regiones y poblaciones estuvieron primero puestas debajo de la ciudad de Cartago y en sus límites, y señalado por sus términos hasta el río grande por el capitán Jorge Robledo, que la pobló; mas como los indios sean tan indómitos y enemigos de servir ni ir a la ciudad de Cartago, mandó el adelantado Belalcázar, gobernador de su majestad, que se dividiesen los indios, quedando todos estos pueblos fuera de los límites de Cartago, y que se fundase en ella una villa de españoles, la cual se pobló, y fue fundador Miguel Muñoz en nombre de su majestad, siendo su gobernador desta provincia el adelantado don Sebastián de Belalcázar, año de 1542. Estuvo primero poblada a la entrada de la provincia de Arma, en una sierra; y fue tan cruel la guerra que los naturales dieron a los españoles, que por ello, y por haber poca anchura para hacer sus sementeras y estancias, se pasó dos leguas o poco más de aquel sitio hacia el río grande, y está veinte y tres leguas de la ciudad de Cartago y doce de la villa de Ancerma y una del río grande, en una llanada que se hace entre dos ríos pequeños, a manera de ladera, cercada de grandes palmares, diferentes de los que de suso he dicho, pero más provechosos, porque sacan de lo interior de los árboles muy sabrosos palmitos, y la fruta que echan también lo es, de la cual, quebrada en unas piedras, sacan leche, y aun hacen nata y manteca singular, que encienden lámpara y arde como aceite. Yo he visto lo que digo y he hecho en todo la experiencia. El sitio desta villa se tiene por algo enfermo; son las tierras tan fértiles, que no hacen más de apalear la paja y quemar los cañaverales, y esto hecho, una hanega de maíz que da ciento y más, y siembran el maíz dos veces en el año; las demás cosas también se dan en abundancia. Trigo hasta agora no se ha dado ni han sembrado ninguno, para que pueda afirmar si se dará o no. Las minas son ricas en el río grande, que está una legua desta villa, más que en otras partes, porque si echan negros, no habrá día que no den cada uno dos o tres ducados a su amo. El tiempo andando, ella vendrá a ser de las ricas tierras de las Indias. El repartimiento de indios que por mis servicios se me dio fue en los términos desta villa. Bien quisiera que hubiera en qué extendiera la pluma algún tanto, pues tenía para ello razón tan justa; mas la calidad de las cosas sobre que ella está fundada no lo consiente, y principalmente porque muchos de mis compañeros, los descubridores y conquistadores que salimos de Cartagena, están sin indios, y los tienen los que los han habido por dinero o por haber seguido a los que han gobernado, que cierto no es pequeño mal.

CAPITULO XVIII

De la provincia de Arma y de sus costumbres, y de otras cosas notables que en ella hay

Esta provincia de Arma, de donde la villa tomó nombre, es muy grande y muy poblada y la más rica de todas sus comarcas; tiene más de veinte mil indios de guerra, o los tenía cuando yo escribí esto, que fué la primera vez que entramos cristianos españoles en ella, sin las mujeres y niños. Sus casas son grandes y redondas, hechas de grandes varas y vigas, que empiezan desde abajo y suben arriba hasta que, hecho en lo alto de la casa un pequeño arco redondo, fenesce el enmaderamiento; la cobertura es de paja. Dentro destas casas hay muchos apartados entoldados con esteras; tienen muchos moradores; la provincia tendrá en longitud diez leguas, y de latitud seis o siete, y en circuito diez y ocho leguas poco menos, de grandes y ásperas sierras sin montaña, todas de campaña. Los más valles y laderas parescen huertas, según están pobladas y llenas de arboledas de frutales de todas maneras de las que suelen haber en aquestas partes y de otra muy gustosa, llamada Pitahaya, de color morada; tiene esta fruta tal propiedad que en comiendo della, aunque no sea sino una, queriendo orinar, se echa la orina de color de sangre. En los montes también se halla otra fruta, que la tengo por muy singular, que llaman uvillas pequeñas, y tienen un olor muy suave. De las sierras nacen algunos ríos, y uno dellos, que nombramos el río de Arma, es de invierno trabajoso de pasar; los demás no son grandes; y ciertamente, según la disposición dellos, yo creo que por tiempo se ha de sacar destos ríos oro como en Vizcaya hierro. Los que esto leyeren y hubieren visto la tierra como yo, no les parecerá cosa fabulosa. Sus labranzas tienen los indios por las riberas destos ríos, y todos ellos unos con otros se dieron siempre guerra cruel, y difieren en las lenguas en muchas partes; tanto, que casi en cada barrio y loma hay lengua diferente. Eran y son riquísimos de oro a maravilla, y si fueran los naturales desta provincia de Arma del jaez de los del Perú y tan domésticos, yo prometo que con sus minas ellos rentaran cada año más de quinientos mil pesos de oro; tienen o tenían deste metal muchas y grandes joyas, y estan fino que el de menos ley tiene diez y nueve quilates. Cuando ellos iban a la guerra llevaban coronas, y unas patenas en los pechos y muy lindas plumas y brazales, y otras muchas joyas. Cuando los descubrimos la primera vez que entramos en esta provincia con el capitán Jorge Robledo, me acuerdo yo se vieron indios armados de oro de los pies a la cabeza, y se le quedó hasta hoy la parte donde los vimos por nombre la loma de los Armados; en lanzas largas solían llevar banderas de gran valor. Las casas tienen en lo llano y plazas que hacen las lomas, que son los fenecimientos de las sierras, las cuales son muy ásperas y fragosas. Tienen grandes fortalezas de las cañas gordas que he dicho, arrancadas con sus raíces y cepas, las cuales tornan a plantar en hileras de veinte en veinte por su orden y compás, como calles; en mitad desta fuerza tienen, o tenían cuando los vi, un tablado alto y bien labrado de las mismas cañas, con su escalera, para hacer sus sacrificios.

CAPITULO XIX

De los ritos y sacrificios que estos indios tienen y cuán grandes carniceros son de comer carne humana

Las armas que tienen estos indios son dardos, lanzas, hondas, tiraderas con sus estalocisa (99); son muy grandes voceadores; cuando van a la guerra llevan muchas bocinas y atambores y flautas y otros instrumentos. En gran manera son cautelosos y de poca verdad, ni la paz que prometen sustentan. La guerra que tuvieron con los españoles se dirá adelante en su tiempo y lugar. Muy grande es el dominio y señorío que el demonio, enemigo de natura humana, por los pecados de aquesta gente sobre ellos tuvo, permitiéndolo Dios; porque muchas veces era visto visiblemente por ellos. En aquellos tablados tenían muy grandes manojos de cuerdas de cabuya, a manera de crizneja (la cual nos aprovechó para hacer alpargates), tan largas que tenían a más de cuarenta brazas cada una de aquestas sogas; de lo alto del tablado ataban los indios que tomaban en la guerra por los hombros y dejábanlos colgados, y a algunos dellos les sacaban los corazones y los ofrecían a sus dioses, al demonio, a honra de quien se hacían aquellos sacrificios, y luego, sin tardar mucho, comían los cuerpos de los que ansí mataban. Casa de adoración no se ha visto ninguna, más de que en las casas o aposentos de los señores tenían un aposento muy esterado y aderezado; en Paucora vi yo uno destos oratorios, como adelante diré; en lo secreto dellos estaba un retrete (100), y en él había muchos encensarios de barro, en los cuales, en lugar de encienso, quemaban ciertas hierbas menudas; yo las vi en la tierra de un señor desta provincia, llamado Yayo, y eran tan menudas que casi no salían de la tierra; unas tenían una flor muy negra y otras la tenían blanca; en el olor parescían a verbena; y éstas, con otras resinas, quemaban delante de sus ídolos; y después que han hecho

(99) Palabra de origen cuna (istmo panameño), según Friederici (1947, pág. 247). Ya la emplea Fernández de Oviedo en su *Sumario*.
(100) Pequeño aposento, lugar de retiro. Procede del latín *retrahere*, que ha dado lugar a *retirado* (*ritiratto* en italiano) y el cultismo *retraído*. En el siglo XVI no tenía el significado actual, de servicio sanitario.

otras supersticiones viene el demonio, el cual cuentan que les aparesce en figura de indio y los ojos muy resplandecientes, y a los sacerdotes o ministros suyos daba la respuesta de lo que preguntaban y de lo que querían saber. Hasta agora en ninguna destas provincias están clérigos ni frailes, ni osan estar, porque los indios son tan malos y carniceros que muchos han comido a los señores que sobre ellos tenían encomienda; aunque cuando van a los pueblos de los españoles los amonestan que dejen sus vanidades y costumbres gentílicas y se alleguen a nuestra religión, recibiendo agua de baptismo; y permitiéndolo Dios, algunos señores de las provincias desta gobernación se han tornado cristianos, y aborrecen al diablo y escupen de sus dichos y maldades. La gente desta provincia de Arma son de medianos cuerpos, todos morenos; tanto, que en la color todos los indios y indias destas partes (con haber tanta multitud de gentes que casi no tienen número, y tan gran diversidad y largura de tierra) parece que todos son hijos de una madre y de un padre; las mujeres destos indios son de las feas y sucias que yo vi en todas aquellas comarcas; andan ellas y ellos desnudos, salvo que para cubrir sus vergüenzas se ponen delante dellas unos maures tan anchos como un palmo y tan largos como palmo y medio; con esto se atapan la delantera, lo demás todo anda descubierto. En aquel tierra no ternán los hombres deseo de ver las piernas a las mujeres, pues que agora haga frío o sientan calor nunca las atapan; algunas de las mujeres andan tresquiladas, y lo mismo sus maridos. Las frutas y mantenimientos que tienen es maíz y yuca y otras raíces muchas y muy sabrosas, algunas guayabas y paltas y palmas de los pixivaes. Los señores se casan con las mujeres que más les agradan; la una destas se tiene por la más principal; y los demás indios cásanse unos con hijas y hermanas de otros, sin orden ninguna, y muy pocos hallan las mujeres vírgenes; los señores pueden tener muchas, los demás a una y a dos y a tres, como tiene la posibilidad; en muriéndose los señores o principales, los entierran dentro en sus casas o en lo alto de los cerros, con las cerimonias y lloros que acostumbran, los que de suso he dicho; los hijos heredan a los padres en el señorío y en las casas y tierras; faltando hijo, lo hereda el que lo es de hermana, y no del hermano. Adelante diré la causa por que en la mayor parte destas provincias heredan los sobrinos hijos de la hermana, y no del hermano, según yo oí a muchos naturales dellas, que es causa que los señoríos o cacicazgos se hereden por la parte femenina y no por la masculina (101). Son tan amigos de comer carne humana estos indios que se ha visto haber tomado indias tan preñadas que querían parir, y con ser de sus mismos vecinos, arremeter a ellas y con gran presteza abrirles el vientre con sus cuchillos de pedernal o de caña y sacar la criatura; y habiendo hecho gran fuego, en un pedazo de olla tostarlo y comerlo luego, y acabar de matar la madre, y con las inmundicias comérsela con tanta priesa, que era cosa de espanto. Por los cuales pecados y otros que estos indios cometen ha permitido la divina Providencia que, estando tan desviados de nuestra región de España que casi parece imposible que se pueda andar de una parte a otra, hayan abierto caminos y carreras por la mar tan larga del Océano y llegado a sus tierras, a donde solamente diez o quince cristianos que se hallan juntos acometen a mil, a diez mil dellos, y los vencen y subjetan; lo cual también creo no venir por nuestros merescimientos, pues somos tan pecadores, sino por querer Dios castigarlos por nuestra mano, pues permite lo que se hace. Pues volviendo al propósito, estos indios no tienen creencia, a lo que yo alcancé, ni entienden más de lo que permite Dios que el demonio les diga. El mando que tienen los caciques o señores sobre ellos no es más de que les hacen sus casas y les labran sus campos, sin lo cual les dan mujeres las que quieren y les sacan de los ríos oro, con que contratan en las comarcas; y ellos se nombran capitanes en las guerras y se hallan con ellos en las batallas que dan. En todas las cosas son de poca constancia; no tienen vergüenza de nada ni saben qué cosa sea virtud, y en malicias son muy astutos unos para con otros. Adelante desta provincia, a la parte de oriente, está la montaña de suso dicha, que se llama de los Andes, llena de grandes sierras; pasada ésta

(101) Información preciosa para los antropólogos, ya que indica el sistema matriarcal imperante.

dicen los indios que está un hermoso valle con un río (102) que pasa por él, donde (según dicen estos naturales de Arma) hay gran riqueza y muchos indios. Por todas estas partes las mujeres paren sin parteras, y aun por todas las más de las Indias; y en pariendo, luego se van a lavar ellas mismas al río, haciendo lo mismo a las criaturas, y hora ni momento no se guardan del aire ni sereno, ni les hace mal; y veo que muestran tener menos dolor cincuenta destas mujeres que quieren parir que una sola de nuestra nación. No sé si va en el regalo de las unas o en ser bestiales las otras.

CAPITULO XX

De la provincia de Paucura y de su manera y costumbres

Pasada la gran provincia de Arma está luego otra, a quien dicen de Paucura, que tenía cinco o seis mil indios cuando la primera vez en ella entramos con el capitán Jorge Robledo. Difiere en la lengua a la pasada; las costumbres todas son unas, salvo que éstos son mejor gente y más dispuestos, y las mujeres traen una mantas pequeñas con que se cubren cierta parte del cuerpo, y ellos hacen lo mismo. Es muy fértil esta provincia para sembrar maíz y otras cosas; no son tan ricos de oro como los que quedan atrás, ni tienen tan grandes casas, ni es tan fragosa la sierra; un río corre por ella, sin otros muchos arroyos. Junto a la puerta del principal señor, que había por nombre Pimana, estaba un ídolo de madera tan grande como un hombre, de buen cuerpo; tenía el rostro hacia al nascimiento del sol y los brazos abiertos; cada martes sacrificaban dos indios al demonio en esta provincia de Paucura, y lo mismo en la de Arma, según nos dijeron los indios, aunque estos que sacrificaban, si lo hacían, tampoco alcanzo si serían de los mismos naturales o de los que prendían en la guerra. Dentro de las casas de los señores tienen de las cañas gordas que de suso he dicho, las cuales, después de secas, en extremo son recias, y

(102) Quizá el Magdalena.

hacen un cercado como jaula, ancha y corta y no muy alta, tan reciamente atadas que por ninguna manera los que meten dentro se pueden salir; cuando van a la guerra, los que prenden pónenlos allí y mándanles dar muy bien de comer, y de que están gordos sácanlos a sus plazas, que están junto a las casas, y en los días que hacen fiesta los matan con gran crueldad y los comen; yo vi algunas destas jaulas o cárceles en la provincia de Arma; y es de notar que cuando quieren matar algunos de aquellos malaventurados para comerlos los hacen hincar de rodillas en tierra, y abajando la cabeza le dan junto al colodrillo un golpe, del cual queda atordido y no habla ni se queja, ni dice mal ni bien. Yo he visto lo que digo hartas veces, matar los indios, y no hablar ni pedir misericordia; antes algunos se ríen cuando los matan, que es cosa de grande admiración; y esto más procede de bestialidad que no de ánimo; las cabezas destos que comen ponen en lo alto de las cañas gordas. Pasada esta provincia, por el mismo camino se allega a una loma alta, la cual con sus vertientes a una parte y a otra, está poblada de grandes poblaciones o barrios lo alto della. Cuando entramos la primera vez en ella estaba muy poblada de grandes casas; llámase este pueblo Pozo, y es de la lengua y costumbres que los de Arma.

CAPITULO XXI

De los indios de Pozo, y cuán valientes y temidos son de sus comarcanos

En esta provincia de Pozo había tres señores cuando en ella entramos con el capitán Jorge Robledo, y otros principales; ellos y sus indios eran y son los más valientes y esforzados de todas las provincias sus vecinas y comarcanas. Tienen por una parte el río grande y por otra la provincia de Carrapa y la de la Picara, de las cuales diré luego; por la otra parte, la de Paucura, que ya dije; éstos no tienen amistad con ninguna gente de las otras. Su origen y principio fue (a lo que ellos cuentan) de ciertos indios que en los tiempos antiguos salieron de la provincia de Arma, los cuales, pareciéndoles la disposición de la tierra donde agora están fértil, la poblaron, y dellos proceden los que agora hay. Sus costumbres y lengua es conformada con los de Arma; los señores y principales tienen muy grandes casas, redondas, muy altas; viven en ellas diez o quince moradores, y en algunas menos, como es la casa. A las puertas dellas hay grandes palizadas y fortalezas hechas de las cañas gordas, y en medio destas fuerzas había muy grandes tablados entoldados de esteras, las cañas tan espesas que ningún español de los de a caballo podía entrar por ellas; desde lo alto del tablado atalayaban todos los caminos, para ver lo que por ellos venía. Pimaracua se llamaba el principal señor deste pueblo cuando entramos en él con Robledo. Tienen los hombres mejor disposición que los de Arma, y las mujeres por el consiguiente; son de grandes cuerpos, de feos rostros, aunque algunas hay que son hermosas, aunque yo vi pocas que lo fuesen, Dentro de las casas de los señores había, entrando en ellas, una renglera de ídolos, que tenían cada una quince o veinte, todos a la hila, tan grandes como un hombre, los rostros hechos de cera, con grandes visajes, de la forma y manera que el demonio se les aparescía; dicen que algunas veces cuando por ellos era llamado, se entraba en los cuerpos o talles destos ídolos de palo, y dentro dellos respondía; las cabezas son de calavernas (103) de muertos. Cuando los señores se mueren los entierran dentro en sus casas en grandes sepulturas, metiendo en ellas grandes cántaros de su vino hecho de maíz, y sus armas y su oro; adornándolos de las cosas más estimadas que tienen, enterrando a muchas mujeres vivas con ellos, según y de la manera que hacen los demás que he pasado. En la provincia de Arma me acuerdo yo, la segunda vez que por allí pasó el capitán Jorge Robledo, que fuimos por su mandado a sacar en el pueblo del señor Yago un Antonio Pimentel y yo una sepultura, en la cual hallamos más de doscientas piezas pequeñas de oro, que en aquella tierra llaman chaguale-

(103) Calaveras. Graciosa mixtura de *calavera* y *caverna.*

tas (104), que se ponen en las mantas, y otras patenas; y por haber malísimo olor de los muertos lo dejamos sin acabar de sacar lo que había. Y si lo que hay en el Perú y en estas tierras enterrado se sacase, no se podría numerar el valor, según es grande, y en tanto lo pondero que es poco lo que los españoles han habido para compararlo con ello. Estando yo en el Cuzco tomando de los principales de allí la relación de los ingas, oí decir que Paulo Inga y otros principales decían que si todo el tesoro que había en las provincias y guacas (que son sus templos) y en los enterramientos se juntara, que haría tan poca mella lo que los españoles habían sacado cuan poco se haría sacando de una gran vasija de agua una gota della; y que haciendo clara y patente la comparación, tomaban una medida grande de maíz, de la cual, sacando un puño, decían: «Los cristianos han habido esto; lo demás está en tales partes que nosotros mismos no sabemos dello.» Así, que grandes son los tesoros que en estas partes están perdidos; y lo que se ha habido, si los españoles no lo hubieran habido, ciertamente todo ello o lo más estuviera ofrecido al diablo y a sus templos y sepulturas, donde enterraban sus difuntos, porque estos indios no lo quieren ni lo buscan para otra cosa, pues no pagan sueldo con ello a la gente de guerra, ni mercan ciudades ni reinos, ni quieren más que enjaezarse con ello siendo vivos; y después que son muertos llevárselo consigo; aunque me paresce a mí que con todas estas cosas éramos obligados a los amonestar que viniesen a conoscimiento de nuestra santa fe católica, sin pretender solamente henchir las bolsas. Estos indios y sus mujeres andan desnudos, como sus comarcanos; son grandes labradores; cuando están sembrando o cavando la tierra, en la una mano tienen la macana para rozar y en la otra la lanza para pelear. Los señores son aquí más temidos de sus indios que en otras partes; herédanlos en el señorío sus hijos, o sobrinos si les faltan hijos. La manera que tenían en la guerra es que la provincia de Picara, que está deste pueblo dos leguas, y la de Paucura, que está legua y media, y la de Carrapa, que estará otro tanto, cada una destas provincias tenía

(104) Esta palabra, que aún se usa en Colombia, significa cosa alargada, como la plantilla de un zapato.

más indios que ésta tres veces; y con ser así, con unos y con otros tenían guerra crudelísima y todos los temían y deseaban su amistad. Salían de sus pueblos mucha copia de gente; dejando en él recaudo bastante para su defensa, llevando muchos instrumentos de bocinas y atambores y flautas, iban contra los enemigos, llevando cordeles recios para atar los que prendiesen dellos; llegando, pues, adonde combaten con ellos, anda la grita y estruendo muy grande entre unos y otros, y luego vienen a las manos y mátanse y préndense, y quémanse las casas. En todas sus peleas siempre fueron más hombres en ánimo y esfuerzo estos indios de Pozo, y así lo confiesan sus vecinos comarcanos. Son tan carniceros de comer carne humana como los de Arma, porque yo les vi un día comer más de cien indios y indias de los que habían muerto y preso en la guerra andando con nosotros, estando conquistando el adelantado don Sebastián de Belalcázar las provincias de Picara y Paucura, que se habían rebelado, y fue Perequita, que a la sazón era señor en este pueblo de Pozo; y en las entradas que hecimos mataron los indios que he dicho, buscándolos entre las matas, como si fueran conejos, y por las riberas de los ríos se juntaban veinte o treinta indios destos en ala, y debajo de las matas y entre las rocas los sacaban sin que se les quedase ninguno.

Estando en la provincia de Paucura un Rodrigo Alonso y yo y otros dos cristianos, íbamos en seguimiento de unos indios, y al encuentro salió una india de las frescas y hermosas que yo vi en todas aquellas provincias; y como la vimos la llamamos; la cual, como nos vio, como si viera al diablo, dando gritos se volvió adonde venían los indios de Pozo, teniendo por mejor fortuna ser muerta y comida por ellos que no quedar en nuestro poder. Y así, uno de los indios que andaban con nosotros confederados en nuestra amistad, sin que lo pudiésemos estorbar, con gran crueldad le dió tan gran golpe en la cabeza que la turdió, y allegando luego otro, con un cuchillo de pedernal la degolló. Y la india, cuando se fue para ellos, no hizo más que hincar la rodilla en tierra y aguardar la muerte, como se la dieron, y luego se bebieron la sangre y se comieron crudo el corazón con las entrañas, llevándose los cuartos y la cabeza para comer la noche siguiente.

Otros dos indios vi que mataban destos de Paucura, los cuales se reían muy de gana, como si no hubieran ellos de ser los que habían de morir; de manera que estos indios y todos sus vecinos tienen este uso de comer carne humana, y antes que nosotros entrásemos en sus tierras ni las ganásemos lo usaban. Son muy ricos de oro estos indios de Pozo, y junto a su pueblo hay grandes minas de oro en las playas del río grande que pasa por él.

Aquí en este lugar prendió el adelantado don Sebastián de Belalcázar y su capitán y teniente general Francisco Hernández Jirón al mariscal don Jorge Robledo y le cortó la cabeza, y también hizo otras muertes. Y por no dar lugar que el cuerpo del mariscal fuese llevado a la villa de Arma, lo comieron los indios a él y a los demás que mataron, no embargante que los enterraron; y quemaron una casa encima de los cuerpos, como adelante diré, en la cuarta parte desta historia, donde se tratan las guerras civiles que en este reino del Perú han pasado; y allí lo podrán ver los que saber quisieren, sacada a luz.

CAPITULO XXII

De la provincia de Picara y de los señores della

Saliendo de Pozo y caminando a la parte de oriente está situada la provincia de Picara, grande y muy poblada. Los principales señores que había en ella cuando la descubrimos se nombraban Picara, Chuscuruqua, Sanguitama, Chambiriqua, Ancora, Aupirimi, y otros principales. Su lengua y costumbres es conforme con los de Paucura. Extiéndese esta provincia hacia unas montañas, de las cuales nascen ríos de muy linda y dulce agua. Son ricos de oro, a lo que se cree. La disposición de la tierra es como la que habemos pasado, de grandes sierras, pero la más poblada; porque todas las sierras y laderas y cañadas y valles están siempre tan labradas que da gran contento y placer ver tantas sementeras. En todas partes hay muchas arboledas de todas frutas. Tienen pocas casas, porque con la guerra las queman. Había más de diez o doce mil indios de guerra cuando la primera vez entramos en esta provincia, y andan los indios della desnudos, porque ellos ni sus mujeres no traen más de pequeñas mantas o maures, con que se cubren las partes vergonzosas; en lo demás ni quitan ni ponen a los que quedan atrás, y tienen la costumbre que ellos en el comer y en el beber y en se casar. Y, por el consiguiente, cuando los señores y principales mueren, los meten en sus sepulturas, grandes y muy hondas, bien acompañados de mujeres vivas y adornados de las cosas preciadas suyas, conforme a la costumbre general de los más indios destas partes. A las puertas de las casas de los caciques hay plazas pequeñas, todas cercadas de las cañas gordas, en lo alto de las cuales tienen colgadas las cabezas de los enemigos, que es cosa temerosa de verlas, según están muchas, y fieras con sus cabellos largos, y las caras pintadas de tal manera que parescen rostros de demonios. Por lo bajo de las cañas hacen unos agujeros por donde el aire puede respirar cuando algún viento se levanta; hacen gran sonido, paresce música de diablos. Tampoco les sabe mal a estos indios la carne humana, como a los de Pozo; porque cuando entramos en él la vez primera con el capitán Jorge Robledo salieron con nosotros destos naturales de Picara más de cuatro mil, los cuales se dieron tal mañana, que mataron y comieron más de trecientos indios. Pasada la montaña que está por encima desta provincia al oriente, que es la cordillera de los Andes, afirman que hay una grande provincia y valle que dicen llamarse Arbi, muy poblada y rica. No se ha descubierto ni sabemos más desta fama. Por los caminos tienen siempre estos indios de Picara grandes púas o estacas de palma negra, agudas como de hierro, puestas en hoyos y cubiertas muy sotilmente con paja o hierba. Cuando los españoles y ellos contienden en guerra ponen tantas que se anda con trabajo por la tierra, y ansí muchos se las han hincado por las piernas y pies. Algunos destos indios tienen arcos y flechas; mas no hay en ellas hierba ni se dan maña a tirarlas, por lo cual no hacen con ellas daño. Hondas tienen, con que tiran las piedras con mucha fuerza (115). Los hombres son de mediano cuerpo; las mujeres, lo mismo, y algunas bien dispuestas. Partidos desta provincia hacia la ciudad de Cartago se va a la provincia de Carrapa, que no está muy lejos y es bien poblada y muy rica.

CAPITULO XXIII

De la provincia de de Carrapa y de lo que hay que decir della

La provincia de Carrapa está doce leguas de la ciudad de Cartago, asentada en unas sierras muy ásperas, rasas, sin haber en ellas montaña más de la cordillera de los Andes, que pasa por encima. Las casas son pequeñas y muy bajas, hechas de cayas, y la cobertura, de unos cohollos de otras cañas menudas y delgadas, de las cuales hay muchas en aquellas partes. Las casas o aposentos de los señores, algunos son bien grandes y otros no. Había, cuando la primera vez entramos cristianos españoles en esta provincia de Carrapa, cinco principales. Al mayor y más grande llamaban Irrúa, el cual, los años pasados, se había entrado en ella por fuerza, y como hombre poderoso y tirano, la mandaba casi toda. Entre las sierras hay algunos vallecetes y llanos muy poblados y llenos de ríos y arroyos y muchas fuentes; el agua no tan delgada ni sabrosa como la de los ríos y fuentes que se han pasado. Los hombres son muy crecidos de cuerpo, los rostros largos, y las mujeres lo mismo, y robustas. Son riquísimos de oro, porque tenían grandes piezas dél muy finas, y muy lindos vasos, con que bebían el vino que ellos hacen del maíz (106), tan recio que bebiendo mucho priva el sentido a los que lo beben. Son tan viciosos en beber, que se bebe un indio, de una asentada, una arroba y más, no de un golpe, sino de muchas veces. Y teniendo el vientre lleno deste brevaje, provocan a vómito y lanzan lo que

(105) Este uso lo adquirieron por influencia incaica.
(106) Chicha.

quieren, y muchos tienen con la una mano la vasija con que están bebiendo y con la otra el miembro con que orinan. No son muy grandes comedores, y esto del beber es vicio envejescido en costumbre, que generalmente tienen todos los indios que hasta agora se han descubierto en estas Indias. Si los señores mueren sin hijos manda su principal mujer, y aquélla muerta, hereda el señorío el sobrino del muerto, con que ha de ser hijo de su hermana, si la tiene, y son de lenguaje por sí (107). No tienen templo ni casa de adoración; el demonio habla también con algunos destos indios, como con los demás.

Dentro de sus casas entierran, después de muertos, a sus difuntos, en grandes bóvedas que para ello hacen; con los cuales meten mujeres vivas y otras muchas cosas de las preciadas que ellos tienen, como hacen sus comarcanos.

Cuando alguno destos indios se siente enfermo hace grandes sacrificios por su salud, como lo aprendieron de sus pasados, todo dedicado al maldito demonio, el cual (por quererlo Dios permitir) les hace entender las cosas todas ser en su mano y ser el superior de todo. No porque (como dije) estas gentes ignoren que hay un solo Dios hacedor del mundo, porque esta dignidad no permite el poderoso Dios que el demonio pueda atribuir a sí lo que le es tan ajeno; mas esto créenlo mal y con grandes abusos; aunque yo alcancé dellos mismos que a tiempos están mal con el demonio, que lo aborrescen, conosciendo sus mentiras y falsedades; mas, como por sus pecados los tenga tan subjetos a su voluntad, no dejaban de estar en las presiones de su engaño, ciegos en su ceguedad, como los gentiles y otras gentes de más saber y entendimiento que ellos, hasta que la luz de la palabra del sacro Evangelio entre en los corazones dellos; y los cristianos que en estas Indias anduvieron procuren siempre de aprovechar con doctrina a estas gentes, porque haciéndolo de otra manera no sé cómo les irá cuando los indios y ellos parezcan en el juicio universal ante el acatamiento divino. Los señores principales se casan con sus sobrinas y algunos con sus hermanas, y tienen muchas mujeres. Los indios

(107) Sigue Cieza certificando las formas matriarcales, al tiempo que muestra a los antropólogos modernos su escrupulosa información etnográfica.

que matan también los comen, como los demás. Cuando van a la guerra llevan todos muy ricas piezas de oro, y en sus cabezas grandes coronas, y en las muñecas gruesos brazales, todo de oro; llevan delante de sí grandes banderas muy preciadas. Yo vi una que dieron en presente al capitán Jorge Robledo, la primera vez que entramos con él en su provincia, que pesó tres mil y tantos pesos (108), y un vaso de oro también le dieron, que valió doscientos y noventa, y otras dos cargas deste metal en joyas de muchas maneras. La bandera era una manta larga y angosta puesta en una vara, llena de unas piezas de oro pequeñas, a manera de estrellas, y otras con talle redondo. En esta provincia hay también muchos frutales y algunos venados y guardaquinajes (109) y otras cazas, y otros muchos mantenimientos y raíces campestres gustosas para comer. Salidos della, pasamos a la provincia de Quimbaya, donde está asentada la ciudad de Cartago. Hay de la villa de Arma a ella veinte y dos leguas. Entre esta provincia de Carrapa y la de Quimbaya está un valle muy grande, despoblado, de donde era señor este tirano que he dicho llamado Irrúa, que mandaba en Carrapa. Fue muy grande la guerra que sus sucesores y él tuvieron con los naturales de Quimbaya, por los cuales hubieron al fin de dejar su patria, y con las mañas que tuvo se entró en esta provincia de Carrapa. Hay fama que tiene grandes sepulturas de señores que están enterrados en él.

CAPITULO XXIV

De la provincia de Quimbaya y de las costumbres de los señores della, y de la fundación de la ciudad de Cartago y quién fue el fundador

La provincia de Quimbaya terná quince leguas de longitud y diez de latitud desde el río Grande hasta la mon-

(108) Los indios no usaron *banderas* en el sentido europeo (los primeros que las trajeron a España fueron los almohades, a los que se les tomaron en la batalla de las Navas de Tolosa y se conservan en el monasterio de las Huelgas de Burgos), y a lo que se refiere Cieza es a insignias, enastadas, como describe a continuación.

(109) Caza menor.

taña nevada de los Andes, todo ello muy poblado, y no es tierra tan áspera ni fragosa como la pasada. Hay muy grandes y espesos cañaverales; tanto, que no se puede andar por ellos si no es con muy gran trabajo, porque toda esta provincia y sus ríos están llenos destos cañaverales. En ninguna parte de las Indias no he visto ni oído a donde haya tanta multitud de cañas como en ella; pero quiso Dios nuestro Señor que sobrasen aquí cañas porque los moradores no tuviesen mucho trabajo en hacer sus casas. La sierra nevada, que es la cordillera grande de los Andes, está siete leguas de los pueblos desta provincia. En lo alto della está un volcán (110) que cuando hace claro echa de sí grande cantidad de humo, y nascen desta sierra muchos ríos, que riegan toda la tierra. Los más principales son: el río de Tacurumbi, el de la Cegue, el que pasa por junto a la ciudad, y otros que no se podrán contar, según son muchos; en tiempo de invierno, cuando vienen crescidos, tienen sus puentes hechas de cañas atadas fuertemente con bejucos recios a árboles que hay de una parte de los ríos a otra. Son todos muy ricos de oro. Estando yo en esta ciudad el año pasado de 1547 años, se sacaron en tres meses más de quince mil pesos, y el que más cuadrilla tenía era tres o cuatro negros y algunos indios. Por donde vienen estos ríos se hacen algunos valles, aunque, como he dicho, son de cañaverales, y en ellos hay muchos árboles de frutas de las que suelen haber en estas partes y grandes palmares de los pixivaes.

Entre estos ríos hay fuentes de agua salobre, que es cosa maravillosa de ver del arte cómo salen por mitad de los ríos, y para por ello dar gracias a Dios Nuestro Señor. Adelante haré capítulo por sí destas fuentes porque es cosa muy de notar. Los hombres son bien dispuestos, de buenos rostros; las mujeres, lo mismo, y muy amorosas (111). Las casas que tienen son pequeñas; la cobertura, de hojas de cañas. Hay muchas plantas de frutas y otras cosas que los españoles han puesto, así de España como de la misma tierra. Los señores son de extremo regalados; tienen muchas mujeres, y son todos los desta

(110) Volcán de Tolima, probablemente.
(111) Sin duda, Cieza está refiriéndose, pues siempre está documentado, a experiencias de los conquistadores o de él mismo.

provincia amigos y confederados. No comen carne humana si no es por muy gran fiesta, y los señores solamente eran muy ricos de oro. De todas las cosas que por los ojos eran vistas tenían ellos hechos joyas de oro, y muy grandes vasos, con que bebían su vino. Uno vi yo que dio un cacique llamado Tacurumbi al capitán Jorge Robledo que cabía en él dos azumbres de agua. Otro dio este mismo cacique a Miguel Muñoz, mayor y más rico. Las armas que tienen son lanzas, dardos y unas estolicas, que arrojan de rodeo con ellas unas tiraderas, que es mala arma. Son entendidos y avisados, y algunos muy grandes hechiceros. Júntanse a hacer fiestas en sus solaces después que han bebido; hácense un escuadrón de mujeres a una parte y otro a otra, y lo mismo los hombres, y los muchachos no están parados, que también lo hacen, y arremeten unos a otros, diciendo con un sonete: «Batatabati, batatabati», que quiere decir: «¡Ea, juguemos!»; y así, con tiraderas y varas se comienza el juego, que después se acaba con heridas de muchos y muertes de algunos. De sus cabellos hacen grandes rodelas, que llevan cuando van a la guerra a pelear. Ha sido gente muy indómita y trabajosa de conquistar, hasta que se hizo justicia de los caciques antiguos; aunque para matar algunos no hubo mucha, pues todo era sobre sacarles este negro oro, y por otras causas que se contarán en su lugar. Cuando salían a sus fiestas y placeres en alguna plaza, juntábanse todos indios, y dos dellos, con dos atambores, hacían son, donde, tomando otro delantera, comienzan a danzar y bailar; al cual todos siguen, y llevando cada uno la vasija del vino en la mano; porque beber, bailar, cantar, todo lo hacen en un tiempo. Sus cantares son recitar a su uso los trabajos presentes y recontar los sucesos pasados de sus mayores. No tienen creencia ninguna; hablan con el demonio de la manera que los demás.

Cuando están enfermos se bañan muchas veces, en el cual tiempo cuentan ellos mismos que ven visiones espantables. Y pues trato desta materia, diré aquí lo que acontesció en el año pasado de 46 en esta provincia de Quimbaya. Al tiempo que el visorey Blasco Núñez Vela andaba envuelto en las alteraciones causadas por Gonzalo Pizarro y sus consortes, vino una general pestilencia por todo el reino del Perú, la cual comenzó de más adelante del Cuzco y cundió toda la tierra, donde murieron gentes sin cuento. La enfermedad era que daba un dolor de cabeza y accidente de calentura muy recio, y luego se pasaba el dolor de la cabeza al oído izquierdo, y gravaba tanto el mal, que no duraban los enfermos sino dos o tres días. Venida, pues, la pestilencia a esta provincia, está un río casi media legua de la ciudad de Cartago, que se llama de Consota, y junto a él está un pequeño lago, donde hacen sal de agua de un manantial que está allí. Y estando juntas muchas indias haciendo sal para las casas de sus señores vieron un hombre alto de cuerpo, el vientre rasgado y sacadas las tripas y inmundicias, y con dos niños de brazo; el cual, llegado a las indias, les dijo: «Yo os prometo que tengo que matar a todas las mujeres de los cristianos y a todas las más de vosotras», y fuése luego. Las indias y indios, como era de día, no mostraron temor ninguno, antes contaron este cuento, riéndose, cuando volvieron a sus casas. En otro pueblo de un vecino que se llama Giralde Gilestopiñán vieron esta misma figura encima de un caballo y que corría por todas las sierras y montañas como un viento; donde ha pocos días la pestilencia y mal de oído dio de tal manera que la mayor parte de la gente de la provincia faltó, y a los españoles se les murieron sus indias de servicio, que pocas o ningunas quedaron; sin lo cual andaba un espanto que los mismos españoles parescía estar asombrados y temerosos. Muchas indias y muchachos afirmaban que visiblemente veían muchos indios de los que ya eran muertos. Bien tienen estas gentes entendimiento de pensar que hay en el hombre más que cuerpo mortal; no tienen tampoco que sea ánima, sino alguna transfiguración que ellos piensan. Y creen que los cuerpos todos han de resucitar; pero el demonio les hace entender que será en parte que ellos han de tener gran placer y descanso, por lo cual les echan en las sepulturas mucha cantidad de su vino y maíz, pescado y otras cosas, y juntamente con ellos, sus armas, como que fuesen poderosas para los librar de las penas infernales. Es costumbre entre ellos que muertos los padres heredan los hijos, y faltando hijo, el sobrino hijo de la hermana (112). También antiguamente no eran naturales estos indios de Quimbaya; pero muchos tiempos ha que se entraron en la provincia, matando a todos los naturales, que no debían ser pocos, según lo dan a entender las muchas labranzas, pues todos aquellos bravos cañaverales paresce haber sido poblado y labrado, y lo mesmo las partes donde hay monte (113), que hay árboles tan gruesos como dos bueyes, y otros más; donde se ve que solía ser poblado; por donde yo conjeturo haber gran curso de tiempo que estos indios poblaron en estas Indias. El temple de la provincia es muy sano, a donde los españoles viven mucho y con pocas enfermedades, ni con frío ni con calor.

CAPITULO XXV

En que se prosigue el capítulo pasado sobre lo que toca a la ciudad de Cartago y a su fundación, y del animal llamado chucha

Como estos cañaverales que he dicho sean tan cerrados y espesos; tanto, que si un hombre no supiese la tierra se perdería por ellos, porque no atinaría a salir, según son grandes; entre ellos hay muchas y muy altas ceibas, no poco anchas y de muchas ramas, y otros árboles de diversas maneras, que por no saber los nombres no los pongo. En lo interior dellos o de algunos hay grandes cuevas y concavidades, donde crían dentro abejas, y formado el panal, se saca tan singular miel como la de España. Unas abejas hay que son poco mayores que mosquitos; junto a la abertura del panal, después que lo tienen bien cerrado, sale un cañuto que parece cera, como medio dedo, por donde entran las abejas a hacer su labor, cargadas de alicas de aquello que cogen de la flor; la miel destas es muy rala y algo agra, y sacarán de cada colmena poco más que un cuartillo de miel; otro linaje

(112) Nueva información sobre matriarcado, que utiliza Trimborn en sus estudios sobre antropología colombiana (1947).
(113) Maleza o selva.

hay destas abejas que son poco mayores, negras, porque las que he dicho son blancas; el abertura que éstas tienen para entrar en el árbol es de cera revuelta con cierta mixtura, que es más dura que piedra; la miel es, sin comparación, mejor que la pasada, y hay colmena que tiene más de tres azumbres; otras abejas hay que son mayores que las de España, pero ninguna dellas pica mas de cuanto, viendo que sacan la colmena, cargan sobre el que corta el árbol, apegándosele a los cabellos y barbas; de las colmenas destas abejas grandes hay alguna que tiene más de media arroba y es mucho mejor que todas las otras; algunas destas saqué yo, aunque más vi sacar a un Pedro de Velasco, vecino de Cartago. Hay en esta provincia, sin las frutas dichas, otra que se llama caimito, tan grande como durazno, negro de dentro; tienen unos cuesquecitos muy pequeños, y una leche que se apega a las barbas y manos, que se tarda harto en tirar; otra fruta hay que se llama ciruelas, muy sabrosas; hay también aguacates, guabas y guayabas, y algunas tan agras como limones de buen olor y sabor. Como los cañaverales son tan espesos, hay muchas alimañas por entre ellos, y grandes leones, y también hay un animal que es como una pequeña raposa, la cola larga y los pies cortos, de color parda; la cabeza tiene como zorra; vi una vez una destas, la cual tenía siete hijos y estaban juntos a ella, y como sintió ruido abrió una bolsa que Natura le puso en la misma barriga y tomó con gran presteza los hijos, huyendo con mucha ligereza, de una manera que yo me espanté de su presteza, siendo tan pequeña y correr con tan gran carga, y que anduviere tanto. Llaman a este animal chucha (114). Hay unas culebras pequeñas de mucha ponzoña, y cantidad de venados, y algunos conejos y muchos guadaquinajes, que son poco mayores que liebres, y tienen buena carne y sabrosa para comer. Y otras muchas cosas hay, que dejo de contar porque me paresce que son menudas. La ciudad de Cartago está asentada en una loma llana, entre dos arroyos pequeños, siete leguas del río grande de Santa Marta, y cerca de otro pequeño, del agua del cual beben los españoles; este río tiene siempre

(114) Es la zarigüeya. Fernández de Oviedo, en su *Sumario*, años antes, la llamó *churcha*.

puente de las cañas gordas que habemos contado; la ciudad, a una parte y a otra, tiene muy dificultosas salidas y malos caminos, porque en tiempo de invierno son los lodos grandes; llueve todo lo más del año, y caen algunos rayos y hace grandes relámpagos; está tan bien guardada esta ciudad que bien se puede tener cierto que no la hurten a los que en ella viven; digo esto porque hasta estar dentro en las casas no la ven. El fundador della fue el mismo capitán Jorge Robledo, que pobló las demás que hemos pasado, en nombre de su majestad el emperador don Carlos, nuestro señor, siendo gobernador de todas estas provincias el adelantado don Francisco Pizarro, año del Señor de 1540 años. Llámase Cartago porque todos los más de los pobladores y conquistadores que con Robledo se hallaron habíamos salido de Cartagena, y por esto se le dio este nombre. Ya que he llegado a esta ciudad de Cartago, pasaré de aquí a dar razón del grande y espacioso valle donde está asentada la ciudad de Cali y la de Popayán, donde se camina por los cañaverales hasta salir a un llano, por donde corre un río grande que llaman de la Vieja; en tiempo de invierno se pasa con harto trabajo; está de la ciudad cuatro leguas; luego se allega al río grande, que está una; mas pasado de la otra parte con balsas o canoas, se juntan los dos caminos, haciéndose todo uno: el que va de Cartago y el que viene de Ancerma; hay de la villa de Ancerma a la ciudad de Cali camino de cincuenta leguas, y desde Cartago poco más de cuarenta y cinco.

CAPITULO XXVI

En que se contienen las provincias que hay en este grande y hermoso valle hasta llegar a la ciudad de Cali

Desde la ciudad de Popayán comienza, entre las cordilleras de la sierra que dicho tengo, a se allanar este valle, que tiene en ancho a doce leguas, y a menos por unas partes y a más por otras, y por algunas se junta y hace tan estrecho él y el río que por él corre que ni con barcos ni balsas ni con otra ninguna cosa no pueden andar por él, porque, con la mucha furia que lleva y las muchas piedras y remolinos, se pierden y se van al fondo y se han ahogado muchos españoles y indios, y perdido muchas mercaderías por no poder tomar tierra, por la gran reciura que lleva; todo este valle, desde la ciudad de Cali hasta estas estructuras, fue primero muy poblado de muy grandes y hermosos pueblos, las casas juntas y muy grandes. Estas poblaciones y indios se han perdido y gastado con tiempo y con la guerra; porque como entró en ellos el capitán Sebastián de Belalcázar, que fue el primer capitán que los descubrió y conquistó, aguardaron siempre de guerra, peleando muchas veces con los españoles por defender su tierra y ellos no ser subjetos; con las cuales guerras, y por la hambre que pasaron, que fue mucha, por dejar de sembrar, se murieron todos los más. También hubo otra ocasión para que se consumiesen tan presto, y fue que el capitán Belalcázar pobló y fundó en estos llanos y en mitad destos pueblos la ciudad de Cali, que después se tornó a reedificar a donde agora está. Los indios naturales estaban tan porfiados en no querer tener amistad con los españoles, teniendo por pesado su mando, que no quisieron sembrar ni cultivar las tierras, y se pasó por esta causa mucha necesidad, y se murieron tantos que afirman que falta la mayor parte dellos. Después que se fueron los españoles de aquel sitio, los indios serranos que estaban en lo alto del valle abajaron muchos dellos y dieron en los tristes que habían quedado, que estaban enfermos y muertos de hambre; de tal manera que en breve espacio mataron y comieron todos los más; por las cuales causas todas aquellas naciones han quedado dellos tan pocos que casi no son ningunos. De la otra parte del río, hacia el oriente, está la cordillera de los Andes, la cual pasada está otro valle mayor y más vistoso, que llaman de Neiva, por donde pasa el otro brazo del río grande de Santa Marta (115). En las haldas de las sierras, a unas vertientes y a otras, hay muchos pueblos de indios de diferentes naciones y costumbres, muy bárbaros y que todos los más comen carne humana, y le tienen por manjar precioso y para ellos muy gustoso. En la cumbre de

(115) Magdalena.

la cordillera se hacen unos pequeños valles, en los cuales está la provincia de Buga; los naturales della son valientes guerreros; a los españoles que fueron allí cuando mataron a Cristóbal de Ayala los aguardaban sin temor ninguno; cuando mataron a este que digo se vendieron sus bienes en el almoneda a precios muy excesivos, porque se vendió una puerca en mil seiscientos pesos, con otro cochino, y se vendían cochinos pequeños a quinientos, y una oveja de las del Perú (116) en doscientos y ochenta pesos; yo la vi pagar a un Andrés Gómez, vecino que es agora de Cartago, y la cobró Pedro Romero, vecino de Ancerma; y los mil y seiscientos pesos de la puerca y del cochino cobró el adelantado don Sebastián de Belalcázar de los bienes del mariscal don Jorge Robledo, que fue el que lo mercó; y aun vi que la misma puerca se comió un día que se hizo un banquete, luego que llegamos a la ciudad de Cali con Vadillo; y Juan Pacheco, conquistador que agora está en España, mercó un cochino en doscientos y veinte y cinco pesos; y los cuchillos se vendían a quince pesos; a Jerónimo Luis Tejelo oí decir que cuando fue con el capitán Miguel Muñoz a la jornada que dicen de la Vieja mercó una almarada para hacer algarpates (117) por treinta pesos, y aun yo he mercado unos alpargates en ocho pesos oro. También se vendió en Cali un pliego de papel en otros treinta pesos. Otras cosas había aquí que decir en gran gloria de los nuestros españoles, pues en tan poco tienen los dineros que, como tengan necesidad, en ninguna cosa los estiman; de los vientres de las puercas compraban, antes que naciesen, los lechones a cien pesos y más. Si les era de agradescer a los que lo compraban o no, porque hubiese multiplico dello, no trato desto; mas quiero decir que el prudente lector piense y mire que desde el año de 27 hasta este de 47 lo que se ha descubierto y poblado; y mirando esto, verán todos cuánto merescen y en cuánto se ha de tener el honor de los conquistadores y descubridores, que tanto en estas partes han trabajado, y cuánta razón hay para que su majestad les haga mercedes a los que han pasado por estos trabajos y servídole lealmente sin haber sido car-

(116) Llama o alpaca.
(117) *Alpargate* es la forma aún usada en Colombia.

niceros de indios; porque los que se han preciado de serlo, antes merecen castigo que premio, a mi entender. Cuando se descubría esta provincia mercaban los caballos a tres mil y a cuatro mil pesos, y aun en este tiempo algunos hay que no acaban de pagar las deudas viejas, y que estando llenos de heridas y hartos de servir los meten en las cárceles sobre la paga que les piden los acreedores. Pasada la cordillera está el gran valle que ya dije, a donde estuvo fundada la villa de Neiva; y viniendo hacia el poniente hay mayores pueblos y de más gente en las sierras, porque en los llanos ya conté la causa por que se murieron los que había; los pueblos de las sierras allegan hasta la costa de la mar del Sur, y van de luengo descendiendo al Sur; tienen las casas, como las que dije que había en Tatabe, sobre árboles muy grandes, hechos en ello saltos a manera de sobrado, en los cuales moran muchos moradores; es muy fértil y abundante la tierra destos indios y muy proveída de puercos y de dantas y otras saivajinas y cazas, pavas y papagayos, guacamayas, faisanes y mucho pescado. Los ríos no son pobres de oro, antes podremos afirmar que son riquísimos y que hay abundancia deste metal; por cerca dellos pasa el gran río del Darién, muy nombrado, por la ciudad que cerca dél estuvo fundada. Todas las más destas naciones comen también carne humana; algunos tienen arcos y flechas y otros de los bastones o macanas que he dicho, y muy grandes lanzas y dardos. Otra provincia está por encima deste valle hacia el norte, que confina con la provincia de Ancerma, que se llaman los naturales della los chancos; tan grandes, que parecen pequeños gigantes, espaldudos, robustos, de grandes fuerzas, los rostros muy largos; tienen cabezas anchas; porque en esta provincia y en la de Quimbaya, y en otras partes destas Indias (como adelante dije), cuando la criatura nasce le ponen la cabeza del arte que ellos quieren que la tenga; y así, unas quedan sin colodrillo, y otras la frente sumida, y otros hacen que la tenga muy larga; lo cual hacen, cuando son recién nacidos, con unas tabletas, y después con sus ligaduras (118); las

(118) Deformación craneana, usada por muchos pueblos de América. En la región quimbaya es de importación centroamericana, a través de Panamá. Las culturas anteriores, como la augustiniana, no usaron esta práctica.

mujeres destos son tan bien dispuestas como ellos, andan desnudos ellos y ellas, y descalzos; no traen más que maures (119), con que se cubren sus vergüenzas, y éstos no de algodón, sino de unas cortezas de árboles los sacan, y hacen delgados y muy blandos, tan largos como una vara y de anchor de dos palmos; tienen grandes lanzas y dardos con que pelean; salen algunas veces de su provincia a dar guerra a sus comarcanos los de Ancerma. Cuando el mariscal Robledo entró en Cartago esta última vez, que no debiera, a que la resibiesen por lugarteniente del juez Miguel Díaz Armendáriz, envió de aquella ciudad ciertos españoles a guardar el camino que va de Ancerma a la ciudad de Cali, adonde hallaron ciertos indios destos, que adajaban a matar a un cristiano que iba con unas cabras a Cali, y mataron uno o dos destos indios, y se espantaron de ver su grandeza. De manera que, aunque no se ha descubierto la tierra destos indios, sus comarcanos afirman ser tan grandes como de suso he dicho. Por las sierras que abajan de las cordillera que está al poniente y valles que se hacen hay grandes poblaciones y muchos pueblos, que dura su población hasta cerca de la ciudad de Cali, y confinan con los de las Barbacoas. Tienen sus pueblos extendidos y derramados por aquellas sierras, las casas juntas de diez en diez y de quince en quince, su algunas partes más y en otras menos; llaman a estos indios gorrones, porque cuando poblaron en el valle la ciudad de Cali nombraban al pescado gorrón, y venían cargados dél diciendo: «Gorrón, gorrón»; por lo cual, no teniéndoles nombre propio, llamáronles, por su pescado, gorrones, como hicieron en Ancerma en llamarla de aquel nombre por la sal, que llaman los indios (como ya dije) ancer; las casas destos indios son grandes, redondas, cobertura de paja; tienen pocas arboledas de frutales; por bajo de cuatro a cinco quilates alcanzan mucho; de lo que poseen poco. Corren por sus pueblos algunos ríos de muchas aguas. Junto a las puertas de sus casas, por grandes, tienen de dentro de la portalada muchos pies de los indios que han muerto y muchas manos; sin lo cual, de las tripas, por que no se les pierda nada, las hinchen de carne o de cenizas, unas a maneras de morcilla y otras de

(119) Ver nota 95.

longanizas; desto, mucha cantidad; las cabezas, por consiguiente, tienen puestas, y muchos cuartos enteros. Un negro de un Juan de Céspedes, cuando entramos con el licenciado Juan de Vadillo en estos pueblos, como viese estas tripas, creyendo ser longanizas, arremetió a descolgarlas para comerlas, lo cual hiciera si no estuvieran como estaban, tan secas del humo y del tiempo que había que estaban allí colgadas. Fuera de las casas tienen puestas por orden muchas cabezas, piernas enteras, brazos, con otras partes de cuerpos, en tanta cantidad que no se puede creer. Y si yo no hubiera visto lo que escribo y supiera que en España hay tantos que lo saben y lo vieron muchas veces, cierto no contara que estos hombres hacían tan grandes carnecerías de otros hombres sólo para comer; y así, sabemos que estos gorrones son grandes carniceros de comer carne humana; no tienen ídolos ningunos, ni casa de adoración se les ha visto; hablan con el demonio los que para ello están señalados, según es público. Clérigos ni frailes tampoco no han osado andar a solas amonestando a estos indios, como se hace en el Perú y en otras tierras destas Indias, por miedo que no los maten.

Estos indios están apartados de valle y río grande a dos y a tres leguas y a cuatro, y algunos a más, y a sus tiempos abajan a pescar a las lagunas y al río grande dicho, donde vuelven con gran cantidad de pescado; son de cuerpos medianos, para poco trabajo; no visten más que los maures que he dicho que traen los demás indios; las mujeres todas andan vestidas de unas mantas gruesas de algodón. Los muertos que son más principales los envuelven en muchas de aquellas mantas, que son tan largas como tres varas y tan anchas como dos. Después que los tienen envueltos en ellas les revuelven a los cuerpos una cuerda que hacen de tres ramales, que tiene más de docientas brazas; entre estas mantas le ponen algunas joyas de oro; otros entierran en sepulturas hondas. Cae esta provincia en los términos y juridiscción de la ciudad de Cali; junto a ellos, y en la barranca del río, está un pueblo no muy grande, porque con las guerras pasadas se perdió y consumió la gente dél, que fue mucha; de una gran laguna que está pegada a este pueblo, habiendo crescido el río, se hinche, la cual tiene sus desaguaderos y flujus cuando mengua y baja; matan en esta laguna infinidad de pescado muy sabroso, que dan a los caminantes, y contratan con ello en las ciudades de Cartago y Cali y otras partes; sin lo mucho que ellos dan y comen, tienen grandes depósitos dello seco para vender a los de las sierras, y grandes cántaros de mucha cantidad de manteca que del pescado sacan. Al tiempo que veníamos descubriendo con el licenciado Juan de Vadillo llegamos a este pueblo con harta necesidad, y hallamos algún pescado; y después, cuando íbamos a poblar la villa de Ancerma con el capitán Robledo, hallamos tanto que pudieran henchir dos navíos dello. Es muy fértil de maíz y de otras cosas esta provincia de los gorrones; hay en ella muchos venados y guadaquinajes y otras salvajinas, y muchas aves; y en el gran valle del Cali, con ser muy fértil, están las vegas y llanos con su hierba desierta, y no dan provecho sino a los venados y a otros animales que pos pasean, porque los cristianos no son tantos que puedan ocupar tan grandes campañas.

CAPITULO XXVII

De la manera que está asentada la ciudad de Cali, y de los indios de su comarca, y quién fue el fundador

Para llegar a la ciudad de Cali se pasa un pequeño río que llaman Río-Frío, lleno de muchas espesuras y florestas; abájase por una loma que tiene más de tres leguas de camino; el río va muy recio y frío, porque nasce de las montañas; va por la una parte deste valle, hasta que, entrando en el río Grande, se pierde su nombre. Pasado este río, se camina por grandes llanos de campaña; hay muchos venados pequeños, pero muy ligeros. En aquestas vegas tienen los españoles sus estancias o granjas, donde están sus criados para entender en sus haciendas.

Los indios vienen a sembrar las tierras y a coger los maizales de los pueblos que los tienen en los altos de la serranía. Junto a estas estancias pasan muchas acequias y muy hermosas, con que riegan sus sementeras, y sin ellas, corren algunos ríos pequeños de muy buena agua; por los ríos y asequias ya dichas hay puestos muchos naranjos, limas, limones, granados, grandes platanales y mayores cañaverales de cañas dulces; sin esto, hay piñas, guayabas, guabas y guanabanas (120), raltas y unas uvillas que tienen una cáscara por encima, que son sabrosas; caimito, ciruelas; otras frutas hay muchas y en abundancia, y a su tiempo singulares; melones de España y mucha verdura y legumbres de España y de la misma tierra. Trigo hasta agora no se ha dado, aunque dicen que en el valle de Lile, que está de la ciudad cinco leguas, se dará; viñas, por el consiguiente, no se han puesto; la tierra, disposición tiene para que en ella se críen muchas como en España. La ciudad está asentada una legua del río Grande, ya dicho, junto a un pequeño río de agua singular que nace en las sierras que están por encima della; todas las riberas están llenas de frescas huertas, donde siempre hay verduras y frutas de las que ya he dicho. El pueblo está asentado en una mesa llana: si no fuese por el calor que en él hay, es uno de los mejores sitios y asientos que yo he visto en gran parte de las Indias, porque para ser bueno ninguna cosa le falta; los indios y caciques que sirven a los señores que los tienen por encomienda están en las sierras; de algunas de sus costumbres diré, y del puerto de mar por donde les entran las mercaderías y ganados. En el año que yo salí desta ciudad había veinte y tres vecinos que tenían indios. Nunca faltan españoles viandantes, que andan de una parte a otra entendiendo en las contrataciones y negocios. Pobló y fundó esta ciudad de Cali el capitán Miguel Muñoz en nombre de su majestad, siendo el adelantado don Francisco Pizarro, gobernador del Perú, año de 1537 años; aunque (como en lo de atrás dije) la había primero edificado el capitán Sebastián de Belalcázar en los pueblos de los gorrones; y para pasarlo a donde agora está Miguel Muñoz, quieren decir algunos que el cabildo de la misma ciudad se lo requirió y forzó a que lo hiciese; por donde parece que la honra de esta fundación a Belalcázar y al cabildo ya dicho compete; porque si a la voluntad de Miguel Muñoz se mirara, no sabemos lo que fuera,

(120) El guanabano es la *anono maricati,* de frutos dulces.

según cuentan los mismos conquistadores que allí eran vecinos.

CAPITULO XXVIII

De los pueblos y señores de indios que están subjetos a los términos desta ciudad

A la parte del poniente desta ciudad, hacia la serranía, hay muchos pueblos poblados de indios subjetos a los moradores della, que han sido y son muy domésticos, gente simple, sin malicia. Entre estos pueblos está un pequeño valle que se hace entre las sierras; por una parte lo cercan unas montañas, de las cuales luego diré; por la otra, sierras altísimas de campaña, muy pobladas. El valle es muy llano, y siempre está sembrado de muchos maizales y yucales, y tiene grandes arboledas de frutales, y muchos palmares de las palmas de los pixivaes; las casas que hay en él son muchas y grandes, redondas, altas y armadas sobre derechas vigas. Caciques y señores había seis cuando yo entré en este valle; son tenidos en poco de sus indios, a los cuales tienen por grandes serviciales, así a ellos como a sus mujeres, muchas de las cuales están siempre en las casas de los españoles. Por mitad deste valle, que se nombra de Lile, pasa un río, sin otros que de las sierras abajan a dar en él; las riberas están bien pobladas de las frutas que hay de la misma tierra, entre las cuales hay una muy gustosa y olorosa, que nombran granadillas.

Junto a este valle confina un pueblo, del cual era señor el más poderoso de todos sus comarcanos, y a quien todos tenían más repeto, que se llamaba Petecuy. En medio deste pueblo está una gran casa de madera muy alta y redonda, con una puerta en el medio; en lo alto della había cuatro ventanas, por donde entraba claridad; la cobertura era de paja; así como entraban dentro, estaba en alto una larga tabla, la cual la atravesaba de una parte a otra, y encima della estaban puestos por orden muchos cuerpos de hombres muertos de los que habían vencido y preso en las guerras, todos abiertos; y abríanlos con cuchillos de pedernal y los desollaban, y después de haber comido la carne henchían los cueros de ceniza y hacíanles rostros de cera con sus propias cabezas, poníanlos en la tabla de tal manera que parescían hombres vivos.

En las manos a unos les ponían dardos y a otros lanzas y a otros macanas. Sin estos cuerpos, había mucha cantidad de manos y pies colgados en el bohío (121) o casa grande, y en otro que estaba junto a él estaban grande número de muertos y cabezas y osamenta; tanto, que era espantoso verlo, contemplando tan triste espectáculo, pues todos habían sido muertos por sus vecinos y comidos como si fueran animales campestres de lo cual ellos se gloriaban y lo tenían por gran valentía, diciendo que de sus padres y mayores lo aprendieron. Y así, no contentándose con los mantenimientos naturales, hacían sus vientres sepulturas insaciables unos de otros, aunque a la verdad ya no comen como solían este manjar; antes, inspirado en ellos el espíritu del Cielo, han venido a conoscimiento de su ceguedad, volviéndose cristianos muchos dellos, y hay esperanza que cada día se volverán más a nuestra santa fe, mediante el ayuda y favor de Dios, nuestro Redentor y Señor.

Un indio natural desta provincia, de un pueblo llamado Ucache (repartimiento que fue del capitán Jorge Robledo), preguntándole yo qué era la causa por que tenían allí tanta multitud de cuerpos de hombres muertos, me respondió que era grandeza del señor de aquel valle, y que, no solamente los indios que había muerto quería tener delante, pero aun las armas suyas las mandaba colgar de las vigas de las casas para memoria, y que muchas veces, estando la gente que dentro estaban durmiendo de noche, el demonio entraba en los cuerpos que estaban llenos de ceniza, y con figura espantable y temerosa asombraba de tal manera a los naturales que de solo espanto morían algunos.

Estos indios muertos que este señor tenía como por triunfo de la manera dicha eran los más dellos naturales del grande y espacioso valle de la ciudad de Cali; porque, como atrás conté, había en él muy grandes provincias llenas de millares de indios, y ellos y los de la sierra

(121) Palabra taina, significa *casa*.

nunca dejaban de tener guerra ni entendían en otra cosa lo más del tiempo.

No tienen estos indios otras armas que las que usan sus comarcanos. Andan desnudos generalmente, aunque ya en este tiempo los más traen camisetas y mantas de algodón y sus mujeres también andan vestidas de la misma ropa. Traen ellos y ellas abiertas las narices, y puestos en ellas unos que llaman caricuris, que son a manera de clavos retorcidos, de oro, tan gruesos como un dedo, y otras más y algunos menos. A los cuellos se ponen también unas gargantillas ricas y bien hechas de oro fino y bajo, y en las orejas traen colgados unos anillos retorcidos y otras joyas. Su traje antiguo era ponerse una manta pequeña como delantal por delante, y echarse otra pequeña por las espaldas, y las mujeres, cubrirse desde la cintura abajo con mantar de algodón. En este tiempo andan ya como tengo dicho. Traen atados grandes ramales de cuentas de hueso menudas, blancas y coloradas, que llaman chaquira. Cuando los principales morían hacían grandes y hondas sepulturas dentro de las casas de sus moradas, adonde los metían bien preveídos de comida y sus armas y oro, si alguno tenían. No guardan religión alguna, a lo que entendemos, ni tampoco se les halló casa de adoración. Cuando algún indio de ellos estaba enfermo se bañaba, y para algunas enfermedades les aprovechaba el conoscimiento de algunas hierbas, con la virtud de las cuales sanaban algunos dellos. Es público y entendido dellos mismos que hablan con el demonio los que para ello estaban escogidos. El pecado nefando no he oído que estos ni ninguno de los que quedan atrás use; antes, si algún indio por consejo del diablo comete este pecado, es tenido dellos en poco y le llaman mujer. Cásanse con sus sobrinas, y algunos señores con sus hermanas, como todos los demás. Heredan los señoríos y heredamiento los hijos de la mujer principal (122). Algunos dellos son agoreros, y sobre todo muy sucios.

Más adelante deste pueblo, de que era señor Petecuy, hay otros muchos pueblos; los indios naturales dellos son todos confederados y amigos. Sus pueblos tienen desviados alguna distancia unos de otros. Son grandes las casas, re-

(122) Nueva información sobre el matriarcado.

dondas; la cobertura, de paja larga. Sus costumbres son como los que habemos pasado. Dieron al principio mucha guerra a los españoles, y hiciéronse en ellos grandes castigos, con los cuales escarmentaron de tal manera que nunca más se han rebelado; antes de todos los más, como dije atrás, se han tornado cristianos, y andan vestidos con sus camisetas, y sirven con voluntad a los que tienen por señores. Adelante destas provincias, hacia la mar del Sur, está una que llaman los Timbas (123), en la cual hay tres o cuatro señores, y está metida entre unas grandes y bravas montañas, de las cuales se hacen algunos valles, donde tienen sus pueblos y casas muy tendidas y los campos muy labrados, llenos de mucha comida y de arboledas de fructales, de palmeras y de otras cosas. Las armas que tienen son lanzas y dardos. Han sido trabajosos de sojuzgar y conquistar y no están enteramente domados, por estar poblados en tan mala tierra y porque ellos son belicosos y valientes; han muerto a muchos españoles y hecho gran daño. Son de las costumbres destos, y poco diferentes en el lenguaje. Más adelante hay otros pueblos y regiones, que se extienden hasta llegar junto a la mar, todos de una lengua y de unas costumbres.

CAPITULO XXIX

En que se concluye lo tocante a la ciudad de Cali y de otros indios que están en la montaña, junto al puente que llaman la Buenaventura

Sin estas provincias que he dicho, tiene la ciudad de Cali subjetos a sí otros muchos indios que están poblados en unas bravas montañas de las más ásperas sierras que hay en el mundo. Y en esta serranía, en las lomas que hacen y en algunos valles están poblados, y con ser tan dificultosa como digo y tan llena de espesura, es muy fértil y de muchas comidas y fructas de todas maneras, y en más cantidad que en los llanos. Hay en todos aquellos

(123) Región de Popayán. Ver, sobre ello, Trimborn, 1949, páginas 64, 166, 183, 303 y 304.

montes muchos animales y muy bravos, especialmente muy grandes tigres, que han muerto y cada día matan muchos indios y españoles que van a la mar o vienen della para ir a la ciudad. Las casas que tienen son algo pequeñas; las cobija, de unas hojas de palma, que hay muchas por los montes, y cercadas de gruesos y muy grandes palos a manera de pared, por que sea fortaleza para que de noche no hagan daño los tigres. Las armas que tienen, y traje y costumbres, son ni más ni menos que los del valle de Lile, y en la habla casi dan a entender que todos son unos. Son membrudos, de grandes fuerzas. Han estado siempre de paz desde el tiempo que dieron la obediencia a su majestad, y en gran confederación con los españoles, y aunque siempre van y vienen cristianos por sus pueblos, no les hacen mal ni han muerto ninguno hasta agora; antes luego que los ven les dan de comer. Está de los pueblos destos indios el puerto de la Buenaventura tres jornadas, todo de montañas llenas de abrojos y de palmas y de muchas ciénagas, y de la ciudad de Cali treinta leguas; el cual no se puede sustentar sin el favor de los vecinos de Cali. No hago capítulo por sí deste puerto porque no hay más que decir dél de que fue fundado por Juan Ladrillo (que es el que descubrió el río), con poder del adelantado don Pascual de Andagoya, y después se quiso despoblar por ausencia deste Andagoya, por cuanto, por las alteraciones y diferencias que hubo entre él y el adelantado Belalcázar sobre las gobernaciones y términos (como adelante se tratará), Belalcázar lo prendió y lo envió preso a España. Y entonces el cabildo de Cali, juntamente con el gobernador, proveyó que residiesen siempre en el puerto seis o siete vecinos, para que, venidos los navíos que allí allegan de la Tierra Firme y Nueva España y Nicaragua, puedan descargar seguramente de los indios las mercaderías y hallar casas donde meterlas; lo cual se ha hecho y hace así. Y los que allí residen son pagados a costa de los mercaderes, y entre ellos está un capitán, el cual no tiene poder para sentenciar, sino para oír y remitirlos a la justicia de la ciudad de Cali. Y para saber la manera en que este pueblo o puerto de la Buenaventura está poblado, parésceme que basta lo dicho. Para llevar a la ciudad de Cali las mercaderías que en este puerto se descargan, de que se provee toda la gobernación, hay un solo remedio con los indios destas montañas, los cuales tienen por su ordinario trabajo llevarlas a cuestas, que de otra manera era imposible poderse llevar. Porque si quisiesen hacer camino para recuas sería tan dificultoso que creo no se podría andar con bestias cargadas, por la grande aspereza de las sierras; y aunque hay por el río Dagua otro camino por donde entran los ganados y caballos, van con mucho peligro y muérense muchos, y allegan tales que en muchos días no son de provecho. Llegado algún navío, los señores destos indios envían luego al puerto la cantidad que cada uno puede, conforme a la posibilidad del pueblo, y por caminos y cuestas que suben los hombres abajados, y por bejucos y por tales partes que temen ser despeñados, suben ellos con cargas y fardos de a tres arrobas y a más, y algunos en unas silletas de cortezas de árboles llevan a cuestas un hombre o una mujer, aunque sea de gran cuerpo. Y desta manera caminan con las cargas, sin mostrar cansancio ni demasiado trabajo, y si hubiesen alguna paga irían con descanso a sus casas; mas todo lo que ganan y les dan a los tristes lo llevan los encomenderos; aunque, a la verdad, dan poco tributo los que andan a este trato. Pero aunque ellos más digna que van y vienen de buena gana, buen trabajo pasan. Cuando allegan cerca de la ciudad de Cali, que han entrado en los llanos, se despean y van con gran pena. Yo he oído loar mucho los indios de la Nueva España de que llevan grandes cargas, mas éstos me han espantado. Y si yo no hubiera visto y pasado por ellos y por las montañas donde tienen sus pueblos, ni lo creyera ni lo afirmara. Más adelante destos indios hay otras tierras y naciones de gentes, y corre por ellas el río de San Juan, muy riquísimo a maravilla y de muchos indios, salvo que tienen las casas armadas sobre árboles. Y hay otros muchos ríos poblados de indios, todos ricos de oro; pero no se pueden conquistar, por ser la tierra llena de montaña y de los ríos que digo, y por no poderse andar sino con barcos por ellos mismos. Las casas o caneyes son muy grandes, porque en cada una viven a veinte y a treinta moradores.

Entre estos ríos estuvo poblado un pueblo de cristianos; tampoco diré nada dél, porque permanesció poco, y los indios naturales mataron a un Payo Romero que estuvo en él por lugarteniente del adelantado Andagoya, porque de todos aquellos ríos tuvo hecha merced de su majestad, y se llamaba gobernador del río de San Juan. Y al Payo Romero con otros cristianos sacaron los indios, con engaño, en canoas a un río, diciéndoles que les querían dar mucho oro, y allí acudieron tantos indios que mataron a todos los españoles, y al Payo Romero llevaron consigo vivo (a lo que después se dijo); dándole grandes tormentos y despedazándole sus miembros, murió; y tomaron dos o tres mujeres vivas, y les hicieron mucho mal; y algunos cristianos, con gran ventura y por su ánimo, escaparon de la crueldad de los indios. No se tornó más a fundar allí pueblo, ni aun lo habrá, según es mala aquella tierra. Prosiguiendo adelante, porque yo no tengo de ser largo ni escrebir más de lo que hace al propósito de mi intento, diré lo que hay desde esta ciudad de Cali a la de Popayán.

CAPITULO XXX

En que se contiene el camino que hay desde la ciudad de Cali a la de Popayán y los pueblos de indios que hay en medio

De la ciudad de Cali (de que acabo de tratar) hasta la ciudad de Popayán hay veinte y dos leguas, todo de buen camino de campaña, sin montaña ninguna, aunque hay algunas sierras y laderas; mas no son ásperas y dificultosas, como las que quedan atrás. Saliendo, pues, de la ciudad de Cali, se camina por unas vegas y llanos, en las cuales hay algunos ríos, hasta llegar a uno que no es muy grande, que se llama Xamundi, en el cual hay hecha siempre puente de las cañas gordas, y quien lleva caballo échalo por el vado y pasa sin peligro.

En el nascimiento deste río hay unos indios que se extienden tres o cuatro leguas a una parte, que se llaman Xamundi (124), como el río, el cual nombre tomó el pueblo

(124) Jamundy. Ver Trimborn, 1949.

y el río de un cacique que se llama así. Contratan estos indios con los de la provincia de los Timba, y poseyeron y alcanzaron mucho oro, de lo cual han dado cantidad a las personas que los han tenido por encomienda.

Adelante este río, en el mismo camino de Popayán, cinco leguas dél, está el río grande de Santa Marta, y para pasarlo sin peligro hay siempre balsas y canoas, con las cuales pasan los indios comarcanos a los que van y vienen de una ciudad a otra. Este río, hacia la ciudad de Cali, fue primero poblado de grandes pueblos, los cuales se han consumido con el tiempo y con la guerra que les hizo el capitán Belalcázar, que fue el primero que los descubrió y conquistó, aunque el haberse acabado tan breve ha sido gran parte, y aun la principal, su mala costumbre y maldito vicio, que es comerse unos a otros. De las reliquias destos pueblos y naciones ha quedado alguna gente a las riberas del río de una parte y otra, que se llaman los aguales, que sirven y están subjetos a la ciudad de Cali. Y en las sierras en la una cordillera y en la otra hay muchos indios, que por ser la tierra fragosa y por las alteraciones del Perú no se han podido pacificar, aunque, por escondidos y apartados que estén, han sido vistos por los indomables españoles, y por ellos muchas veces vencidos. Todos, unos y otros, andan desnudos y guardan las costumbres de sus comarcanos. Pasado el río grande, que está de la ciudad de Popayán catorce leguas, se pasa una ciénaga que dura poco más de un cuarto de legua, la cual pasada, el camino es muy bueno hasta que se allega a un río que se llama de las Ovejas; corre mucho riesgo quien en tiempo de invierno pasa por él, porque es muy hondo y tiene la boca y el vado junto al río grande, en el cual se han ahogado muchos indios y españoles; luego se camina por una loma que dura seis leguas, llana y muy buena de andar, y en el remate della se pasa un río que ha por nombre Piandamo. Las riberas deste río y toda esta loma fue primero muy poblado de gente; la que ha quedado de la furia de la guerra se ha apartado del camino adonde piensan que están más seguros; a la parte oriental está la provincia de Guambia (125) y otros muchos pueblos y caciques; las costumbres dellos dirá adelante. Pasado este

(125) Ver Trimborn, 1949, pág. 249.

río de Piandamo se pasa a otro río, que se llama Plaza, poblado, así su nascimiento como por todas partes; más adelante se pasa el río grande, de quien ya he contado, lo cual se hace a vado porque no lleva aun medio estado de agua. Pasado, pues, este río, todo el término que hay desde él a la ciudad de Popayán está lleno de muchas y hermosas estancias, que son a la manera de las que llamamos en nuestra España alcarías o cortijos; tienen los españoles en ellas sus ganados. Y siempre están los campos y vegas sembrados de maíces; ya se comenzaba a sembrar trigo, el cual se dará en cantidad, por ser la tierra aparejada para ello. En otras partes deste reino se da el maíz a cuatro y a cinco meses: de manera que hacen en el año dos sementeras. En este pueblo no se siembra sino una vez cada año, y viénense a coger los maíces por mayo y junio y los trigos por julio y agosto, como en España. Todas estas vegas y valle fueron primero muy pobladas y subjetadas por el señor llamado Popayán (126), uno de los principales señores que hubo en aquellas provincias. En este tiempo hay pocos indios, porque con la guerra que tuvieron con los españoles vinieron a comerse unos a otros, por la hambre que pasaron, causada de no querer sembrar a fin de que los españoles, viendo falta de mantenimiento, se fuesen de sus provincias. Hay muchas arboledas de frutales, especialmente de los aguacates o peras, que destas hay muchas y muy sabrosas. Los ríos que están en la cordillera o sierra de los Andes abajan y corren por estos llanos y vegas y son de muy linda agua y muy dulce; en algunos se ha hallado muestra de oro. El sitio de la ciudad está en una meseta alta, en muy buen asiento, el más sano y de mejor temple que hay en toda la gobernación de Popayán y aun en la mayor parte del Perú; porque verdaderamente la calidad de los aires más paresce de España que de Indias. Hay en ella muy grandes casas hechas de paja; esta ciudad de Popayán es cabeza y principal de todas las ciudades que tengo escripto, salvo de la de Urabá, que ya dije ser de la gobernación de Cartagena. Todas las demás están debajo del nombre desta, y en ella hay iglesia catedral; y por ser la principal y estar

(126) Idem, 1949, págs. 211 y ss. Cieza es el primero que lo menciona.

en el comedio de las provincias se intituló la gobernación de Popayán. Por la parte de Oriente tiene la larga cordillera de los Andes; al Poniente están della las otras montañas que están por lo alto de la mar del Sur; por estotras partes tiene los llanos y vegas que ya son dichas. La ciudad de Popayán fundó y pobló el capitán Sebastián de Belalcázar en nombre del emperador don Carlos, nuestro señor, con poder del adelantado don Francisco Pizarro, gobernador de todo el Perú por su majestad, año del Señor de 1536 años.

CAPITULO XXXI

Del río de Santa Marta y de las cosas que hay en sus riberas

Ya que he llegado a la ciudad de Popoyán y declarado lo que tienen sus comarcas, asiento, fundación, poblaciones, para pasar adelante me paresció dar razón de un río que cerca della pasa, el cual es uno de los dos brazos que tiene el gran río de Santa Marta. Y antes que deste río trate, digo que hallo yo que entre los escriptores, de cuatro ríos principales se hace mención, que son: el primero, Ganges, que corre por la India Oriental; el segundo, el Nilo, que divide a Asia de Africa y riega el reino de Egipto; el tercero y cuarto, el Tigris y Eufrates, que cercan las dos regiones de Mesopotamia y Capadocia; estos son los cuatro que la Santa Escriptura dice salir del paraíso terrenal. También hallo que se hace mención de otros tres, que son: el río Indo, de quien la India tomó nombre, y el río Danubio, que es el principal de la Europa, y el Tanais, que divide a Asia de Europa. De todos éstos, el mayor y más principal es el Ganges, del cual dice Ptolomeo, en el libro de *Geografía,* que la menor anchura que este río tiene es ocho mil pasos y la mayor es veinte mil pasos; de manera que sería la mayor anchura del Ganges espacio de siete leguas. Esta es la mayor anchura del mayor río del mundo que antes que estas Indias se descubriesen se sabía; mas agora se han descubierto y hallado ríos de tan extraña grandeza que más parescen senos de mar que ríos que corren por la tierra. Esto paresce por lo que afirman muchos de los españoles que fueron con el adelantado Orellana, los cuales dicen que el río por do descendió del Perú hasta la mar del Norte (el cual río comúnmente se llama de las Amazonas o del Marañón) tiene en largura más de mil leguas y de anchura en partes más de veinte y cinco. Y el río de la Plata se afirma por muchos que por él han andado que en muchos lugares, yendo por medio del río, no se ve la tierra de sus reberas, así que por muchas partes tiene más de ocho leguas de ancho, y el río de Darién grande, y no menos lo es el de Uraparia (127); y sin éstos hay en estas Indias otros ríos de mucha grandeza, entre los cuales es este río de Santa Marta; éste se hace dos brazos; del uno dellos digo que por cima de la ciudad de Popayán, en la grande cordillera de los Andes, cinco o seis leguas della, comienzan unos valles que de la misma cordillera se hacen, los cuales en los tiempos pasados fueron muy poblados y agora también lo son, aunque no tanto ni con mucho, de unos indios a quien llaman los coconucos (128); y destos y de otro pueblo que está junto, que nombran Cotora, nasce este río que, como he dicho, es uno de los brazos del grande y riquísimo río de Santa Marta (129). Estos dos brazos nacen el uno del otro más de cuarenta leguas, y adonde se juntan es tan grande el río que tiene de ancho una legua, y cuando entra en la mar del Norte, junto a la ciudad de Santa Marta tiene más de siete, y es muy grande la furia que lleva y el ruido con que su agua entra entre las ondas para quedar convertido en mar, y muchas naos toman agua dulce bien dentro en la mar; porque con la gran furia que lleva, más de cuatro leguas entra en la mar sin mezclarse con la salada; este río sale a la mar por muchas bocas y aberturas. Desde esta sierra de los coconucos (que es, como tengo dicho, nascimiento deste brazo) se ve como un pequeño arroyo, y extiéndese por el ancho valle de Cali. Todas las aguas, arroyos y lagunas de entrambas cordilleras vienen a parar a él; de manera que

(127) Orinoco.
(128) Sus descendientes ocupan la vertiente occidental de la cordillera.
(129) Magdalena.

cuando llega a la ciudad de Cali va tan grande y poderoso que, a mi ver, llevará tanta agua como Guadalquivir por Sevilla. De allí para abajo, como entran muchos arroyos y algunos río, cuando llega a Buritica, que es como a la ciudad de Antiocha, ya va muy mayor. Hay ciertas provincias y pueblos de indios desde el nascimiento deste río hasta que entra en el mar Océano, y tanta riqueza, así de minas ricas de oro como lo que los indios tenían, y aun tienen algunos, y tan grande la contratación dél, que no se puede encarescer, según es mucho; y hácelo ser menos no ser de mucha razón las más de las gentes naturales de aquellas regiones, y son de tan diferentes lenguas que era menester llevar muchos intérpretes para andar por ellas. La provincia de Santa Marta, lo principal de Cartagena, el nuevo reino de Granada y esta provincia de Popayán, toda la riqueza dellas está cerca deste río, y demás de lo que se sabe y está descubierto hay muy grande noticia de mucho poblado entre la tierra que se hace entre el un brazo y el otro, que mucha della está por descubrir; y los indios dicen que hay en ella mucha cantidad de riqueza y que los indios naturales desta tierra alcanzan de la mortal hierba de Urabá. El adelantado don Pedro de Heredia pasó por la puente de Brenuco, adonde, con ir el río tan grande, estaba hecha por los indios en gruesos árboles y recios bejucos, que son del arte de los que atrás dije, y anduvo por la tierra algunas jornadas, y por llevar pocos caballos y españoles dio la vuelta. También por otra parte más oriental, que es menos peligrosa, que se llama el valle de Aburra, quiso el adelantado don Sebastián de Belalcázar enviar un capitán a descubrir enteramente la tierra que se hace en las juntas destos tan grandes ríos; y estando ya de camino, se deshizo la entrada porque llevaron la gente del visorey Blasco Núñez Vela en aquel tiempo que tuvo la guerra con Gonzalo Pizarro y sus secaces. Volviendo, pues, al río de Santa Marta, digo que cuando se juntan entrambos brazos hacen muchas islas, de las cuales hay algunas que son pobladas; y cerca de la mar hay muchos y muy fieros lagartos (130) y otros grandes pescados y manatíes, que son tan grandes como

(130) Caimanes.

una becerra y casi de su talle, los cuales nascen en las playas y islas y salen a pascer cuando lo pueden hacer sin peligro, volviéndose luego a su natural. Por bajo de la ciudad de Antiocha, ciento y veinte leguas poco más o menos, está poblada la ciudad de Mopox (131), de la gobernación de Cartagena, donde llaman a este río Cauca; tiene de corrida desde donde nace hasta entrar en la mar más de cuatrocientas leguas.

CAPITULO XXXII

En que se concluye la relación de los más pueblos y señores subjetos a la ciudad de Popayán y lo que hay que decir hasta salir de sus términos

Tiene esta ciudad de Popayán muchos y muy anchos términos, los cuales están poblados de grandes pueblos, porque hacia la parte de oriente tiene (como dije) la provincia de Guambia, poblada de mucha gente, y otra provincia que se dice Guamza, y otro pueblo que se llama Maluasa, y Polindara y Palace, y Tembio y Colaza, y otros pueblos; sin éstos, hay muchos comarcanos a ellos, todos los cuales están bien poblados; y los indios desta tierra alcanzaban mucho oro de baja ley, de a siete quilates, y alguno a más y otro menos. También poseyeron oro fino, de que hacían joyas; pero en comparación de lo bajo fue poco. Son muy guerreros y tan carniceros y caribes (132) como los de la provincia de Arma y Pozo y Antiocha; mas, como no hayan tenido estas naciones de por aquí entero conoscimiento de nuestro Dios verdadero Jesucristo, paresce que no se tiene tanta cuenta con sus costumbres y vida, no porque dejan de entender todo aquello que a ellos les paresce que les cuadra y les está bien, viviendo con cautelas, procurándose la muerte unos a otros con sus guerras, y con los españoles la tuvieron grande, sin querer estar por la paz que prometieron luego que por ellos

(131) Hoy Mompos.
(132) No quiere decir Cieza que fueran de esta raza, aunque quizá sí lo fueran, sino que eran caníbales.

fueron conquistados; antes llegó a tanta su dureza, que se dejaban morir por no subjetarse a ellos, creyendo que con la falta de mantenimiento dejarían la tierra; mas los españoles, por sustentar y salir a luz con su nueva población, pasaron muchas miserias y necesidades de hambres, según que adelante diré; y los naturales, con su propósito ya dicho, se perdieron y consumieron muchos millares dellos, comiéndose unos a otros los cuerpos y enviando las ánimas al infierno; y puesto que a los principios se tuvo algún cuidado de la conversión destos indios, no se les daba entera noticia de nuestra santa religión porque había pocos religiosos. En el tiempo presente hay mejor orden, así en el tratamiento de sus personas como en su conversión, porque su majestad, con gran fervor de cristiandad, manda que les prediquen la fe, y los señores de su muy alto Consejo de las Indias tienen mucho cuidado que se cumpla, y envían frailes doctos y de buena vida y costumbres, y mediante el favor de Dios se hace gran fruto. Hacia la Sierra Nevada o cordillera de los Andes están muchos valles poblados de los indios que ya tengo dicho; llámanse los coconucos, donde nasce el río grande ya pasado, y todos son de las costumbres que he puesto tener los de atrás, salvo que no usan el abominable pecado de comer la humana carne. Hay muchos volcanes o bocas de fuego por lo alto de la sierra; del uno sale agua caliente, de que hacen sal, y es cosa de ver y de oír del arte que se hace; lo cual tengo prometido de dar razón en esta obra de muchas fuentes de gran admiración que hay en estas provincias; acabando de decir lo tocante a la villa de Pasto lo trataré. También está junto a estos indios otro pueblo, que se llama Zotara (133), y más adelante, al mediodía, la provincia de Guanaca; y a la parte oriental está asimismo la muy porfiada provincia de los Páez, que tanto daño en los españoles ha hecho, la cual terná seis o siete mil indios de guerra. Son valientes, de muy grandes fuerzas, diestros en el pelear, de buenos cuerpos y muy limpios; tienen sus capitanes y superiores, a quienes obedescen; están poblados en grandes y muy ásperas sierras; en los valles que hacen tienen sus asientos, y por ellos corren muchos ríos y arroyos,

(133) Trimborn recoge el topónimo (1949, pág. 249).

en los cuales se cree que habrá buenas minas. Tienen para pelear lanzas gruesas de palma negra, tan largas que son de a veinte y cinco palmos y más cada una, y muchas tiraderas, grandes galgas, de las cuales se aprovechan a sus tiempos. Han muerto tantos y tan esforzados y valientes españoles, así capitanes como soldados, que pone muy gran lástima y no poco espanto ver que estos indios, siendo tan pocos, hayan hecho tanto mal; aunque no ha sido esto sin culpa grande de los muertos, por tenerse ellos en tanto que pensaban no ser parte estas gentes a las hacer mal, y permitió Dios que ellos muriesen y los indios quedasen victoriosos; y así lo estuvieron hasta que el adelantado don Sebastián de Belalcázar, con gran daño dellos y destruición de sus tierras y comidas, los atrajo a la paz, como relataré en la cuarta parte, de las guerras civiles. Hacia el oriente está la provincia de Guachicone, muy poblada; más adelante hay muchos pueblos y provincias; por estotra parte el sur está el pueblo de Cochesquio y la lagunilla y el pueblo que llaman de las Barrancas, donde está un pequeño río que tiene este nombre; más adelante está otro pueblo de indios y un río que se dice las Juntas, y adelante está otro que llaman de los Capitanes, y la gran provincia de los Masteles, y la población de Patia, que se extiende por un hermoso valle, donde pasa un río que se hace de los arroyos y ríos que nascen en los más destos pueblos, el cual lleva su corriente a la mar del Sur. Todas sus vegas y campañas fueron primero muy pobladas; hanse retirado los naturales que han quedado de las guerras a las sierras y altos de arriba. Hacia el poniente está la provincia de Bamba y otros poblados, los cuales contratan unos con otros; y sin éstos, hay otros pueblos poblados de muchos indios, donde se ha fundado una villa, y llaman a aquellos provincias de Chapancita. Todas estas naciones están pobladas en tierras fértiles y abundantes y poseen gran cantidad de oro bajo de poca ley, que a tenerla entera no les pesara a los vecinos de Popayán. En algunas partes se les han visto ídolos, aunque templo ni casa de adoración no sabemos que la tengan; hablan con el demonio, y por su consejo hacen muchas cosas conforme al que se las manda; no tienen conoscimiento de la inmortalidad del ánima enteramente; mas creen que sus mayores tornan a vivir, y algunos tienen (según a mí me informaron) que las ánimas de los que mueren entran en los cuerpos de los que nascen; a los difuntos les hacen grandes y hondas sepulturas, y entierran a los señores con algunas sus mujeres y hacienda, y con mucho mantenimiento y de su vino; en algunas partes los queman hasta los convertir en ceniza, y en otras no más de hasta quedar el cuerpo seco. En estas provincias hay en las mismas comidas y frutas que tienen los demás que quedan atrás, salvo que no hay de las palmas de los pixivaes; mas cogen gran cantidad de papas (134), que son como turmas de tierra; andan desnudos y descalzos, sin traer más que algunas pequeñas mantas, y enjaezados con sus joyas de oro. Las mujeres andan cubiertas con otras pequeñas mantas de algodón, y traen sus cuellos collares de unas moxquitas de fino oro y de bajo, muy galanas y vistosas. En la orden que tienen en los casamientos no trato, porque es cosa de niñería; y así otras cosas dejo de decir por ser de poca calidad; algunos son grandes agoreros y hechiceros. Asimismo sabemos que hay muchas hierbas provechosas y dañosas en aquellas partes; todos los más comían carne humana. Fue la provincia comarcana a esta ciudad la más poblada que hubo en la mayor parte del Perú, y si fuera señoreada y subjetada por los ingas, fuera la mejor y más rica, a lo que todos creen.

CAPITULO XXXIII

En que se da relación de lo que hay desde Popayán a la ciudad de Pasto, y quién fue el fundador della, y lo que hay que decir de los naturales sus comarcanos

Desde la ciudad de Popayán hasta la villa de Pasto hay cuarenta leguas de camino, y pueblos que tengo escripto. Salidos dellos, por el mismo camino de Pasto se allega a un pueblo que en los tiempos antiguos fue grande y muy

(134) Cieza usa la palabra como cosa conocida, porque ha residido en el Perú, lugar originario de este tubérculo, la patata.

poblado, y cuando los españoles lo descubrieron asimismo lo era, y agora en el tiempo presente todavía tiene muchos indios. El valle de Patia, por donde pasa el río que dije, se hace muy estrecho en este pueblo, y los indios toda su población la tienen de la banda del poniente en grandes y muy altas barrancas. Llaman a este pueblo los españoles el pueblo de la sal. Son muy ricos, y han dado grandes tributos de fino oro a los señores que han tenido sobre ellos encomienda. En sus armas, traje y costumbres conforman con los de atrás, salvo que éstos no comen carne humana como ellos y son de alguna más razón. Tienen muchas y muy olorosas piñas, y contratan con la provincia de Chapanchita y con otras a ella comarcanas. Más adelante de este pueblo está la provincia de los Masteles, que terná o tenía más de cuatro mil indios de guerra. Junto con ella está la provincia de los Abades y los pueblos de Isancal y Pangan y Zacuanpus, y el que llaman los Chorros del Agua, y Pichilimbuy, y también están Tuyles y Angayan, y Pagual y Chuchaldo, y otros caciques y algunos pueblos. La tierra adentro, más hacia el poniente, hay gran noticia de mucho poblado y ricas minas y mucha gente que allega hasta la mar del Sur. También son comarcanos con estos otros pueblos, cuyos nombres son Ascual, Mallama, Tucurres, Zapuys, Iles, Gualmatal, Funes, Chapal, Males y Piales, Pupiales, Turca, Cumba. Todos estos pueblos y caciques tenían y tienen por nombre Pastos, y por ellos tomó el nombre la villa de Pasto, que quiere decir población hecha en tierra de pasto. También comarcan con estos pueblos y indios de los Pastos otros indios y naciones a quien llaman los quillacingas, y tienen sus pueblos hacia la parte del oriente, muy poblados. Los nombres de los más principales dellos contaré, como tengo de costumbre, y nómbranse Mocondino y Berjendino, Buyzaco, Guajanzangua y Mocoxonduque, Guacuanquer y Macaxamata. Y más al oriente está otra provincia algo grande, muy fértil, que tiene por nombre Cibundoy (135). También hay otro pueblo que se llama Pastoco, y otro que está junto a una laguna que está en la cumbre de la montaña y más alta sierra de aquellas cordilleras, de agua frigidísima, porque con ser tan larga

(135) Sibundoy. En el original debió estar escrito con *c* cedilla.

que tiene más de ocho leguas en largo y más de cuatro en ancho, no se cría ni hay en ella ningún pescado ni ninguno ni arboledas. Otra laguna hay cerca desta, de su misma natura. Más adelante se parecen grandes montañas y muy largas, y los españoles no saben lo que hay de la otra parte dellas.

Otros pueblos y señores hay en los términos desta villa, que, por ser cosa superflua, no los nombro, pues tengo contado los principales. Y concluyendo con esta villa de Pasto, digo que tiene más indios naturales subjetos a sí que ninguna ciudad ni villa de toda la gobernación de Popayán, y más que Quito y otros pueblos del Perú. Y cierto, sin los muchos naturales que hay, antiguamente debió de ser muy más poblada, porque es cosa admirable de ver que, con tener grandes términos de muchas vegas y riberas de ríos, y sierras y altas montañas, no se andará por parte (aunque más fragosa y dificultosa sea) que no se vea y parezca haber sido poblada y labrada del tiempo que digo. Y aun cuando los españoles los conquistaron y descubrieron había gran número de gente. Las costumbres destos indios quillacingas ni pastos no conforman unos con otros, porque los pastos no comen carne humana cuando pelean con los españoles o con ellos mismos. Las armas que tienen son piedras en las manos y palos a manera de cayados, y algunos tienen lanzas mal hechas y pocas; es gente de poco ánimo. Los indios de lustre y principales se tratan algo bien; la demás gente son de ruines cataduras y peores gestos, así ellos como sus mujeres, y muy sucios todos; gente simple y de poca malicia. Y así ellos como todos los demás que se han pasado son tan poco asquerosos, que cuando se expulgan se comen los piojos como si fuesen piñones, y los vasos en que comen y ollas donde guisan sus manjares no están mucho tiempo en los lavar y limpiar. No tienen creencia ni se les han visto ídolos, salvo que ellos creen que después de muertos han de tornar a vivir en otras partes alegres y muy deleitosas para ellos. Hay cosas tan secretas entre estas naciones de las Indias que sólo Dios las alcanza. Su traje es que andan las mujeres vestidas con una manta angosta a manera de costal, en que se cubren de los pechos hasta la rodilla; y otra manta pequeña encima, que viene a caer sobre la larga, y todas las más son hechas de hierbas y de cortezas de árboles, y algunas de algodón. Los indios se cubren con una manta asimismo larga, que terná tres o cuatro varas, con la cual se dan una vuelta por la cintura y otra por la garganta, y echan el ramal que sobra por encima de la cabeza, y en las partes deshonestas traen maures pequeños. Los quillacingas también se ponen maures para cubrir sus vergüenzas, como los pastos, y luego se ponen una manta de algodón cosida, ancha y abierta por los lados. Las mujeres traen unas mantas pequeñas, con que también se cubren, y otra encima que les cubre las espaldas y les cae sobre los pechos, y junto al pescuezo dan ciertos puntos en ella. Los quillacingas hablan con el demonio; no tienen templo ni creencia. Cuando se mueren hacen las sepulturas grandes y muy hondas; dentro dellas meten su haber, que no es mucho. Y si son señores principales les echan dentro con ellos algunas de sus mujeres y otras indias de servicio. Y hay entre ellos una costumbre, la cual es (según a mí me informaron) que si muere alguno de los principales dellos, los comarcanos que están a la deronda cada uno da al que ya es muerto, de sus indios y mujeres dos o tres, y llévanlos donde está hecha la sepultura, y junto a ella les dan mucho vino hecho de maíz; tanto, que los embriagan; y viéndolos sin sentido, los meten en las sepulturas para que tenga compañía el muerto. De manera que ninguno de aquellos bárbaros muere que no lleve de veinte personas arriba en su compañía; y sin esta gente, meten en las sepulturas muchos cántaros de su vino o brebaje y otras comidas. Yo procuré, cuando pasé por la tierra destos indios, saber lo que digo con gran diligencia, inquiriendo en ello todo lo que pude, y pregunté por qué tenían tan mala costumbre que, sin las indias suyas que enterraban con ellos, buscaban más de las de sus vecinos; y alcancé que el demonio les aparece (según ellos dicen) espantable y temeroso, y les hace entender que han de tornar a resuscitar en un gran reino que él tiene aparejado para ellos, y para ir con más autoridad echan los indios y indias en las sepulturas. Y por otros engaños deste maldito, enemigo caen en otros pecados. Dios Nuestro Señor sabe por qué permite que el demonio hable a estas gentes y haya tenido sobre ellos tan gran poder y que por sus dichos estén tan engañados. Aunque ya su divina majestad alza su ira dellos; y aborresciendo al demonio, muchos dellos se allegan a seguir nuestra sagrada religión. Las pastos, algunos hablan con el demonio. Cuando los señores se mueren también les hacen la honra a ellos posible, llorándolos muchos días y metiendo en las sepulturas lo que de otros tengo dicho. En todos los términos destos pastos se da poco maíz, y hay grandes criaderos para ganados, especialmente para puercos, porque éstos se crían en gran cantidad. Dase en aquella tierra mucha cebada y papas xiquimas, y hay muy sabrosas granadillas, y otras frutas de las que atrás tengo contado. En los quillacingas se da mucho maíz y tienen las frutas que estotros; salvo los naturales de la laguna, que éstos ni tienen árboles ni siembran en aquella parte maíz, por ser tan fría la tierra como he dicho. Estos quillacingas son dispuestos y belicosos, algo indómitos. Hay grandes ríos, todos de agua muy singular, y se cree que ternán oro en abundancia algunos dellos. Un río destos está entre Popayán y Pasto, que se llama río Caliente. En tiempo de invierno es peligroso y trabajoso de pasar. Tienen maromas gruesas para pasarlo los que van de una parte a otra. Lleva la más excelente agua que yo he visto en las Indias, ni aun en España. Pasado este río, para ir a la villa de Pasto hay una sierra que tiene de subida grandes tres leguas. Hasta este río duró el grande alcance que Gonzalo Pizarro y sus secuaces dieron al visorrey Blasco Núñez Vela, el cual se tratará adelante en las cuarta parte desta crónica, que es donde escribo las guerras civiles, donde se verán sucesos grandes que en ellas hubo.

CAPITULO XXXIV

En que se concluye la relación de lo que hay en esta tierra hasta salir de los términos de la villa de Pasto

En estas regiones de los pastos hay otro río algo grande, que se llama Angasmayo, que es hasta donde llegó el rey Guaynacapa (136) hijo del gran capitán Topainga Yupangue (137), rey del Cuzco. Pasado el río Caliente y la gran sierra de cuesta que dije, se va por unas lomas y laderas y un pequeño despoblado o páramo, a donde, cuando yo lo pasé, no hube poco frío. Más adelante está una sierra alta; en su cumbre hay un volcán, del cual algunas veces sale cantidad de humo, y en los tiempos pasados (según dicen los naturales) reventó una vez y echó de sí muy gran cantidad de piedras. Queda este volcán para llegar a la villa de Pasto, yendo de Popayán como vamos, a la mano derecha. El pueblo está asentado en un muy lindo y hermoso valle, por donde se pasa un río de muy sabrosa y dulce agua, y otros muchos arroyos y fuentes que vienan a dar a él. Llámase este valle de Atris; fue primero muy poblado, y agora se han retirado a la serranía; está cercado de grandes sierras, algunas de montañas y otras de campaña. Los españoles tienen en todo este valle sus estancias y caserías, donde tienen sus granjerías, y las vegas y campiña deste río está siempre sembrado de muchos y muy hermosos trigos y cebadas y maíz, y tiene un molino en que muelen el trigo; porque ya en aquella villa no se come pan de maíz, por la abundancia que tienen de trigo. En aquellos llanos hay muchos venados, conejos, perdices, palomas, tórtolas, faisanes y pavas. Los indios toman de aquella caza mucha. La tierra de los pastos es muy fría en demasía, y en el verano hace más frío que no en el invierno, y lo mismo en el pueblo de los cristianos; de manera que aquí no da fastidio al marido la compañía de la mujer ni el traer mucha ropa. Hay invierno y verano, como en España. La villa viciosa (138) de Pasto fundó y pobló el capitán Lorenzo de Aldana en nombre de su majestad, siendo el adelantado don Francisco Pizarro su gobernador y capitán general de todas estas provincias y reinos del Perú, año del Señor de 1539 años; y el dicho Lorenzo de Aldana, teniente general del mismo don Francisco Pizarro, del Quito y Pasto, Popayán, Ti-

(136) Huayna-Capac. Fue el último inca, padre de Huáskar y de Atau-Huallpa, los rivales en guerra cuando llegaron los españoles.
(137) Tupac-Inca-Yunpanqui. Cieza lo escribe siempre así.
(138) *Vicioso*, en los siglos XVI y XVII, no tenía el significado que hoy le damos, sino el de rica, abundante en alimentos y buenas casas y vida holgada. En España hay el topónimo Villaviciosa.

mana, Cali, Ancerma y Cartago. Y gobernándolo él todo por su persona y por los tenientes que él nombraba, según dicen muchos conquistadores de aquellas ciudades, el tiempo que él estuvo en ellas miró mucho el aumento de los naturales y mandó siempre que fuesen todos bien tratados.

CAPITULO XXXV

De las notables fuentes y ríos que hay en estas provincias y cómo se hace sal muy buena por artificio muy singular

Antes que trate de los términos del Perú ni pase de la gobernación de Popayán me pareció que sería bien dar noticia de las notables fuentes que hay en esta tierra y los ríos del agua, de los cuales hacen sal, con que las gentes se sustentan y pasan sin tener salinas, por no las haber en aquellas partes y la mar estar lejos de algunas destas provincias. Cuando el licenciado Juan de Vadillo salió de Cartagena atravesamos los que con él veníamos las montañas de Abibe, que son muy ásperas y dificultosas de andar, y las pasamos con no poco trabajo, y se nos murieron muchos caballos, y quedó en el camino la mayor parte de nuestro bagaje. Y entrados en la campaña, hallamos grandes pueblos llenos de arboledas de frutales y de grandes ríos. Y como se nos viniese acabando la sal que sacamos de Cartagena y nuestra comida fuese hierbas y frisoles, por no haber carne si no era de caballos y algunos perros que se tomaban, comenzamos a sentir necesidad, y muchos, con la falta de sal, perdían la color y andaban amarillos y flacos, y aunque dábamos en algunas estancias de los indios y se tomaban algunas cosas, no hallábamos sino alguna sal negra, envuelta con el ají (139) que ellos comen; y ésta tan poca que se tenía por dichoso quien podía haber alguna. Y la necesidad, que enseña a los hombres grandes cosas, nos deparó en lo alto de un cerro un lago pequeño que tenía agua de color negra y salobre, y trayendo della, echábamos en las ollas alguna cantidad, que les daba sabor para poder comer.

(139) Pimienta.

Los naturales de todos aquellos pueblos desta fuente o lago, y de otras lagunas que hay, tomaban la cantidad de agua que querían, y en grandes ollas la cocían, y después de haber el fuego consumida la mayor parte della viene a cuajarse y quedar hecha sal negra y no de buen sabor; pero al fin con ella guisan sus comidas, y viven sin sentir la falta que sintieran si no tuvieran aquellas fuentes.

La Providencia divina tuvo y tiene tanto cuidado de sus criaturas que en todas partes les dio las cosas necesarias. Y si los hombres siempre contemplasen en las cosas de la naturaleza, conocerían la obligación que tienen de servir al verdadero Dios nuestro.

En un pueblo que se llama Cori, que está en los términos de la villa de Ancerma, está un río que corre con alguna furia; junto al agua deste río están algunos ojos del agua salobre que tengo dicha; y sacan los indios naturales della la cantidad que quieren; y haciendo grandes fuegos, ponen en ellos ollas bien crecidas en que cuecen el agua hasta que mengua tanto que de una arroba no queda medio azumbre; y luego, con la experiencia que tienen, la cuajan, y se convierte en sal purísima y excelente y tan singular como la que sacan de las salinas de España (140). En todos los términos de la ciudad de Antiocha hay gran cantidad destas fuentes, y hacen tanta sal que la llevan la tierra adentro, y por ella traen oro y ropa de algodón para su vestir, y otras cosas de las que ellos traen necesidad en sus pueblos.

Pasado el río grande (141), que corre cerca de la ciudad de Cali y junto a la de Popayán, más abajo de la villa de Arma, hacia el norte, descubrimos un pueblo con el capitán Jorge Robledo, que se llama Mungia, desde donde atravesamos la cordillera o montaña de los Andes y descubrimos el valle de Aburra y sus llanos.

En este pueblo de Mungia y en otro que ha por nombre Cenufata hallamos otras fuentes que nascían junto a unas sierras cerca de los ríos; y del agua de aquellas fuentes hacían tanta cantidad de sal que vimos las casas casi llenas, hechas muchas formas de sal, ni más ni me-

(140) Estos depósitos o *fuentes* son sin duda salinas del triásico.
(141) Cauca.

nos que panes de azúcar. Y esta sal la llevaban por el valle de Aburra a las provincias que están al oriente, las cuales no han sido vistas ni descubiertas por los españoles hasta agora. Y con esta sal son ricos en extremo estos indios.

En la provincia de Caramanta, que no es muy lejos de la villa de Ancerma, hay una fuente que nasce dentro de un río de agua dulce, y echa el agua della un vapor a manera de humo, que debe cierto salir de algún metal que corre por aquella parte, y desta agua hacen los indios sal blanca y buena. Y también dicen que tienen una laguna que está junto a una peña grande, al pie de la cual hay del agua ya dicha, con que hacen sal para los señores y principales, porque afirman que se hace mejor y más blanca que en parte ninguna.

En la provincia de Ancerma, en todos los más pueblos della hay destas fuentes, y con su agua hacen también sal.

En las provincias de Arma y Carrapa y Picara pasan alguna necesidad de sal, por haber gran cantidad de gente y pocas fuentes para la hacer; y así, la que se lleva se vende bien.

En la ciudad de Cartago todos los vecinos della tienen sus aparejos para hacer sal, la cual hacen una legua de allí en un pueblo de indios que se nombra de Consota, por donde corre un río no muy grande. Y cerca dél se hace un pequeño cerro, del cual nasce una fuente grande de agua muy denegrida y espesa, y sacando de la de abajo y cociéndola en calderas o pañones, después de haber menguado la mayor parte della, la cuajan, y queda hecha sal de grano blanca y tan perfecta como la de España, y todos los vecinos de aquella ciudad no gastan otra sal más que la que allí se hace.

Más adelante está otro pueblo, llamado Coinza; y pasan por él algunos ríos de agua muy singular. Y noté en ellos una cosa que vi (de que no poco me admiré), y fue que dentro de los mismos ríos, y por la madre que hace el agua que por ellos corre, nascían destas fuentes salobres, y los indios, con grande industria, tenían metidos en ellas unos cañutos de las cañas gordas que hay en aquellas partes, a manera de bombas de navíos, por donde sacaban la cantidad del agua que querían, sin que se envolviese con la corriente del río, y hacían della su sal. En la ciudad de Cali no hay ningunas fuentes destas, y los indios habían sal por rescate, de una provincia que se llama los Timbas, que está cerca del mar. Y los que no alcanzaban este rescate, cociendo del agua dulce, y con unas hierbas venía a cuajarse y quedar hecha sal mala y de ruin sabor. Los españoles que viven en esta ciudad, como está el puerto de la Buenaventura cerca, no sienten falta de sal, porque del Perú vienen navíos que traen grandes piedras della.

En la ciudad de Popayán también hay algunas fuentes, especialmente en los Coconucos, pero no tanta ni tan buena como la de Cartago y Ancerma y la que he dicho en lo de atrás.

En la villa de Pasto toda la más de la sal que tienen es de rescate, buena, y más que la de Popayán. Muchas fuentes, sin las que cuento, he visto yo por mis propios ojos, que dejo de decir porque me parece que basta lo dicho para que se entienda de la manera que son aquellas fuentes y la sal que hacen del agua dellas, corriendo los ríos de agua dulce por encima. Y pues he declarado esta manera de hacer sal en estas provincias, paso adelante, comenzando a tratar la descripción y traza que tiene este grande reino del Perú.

CAPITULO XXXVI

En el que se contiene la descripción y traza del reino del Perú, que se entiende desde la ciudad de Quito hasta la villa de Plata, que hay más de setecientas leguas

Ya que he concluído con lo tocante a la gobernación de la provincia de Popayán, me parece que es tiempo de extender mi pluma en dar noticia de las cosas grandes que hay que decir del Perú, comenzando de la ciudad del Quito. Pero antes que diga la fundación de esta ciudad será conveniente figurar la tierra de aquel reino, el cual terná de longitud setecientas leguas y de latitud a partes ciento y a partes más, y por algunas menos.

No quiero yo tratar agora de lo que los reyes ingas señoreaban, que fueron más de mil y doscientas leguas (142); mas solamente diré lo que se entiende Perú, que es de Quito hasta la villa de Plata, desde el un término hasta el otro. Y para que esto mejor se entienda, digo que esta tierra del Perú son tres cordilleras o cumbres desiertas y a donde los hombres por ninguna manera podrían vivir. La una destas cordilleras es las montañas de los Andes, llenas de grandes espesuras, y la tierra tan enferma que, si no es pasado el monte, no hay gente ni jamás la hubo. La otra es la serranía que va de luengo desta cordillera o montaña de los Andes, la cual es frigidísima y sus cumbres llenas de grandes montañas de nieve, que nunca deja de caer. Y por ninguna manera podrían tampoco vivir gentes en esta longura de sierras, por causa de la mucha nieve y frío, y también porque la tierra no da de sí provecho, por estar quemada de las nieves y de los vientos, que nunca dejan de correr. La otra cordillera hallo yo que es los arenales que hay desde Tumbez hasta más adelante de Tarapacá, en los cuales no hay otra cosa que ver que sierras de arena y gran sol que por ellas se esparce, sin haber agua ni hierba, ni árboles ni cosa criada, sino pájaros, que con el don de sus alas pueden atravesar por dondequiera. Siendo tan largo aquel reino como digo, hay grandes despoblados por las razones que he puesto. Y la tierra que se habita y donde hay poblado es desta manera: que la montaña de los Andes por muchas partes hace quebradas y algunas abras, de las cuales salen valles algo hondos, y tan espaciosos que hay entre las sierras grande llanura, y aunque la nieve caiga, toda se queda por los altos. Y los valles, como están abrigados, no son combatidos de los vientos, ni la nieve allega a ellos; antes es la tierra tan frutífera, que todo lo que siembra da de sí fruto provechoso, y hay arboledas y se crían muchas aves y animales. Y siendo la tierra tan provechosa, está toda bien poblada de los naturales, y lo que es en la serranía. Hacen sus pueblos concertados de piedra, la cobertura de paja, y viven sanos y son muy suel-

(142) De la extensión de las conquistas incaicas trata en la segunda parte de la *Crónica del Perú,* conocida generalmente bajo el título de *Señorío de los Incas.*

tos. Y así desta manera, haciendo abras y llanadas las sierras de los Andes y la Nevada, hay grandes poblaciones en las cuales hubo y hay mucha cantidad de gente, porque destos valles corren ríos de agua muy buena, que van a dar a la mar del Sur. Y así como estos ríos entran por los espesos arenales que he dicho y se extienden por ellos, de la humidad del agua se crían grandes arboledas y hácense unos valles muy lindos y hermosos; y algunos son tan anchos que tienen a dos o a tres leguas, a donde se ven gran cantidad de algarrobos, los cuales se crían aunque están tan lejos del agua. Y en todo el término donde hay arboledas es la tierra sin arenas y muy fértil y abundante. Y estos valles fueron antiguamente muy poblados; todavía hay indios, aunque no tantos como solían, ni con mucho. Y como jamás no llovió en estos llanos y arenales del Perú, no hacían las casas cubiertas como los de la serranía, sino terrados galanos o casas grandes de adobes, con sus estantes o mármoles; para guarecerse del sol ponían unas esteras en lo alto. En este tiempo se hace así, y los españoles, en sus casas, no usan otros tejados que estas esteras embarradas. Y para hacer sus sementeras, de los ríos que riegan estos valles sacan acequias, tan bien sacadas y con tanta orden que toda la tierra riegan y siembran, sin que se les pierda nada. Y como es de riego, están aquellas acequias muy verdes y alegres, y llenas de arboledas de frutales de España y de la misma tierra. Y en todo tiempo se coge en aquellos valles mucha cantidad de trigo y maíz y de todo lo que se siembra. De manera que, aunque he figurado al Perú ser tres cordilleras desiertas y despobladas, dellas mismas, por la voluntad de Dios, salen los valles y ríos que digo; fuera dellos por ninguna manera podrían los hombres vivir, que es causa por donde los naturales se pudieron conquistar tan fácilmente y para que sirvan sin se rebelar, porque si lo hiciesen, todos perescerían de hambre y de frío. Porque (como digo), si no es la tierra que ellos tienen poblada, lo demás es despoblado, lleno de sierras de nieve y de montañas altísimas y muy espantosa. Y la figura dellas es que, como tengo dicho, tiene este reino de longitud setecientas leguas, que se extiende de norte a sur, y si hemos de contar lo que mandaron los reyes ingas (143), mil y doscientas leguas de camino derecho, como he dicho, de norte a sur por meridiano. Y tendrá por lo más ancho de levante a poniente poco más que cien leguas, y por otras partes a cuarenta y a sesenta, y a menos y a más. Esto digo de longitud y latitud se entiende cuanto a la longura y anchura que tienen las sierras y montañas que se extienden por toda esta tierra del Perú, según que he dicho. Y esta cordillera tan grande, que por la tierra del Perú se dice Andes, dista de la mar del Sur por unas partes cuarenta leguas y por otras partes sesenta, y por otras más y por algunas menos; y por ser tan alta y la mayor altura estar tan allegada a la mar del Sur, son los ríos pequeños, porque las vertientes son cortas.

La otra serranía que también va de luengo desta tierra, sus caídas y fenescimientos se rematan en los llanos y acaban cerca de la mar, a partes a tres leguas y por otras partes a ocho y a diez, y a menos y a más. La constelación y calidad de la tierra de los llanos es más cálida que fría, y unos tiempos más que otros, por estar tan baja que casi la mar es tan alta como la tierra, o poco menos. Y cuando en ella hay más calor es cuando el sol ha pasado ya por ella y ha llegado al trópico de Capricornio, que es a 21 de diciembre, de donde da la vuelta a la línea equinocial. En la serranía, no embargante que hay partes y provincias muy templadas, podráse decir al contrario que de los llanos, porque es más fría que caliente. Esto que he dicho es cuanto a la calidad particular destas provincias, de las cuales adelante diré lo que hay más que contar dellas.

CAPITULO XXXVII

De los pueblos y provincias que hay desde la villa de Pasto hasta la ciudad de Quito

Pues tengo escripto de la fundación de la villa viciosa de Pasto, será bien, volviendo a ella, proseguir el camino

(143) Se refiere a las vías incaicas, *caminos reales del Inca* (como las llamaron los españoles), de que habla más detalladamente en el capítulo XV de la segunda parte de la *Crónica del Perú*. También trata de ello en el capítulo LX de este libro, o *Primera parte*.

dando noticia de lo que hay hasta llegar a la ciudad del Quito.

Dije que la villa de Pasto está fundada en el valle de Atris, que cae en la tierra de los quillacingas, gentes desvergonzadas, y ellos y los pastos son muy sucios y tenidos en poca estimación de sus comarcanos. Saliendo de la villa de Pasto, se va hasta llegar a un cacique o pueblo de los pastos, llamado Funes; y caminando más adelante se llega a otro que está dél poco más de tres leguas, a quien llaman Iles, y otras tres leguas más adelante se van los aposentos de Gualmatán, y prosiguiendo el camino hacia Quito se ve el pueblo de Ipiales, que está de Gualmatán tres leguas.

En todos estos pueblos se da poco maíz, o casi ninguno, a causa de ser la tierra muy fría y la semilla del maíz muy delicada; más críanse abundancia de papas y quinio y otras raíces que los naturales siembran. De Ipiales se camina hasta llegar a una provincia pequeña que ha por nombre de Guaca, y antes de llegar a ella se ve el camino de los ingas, tan famoso en estas partes como el que hizo Aníbal por los Alpes cuando abajó a la Italia. Y puede ser este tenido en más estimación, así por los grandes aposentos y depósitos que había en todo él (144), como por ser hecho con mucha dificultad por tan ásperas y fragosas sierras, que pone admiración verlo. También se llega a un río, cerca del cual se ve a donde antiguamente los reyes ingas tuvieron hecha una fortaleza, de donde daban guerra a los pastos y salían a la conquista dellos; y está una puente en este río, hecha natural, que paresce artificial, la cual es de una peña viva, alta y muy gruesa, y hácese en el medio della un ojo, por donde pasa la furia del río, y por encima van los caminantes que quieren. Llámase esta puente Lumichaca en lengua de los ingas, y en la nuestra querrá decir puente de piedra. Cerca desta puente está una fuente cálida; porque en ninguna manera, metiendo la mano dentro, podrán sufrir tenerla mucho tiempo, por el gran ca-

(144) Se refiere a los *Tambos Reales,* construidos a distancias regulares. Servían de depósitos, de estafetas de los *chasquis* o correos, y para albergue del Inka y su séquito cuando viajaba. En el capítulo XV de la Segunda parte da detalle de la construcción de estos caminos.

lor con que el agua sale; y hay otros manantiales, y el agua del río y la disposición de la tierra tan fría que no se puede compadescer si no es con muy gran trabajo. Cerca desta puente quisieron los reyes ingas hacer otra fortaleza, y tenían puestas guardas fieles que tenían cuidado de mirar sus propias gentes no se les volviesen al Cuzco o a Quito, porque tenían por conquista sin provecho la que hacían en la región de los pastos.

Hay en todos los más de los pueblos ya dichos una fruta que llaman mortuños, que es más pequeña que endrina, y son negros; y entre ellos hay otras uvillas que se parescen mucho a ellos, y si comen alguna cantidad destas se embriagan y hacen grandes bascas y están un día natural con gran pena y poco sentido. Sé esto porque yendo a dar la batalla a Gonzalo Pizarro íbamos juntos un Rodrigo de las Peñas, amigo mío, y un Tarazona, alférez del capitán don Pedro de Cabrera, y otros; y llegados a este pueblo de Guaca, habiendo el Rodrigo de las Peñas comido destas uvillas que digo, se paró tal que creímos muriera dello. De la pequeña provincia de Guaca se va hasta llegar a Tuza, que es el último pueblo de los pastos, el cual a la mano derecha tiene las montañas que están sobre el mar Dulce y a la izquierda las cuestas sobre la mar del Sur; más adelante se llega a un pequeño cerro, en donde se ve una fortaleza que los ingas tuvieron antiguamente, con su cava, y que para entre indios no debió ser poco fuerte. Del pueblo de Tuza y desta fuerza se va hasta llegar al río de Mira, que no es poco cálido, y que en él hay muchas frutas y melones singulares, y buenos conejos, tórtolas, perdices, y se coge gran cantidad de trigo y cebada, y lo mismo de maíz y otras cosas muchas, porque es muy fértil. Deste río de Mira se abaja hasta los grandes y suntuosos aposentos de Carangue; antes de llegar a ellos se ve la laguna que llaman Yaguarcocha, que en nuestra lengua quiere decir mar de sangre, adonde, antes que entrasen los españoles en el Perú, el rey Guaynacapa (145), por cierto enojo que le hicieron los naturales de Carangue y de otros pueblos a

(145) Yahuar-Cocha. Guaynacaba (los españoles nunca captaron las terminaciones en *c*) es Huayna-Capac. La *H* se usa indistintamente con la *G*.

él comarcanos, cuentan los mismos indios que mandó matar más de veinte mil hombres y echarlos en esta laguna; y como los muertos fuesen tantos, parescía algún lago de sangre, por lo cual dieron la significación o nombre ya dicho.

Más adelante están los aposentos de Carangue, adonde algunos quisieron decir que nasció Atabaliba (146), hijo de Guaynacapa, aunque su madre era natural deste pueblo. Y cierto no es así, porque yo lo procuré con gran diligencia, y nasció en el Cuzco Atabaliba (147), y lo demás es burla. Están estos aposentos de Carangue en una plaza pequeña; dentro dellos hay un estanque hecho de piedra muy prima, y los palacios y morada de los ingas están asimismo hechos de grandes piedras galanas y muy sutilmente asentadas, sin mezcla, que es no poco de ver. Había antiguamente templo del sol, y estaban en él dedicadas y ofrecidas para el servicio dél más de doscientas doncellas muy hermosas, las cuales eran obligadas a guardar castidad, y si corrompían sus cuerpos eran castigadas muy cruelmente. Y a los que cometían el adulterio (que ellos tenían por gran sacrilegio) los ahorcaban o enterraban vivos. Eran miradas estas doncellas con gran cuidado, y había algunos sacerdotes para hacer sacrificios conforme a su religión. Esta casa del sol era en tiempo de los señores ingas tenida en mucha estimación, y teníanla muy guardada y reverenciada, llena de grandes vasijas de oro y plata y otras riquezas, que no así ligeramente se podrían decir; tanto, que las paredes tenían chapadas de planchas de oro y plata; y aunque está todo esto muy arruinado, se ve que fue grande cosa antiguamente; y los ingas tenían en estos aposentos de Carangue sus guarniciones ordinarias con sus capitanes, las cuales en tiempo de paz y de guerra estaban allí para resistir a los que se levantasen. Y pues se habla destos señores ingas, para que se entienda la calidad grande que tuvieron y lo que mandaron en este reino, trataré algo dellos antes que pase adelante.

(146) Atau-Huallpa.
(147) Cieza es terminante en este dato, muy discutido, del lugar de nacimiento de Atau-Huallpa.

CAPITULO XXXVIII

En que se trata quién fueron los reyes ingas y lo que mandaron en el Perú

Porque en esta primera parte tengo muchas veces de tratar de los ingas (148) y dar noticia de muchos aposentos suyos y otras cosas memorables, me pareció cosa justa decir algo dellos en este lugar para que los lectores sepan lo que estos señores fueron y no ignoren su valor ni entiendan uno por otro, no embargante que yo tengo hecho libro particular dellos y de sus hechos, bien copiosos.

Por las relaciones que los indios del Cuzco nos dan se colige que había antiguamente gran desorden en todas las provincias deste reino que nosotros llamamos Perú, y que los naturales eran de tan poca razón y entendimiento que es de no creer; porque dicen que eran muy bestiales (149) y que muchos comían carne humana, y otros tomaban a sus hijas y madres por mujeres, cometiendo, sin esto, otros pecados mayores y más graves, teniendo gran cuenta con el demonio, al cual todos ellos servían y tenían en gran estimación. Sin esto, por los cerros y collados altos tenían castillos y fortalezas, desde donde, por causas muy livianas, salían a darse guerra unos a otros, y se mata-

(148) En la mayoría de los escritores de Indias, y Cieza no es una excepción, se escribe *Inga* e *Ingas,* en lugar de *Inca* e *Incas.* Esta coincidencia hace pensar que todos ellos, tomando los nombres y palabras quéchuas al oído, evidentemente debieron percibir clara la pronunciación *g* en vez de *c.* Modernamente los peruanistas, en un afán diferenciador de la ortografía a la castellana, escriben INKA, con *k.* En adelante, en nuestras notas escribiremos *incas* con *c* al referirnos al pueblo peruano o su cultura, e *Inka,* con *k,* cuando la referencia sea al soberano.

(149) Es curioso que Cieza escriba estos juicios e informaciones medio siglo antes de que Garcilaso de la Vega, el *Inca,* publicara sus *Comentarios Reales.* Esta obra del *Inca* gozó durante centurias, casi hasta nuestro tiempo, de la mayor autoridad y su contenido en este aspecto es igual que lo dicho por Cieza. No afirma Cieza que los pre-incaicos fueran bárbaros o *bestiales,* sino *porque dicen que eran muy bestiales.* Se trata, como vemos, de una versión difundida entre el pueblo incaico, que dos personas recogen: Cieza y Garcilaso. Es pues una manipulación histórica efectuada por el pueblo conquistador, para presentarse como civilizador: que antes de su llegada las gentes eran bárbaras. Hoy la Arqueología nos ha revelado lo que casi ningún cronista atestiguaba, que al menos dos milenios antes de los incas, la cultura de los peruanos alcanzó altas cotas, tanto en la costa como en la sierra.

ban y captivaban todos los más que podían. Y no embargante que anduviesen metidos en estos pecados y cometiesen estas maldades, dicen también que algunos dellos eran dados a la religión, que fue causa que en muchas partes deste reino se hicieron grandes templos, en donde hacían su oración y era visto el demonio y por ellos adorado, haciendo delante de los ídolos grandes sacrificios y supersticiones. Y viviendo desta manera las gentes deste reino, se levantaron grandes tiranos en las provincias de Callao (150) y en los valles de los yungas (151) y en otras partes, los cuales unos a otros se daban grandes guerras, y se cometían muchas muertes y robos, y pasaron por unos y por otros grandes calamidades; tanto que se destruyeron muchos castillos y fortalezas, y siempre duraba entre ellos la porfía, de que no poco se holgaba el demonio, enemigo de natura humana, porque tantas ánimas se perdiesen.

Estando desta suerte todas las provincias del Perú, se levantaron dos hermanos, que el uno dellos había por nombre Mangocapa (152), de los cuales cuentan grandes maravillas los indios y fábulas muy donosas. En el libro por mí alegado las podrá ver quien quisiere cuando salga a luz (153). Este Mangocapa fundó la ciudad del Cuzco, y estableció leyes a su usanza, y él y sus descendientes se llamaron ingas, cuyo nombre quiere decir o significar reyes o grandes señores. Pudieron tanto, que conquistaron y señorearon desde Pasto hasta Chile, y sus banderas vieron por la parte del Sur al río de Maule, y por la del Norte al río de Angasmayo y estos ríos fueron término de su imperio, que fue tan grande que hay de una parte a otra más de mil y trescientas leguas. Y edificaron grandes for-

(150) De los cuatro *suyus* incaicos (provincias, partes o departamentos) del *Tahuantin-suyu* (nombre del imperio inca), el *Collasuyu* o *Collao* de los españoles, tal como lo llama Cieza, era el meridional-oriental.

(151) La palabra *yunga* o *yunka* no designa a un pueblo étnicamente, sino a los pueblos de los valles calientes, como nosotros decimos *los montañeses*. Significa también territorio, valle tropical o selva, según Antonio Cusí-Huamán (1976, pág. 169). Cieza, al hablar de los *yungas*, se refiere también a los habitantes, como veremos en el capítulo LX.

(152) Manco-Capac.

(153) Se refiere a la Segunda parte, que estuvo desconocida durante siglos.

talezas y aposentos fuertes, y en todas las provincias tenían puestos capitanes y gobernadores. Hicieron tan grandes cosas y tuvieron tan buena gobernación que pocos en el mundo les hicieron ventaja; eran muy vivos de ingenio y tenían gran cuenta, sin letras, porque éstas no se han hallado en estas partes de las Indias. Pusieron en buenas costumbres a todos sus súbditos, y diéronles orden para que se vistiesen y trajesen ojotas en lugar de zapatos, que son como albarcas. Tenían grande cuenta con la inmortalidad del ánima y con otros secretos de naturaleza. Creían que había Hacedor de las cosas, y al sol tenían por dios soberano, al cual hicieron grandes templos; y engañados del demonio, adoraban en árboles y en piedras, como los gentiles. En los templos principales tenían gran cantidad de vírgenes muy hermosas, conforme a las que hubo en Roma en el templo de Vesta, y casi guardaban los mismos estatutos que ellas. En los ejércitos escogían capitanes valerosos y los más fieles que podían. Tuvieron grandes mañas para sin guerra hacer de los enemigos amigos, y a los que se levantaban castigaban con gran severidad y no poca crueldad. Y pues (como digo) tengo hecho libro destos ingas, basta lo dicho para que los que leyeren este libro entiendan lo que fueron estos reyes y lo mucho que valieron; y con tanto, volveré a mi camino.

CAPITULO XXXIX

De los más pueblos y aposentos que hay desde Carangue hasta llegar a la ciudad de Quito, y de lo que cuenta del hurto que hicieron los del Otabalo a los de Carangue

Ya conté en el capítulo pasado el mando y grande poder que los ingas, reyes del Cuzco, tuvieron en todo el Perú, y será bien, pues ya algún tanto se declaró aquello, proseguir adelante.

De los reales aposentos de Carangue, por el camino famoso de los ingas, se va hasta llegar al aposento de Otabalo, que no ha sido ni deja de ser muy principal y rico, el cual tenía a una parte y a otra grandes poblaciones de indios naturales. Los que están al Poniente destos aposentos son Poritaco, Collaguazo, los guancas y cayambes, y cerca del río grande del Marañón están los quixos (154), pueblos derramados, llenos de grandes montañas. Por aquí entró Gonzalo Pizarro a la entrada de la canela que dicen, con buena copia de españoles y muy lucidos y gran abasto de mantenimiento; y con todo esto, pasó grandísimo trabajo y mucha hambre. En la cuarta parte desta obra daré noticia cumplida deste descubrimiento y contaré cómo se descubrió por aquella parte del río Grande (155) y cómo por él salió al mar Océano el capitán Orillana, y la ida que hizo a España, hasta que su majestad lo nombró por su gobernador y adelantado de aquellas tierras.

Hacia el oriente están las estancias o tierras de labor de Cotocoyambe y las montañas de Yumbo y otras poblaciones muchas, y algunas que no se han por descubierto enteramente.

Estos naturales de Otabalo y Carangue se llaman los guamaraconas, por lo que dije de las muertes que hizo Guaynacapa en la laguna, donde mató los más de los hombres de edad; porque, no dejando en estos pueblos sino a los niños, díjoles guamaracoma, que quiere decir en nuestra lengua «agora sois muchachos». Son muy enemigos los de Carangue de los de Otabalo, porque cuentan los más dellos que, como se divulgase por toda la comarca del Quito (en cuyos términos están estos indios) de la entrada de los españoles en el reino y de la prisión de Atabaliba, después de haber recebido grande espanto y admiración, teniendo por cosa de gran maravilla y nunca vista lo que oían de los caballos y de su gran ligereza, creyendo que los hombres que en ellos venían y ellos fuese todo un cuerpo, derramó la fama sobre la venida de los españoles cosas grandes entre estas gentes; y estaban aguardando su venida, creyendo que, pues habían sido poderosos para desbaratar al inga su señor, que también lo serían para sojuzgarlos a todos ellos. Y en este tiempo dicen que el

(154) Quijos. Ver Oberem, Udo, 1975.
(155) Se refiere al Amazonas. Para Cieza el origen de este río está en el Marañón, tema muy discutido todavía.

mayordomo o señor de Carangue tenía gran cantidad de tesoro en sus aposentos, suyo y del Inga. Y Otabalo, que debía de ser cauteloso, mirando agudamente que en semejantes tiempos se han grandes tesoros y cosas preciadas, pues estaba todo perturbado, porque, como dice el pueblo, a río vuelto, etc., llamó a los más de sus indios y principales, entre los cuales escogió y señaló los que le parecieron más dispuestos y ligeros, y a éstos mandó que se vistiesen de sus camisetas y mantas largas, y que tomando varas delgadas y cumplidas subiesen en los mayores de sus carneros (156) y se pusiesen por los altos y collados de manera que pudiesen ser vistos por los de Carangue, y él con otro mayor número de indios y algunas mujeres, fingiendo gran miedo y mostrando ir temerosos, llegaron al pueblo de Carangue, diciendo cómo venían huyendo de la furia de los españoles, que encima de sus caballos habían dado en sus pueblos, y por escapar de su crueldad habían dejado sus tesoros y haciendas.

Puso, según se dice, grande espanto esta nueva, y tuviéronla por cierta, porque los indios en los carneros parecieron por los altos y laderas, y como estuviesen apartados, creyeron ser verdad lo que Otabalo afirmaba, y sin tiento comenzaron a huir. Otabalo, haciendo muestra de querer hacer lo mismo, se quedó en la rezaga con su gente y dio la vuelta a los aposentos destos indios de Carangue, y robó todo el tesoro que halló, que no fue poco, y vuelto a su pueblo, dende a pocos días fue publicado el engaño.

Entendiendo el hurto tan extraño, mostraron gran sentimiento los de Carangue, y hubo algunos debates entre unos y otros; mas como el capitán Sebastián de Belalcázar, con los españoles, donde a pocos días que esto pasó, entró en las provincias del Quito, dejaron sus pasiones por entender en defenderse. Y así, Otabalo y los suyos se quedaron con lo que robaron, según dicen muchos indios de aquellas partes, y la enemistad no ha cesado entre ellos.

De los aposentos de Otabalo se va a los de Cochesqui, y para ir a estos aposentos se pasa un puerto de nieve, y una legua antes de llegar a ellos es la tierra tan fría que se vive con algún trabajo. De Cochesqui se camina a Guallamaba, que está del Quito cuatro leguas, donde, por ser

(156) Llamas.

la tierra baja y estar casi debajo de la equinocial, es cálido; mas no tanto que no esté muy poblado y se den todas las cosas necesarias a la humana sustentación de los hombres. Y agora los que habemos andado por estas partes hemos conocido lo que hay debajo desta línea equinocial, aunque algunos autores antiguos (como tengo dicho) tuvieron ser tierra inhabitable. Debajo della hay invierno y verano, y está poblada de muchas gentes, y las cosas que se siembran se dan muy abundantemente, en especial trigo y cebada.

Por los caminos que van por estos aposentos hay algunos ríos, y todos tienen sus puentes, y ellos van bien desechados, y hay grandes edificios y muchas cosas que ver, que, por acortar escriptura, voy pasando por ello.

De Guallabamba a la ciudad de Quito hay cuatro leguas, en el término de las cuales hay algunas estancias y caserías que los españoles tienen para criar sus ganados hasta llegar al campo de Añaquito; adonde en el año 1546 años, por el mes de enero, llegó el visorey Blasco Núñez Vela con alguna copia de españoles que le seguían, contra la rebelión de los que sustentaban la tiranía (157); y salió desta ciudad de Quito Gonzalo Pizarro, que con colores falsas había tomado el gobierno del reino, y llamándose gobernador, acompañado de la mayor parte de la nobleza de todo el Perú, dió batalla al visorey, en la cual el mal afortunado visorey fué muerto, y muchos varones y caballeros valerosos, que mostrando su lealtad y deseo que tenían de servir a su majestad quedaron muertos en el campo, según que más largamente lo trataré en la cuarta parte desta obra, que es donde escribo las guerras civiles tan crueles que hubo en el Perú entre los mismos españoles, que no será poca lástima oírlas. Pasado este campo de Añaquito se llega luego a la ciudad de Quito, la cual está fundada y trazada de la manera siguiente:

(157) En el vocabulario político español del siglo XVI la palabra *tiranía* tenía un contenido muy concreto: gobierno ilegal, ilegítimo, rebelde, usurpador. No contaba lo que ahora llamamos tiranía, en el sentido de opresión o abuso de poder. El Padre Juan de Mariana, en su tratado *De Rege et regis institutione,* define la doctrina al efecto.

CAPITULO XL

Del sitio que tiene la ciudad de San Francisco del Quito, y de su fundación y quién fue el que la fundó

La ciudad de San Francisco del Quito está a la parte del Norte en la inferior provincia del reino del Perú. Corre el término desta provincia de longitud (que es de Este Oeste) casi setenta leguas y de latitud veinte y cinco o treinta. Está asentada en unos antiguos aposentos que los ingas habían en el tiempo de su señorío mandado hacer en aquella parte, y habíalos ilustrado y acrecentado Guaynacapa y el gran Topainga (158), su padre. A estos aposentos tan reales y principales llamaban los naturales Quito, por donde la ciudad tomó denominación y nombre del mismo que tenían los antiguos. Es sitio sano, más frío que caliente. Tiene la ciudad poca vista de campos o casi ninguna, porque está asentada en una pequeña llanada a manera de hoya que unas sierras altas donde ella está arrimada hacen, que están de la misma ciudad entre el norte y el poniente. Es tan pequeño sitio y llanada que se tiene que el tiempo adelante han de edificar con trabajo si la ciudad se quisiere alargar, la cual podrían hacer muy fuerte si fuese necesario. Tiene por comarcanas las ciudades de Puerto Viejo y Guayaquile, las cuales están della a la parte del poniente a sesenta y ochenta leguas, y a la del sur tiene asimismo las ciudades de Loja y San Miguel, la una ciento y treinta, la otra ochenta. A la parte del Levante están della las montañas y nacimiento del río que en el mar Océano es llamado mar Dulce (159), que es el más cercano al de Marañón (160). También está en el propio paraje la villa de Pasto, y a la parte del norte la gobernación de Popayán, que queda atrás.

Esta ciudad de Quito está metida debajo la línea equinocial tanto que la pasa casi a siete leguas. Es tierra toda la que tiene por términos al parecer estéril; pero en efecto

(158) Tupac-Yunpanqui, al que a veces también nombra como Topain-gayupangui, o sea, Tupac-Inca-Yupanqui.

(159) Hace referencia al nacimiento de los ríos que forman el estuario del Plata. El *mar océano* es, obviamente, el Atlántico.

(160) Así designa al Amazonas, porque lo mira desde occidente, o sea del llamado Marañón.

es muy fértil; porque en ella se crían todos los ganados abundantemente, y lo mismo todos los otros bastimentos de pan y legumbres, frutas y aves. Es la disposición de la tierra muy alegre, y en extremo parece a la de España en la hierba y en el tiempo, porque entra el verano por el mes de abril y marzo y dura hasta el mes de noviembre, y aunque es fría, se agosta la tierra ni más ni menos que en España.

En las vegas se coge gran cantidad de trigo y cebada, y es mucho el mantenimiento que hay en la comarca desta ciudad, y por tiempo se darán toda la mayor parte de las frutas que hay en nuestra España, porque ya se comienzan a criar algunas. Los naturales de la comarca en general son más domésticos y bien inclinados y más sin vicio que ningunos de los pasados, ni aun de los que hay en toda la mayor parte del Perú, lo cual es según lo que yo vi y entendí; otros habrá que tendrán otro parecer; mas si hubieren visto y notado lo uno y lo otro como yo, tengo por cierto que serán de mi opinión. Es gente mediana de cuerpo y grandes labradores, y han vivido con los mismos ritos que los reyes ingas, salvo que no han sido tan políticos ni lo son, porque fueron conquistados dellos y por su mano dada la orden que agora tienen en el vivir; porque antiguamente eran como los comarcanos a ellos, mal vestidos y sin industria en el edificar.

Hay muchos valles calientes, donde se crían muchos árboles de frutas y legumbres, de que hay grande cantidad en todo lo más del año. También se dan en estos valles viñas, aunque, como es principio, de sola la esperanza que se tiene de que se darán muy bien se puede hacer relación y no otra cosa. Hay árboles muy grandes de naranjos y limas, y las legumbres de España que se crían son muy singulares, y todas las más y principales que son necesarias para el mantenimiento de los hombres. También hay una manera de especia que llamamos canela, la cual traen de las montañas que están a la parte del Levante, que es una fruta o manera de flor que nace en los muy grandes árboles de la canela, que no hay en España que se puedan comparar si no es aquel ornamento o capullo de las bellotas, salvo que es leonado en la color, algo tirante a negro, y es más grueso y de mayor concavidad; es muy sabroso al gusto, tanto como la canela, sino que no se compadece comerlo más que en polvo, porque usando dello como de canela en guisados pierde la fuerza y aun el gusto; es cálido y cordial, según la experiencia que dél se tiene, porque los naturales de la tierra lo rescatan y usan dello en sus enfermedades; especialmente aprovecha para dolor de ijada y de tripas y para dolor de estómago; la cual toman bebido en sus brebajes (161).

Tienen mucha cantidad de algodón, de que se hacen ropas para su vestir y para pagar sus tributos. Había en los términos desta ciudad de Quito gran cantidad deste ganado que nosotros llamamos ovejas, que más propiamente tiran a camellos (162). Adelante trataré deste ganado y de su talle y cuántas diferencias hay destas ovejas y terneros que decimos del Perú. Hay también muchos venados y muy grande cantidad de conejos y perdices, tórtolas, palomas y otras cazas. De los mantenimientos naturales fuera del maíz, hay otros dos que se tienen por principal bastimento entre los indios; al uno llaman papas (163), que es a manera de turmas de tierra (164), el cual después de cocido queda tan tierno por de dentro como castaña cocida; no tiene cáscara ni cuesco más que lo que tiene la turma de la tierra; porque también nace debajo la tierra, como ella; produce esta fruta una hierba ni más ni menos que la amapola; hay otro bastimento muy bueno, a quien llaman quima (165), la cual tiene la hoja ni más ni menos que bledo morisca, y crece la planta dél casi un estado de hombre, y echa una semilla muy menuda, della es blanca y della es colorada, de la cual hacen

(161) La canela auténtica procedía de Ceylán.

(162) Cieza, sin ser naturalista, ni siquiera como Fernández de Oviedo, al menos en su curiosidad por animales, plantas y paisaje, intuye que los *auquénidos* tienen algo que ver con los camélidos. Posteriormente, en el capítulo CXI, trata más ampliamente de estos animales.

(163) Patata.

(164) *Turma* es nombre dado por la forma. Turma significa testículo o criadilla. En algunos países de Hispanoamérica turma sigue siendo sinónimo de patata.

(165) Es la *Chenoponiam Quinoa,* de la familia de las quenopodiáceas. Sus hojas se comen como espinacas y sus semillas son parecidas al arroz, sirviendo para sopas y bebidas, como Cieza explica a continuación. No confundir con la Quina.

brebajes, y también la comen guisada como nosotros el arroz.

Otras muchas raíces y semillas hay sin éstas; mas conociendo el provecho y utilidad del trigo y de la cebada, muchos de los naturales subjetos a esta ciudad del Quito siembran de lo uno y de lo otro, y usan comer dello y hacen brebajes de la cebada. Y como arriba dije, todos estos indios son dados a la labor, porque son grandes labradores, aunque en algunas provincias son diferentes de las otras naciones, como diré cuando pasare por ellos, porque las mujeres son las que labran los campos y benefician las tierras y mieses, y los maridos hilan y tejen y se ocupan en hacer ropa y se dan a otros oficios feminiles, que debieron aprender de los ingas; porque yo he visto en pueblos de indios comarcanos al Cuzco, de la generación de los ingas, mientras las mujeres están arando, estar ellos hilando y aderezando sus armas y su vestido, y hacen cosas más pertenecientes para el uso de las mujeres que no para el ejercicio de los hombres. Había en el tiempo de los ingas un camino real hecho a mano y fuerzas de hombres, que salía desta ciudad y llegaba hasta la del Cuzco, de donde salía otro tan grande y soberbio como él, que iba hasta la provincia de Chile, que está del Quito más de mil y doscientas leguas; en los cuales caminos había a tres y a cuatro leguas muy galanos y hermosos aposentos o palacios de los señores, y muy ricamente aderezados (166). Podráse comparar este camino a la calzada que los romanos hicieron, que en España llamamos camino de la Plata (167).

Detenido me he en contar las particularidades de Quito más de lo que suelo en las ciudades de que tengo escripto en lo de atrás, y esto ha sido porque (como algunas veces he dicho) esta ciudad es la primera población del Perú por aquella parte, y por ser siempre muy estimada, y agora en este tiempo todavía es de lo bueno del Perú; y para concluir con ella, digo que la fundó y pobló el capitán Sebastián de Belalcázar, que después fue adelantado y go-

(166) Se refiere nuevamente a los *tambos*, que en efecto suelen estar distanciados entre sí a unos veinte o veintidós kilómetros.

(167) Camino de la época romana que unía la Bética con la Lusitania, y más al norte.

bernador en la provincia de Popayán, en nombre del emperador don Carlos, nuestro señor, siendo el adelantado don Francisco Pizarro, gobernador y capitán general de los reinos del Perú y provincias de la Nueva Castilla, año del nascimiento de nuestro redentor Jesucristo de 1534 años.

CAPITULO XLI

De los pueblos que hay salidos del Quito hasta llegar a los reales palacios de Tumebamba, y de algunas costumbres que tienen los naturales dellos

Desde la ciudad de San Francisco de Quito hasta los palacios de Tumebamba hay cincuenta y tres leguas. Luego que salen della, por el camino ya dicho se va a un pueblo llamado Panzaleo. Los naturales dél difieren en algo a los comarcanos, especialmente en la ligadura de la cabeza; porque por ella son conocidos las linajes de los indios y las provincias donde son naturales.

Estas y todos los deste reino, en más de mil y docientas leguas, hablaban la lengua general de los ingas, que es la que se usaba en el Cuzco. Y hablábase esta lengua generalmente porque los señores ingas lo mandaban y era ley en todo su reino, y castigaban a los padres y era ley en todo su reino, y castigaban a los padres si la dejaban de mostrar a sus hijos en la niñez. Mas, no embargante que hablaban la lengua del Cuzco (como digo), todos se tenían sus lenguas, las que usaron sus antepasados. Y así, estos de Panzaleo tenían otra lengua que los de Carangue y Otabalo. Son del cuerpo y disposición como los que declaré en el capítulo pasado. Andan vestidos con sus camisetas sin mangas ni colar (168), no más que abiertas por los lados, por donde sacan los brazos, y por arriba, por donde asimismo sacan la cabeza, y con sus mantas largas de lana y algunas de algodón. Y desta ropa, la de los señores era muy prima y con colores muchas y muy perfectas. Por zapatos traen unas ojotas de una raíz o hierba que llaman

(168) Cuello de tela.

cabuyá (169), que echa unas pencas grandes, de las cuales salen unas hebras blancas, como de cáñamo, muy recias y provechosas, y destas hacen sus ojotas o albarcas, que les sirven por zapatos, y por la cabeza traen puestos sus ramales. Las mujeres, algunas andan vestidas a uso del Cuzco, muy galanas, con una manta larga que las cubre desde el cuello hasta los pies, sin sacar más de los brazos, y por la cintura se la atan con uno que llaman chumbe (170), a manera de una reata galana y muy prima y algo más ancha. Con éstas se atan y aprietan la cintura, y luego se ponen otra manta delgada, llamada líquida (171), que les cae por encima de los hombros y desciende hasta cubrir los pies. Tienen, para prender estas mantas, unos alfileres de plata o de oro grandes, y al cabo algo anchos, que llaman topos (172). Por la cabeza se ponen también una cinta no poca galana, que nombran vincha (173), y con sus ojotas en los pies andan. En fin, el uso de vestir de las señoras del Cuzco ha sido el mejor y más galano y rico que hasta agora se ha visto en todas estas Indias. Los cabellos tienen gran cuidado de se los peinar, y tráenlos muy largos. En otra parte trataré más largamente este traje de las pallas o señoras del Cuzco.

Entre este pueblo de Panzaleo y la ciudad del Quito hay algunas poblaciones a una parte y a otra en unos montes. A la parte del poniente está el valle de Uchillo y Langazi, adonde se dan, por ser la tierra muy templada, muchas cosas de las que escrebí en el capítulo de la fundación de Quito, y los naturales son amigos y confederados. Por estas tierras no se comen los unos a otros ni son tan malos como algunos de los naturales de las provincias que en lo de atrás tengo escripto. Antiguamente solían tener grandes adoratorios a diversos dioses, según publica la fama dellos mismos. Después que fueron señoreados

(169) Es la pita *(ágave americana).* Aún en algunos países de Suramérica a la cuerda se la llama *cabuya,* sin el acento final con que escribe Cieza esta palabra.

(170) *Çhumpi* o *chumbi* es el color castaño, en quéchua.

(171) Se refiere sin duda a la *Llicklla,* que en efecto es una *manta* que se echan sobre los hombros las mujeres.

(172) *Tupu* o topo, palabra quéchua que designa un largo alfiler que se usa para sujetar las ropas sobre el cuerpo.

(173) Debe pronunciarse *uincha,* como actualmente se hace entre la mayoría de los peruanos. Significa banda o cinta.

por los reyes ingas hacían sus sacrificios al sol, al cual adoraban por Dios.

De aquí se toma un camino que va a los montes de Yumbo, en los cuales están unas poblaciones, donde los naturales dellas son de no tan buen servicio como los comarcanos a Quito, ni tan domables, antes son más viciosos y soberbios; lo cual hace vivir en tierra tan áspera y tener en ella, por ser cálida y fértil, mucho regalo. Adoran también al sol, y parécenee en las costumbres y afectos a sus comarcanos; porque fueron, como ellos, sojuzgados por el gran Topainga Yupangue y por Guaynacapa, su hijo.

Otro camino sale hacia el nacimiento del sol, que va a otras poblaciones llamadas Quixo, pobladas de indios de la manera y costumbres destos.

Adelante de Panzaleo tres leguas están los aposentos y pueblo de Mulahalo, que, aunque agora es pueblo pequeño, por haberse apocado los naturales, antiguamente tenía aposentos para cuando los ingas o sus capitanes pasaban por allí, con grandes depósitos para proveimientos de la gente de guerra (174). Está a la mano derecha deste pueblo de Mulahalo un volcán o boca de fuego, del cual dicen los indios que antiguamente reventó y echó de sí gran cantidad de piedras y ceniza; tanto, que destruyó mucha parte de los pueblos donde alcanzó aquella tormenta. Quieren decir algunos que antes que reventase se veían visiones infernales y se oían algunas voces temerosas. Y parece ser cierto lo que cuentan estos indios deste volcán, porque al tiempo que el adelantado don Pedro de Albarado, gobernador que fue de la provincia de Guatimala, entró en el Perú, con su armada, viniendo a salir a estas provincias de Quito, les pareció que llovió ceniza algunos días, y así lo afirman los españoles que venían con él. Y era que debió de reventar alguna boca de fuego destas, de las cuales hay muchas en aquellas sierras, por los grandes mineros que debe de haber de piedra de azufre.

Poco más adelante de Mulahalo está el pueblo y grandes aposentos llamados de la Tacunga, que eran tan prin-

(174) Nueva cita de los *tambos*. Cieza es uno de los autores que más información presta sobre ellos.

cipales como los de Quito. Y en los edificios, aunque están ruinados, se parece la grandeza dellos, porque en algunas paredes destos aposentos se ve bien claro dónde estaban encajadas las ovejas de oro y otras grandezas que esculpían en las paredes. Especialmente había esta riqueza en el aposento que estaba señalado para los reyes ingas, y en el templo del sol, donde se hacían los sacrificios y supersticiones, que es donde también estaban cantidad de vírgenes dedicadas para el servicio del templo, a las cuales (como ya otras veces he dicho) llamaban mamaconas. No embargante que en los pueblos pasados que he dicho hubiese aposentos y depósitos, no había en tiempo de los ingas casa real ni templo principal, como aquí ni en otros pueblos más adelante, hasta llegar a Tumebamba, como en esta historia iré relatando. En este pueblo tenían los señores ingas puesto mayordomo mayor, que tenía cargo de coger los tributos de las provincias comarcanas y recogerlos allí, adonde asimismo había gran cantidad de mitimaes. Esto es, que, visto por los ingas que la cabeza de su imperio era la ciudad del Cuzco, de donde se daban las leyes y salían los capitanes a seguir la guerra, el cual estaba de Quito más de seiscientas leguas y de Chile otro mayor camino; considerando ser toda esta longura de tierra poblada de gentes bárbaras, y algunas muy belicosas, para con más facilidad tener seguro y quieto su señorío tenían esta orden desde el tiempo del rey inga Yupangue, padre del gran Topainga Yupangue y abuelo de Guaynacapa: que luego que conquistaban una provincia destas grandes mandaban salir o pasar de allí diez o doce mil hombres con sus mujeres, o seis mil, o la cantidad que querían. Los cuales se pasaban a otro pueblo o provincia que fuese del temple y manera del de donde salían; porque si eran de tierra fría eran llevados a tierra fría, y si de caliente, a caliente, y estos tales eran llamados mitimaes, que quiere significar indios venidos de una tierra a otra (175). A los cuales se les daban here-

(175) Estos *mitimaes,* como corrompieron los españoles la palabra quéchua *mitma* poniéndole un plural a la castellana, eran los *mitma-cuna* o poblaciones trasladadas. Los motivos de estos traslados (a tierras similares a las de procedencia) eran variados. Unas veces se trataba de comunidades que se habían sublevado y convenía desarraigar, otras eran verdaderos colonos incas a los que

dades en los campos y tierras para sus labores y sitio para hacer sus casas. Y a estos mitimaes mandaban los ingas que estuviesen siempre obedientes a lo que sus gobernadores y capitanes les mandasen; de tal manera, que si los naturales se rebelasen, siendo ellos de parte del gobernador, eran luego castigados y reducidos al servicio de los ingas. Y por consiguiente, si los mitimaes buscaban algún alboroto eran apremiados por los naturales; y con esta industria tenían estos señores su imperio seguro que no se les rebelase, y las provincias bien proveídas de mantenimiento, porque la mayor parte de la gente dellas estaban, como digo, los de unas tierras en otras. Y tuvieron otro aviso para no ser aborrecidos de los naturales: que nunca quitaron el señorío de ser caciques (176) a los que les venía de herencia y eran naturales. Y si por ventura alguno cometía delicto o se hallaba culpado en tal manera que mereciese ser privado del señorío que tenía, daban y encomendaban el cacicazgo a sus hijos o hermanos y mandaban que fuesen obedecidos por todos. En el libro de los ingas trato más largamente esta cuenta de los mitimaes, que se entiende lo que tengo dicho (177). Y volviendo a la materia, digo que en estos aposentos tan principales de la Tacunga había destos indios a quien llaman mitimaes, que tenían cargo de hacer lo que por el mayordomo del Inga les era mandado. Alrededor destos aposentos a una parte y a otra hay las poblaciones y estancias de los caciques y principales, que no están poco proveídos de mantenimientos.

Cuando se dio la última batalla en el Perú (que fue en el valle de Xaquizaguana, donde Gonzalo Pizarro fue muerto), salimos de la gobernación de Popayán con el adelantado don Sebastián de Belalcázar poco menos de doscientos españoles, para hallarnos de la parte de su majestad contra los tiranos; y por cierto que llegamos algunos de nosotros a este pueblo, porque no caminábamos todos juntos, y que nos proveían de bastimento y de las demás cosas necesarias con tanta razón y tan cumplida-

instalaban en las tierras conquistadas, que se quechuizaban de esta manera.

(176) Cieza sigue usando la palabra antillana *cacique*. Luego aclarará que el nombre en quéchua era *curaca*.

(177) Se refiere a la Segunda parte o *Señorío de los incas*.

mente que no sé adónde mejor se pudiera hacer. Porque en una parte tenían gran cantidad de conejos y en otra de puercos y en otra de gallinas, y por el consiguiente, de ovejas y corderos y carneros, y otras aves; y así, proveían a todos los que por allí pasaban. Andan todos vestidos con sus mantas y camisetas, ricas y galanas, y más bastas; cada uno como tiene la posibilidad. Las mujeres andan tan bien vestidas como dije que andaban las de Mulahalo, y son casi de la habla dellos. Las casas que tienen todas son de piedra y cubiertas con paja; unas dellas son grandes y otras pequeñas, como es la persona y tiene el aparejo. Los señores y capitanes tienen muchas mujeres; pero la una dellas ha de ser la principal y legítima de la sucesión, de la cual se hereda el señorío. Adoran al sol, y cuando se mueren los señores les hacen sepulturas grandes en los cerros o campos, adonde los meten con sus joyas de oro y plata y armas, ropa y mujeres vivas, y no las más feas, y mucho mantenimiento. Y esta costumbre de enterrar así los muertos en toda la mayor parte destas Indias se usa por consejo del demonio, que les hace entender que de aquella suerte han de ir al reino que él les tiene aparejado; hacen muy grandes lloros por los difuntos, y las mujeres que andan sin se matar, con las demás sirvientas, se tresquilan y están muchos días en lloros continuos; y después de llorar la mayor parte del día y la noche en que mueren, un año arreo lo lloran. Usan el beber ni más ni menos que los pasados, y tienen por costumbre de comer luego por la mañana, y comen en el suelo, sin se dar mucho por manteles ni por otros paños; y después que han comido su maíz y carne o pescado, todo el día gastan en beber su chicha o vino que hacen del maíz, trayendo siempre el vaso en la mano. Tienen gran cuidado de hacer sus areitos (178) o cantares ordenadamente, asidos hombres y mujeres de las manos y andando a la redonda a son de un atambor, recontando en sus cantares y endechas las cosas pasadas y siempre bebiendo hasta quedar muy embriagados; y como están sin sentido, algunos toman las mujeres que quieren, y llevadas a alguna casa, usan con ellas sus lujurias, sin tenerlo por cosa

(178) *Areito,* palabra antillana, significa baile, fiesta con música y cantos. La usa Cieza porque era ya conocido su significado.

fea, porque ni entienden el don que está debajo de la vergüenza ni miran mucho en la honra ni tienen mucha cuenta con el mundo, porque no procuran más de comer lo que cogen con el trabajo de sus manos. Creen la inmortalidad del ánima, a lo que entendemos dellos, y conocen que hay Hacedor de todas las cosas del mundo; en tal manera, que contemplando la grandeza del cielo y el movimiento del sol y de la luna y de las otras maravillas tienen poder, puesto que muchos dellos, viendo sus maldades y que nunca dice verdad ni la trata, lo aborrecen, y más le obedecen por temor que por creer que en él haya deidad. Al sol hacen grandes reverencias y le tienen por dios; los sacerdotes usaban de gran santimonia, y son reverenciados por todos y tenidos en mucho, donde los hay.

Otras costumbres y cosas tenía que decir destos indios; y pues casi las guardan y tienen generalmente, yendo caminando por las provincias iré tratando de todas, y concluyo en este capítulo con decir que estos de la Tacunga usan por armas para pelear lanzas de palma y tiraderas y dardos y hondas. Son morenos como los ya dichos; las mujeres, muy amorosas, y algunas hermosas (179). Hay todavía muchos mitimaes de los que había en el tiempo que los ingas señoreaban las provincias de su reino.

CAPITULO XLII

De los más pueblos que hay desde la Tacunga hasta llegar a Ríobamba, y lo que pasó en él entre el adelantado don Pedro de Albarado y el mariscal don Diego de Almagro

Luego que salen de la Tacunga, por el camino real que va a la grande ciudad del Cuzco se llega a los aposentos de Muliambato, de los cuales no tengo que decir más de que están poblados de indios de la nación y costumbres de los de la Tacunga; y había aposentos ordinarios, y depósitos de las cosas que por los delegados del Inga era mandado, y obedecían al mayordomo mayor, que estaba en la

(179) Aquí, como en otros lugares, habla la experiencia del soldado.

Tacunga; porque los señores tenían aquéllos por cosa principal, como Quito y Tumebamba, Caxamalca, Jauja y Bilcas y Paria, y otros de la misma manera, que eran como cabeza de reino o de obispo, como le quisieran dar el sentido, y adonde estaban los capitanes y gobernadores, que tenían poder de hacer justicia y formar ejércitos si alguna guerra se ofrecía o se levantaba algún tirano (180); no embargante que las cosas arduas y de mucha importancia no lo determinaban sin lo hacer saber a los reyes ingas, para lo cual tenían tan gran aviso y orden que en ocho días iba por la posta la nueva de Quito al Cuzco; porque, para hacello, tenían cada media legua una pequeña casa, a donde estaban siempre dos indios con sus mujeres, y así como llegaba la nueva que habían de llevar el aviso, iba corriendo el uno sin parar la media legua, y antes que llegase, a voces decía lo que pasaba y había de decir; lo cual oído por el otro que estaba en otra casa, corría otra media legua con tanta ligereza que, según es la tierra áspera y fragosa, en caballos ni mulas no pudieran ir con más brevedad; y porque en el libro de los reyes ingas (que es el que saldrá con ayuda de Dios tras éste) (181) trato largo esto de las postas (182), no diré más; porque lo que toco, solamente es para dar claridad al lector y para que lo entienda.

De Muliambato se va al río llamado Ambato, donde asimismo hay aposentos que servían de lo que los pasados. Luego están tres leguas de allí los suntuosos aposentos de Mocha, tantos y tan grandes que yo me espanté de los ver; pero ya, como los reyes ingas perdieron su señorío, todos los palacios y aposentos, con otras grandezas suyas, se han ruinado y parado tales que no se ven más de las trazas y alguna parte de los edificios dellos, que, como fuesen obrados de linda piedra y de obra muy prima, durará grandes tiempos y edades estas memorias sin se acabar de gastar.

(180) Rebelde, sublevado.

(181) Desgraciadamente, Cieza no lo vio *salir*, e incluso apareció después de otros de la misma obra.

(182) Llama postas al sistema de mensajeros o correos incaicos, *chasquis*. Como anuncia en este párrafo, trata de los *chasquis* en el capítulo XXI del *Señorío de los incas*.

Hay a la redonda de Mocha algunos pueblos de indios, los cuales todos andan vestidos, y lo mismo sus mujeres, y guardan las costumbres que tienen lo de atrás, y son de una misma lengua.

A la parte del poniente están los pueblos de indios llamados sichos, y al oriente los pillaros; todos, unos y otros, tienen grandes provisiones de mantenimientos, porque la tierra es muy fértil y hay grandes manadas de venados y algunas ovejas y carneros de los que se nombran del Perú, y muchos conejos y perdices, tórtolas y otras cazas. Sin esto, por todos estos pueblos y campos tienen los españoles gran cantidad de hatos de vacas, las cuales se crían muchas por los pastos tan excelentes que tienen, y muchas cabras por ser la tierra aparejada para ellas, que no les falta mantenimiento; y puercos se crían más y mejores que en la mayor parte de las Indias, y se hacen tan buenos perniles y tocinos como en Sierra Morena.

Saliendo de Mocha se llega a los grandes aposentos de Ríobamba, que no son menos que ver que los de Mocha, los cuales están en la provincia de los Puruaes; en unos muy hermosos y vistosos campos, muy propios a los de España en el temple, hierbas y flores y otras cosas, como sabe quien por ellos ha andado. En este Ríobamba estuvo algunos días depositada la ciudad de Quito o asentada, desde donde se pasó a donde agora está, y sin esto, son más memorados estos aposentos de Ríobamba; porque como el adelantado don Pedro de Albarado, gobernador que fue de la provincia de Guatimala, que confina con el gran reino de la Nueva España, saliese con una armada de navíos llenos de muchos y muy principales caballeros (de lo cual largamente trataré en la tercera parte desta obra), saltando en la costa con los españoles a la fama del Quito, entró por unas montañas bien ásperas y fragosas, a donde pasaron grandes hambres y necesidades. Y no me parece que debo pasar de aquí sin decir alguna parte de los males y trabajos que estos españoles y todos los demás padecieron en el descubrimiento destas Indias, porque yo tengo por muy cierto que ninguna nación ni gente que en el mundo haya sido tantos ha pasado. Cosa es muy digna de notar que en menos tiempo de sesenta años se haya descubierto una navegación tan larga y una tierra tan grande y llena de tantas gentes, descubriéndola por montañas muy ásperas y fragosas y por desiertos sin camino, y haberlas conquistado y ganado, y en ellas poblado de nuevo más de doscientas ciudades. Cierto los que esto han hecho merecedores son de gran loor y de perpetua fama, mucho mayor que la que mi memoria sabrá imaginar ni mi flaca mano escribir. Una cosa diré por muy cierta: que en este camino se padeció tanta hambre y cansancio que muchos dejaron cargas de oro y muy ricas esmeraldas por no tener fuerzas para las llevar. Pues pasando adelante, digo que, como ya se supiese en el Cuzco la venida del adelantado don Pedro de Albarado por una probanza que trajo Gabriel de Rojas, el gobernador don Francisco Pizarro, no embargante que estaba ocupado en poblar aquella ciudad de cristianos, salió della para tomar posesión en la marítima costa de la mar del Sur y tierra de los llanos, y al mariscal don Diego de Almagro, su compañero, mandó que a toda furia (182) fuese a las provincias de Quito y tomase en su poder la gente de guerra que su capitán Sebastián de Belalcázar tenía, y pusiese en todo el recaudo que convenía. Y así, a grandes jornadas el diligente mariscal anduvo, hasta llegar a las provincias de Quito, y tomó en sí la gente que halló allí, hablando ásperamente al capitán Belalcázar porque había salido de Tangaraca sin mandamiento del gobernador.

Y pasadas otras cosas que tengo escriptas en su lugar, el adelantado don Pedro de Albarado, acompañado de Diego de Albarado, de Gómez de Albarado, de Alonso de Albarado, mariscal que es agora del Perú, y del capitán Garcilaso de la Vega, Juan de Saavedra, Gómez de Albarado y de otros caballeros de mucha calidad, que en la parte por mí alegada tengo nombrado, llegó cerca de donde estaba el mariscal don Diego de Almagro y pasaron algunos trances; tanto, que algunos creyeron que llegaron a romper unos con otros; y por medios del licenciado Caldera y de otras personas cuerdas vinieron a concertarse que el adelantado dejase en el Perú la armada de navíos que traía y pertrechos pertenescientes para la guerra y

(183) Prisa.

armada, y los demás aderezos y gente, y que por los gastos que en ello había hecho se les diesen cien mil castellanos; lo cual capitulado y concertado, el mariscal tomó en sí la gente y el adelantado se fue a la ciudad de los Reyes, donde ya el gobernador don Francisco Pizarro, sabidos los conciertos, lo estaba aguardando, y le hizo la honra y buen recebimiento que merecía un capitán tan valeroso como fue don Pedro de Albarado; y dándole sus cien mil castellanos, se volvió a su gobernación de Guatimala. Todo lo cual que tengo escripto pasó y se concertó en los aposentos y llanura de Ríobamba, de que agora trato. También fue aquí donde el capitán Belalcázar, que después fue gobernador de la provincia de Popayán, tuvo una batalla con los indios bien porfiada, y a donde, con muerte de muchos dellos, quedó la vitoria con los cristianos, según se contará adelante.

CAPITULO XLIII

Que trata que hay que decir de los más pueblos de indios que hay hasta llegar a los aposentos de Tumebamba

Estos aposentos de Ríobamba ya tengo dicho cómo están en la provincia de los Puruaes, que es de lo bien poblado de la comarca de la ciudad de Quito, y de buena gente; éstos andan vestidos, ellos y sus mujeres. Tienen las costumbres que usan sus comarcanos, y para ser conoscidos traen su ligadura en la cabeza, y algunos o todos los más tienen los cabellos muy largos y se los entrenchan bien menudamente; las mujeres hacen lo mismo. Adoran al sol, hablan con el demonio los que entre todos escogen por más idóneos para semejante caso, y tuvieron, y aun parece que tienen, otros ritos y abusos, como tuvieron los ingas, de quien fueron conquistados. A los señores, cuando se mueren, les hacen, en la parte del campo que quieren, una sepultura honda cuadrada, a donde le meten con sus armas y tesoros, si lo tiene. Algunas destas sepulturas hacen en las propias casas de sus moradas; guardan lo que generalmente todos los más de los naturales destas partes usan, que es echar en las sepulturas mujeres vivas de las más hermosas; lo cual hacen porque yo he oído, a indios que para entre ellos son tenidos por hombres de crédito, que algunas veces, permitiéndolo Dios por sus pecados e idolatrías, con las ilusiones del demonio les paresce ver a los que de mucho tiempo eran muertos andar por sus heredades adornados con lo que llevaron consigo y acompañados con las mujeres que con ellos se metieron vivas; y viendo esto, paresciéndoles que a donde las ánimas van es menester oro y mujeres, lo echan todo, como he dicho. La causa desto, y también por qué hereda el señorío el hijo de la hermana y no del hermano (184), adelante lo trataré.

Muchos pueblos hay en esta provincia de los Puruaes, a una parte y a otra, que no trato dellos por evitar prolijidad. A la parte de levante de Ríobamba están otras poblaciones en la montaña que confina con los nacimientos del río del Marañón y la sierra llamada Tinguragua, alrededor de la cual hay asimismo muchas poblaciones; las cuales unas y otras guardan y tienen las mismas costumbres que estotros indios, y andan todos ellos vestidos, y sus casas son hechas de piedra. Fueron conquistados por los señores ingas y sus capitanes, y hablan la lengua general del Cuzco, aunque tenían y tienen las suyas particulares. A la parte del poniente está otra sierra nevada, y en ella no hay mucha población, que llaman Urcolazo. Cerca desta sierra se toma un camino que va a salir a la ciudad de Santiago, que llaman Guayaquil.

Saliendo de Ríobamba se va a otros aposentos llamados Cayambi. Es la tierra toda por aquí llana y muy fría; partidos della, se llega a los tambos o aposentos de Teocaxas, que están puestos en unos grandes llanos despoblados y no poco fríos, en donde se dio entre los indios naturales y el capitán Sebastián de Belalcázar la batalla llamada Teocaxas; la cual, aunque duró el día entero y fue muy reñida (según diré en la tercera parte desta obra), ninguna de las partes alcanzó la vitoria.

(184) Forma matrilineal de descendencia, propia de las sociedades matriarcales, como ya se ha dicho en notas anteriores. En esta zona, que por ser caliente llamaron de *yungas*, el sistema matriarcal estaba muy arraigado, habiendo incluso *cacicas* o *capullanas*, empleando palabras de origen taíno o mexicano.

Tres leguas de aquí están los aposentos principales, que llaman Tiquizambi, que tienen a la mano diestra a Guayaquil y sus montañas y a la sinestra a Pomollata y Quizna y Macas, con otras regiones que hay, hasta entrar en las del Río Grande, que así se llaman; pasados de aquí, en lo bajo están los aposentos de Chanchan (185), la cual, por ser tierra cálida, es llamada por los naturales Yungas, que quiere significar ser tierra caliente; a donde, por no haber nieves ni frío demasiado, se crían árboles y otras cosas que no hay a donde hace frío; y por esta causa todos los que moran en valles o regiones calientes y templadas son llamados yungas, y hoy día tienen este nombre, y jamás se perderá mientras hubieren gentes, aunque pasen muchas edades. Hay destos aposentos hasta los reales suntuosos de Tumebamba casi veinte leguas; el cual término está todo repartido de aposentos y depósitos que estaban hechos a dos y a tres y a cuatro leguas. Entre los cuales están dos principales, llamados el uno Cañaribamba y el otro Hatuncañari (186), de donde tomaron los naturales nombre, y su provincia, de llamarse los cañares como hoy se llaman. A la mano diestra y siniestra deste real camino que llevo hay no pocos pueblos y provincias, los cuales no nombro porque los naturales dellas, como fueron conquistados y señoreados por los reyes ingas, guardaban las costumbres de los que voy contando y hablaban la lengua general del Cuzco (187) y andaban vestidos ellos y sus mujeres. Y en la orden de sus casamientos y heredar el señorío se hacía como los que he dicho atrás en otros capítulos, y lo mismo en meter cosas de comer en las sepulturas y en los lloros generales, y enterrar con ellos mujeres vivas. Todos tenían por dios soberano al sol; creían lo que todos creen, que hay Hacedor de todas las cosas criadas, al cual en la

(185) Se trata del gran centro mochica (de la cultura de Moche) de Chan-Chan, que Cieza ya contempló arruinado.

(186) *Cañari-pampa* o llano-cañar, *Hatun-Cañari* o Gran Cañar. Hace referencia, naturalmente, a los habitantes de la zona, los cañares.

(187) El *muschick* o mochica. El obispo de Trujillo, en el siglo XVIII, Baltasar Jaime Martínez Compañón, incluye en su álbum —dedicado a los Reyes de España Carlos III y Carlos IV, y conservado en la Real Biblioteca— un vocabulario de esta lengua. Véase Ballesteros Gaibrois, 1935.

lengua del Cuzco llaman Ticebiracoche (188); y aunque tuviesen este conocimiento, antiguamente adoraban árboles y piedras y a la luna, y otras cosas, impuestos en ello por el demonio, enemigo nuestro, con el cual hablan los señalados para ello, y les obedescen en muchas cosas; aunque ya en estos tiempos, habiendo nuestro Dios y Señor alzado su ira destas gentes, fue servido que se predicase el sagrado Evangelio y tuviesen lumbre de la fe, que no alcanzaban. Y así, en estos tiempos ya aborrecen al demonio, y en muchas partes que era estimado y venerado es aborrecido y detestado como malo, y los templos de los malditos dioses deshechos y derribados; de tal manera, que ya no hay señal de estatua ni simulacro, y muchos se han vuelto cristianos, y en pocos pueblos del Perú dejan de estar clérigos y frailes que los dotrinan. Y para que más fácilmente conozcan el error en que han vivido, y conoscido abracen nuestra santa fe, se ha hecho arte para hablar su lengua con gran industria, para que se entiendan los unos y los otros; en lo cual no ha trabajado poco el reverendo padre fray Domingo de Santo Tomás, de la orden del señor santo Domingo. Hay en todo lo más deste camino ríos pequeños, y algunos medianos y pocos grandes, todos de agua muy singular, y en algunos hay puentes para pasar de una parte a otra.

En los tiempos pasados, antes que los españoles ganasen este reino, había por todas estas sierras y campañas gran cantidad de ovejas de las de aquella tierra, y mayor número de guanacos y vicunias; mas, con la priesa que se han dado en las matar los españoles, han quedado tan pocas que casi ya no hay ninguna. Lobos ni otras bestias, ni animales dañosos, no se han hallado en estas partes, salvo los tigres que dije haber en las montañas de la Buenaventura, y algunos leones pequeños y osos. También se ven por las quebradas y partes donde hay montaña algunas culebras, y por todas partes raposas, chuchas y otras salvajinas de las que en aquella tierra se crían; perdices, palomas, tórtolas y venados hay mu-

(188) *Ticci-Viracocha*, dios incaico, identificable con el Sol. Hay la duda de si su significado como Dios Creador fue un artificio de los incas vencidos para oponerlo al gran Dios cristiano. Véase Juan Larrea, 1959.

chos, y en la comarca de Quito hay gran cantidad de conejos, y por las montañas algunas dantas.

CAPITULO XLIV

De la grandeza de los ricos palacios que había en los asientos de Tumebamba, de la provincia de los Cañares

En algunas partes deste libro he apuntado el gran poder que tuvieron los ingas reyes del Perú, y su mucho valor, y cómo en más de mil y doscientas leguas que mandaron de costa tenían sus delegados y gobernadores, y muchos aposentos y grandes depósitos llenos de las cosas necesarias, lo cual era para provisión de la gente de guerra, porque en uno destos depósitos había lanzas, y en otros dardos, y en otros ojotas, y en otros las demás armas que ellos tienen. Asimismo unos depósitos estaban proveídos de ropas ricas, y otros de más bastas, y otros de comida y todo género de mantenimientos. De manera que, aposentado el señor en su aposento, y alojada la gente de guerra, ninguna cosa, desde la más pequeña hasta la mayor y más principal, dejaba de haber para que pudiesen ser proveídos; lo cual si lo eran y hacían en la comarca de la tierra algunos insultos y latrocinios, eran luego con gran rigor castigados, mostrándose en esto tan justicieros los señores ingas que no dejaban de mandar ejecutar el castigo aunque fuese en sus propios hijos; y no embargante que tenía esta orden y había tantos depósitos y aposentos (que estaba el reino lleno dellos), tenían a diez leguas y a veinte, y a más y a menos, en la comarca de las provincias, unos palacios suntuosos para los reyes, y hecho templo del sol, a donde estaban los sacerdotes y las mamaconas vírgenes ya dichas, y mayores depósitos que los ordinarios; y en éstos estaba el gobernador, y capitán mayor del Inga con los indios mitimaes y más gente de servicio (189). Y el tiempo que no había gue-

(189) Esta descripción de los *tambos* es más completa. Los *palacios suntuosos* eran las residencias del Inka cuando viajaba, cuya distribución hace minuciosamente Huamán Poma de Ayala.

rra y el Señor no caminaba por aquella parte tenía cuidado de cobrar los tributos de su tierra y término, y mandar bastecer los depósitos y renovarlos a los tiempos que convenían, y hacer otras cosas grandes; porque, como tengo apuntado, era como cabeza de reino o de obispado. Era grande cosa uno destos palacios; porque aunque moría uno de los reyes, el sucesor no ruinaba ni deshacía nada, antes lo acrecentaba y paraba más ilustre; porque cada uno hacía su palacio, mandando estar el de su antecesor adornado como él lo dejó.

Estos aposentos famosos de Tumebamba, que (como tengo dicho) están situados en la provincia de los Cañares, eran de los soberbios y ricos que hubo en todo el Perú, y adonde había los mayores y más primos edificios (190). Y cierto ninguna cosa dicen destos aposentos los indios que no vemos que fuese más, por las reliquias que dellos han quedado.

Está a la parte del poniente dellos la provincia de los Guancabilcas, que son términos de al ciudad de Guayaquile y Puerto Viejo, y al oriente el río grande del Marañón, con sus montañas y algunas poblaciones.

Los aposentos de Tumebamba están asentados a las juntas de dos pequeños ríos en un llano de campaña que terná más de doce leguas de contorno. Es tierra fría y bastecida de mucha caza de venados, conejos, perdices, tórtolas y otras aves. El templo del sol era hecho de piedras muy sutilmente labradas, y algunas destas piedras eran muy grandes, unas negras, toscas, y otras parescían de jaspe. Algunos indios quisieron decir que la mayor parte de las piedras con que estaban hechos estos aposentos y templo del sol las habían traído de la gran ciudad del Cuzco por mandado del rey Guaynacapa y del gran Topainga, su padre, con crecidas maromas, que no es pequeña admiración (si así fue), por la grandeza y muy gran número de piedras y la gran longura del camino (191). Las portadas de muchos aposentos estaban ga-

(190) Fueron construidos por Huayna Capac, último inca unitario del Perú, padre de Atau-Huallpa y Huaskar.

(191) El transporte de sillares para las construcciones es posible que se efectuase, aunque no faltaron canteras próximas, como las que llama de *jaspe*, que quizá fueran del tipo de andesita verde del gran andén del Coricancha, en Cuzco.

lanas y muy pintadas, y en ellas asentadas algunas piedras preciosas y esmeraldas, y en lo de dentro estaban las paredes del templo del sol y los palacios de los reyes ingas, chapados de finísimo oro y entalladas muchas figuras, lo cual estaba hecho todo lo más deste metal y muy fino. La cobertura destas casas era de paja, tan bien asentada y puesta, que si algún fuego no la gasta y consume durará muchos tiempos y edades sin gastarse. Por de dentro de los aposentos había algunos manojos de paja de oro, y por las paredes esculpidas ovejas y corderos de lo mismo, y aves, y otras cosas muchas. Sin esto, cuentan que había suma grandísima de tesoro en cántaros y ollas y en otras cosas, y muchas mantas riquísimas llenas de argentería y chaquira. En fin, no puedo decir tanto que no quede corto en querer engrandescer la riqueza que los ingas tenían en estos sus palacios reales, en los cuales había grandísima cuenta, y tenían cuidado muchos plateros de labrar las cosas que he dicho y otras muchas. La ropa de lana que había en los depósitos era tanta y tan rica, que si se guardara y no se perdiera valiera un gran tesoro. Las mujeres vírgenes que estaban dedicadas al servicio del templo eran más de doscientas y muy hermosas, naturales de los Cañares y de la comarca que hay en el distrito que gobernaba el mayordomo mayor del Inga, que residía en estos aposentos. Y ellas y los sacerdotes eran bien preveídos por los que tenían cargo del servicio del templo, a las puertas del cual había porteros, de los cuales se afirma que algunos eran castrados, que tenían cargo de mirar por las mamaconas, que así habían por nombre las que residían en los templos. Junto al templo y a las casas de los reyes ingas había gran número de aposentos, a donde se alojaba la gente de guerra, y mayores depósitos llenos de las cosas ya dichas; todo lo cual estaba siempre bastantemente proveído; aunque mucho se gastase, porque los contadores (192) tenían a su usanza grande cuenta con lo que entraba y salía, y dello se hacía siempre la voluntad del señor. Los naturales desta

(192) Son los *Quipu-camayocs*, o encargados de la contabilidad de los tributos, de los censos de población, existencias en los depósitos, producción de los *obrajes* o talleres, mediante el sistema de cuerdas anudadas o *quipus*, de que Cieza habla más largamente en otro lugar.

provincia, que han por nombre los cañares, como tengo dicho, son de buen cuerpo y de buenos rostros. Traen los cabellos muy largos, y con ellos dada una vuelta a la cabeza de tal manera, que con ella y con una corona que se ponen redonda de palo, tan delgado como aro de cedazo, se ve claramente ser cañares, porque para ser conoscidos traen esta señal. Sus mujeres, por el consiguiente, se precian de traer los cabellos largos y dar otra vuelta con ellos en la cabeza, de tal manera que son tan conoscidas como sus maridos. Andan vestidos de ropa de lana y de algodón, y en los pies traen ojotas, que son (como tengo otra vez dicho) a manera de albarcas. Las mujeres son algunas hermosas y no poco ardientes en lujuria, amigas de españoles (193). Son estas mujeres para mucho trabajo, porque ellas son las que cavan las tierras y siembran los campos y cogen las sementeras, y muchos de sus maridos están en sus casas tejiendo y hilando y aderezando sus armas y ropa, y curando sus rostros y haciendo otros oficios afeminados. Y cuando algún ejército de españoles pasa por su provincia, siendo, como aquel tiempo eran obligados a dar indios que llevasen a cuestas las cargas del fardaje de los españoles, muchos daban sus hijas y mujeres y ellos se quedaban en sus casas. Lo cual yo vi al tiempo que íbamos a juntarnos con el licenciado Gasca, presidente de su majestad, porque nos dieron gran cantidad de mujeres, que nos llevaban las cargas de nuestro bagaje.

Algunos indios quieren decir que más hacen esto por la gran falta que tienen de hombres y abundancia de mujeres, por causa de la gran crueldad que hizo Atabaliba en los naturales desta provincia al tiempo que entró en ella, después de haber en el pueblo de Ambato muerto y desbaratado al capitán general de Guascar inga, su hermano, llamado Atoco. Que afirman que, no embargante que salieron los hombres y niños con ramos verdes y hojas de palma a pedirle misericordia, con rostro airado, acompañado de gran severidad, mandó a sus gentes y capitanes de guerra que los matasen a todos; y así, fueron muertos gran número de hombres y niños, según que yo trato en la tercera parte desta historia. Por lo cual los que

(193) Vuelve a hablar el recuerdo del soldado.

agora son vivos dicen que hay quince veces más mujeres que hombres; y habiendo tan gran número sirven desto y de lo más que les mandan sus maridos y padres. Las casas que tienen los naturales cañares, de quien voy hablando, son pequeñas, hechas de piedra, la cobertura de paja. Es la tierra fértil y muy abundante de mantenimientos y caza. Adoran al sol, como los pasados. Los señores se casan con las mujeres que quieren y más les agrada, y aunque éstas sean muchas, una es la principal. Y antes que se casen hacen gran convite, en el cual, después que han comido y bebido a su voluntad, hacen ciertas cosas a su uso. El hijo de la mujer principal hereda el señorío, aunque el señor tenga otros muchos hijos habidos en las demás mujeres. A los difuntos los metían en las sepulturas de la suerte que hacían sus comarcanos, acompañados de mujeres vivas, y meten con ellos de sus cosas ricas, y usan de las armas y costumbres que ellos. Son algunos grandes agoreros y hechiceros; pero no usan el pecado nefando ni otras idolatrías, mas de que cierto solían estimar y reverenciar al diablo, con quien hablaban los que para ello estaban elegidos. En este tiempo son ya cristianos los señores, y se llamaba (cuando yo pasé por Tumebamba) el principal dellos don Fernando. Y ha placido a nuestro Dios y redentor que merezcan tener nombre de hijos suyos y estar debajo de la unión de nuestra santa madre Iglesia, pues es servido que oigan el sacro Evangelio, fructificando en ellos su palabra, y que los templos destos indios se hayan derribado.

Y si el demonio alguna vez los engaña, es con encubierto engaño, como suele muchas veces a los fieles, y no en público, como solía antes que en estas Indias se pusiese el estandarte de la cruz, bandera de Cristo.

Muy grandes cosas pasaron en el tiempo del reinado de los ingas en estos reales aposentos de Tumebanba, y muchos ejércitos se juntaron en ellos para cosas importantes. Cuando el rey moría, lo primero que hacía el sucesor, después de haber tomado la borla (194) o corona del reino, era enviar gobernadores a Quito y a este Tumebam-

(194) El *Llautu*, uincha o banda que rodeaba la cabeza del Inka, sostenía sobre un lado de ella una borla roja, signo o *corona* del poder supremo.

ba, a que tomasen la posesión en su nombre, mandando que luego le hiciesen palacios dorados y muy ricos, como los habían hecho a sus antecesores. Y así, cuentan los orejones (195) del Cuzco (que son los más sabios y principales deste reino) que inga Yupangue, padre del gran Topainga, que fue el fundador del templo, se holgaba de estar más tiempo en estos aposentos que en otra parte; y lo mismo dicen de Topainga, su hijo. Y afirman que estando en ellos Guaynacapa supo de la entrada de los españoles en su tierra, en tiempo que estaba don Francisco Pizarro en la costa con el navío en que venía él y sus trece compañeros (196), que fueron los primeros descubridores del Perú; y aunque dijo que después de sus días había de mandar el reino gente extraña y semejante a la que venía en el navío (197). Lo cual diría por dicho del demonio, como aquel que pronosticaba que los españoles habían de procurar de volver a la tierra con potencia grande. Y cierto oí a muchos indios entendidos y antiguos que sabe hacer unos palacios en estos aposentos fue harta parte para haber las diferencias que hubo entre Guascar y Atabaliba. Y concluyendo en esto, digo que fueron gran cosa los aposentos de Tumebamba; ya está todo desbaratado y muy ruinado, pero bien se ve lo mucho que fueron.

Es muy ancha esta provincia de los Cañares y llena de muchos ríos, en los cuales hay gran riqueza. El año de 1544 se descubrieron tan grandes y ricas minas en ellos, que sacaron los vecinos de la ciudad de Quito más de ochocientos mil pesos de oro. Y era tanta la cantidad que había deste metal, que muchos sacaban en la batea más

(195) Los nobles incaicos usaban (lo que ya hicieron otras clases privilegiadas en el Perú) grandes adornos en las orejas. No eran *pendientes*, en el sentido europeo, sino especie de conos que introducían en perforaciones hechas en el lóbulo auricular. Estas perforaciones iban cediendo y se introducía entonces un adorno mayor, todo lo cual producía un agrandamiento del lóbulo. Los españoles los llamaron entonces, no conociendo la palabra quéchua que los designaba, *orejones*. De este modo quedó ya la denominación de los indios nobles, hasta la Independencia suramericana.

(196) Cieza repite, como hemos visto, varias veces lo de *los trece compañeros*, sin demasiada exactitud, pues cuando Pizarro es recogido en la isla de la Gorgona, el número es mayor, por tener que contarse a los pilotos y marineros.

(197) Tanto en México como en el Perú los españoles encontraron leyendas de predicciones de su llegada. En este caso es con Tupac-Yupanqui.

oro que tierra. Lo cual afirmo porque pasó así y hablé yo con quien en una batea sacó más de setecientos pesos de oro. Y sin lo que los españoles hubieron, sacaron los indios lo que no sabemos.

En toda parte desta provincia que se siembre trigo se da muy bien, y lo mismo hace la cebada, y se cree que se harán grandes viñas y se darán y criarán todas las frutas y legumbres que sembraren de las que hay en España, y de la tierra hay algunas muy sabrosas.

Para hacer y edificar ciudades no falta grande sitio, antes lo hay muy dispuesto. Cuando pasó por allí el visorey Blasco Núñez Vela, que iba huyendo de la furia tiránica de Gonzalo Pizarro y de los que eran de su parte, dicen que dijo que si se viese puesto en la gobernación del reino que había de fundar en aquellos llanos una ciudad y repartir los indios comarcanos a los vecinos que en ella quedasen. Mas siendo Dios servido, y permitiéndolo por algunas causas que El sabe, hubo de ser el visorey muerto; y Gonzalo Pizarro mandó al capitán Alonso de Mercadillo que fundase una ciudad en aquellas comarcas, y por tenerse este asiento por término de Quito no se pobló en él, y se asentó en la provincia de Chaparra, según diré luego. Desde la ciudad de San Francisco del Quito hasta estos aposentos hay cincuenta y cinco leguas. Aquí dejaré el camino real por donde voy caminando, por dar noticia de los pueblos y regiones que hay en las comarcas de las ciudades Puerto Viejo y Guayaquil; y concluido con sus fundaciones, volveré al camino real que he comenzado.

CAPITULO XLV

Del camino que hay de la provincia de Quito a la costa de la mar del sur, y términos de la cuidad de Puerto Viejo

Llegado he con mi escriptura a los aposentos de Tumebamba, por poder dar noticia de manera que se entienda de las ciudades de Puerto Viejo y Guayaquil. Y cierto rehusé en este paso la carrera de pasar adelante; porque lo uno, yo anduve poco por aquellas comarcas, y lo otro, porque los naturales son faltos de razón y orden política; tanto, que con gran dificultad se puede colegir dellos sino poco, y también porque me parescía que bastaba proseguir el camino real (198); mas la obligación que tengo de satisfacer a los curiosos me hace tomar ánimo de pasar adelante para darles verdadera relación de todas las cosas que más posible me fuere. Lo cual creo cierto me será agradescido por ellos y por los doctos hombres benévolos y prudentes. Y así, de lo más verdadero y cierto que yo hallé tomé la relación y noticia que aquí diré. Lo cual hecho, volveré a mi principal camino.

Pues volviendo a estas ciudades de Puerto Viejo y Guayaquil, es desta manera: que saliendo por el camino de Quito a la parte de la costa de la mar del Sur, comenzaré desde Quaque, que es por aquel cabo el principio desta tierra, y por la otra se podrá decir el fin. De Tumebamba no hay camino derecho a la costa si no es para ir a salir de los términos de la ciudad de San Miguel, primera población hecha por los cristianos en el Perú.

Por lo cual digo que en la comarca de Quito, no muy lejos de la ciudad de Tumebamba, está una provincia que ha por nombre Chumbo, puesto que antes de llegar allí hay otras mayores y menores pobladas de gente vestida, y que sus mujeres son de buen parecer. Hay en la comarca destos pueblos aposentos principales, como en los pasados, y sirvieron y obedecieron a los ingas señores suyos, y hablaban la lengua general que me mandó por ellos que se usase en todas partes. Y a tiempos usan de congregaciones para hallarse en ellas los más principales, a donde tratan lo que conviene al beneficio así de sus patrias como de los particulares provechos dellos. Tienen las costumbres como las que arriba he dicho, y son semejantes a ellos en las religiones. Adoran por dios al sol y a otros dioses que ellos tienen o tenían. Creen la inmortalidad del ánima. Tenían su cuenta con el demonio, y permitiéndolo Dios por sus pecados, tenía sobre ellos gran señorío. Agora en este tiempo, como por todas partes se predica la santa fe, muchos se llegan y están conjuntos con los

(198) *Camino real del Inca* llamaron los españoles a las calzadas peruanas.

cristianos, y tienen entre ellos clérigos y frailes que les dotrinan y enseñan las cosas de la fe.

Cada uno de los naturales destas provincias y todos los más linajes de gentes que habitan en aquellas partes tienen una señal muy cierta y usada, por la cual en todas partes son conocidos. Estando yo en el Cuzco entraban de muchas partes gentes, y por las señales conocíamos que los unos eran canches y los otros cañas y los otros collas, y otros guancas y otros cañares y otros chachapoyas (199). Lo cual cierto fue galana invención para en tiempo de guerra no tenerse unos por otros, y para en tiempo de paz conocerse a sí propios entre muchos linajes de gentes que se congregaban por mandado de los señores y se juntaban para cosas tocantes a su servicio, siendo todos de una color y faiciones y aspecto, y sin barbas, y con un vestido, y usando por toda la tierra un solo lenguaje. En todos los más destos pueblos principales hay iglesias, a donde se dicen misas y se dotrina, y se tiene gran cuidado y orden en traer los muchachos hijos de los indios a que aprendan las oraciones, y con ayuda de Dios se tiene esperanza que siempre irá en crecimiento.

Desta provincia de Chumbo van hasta catorce leguas, todo camino áspero y a partes dificultoso, hasta llegar a un río, en el cual hay siempre naturales de la comarca que tienen balsas, en que llevan a los caminantes por aquel río a salir al paso que dicen de Guaynacapa (200). El cual está (a lo que dicen) de la isla de Puna doce leguas por una parte, y por otra hay indios naturales y no de tanta razón como los que atrás quedan, porque algunos dellos enteramente no fueron conquistados por los reyes ingas.

(199) Por orden de enunciación: *canches* son los canchis, hoy provincia de Sicuani, Departamento del Cuzco; *canas* que no *cañas*, *collas* o del sur y sur-este (Titicaca), cañares del norte, de la región que acaba de describir y chachapoyas actual, Departamento de Amazonas.

(200) Huayna-Capac.

CAPITULO XLVI

En que se da noticia de algunas cosas tocantes a las provincias de Puerto Viejo y a la línea equinocial

El primer puerto de la tierra del Perú es el de Pasaos, y dél y del río de Santiago comenzó la gobernación del marqués don Francisco Pizarro, porque lo que queda atrás hacia la parte del norte cae en los términos de la provincia del río de San Juan; y así, se puede decir que entra en los límites de la ciudad de Santiago de Puerto Viejo, donde, por ser esta tierra tan vecina a la equinocial, se cree que son en alguna manera los naturales no muy sanos. En lo tocante a la línea, algunos de los cosmógrafos antiguos variaron, y erraron en afirmar que por ser cálida no se podía habitar. Y porque esto es claro y manifiesto a todos los que habemos visto la fertilidad de la tierra y abundancia de las cosas para la sustentación de los hombres pertenecientes, y porque desta línea equinocial se toca en algunas partes desta historia, por tanto daré aquí razón de lo que della tengo entendido de hombres peritos en la cosmografía; lo cual es que la línea equinocial es una vara o círculo imaginado por medio del mundo, de levante en poniente, en igual apartamiento de los polos del mundo. Dícese equinocial porque pasando el sol por ella hace equinocio, que quiere decir igualdad del día y de la noche. Esto es dos veces en el año, que son a 11 de marzo y 13 de setiembre. Y es de saber que (como dicho tengo) fue opinión de algunos autores antiguos que debajo desta línea equinocial era inhabitable; lo cual creyeron porque, como allí envía el sol sus rayos derechamente a la tierra, habría tan excesivo calor, que no se podría habitar. Desta opinión fueron Virgilio y Ovidio y otros singulares varones (201). Otros tuvieron que alguna parte sería habitaba, siguiendo a Ptolomeo, que dice: «No conviene que pensemos que la tórrida zona totalmente sea inhabitada.» Otros tuvieron que allí no solamente era templada y sin demasiado calor, mas

(201) La erudición clásica de Cieza no es muy grande, pues en lugar de poetas, podía haber mencionado a astrónomos y geógrafos, como Ptolomeo, lo que hace a continuación.

aun templadísima. Y esto afirma San Isidoro en el primero de las *Etimologías*, donde dice que el paraíso terrenal es en el oriente, debajo de la línea equinocial, templadísimo y amenísimo lugar. La experiencia agora nos muestra que, no sólo debajo de la equinocial, mas toda la tórrida zona, que es de un trópico a otro, es habitada, rica y viciosa, por razón de ser todo el año los días y noches casi iguales. De manera que el frescor de la noche templa el calor del día, y así contino tiene la tierra sazón para producir y criar los frutos. Esto es lo que de su propio natural tiene, puesto que accidentalmente en algunas partes hace diferencia.

Pues tornando a esta provincia de Santiago de Puerto Viejo, digo que los indios desta tierra no viven mucho. Y para hacer esta experiencia en los españoles, hay tan pocos viejos hasta agora, que más se han apocado con las guerras que no con enfermedades. De esta línea hacia la parte del polo Artico está el trópico de Cáncer cuatrocientas y veinte leguas della, en veinte y tres grados y medio, donde el sol llega a los 11 de junio y nunca pasa dél; porque desde allí da la vuelta hacia la misma línea equinocial, y vuelve a ella a 13 de setiembre, y por el consiguiente, desciende hasta el trópico de Capricornio otras cuatrocientas y veinte leguas, y está en los mismos veinte y tres grados y medio. Por manera que hay distancia de ochocientas y cuarenta leguas de trópico a trópico. A esto llamaron los antiguos la tórrida zona, que quiere decir tierra tostada o quemada, porque el sol en todo el año se mueve encima della.

Los naturales desta tierra son de mediano cuerpo, y tienen y poseen fertilísima tierra, porque se da gran cantidad de maíz y yuca y ajes o batatas, y otras muchas maneras de raíces provechosas para la sustentación de los hombres. Y también hay gran cantidad de guayabas muy buenas, de dos o tres maneras, y guabas y aguacates y tunas de dos suertes, las unas blancas y de tan singular sabor, que se tiene por fruta gustosa; caimitos, y otra fruta que llaman cerecillas. Hay también gran cantidad de melones de los de España y de los de la tierra, y se dan por todas partes muchas legumbres y habas, y hay muchos árboles de naranjos y limas, y no poca cantidad de plátanos, y se crían en algunas partes singulares piñas; y de los puercos que solía haber en la tierra hay gran cantidad, que tenían (como conté hablando del puerto de Urabá) el ombligo junto a los lomos, lo cual no es sino alguna cosa que allí les nace (202), y como por la parte de abajo no se halla ombligo, dijeron serlo lo que está arriba; y la carne destos es muy sabrosa. También hay de los puercos de la casta de España y muchos venados de la más singular carne y sabrosa que hay en la mayor parte del Perú. Perdices se crían no pocas manadas dellas, y tórtolas, palomas, pavas, faisanes y otro gran número de aves, entre las cuales hay una que llaman xuta, que será del tamaño de un gran pato; a ésta crían los indios en sus casas, y son domésticas y buenas para comer. También hay otra que tiene por nombre maca, que es poco menor que un gallo, y es linda cosa ver las colores que tienen y cuán vivas; el pico destas es algo grueso y mayor que un dedo, y partido en dos perfectísimas colores, amarilla y colorada. Por los montes se ven algunas zorras y osos, leoncillos pequeños y algunos tigres y culebras; pero, en fin, estos animales antes huyen del hombre que no le acometen. Otros algunos habrá de que yo no tengo noticia. Y también hay otras aves nocturnas y de rapiña, así por la costa como por la tierra dentro, y algunos condores (203) y otras aves que llaman gallinazas hediondas, o por otro nombre auras (204). En las quebradas y montes hay grandes espesuras, florestas y árboles de muchas maneras, provechosos para hacer casas y otras cosas; en lo interior de algunos dellos crían abejas, que hacen en la concavidad de los árboles panales de miel singular. Tienen estos indios muchas pesquerías, a donde matan pescado en cantidad; entre ellos se toman unos que llaman bonitos, que es mala naturaleza de pescado, porque causa a quien lo come calenturas y otros males. Y aun en la ma-

(202) Es la ya mencionada glándula dorsal del pecari, que Cieza intuye que no puede ser el ombligo.

(203) Primera mención en Cieza de la gran ave andina. Hay también cóndores de selva.

(204) Ave de rapiña, especialmente comedora de carroña o desperdicios. En el Perú se los llama *gallinazos* y eran hasta hace poco muy frecuentes en las grandes ciudades.

yor parte desta costa se crían (205) en los hombres unas verrugas bermejas del grandor de nueces, y les nascen en la frente y en las narices y en otras partes; que, demás de ser mal grave, es mayor la fealdad que hace en los rostros, y créese que de comer algún pescado procede este mal. Como quiera que sea, reliquias son de aquella costa, y sin los naturales, ha habido muchos españoles que han tenido estas verrugas.

En esta costa y tierra subjeta a la ciudad de Puerto Viejo y a la de Guayaquil hay dos maneras de gente, porque desde el cabo de Pasaos y río de Santiago hasta el pueblo de Zalango son los hombres labrados en el rostro, y comienza la labor desde el nacimiento de la oreja y superior dél, y desciende hasta la barba, del anchor que cada uno quiere. Porque unos se labran la mayor parte del rostro y otros menos, casi y de la manera que se labran los moros (206). Las mujeres destos indios, por el consiguiente, andan labradas y vestidas ellas y sus maridos de mantas y camisetas de algodón, y algunas de lana. Traen en sus personas algún adornamiento de joyas de oro y unas cuentas muy menudas, a quien llaman chaquira (207) colorada, que era rescate extremado y rico. Y en otras provincias he visto yo que se tenía por tan preciada esta chaquira, que se daba harta cantidad de oro por ella. En la provincia de Quimbaya (que es donde está situada la ciudad de Cartago) le dieron ciertos caciques o principales al mariscal Robledo más de mil y quinientos pesos por poco menos de una libra. Pero en aquel tiempo por tres o cuatro diamantes de vidrio daban doscientos y trescientos pesos. Y en esto de vender a los indios, seguros estamos que no nos llamaremos a engaño con ellos. Aun me ha acaecido de vender a indio una hacha pequeña de cobre y darme él por ella tanto oro fino como la hacha pesaba; y los pesos tampoco iban muy por fiel; pero ya es otro tiempo, y saben bien vender lo que tienen y mer-

(205) Debe significar, por errata, *se crecían*. Puede estar refiriéndose a la *uta*, enfermedad mortal, que destruye el labio superior. Martínez Compañón, en su álbum de acuarelas citado (ver nota 187) reproduce un enfermo de esta dolencia.

(206) Tatuajes.

(207) Aljofar. La palabra, según Corominas, aparece en 1526 y es de origen antillano. Es curioso que Cieza diga que los de esta provincia lo llaman así.

car lo que han menester. Y los principales pueblos donde los naturales usan labrarse en esta provincia son: Pasaos, Xaramixo, Pimpanguace, Peclansemeque y el valle de Xagua, Pechonse, y los de Monte-Cristo, Apechigue y Silos, y Canilloha y Manta y Zapil, Manavi, Xaraguaza y otros que no se cuentan, que están a una parte y a otra. Las casas que tienen son de madera, y por cobertura paja, unas pequeñas y otras mayores, y como tiene la posibilidad el señor della.

CAPITULO XLVII

De lo que se tiene sobre si fueron conqusitados estos indios desta comarca o no por los ingas, y la muerte que dieron a ciertos capitanes de Topainga Yupangue

Muchos dicen que los señores ingas no conquistaron ni pusieron debajo de su señoría a estos indios naturales de Puerto Viejo de que voy aquí tratando, ni que enteramente los tuvieron en su servicio, aunque algunos afirman lo contrario, diciendo que sí los señorearon y tuvieron sobre ellos mando. Y cuenta el vulgo sobre esto que Guaynacapa en persona vino a los conquistar, y porque en cierto caso no quisieron cumplir su voluntad, que mandó por ley que ellos y sus descendientes y sucesores se sacasen tres dientes de la boca de los de la parte de encima y otros tres de los más bajos, ya que en la provincia de los Guancabilcas (208) se usó mucho tiempo esta costumbre. Y a la verdad, como todas las cosas del pueblo sea una confusión de variedad, y jamás saben dar en el blanco de la verdad, no me espanto que digan esto, pues en otras cosas mayores fingen desvaríos no pensados, que después quedan en el sentido de las gentes, y no ha de servir para entre los cuerdos sino de fábulas y novelas. Y esta digresión quiero hacerla en este lugar para que sirva en lo de adelante; pues las cosas que ya están escriptas, si se reiteran muchas veces es fastidio para el lector. Servirá (como digo) para dar aviso que en las

(208) Huancavélicas.

más de las cosas que el vulgo cuenta de los acaescimientos que han pasado en Perú son variaciones, como arriba digo. Y en lo que toca a los naturales, los que fueren curiosos de saber sus secretos entenderán lo que yo digo. Y en lo tocante a la gobernación y a las guerras y debates que ha habido, no pongo por jueces sino a los varones que se hallaron en las consultas y congregaciones y en el despacho de los negocios; estos tales digan lo que pasó, y cuenten los dichos del pueblo, y verán cómo no concuerda lo uno con lo otro. Y esto baste para aquí.

Volviendo, pues, al propósito, digo que (según yo tengo entendido de indios viejos capitanes que fueron de Guaynacapa) en tiempo del gran Topainga Yupangue (209), su padre, vinieron ciertos capitanes suyos con alguna copia de gente, sacada de las guarniciones ordinarias que estaban en muchas provincias del reino, y con mañas y maneras que tuvieron los atrajeron a la amistad y servicio de Topainga Yupangue. Y muchos de los principales fueron con presentes a la provincia de los Paltas a le hacer reverencia; y él los recibió benignamente y con mucho amor, dando a algunos de los que los vinieron a ver piezas ricas de lana hechas en el Cuzco. Y como les conviniese volver a las provincias de arriba, a donde por su gran valor era tan estimado, que le llamaban padre y le honraban con nombres preeminentes, fue tanta su benevolencia y amor para con todos, que adquirió entre ellos fama perpetua. Y por dar asiento en cosas tocantes al buen gobierno del reino, partió sin poder por su persona visitar las provincias destos indios; en las cuales dejó algunos gobernadores y naturales del Cuzco, para que les hiciesen entender la manera con que habían de vivir para no ser tan rústicos y para otros efectos provechosos (210). Pero ellos, no solamente no quisieron admitir el buen deseo destos que por mandado de Topainga quedaron en estas provincias para que los encaminasen en buen uso de vivir y en la policía y costumbres suyas, y les hiciesen entender lo tocante al agricultura, y les diesen manera de vivir con

(209) Tupac-Yupanqui.
(210) Esta es la *leyenda rosa* incaica, doctrina oficial de los *amautas* u hombres sabios, sacerdotes y profesores del Incanato, muy expandida y cuyo portavoz posterior es el inca Garcilaso de la Vega (ver nota 149).

más acertada orden de la que ellos usaban; más antes, en pago del beneficio que recibieran si no fueran tan mal conocidos, los mataron todos, que no quedó ninguno en los términos desta comarca, sin que les hiciesen mal ni les fuesen tiranos para que lo mereciesen. Esta grande crueldad afirman que entendió Topainga, y por otras causas muy importantes la disimuló, no pudiendo entender en castigar a los que tan malamente habían muerto a estos sus capitanes y vasallos.

CAPITULO XLVIII

Como estos indios fueron conquistados por Guaynacapa, y de cómo hablaban con el demonio y sacrificaban y enterraban con los señores mujeres vivas

Pasado lo que tengo contado en esta provincia de Santiago, comarcana a la ciudad de Puerto Viejo, es público entre muchos de los naturales della que andando los tiempos, y reinando en el Cuzco aquel que tuvieron por grande y poderoso rey, llamado Guaynacapa, abajando por su propia persona a visitar las provincias de Quito, sojuzgó enteramente a su señorío a todos estos naturales desta provincia; aunque cuentan que primero le mataron mayor número de gente y capitanes que a su padre, Topainga, y con mayor falsedad y engaño, como diré en el capítulo siguiente. Y hase de entender que todas estas materias que escribo en lo tocante a los sucesos y cosas de los indios lo cuento y trato por relación que de todo me dieron ellos mismos (211); los cuales, por no tener letras ni saberlas, y para que el tiempo no consumiese sus acaescimientos y hazañas, tenían una gentil y galana invención, como trataré en la segunda parte desta crónica (212). Y aunque en estas comarcas se hicieron servicios a Guayna-

(211) Afirmación, por parte de Cieza, de que transcribe una tradición oral del Inkario.

(212) Se refiere a los *quipus*. Estos, además de servir para la cuenta, parece que también reseñaban sucesos y actos de los Inkas. Son lo que se han llamado *quipus históricos*, aunque nadie aún los ha localizado, ni siquiera Carlos Radicatti di Primeglio, el más competente estudioso de esta materia.

capa, y presentes de esmeraldas ricas y de oro y de las cosas que ello más tenían, no había aposentos ni depósitos, como habemos dicho que hay en las provincias pasadas. Y esto también la causaba ser la tierra tan enferma y los pueblos tan pequeños, lo cual era causa que no quisiesen residir en ella los orejones (213), por tenerla por de poca estimación, pues en la que ellos moraban y poseían había bien donde se pudiesen extender. Eran los naturales destos pueblos que digo en extremo agoreros y usaban de grandes religiones; tanto, que en la mayor parte del Perú no hubo otras gentes que tanto como éstos sacrificasen, según es público y notorio. Sus sacerdotes tenían cuidado de los templos y del servicio de los simulacros o ídolos que representaban la figura de sus falsos dioses, delante de los cuales, a sus tiempos y horas, decían algunos cantares y hacían las ceremonias que aprendieron de sus mayores, al uso y costumbres que sus antiguos tenían. Y el demonio, con espantable figura, se dejaba ver de los que estaban establecidos y señalados para aquel maldito oficio, los cuales era muy reverenciados y temidos por todos los linajes y tierras destos indios. Entre ellos uno era el que daba las respuestas y les hacía entender todo lo que pasaba, y aun muchas veces, por no perder el crédito y reputación y carecer de su honor, hacía apariencias con grandes meneos, para que creyesen que el demonio le comunicaba las cosas arduas y de mucha calidad, y todo lo que había de suceder en lo futuro, en lo cual pocas veces acertaba, aunque hablase por boca del mismo diablo. Y ninguna batalla ni acaescimiento ha pasado entre nosotros mismos, en nuestras guerras locas y civiles (214), que los indios de todo este reino y provincia no lo hayan primero anunciado y dicho; mas cómo y adónde se ha de dar, antes ni agora ni en ningún tiempo nunca de veras aciertan ni acertaban; pues está muy claro, y así se ha de creer, que sólo Dios sabe los acaescimientos por venir, y no otra criatura. Y si el demonio acierta en algo es acaso y porque siempre responde equívocamente, que es decir palabras que pueden tener muchos entendimientos. Y por el don de

(213) Nobleza incaica. Véase nota 195.
(214) El *nuestras* es evidente que se refiere a las contiendas habidas entre españoles, que no a las que los incas tuvieron antes de la Conquista.

sutilidad y astucia y por la mucha edad y experiencia que tiene en todas las cosas habla con los simples que le oyen; y así muchos d elos gentiles conocieron el engaño destas respuestas. Muchos destos indios tienen por cierto el demonio ser falso y malo, y le obedescían más por temor que por amor, como trataré más largo en lo de adelante. De manera que estos indios, unas veces engañados por el demonio y otras por el mismo sacerdote, fingiendo lo que no era, los traía sometidos en su servicio, todo por la permisión del todopoderoso Dios. En los tempios o guacas (215), que es su oratorio, les daban a los que tenían por dioses presentes y servicios, y mataban animales para ofrecer por sacrificio la sangre dellos. Y por que les fuese más grato, sacrificaban otra cosa más noble, que era sangre de algunos indios, a lo que muchos afirman. Y si habían preso a algunos de sus comarcanos con quien tuviesen guerra o alguna enemistad, juntábanse (según también cuentan), y después de haberse embriagado con su vino y haber hecho lo mismo del preso, con sus navajas de pedernal o de cobre el sacerdote mayor dellos lo mataba, y cortándole la cabeza la ofrecían con el cuerpo al maldito demonio, enemigo de natura humana. Y cuando alguno dellos estaba enfermo bañábase muchas veces, y hacía otras ofrendas y sacrificios, pidiendo la salud.

Los señores que morían eran muy llorados y metidos en las sepulturas, adonde también echaban con ellos algunas mujeres vivas y otras cosas de las más preciadas

(215) Cieza emplea la palabra *guaca* (o *huaca*) de un modo genérico, aunque éstas entre los incas nunca fueron tempĺos, sino lugares más o menos sagrados (algunos inkas prohibieron su culto, por ser incontrolado por el sacerdocio oficial). En la zona de la que va tratando Cieza no se llamaban así, sino que él las designa de este modo, para entendimiento del lector... Posteriormente se llamó *huaca*, entre los españoles, a las tumbas, que aportaban hallazgos de tesoros (como ya ha escrito Cieza anteriormente en este libro), de donde se derivarán el verbo *huaquear* y la palabra *huaquero*, o persona que busca tesoros en las tumbas. Arqueológicamente el *huaqueo* ha sido uno de los males más grandes, ya que se trata de excavaciones incontroladas, destructoras de yacimientos, sin estudio alguno, sólo buscadoras de objetos para el comercio de piezas antiguas, cuando no de tesoros metálicos, fundiéndose las piezas con fines meramente lucrativos. La fundación de *Museos del Oro* (el primero el del Banco de la República de Colombia, por iniciativa del antropólogo francés Paul Rivet) ha conseguido, al menos, el salvamento de muchas piezas que, sin esta iniciativa, se hubieran perdido en los hornos de fundición.

que ellos tenían. No ignoraban la inmortalidad del ánima; mas tampoco podemos afirmar que lo sabían enteramente. Mas es cierto que éstos, y aun los más de gran parte destas Indias (según contaré adelante), que con las ilusiones del demonio, andando por las sementeras, se les aparece en figura de las personas que ya eran muertas, de los que habían sido sus conocidos, y por ventura padres o parientes; los cuales parecía que andaban con su servicio y aparato como cuando estaban en el mundo. Con tales apariencias ciegos, los tristes seguían la voluntad del demonio, y así, metían en las sepulturas la compañía de vivos y otras cosas, para que llevase el muerto más honra; teniendo ellos que haciéndolo así guardaban sus religiones y cumplían el mandamiento de sus dioses, y iban a lugar deleitoso y muy alegre, adonde habían de andar envueltos en sus comidas y bebidas, como solían acá en el mundo al tiempo que fueron vivos.

CAPITULO XLIX

De cómo se daban poco estos indios de haber las mujeres vírgenes y de cómo usaban el nefando pecado de la sodomía

En muchas destas partes los indios dellas adoraban al sol, aunque todavía tenían tino a creer que había un Hacedor y que su asiento era en el cielo. El adorar al sol, o debieron de tomarlo de los ingas, o era por ellos hecho antiguamente en la provincia de los Guancabilcas, por sacrificio establecido por los mayores y usado de muchos tiempos dellos.

Solían (según dicen) sacarse tres dientes de lo superior de la boca y otros tres de lo inferior, como en lo de atrás apunté, y sacaban destos dientes los padres a los hijos cuando eran de muy tierna edad, y creían que en hacerlo no cometían maldad, antes lo tenían por servicio grato y muy apacible a sus dioses. Casábanse como lo hacían sus comarcanos, y aun oí afirmar que algunos o los más, antes que casasen, a la que había de tener marido la corrompían, usando con ella sus lujurias. Y sobre esto me acuerdo de que en cierta parte de la provincia de Cartagena, cuando casan las hijas y se ha de entregar la esposa al novio, la madre de la moza, en presencia de algunos de su linaje, la corrompe con los dedos. De manera que se tenía por más honor entregarla al marido con esta manera de corrupción que no con su virginidad. Ya de la una costumbre o de la otra, mejor era la que usan algunas destas tierras, y es que los más parientes y amigos tornan dueña a la que está virgen, y con aquella condición la casan y los maridos la reciben.

Heredan en el señorío, que es mando sobre los indios, el hijo al padre, y si no, el segundo hermano; y faltando éstos (conforme a la relación que a mí me dieron), viene al hijo de la hermana. Hay algunas mujeres de buen parescer. Entre estos indios de que voy tratando, y en sus pueblos, se hace el mejor y más sabroso pan de maíz que en la mayor parte de las Indias, tan gustoso y bien amasado que es mejor que alguno de trigo que se tiene por bueno.

En algunos pueblos destos indios tienen gran cantidad de cueros de hombres llenos de ceniza, tan espantables como los que dije en lo de atrás que había en el valle de Lile, subjeto a la ciudad de Cali. Pues como éstos fuesen malos y viciosos, no embargante que entre ellos había mujeres muchas, y algunas hermosas, los más dellos usaban (a lo que a mí me certificaron) pública y descubiertamente el pecado nefando de la sodomía, en lo cual dicen que se gloriaban demasiadamente. Verdad es que los años pasados el capitán Pacheco y el capitán Olmos, que agora están en España, hicieron castigo sobre los que cometían el pecado susodicho, amonestándolos cuánto dello el poderoso Dios se desirve, y los escarmentaron de tal manera, que ya se usa poco o nada de este pecado, ni aun las demás costumbres que tenían dañosas, ni usan los otros abusos de sus religiones, porque han oído doctrina de muchos clérigos y frailes y van entendiendo cómo nuestra fe es la perfecta y la verdadera y que los dichos del demonio son falsos y sin fundamento, y cuyas engañosas respuestas han cesado. Y por todas partes donde el Santo Evangelio se predica y se pone la cruz, se espanta y huye, y en público no osa hablar ni hacer más que los salteadores, que hacen a hurto y en oculto sus saltos. Lo cual hace el demonio a los flacos y a los que por sus pecados están endurecidos en sus vicios. Verdad es que la fe imprime mejor en los mozos que no en muchos viejos; porque, como están envejecidos en sus vicios, no dejan de cometer sus antiguos pecados secretamente y de tal manera que los cristianos no los pueden entender (216). Los mozos oyen a los sacerdotes nuestros, y escuchan sus santas amonestaciones, y siguen nuestra doctrina cristiana. De manera que en estas comarcas hay de malos y buenos, como en todas las demás partes.

CAPITULO L

Cómo antiguamente tuvieron una esmeralda por dios, en que adoraban los indios de Manta, y otras cosas que hay que decir destos indios

En muchas historias que he visto, he leído, si no me engaño, que en unas provincias adoraban por dios a la semejanza del toro, y en otra a la del gallo, y en otra al león, y por el consiguiente tenían mil supersticiones desto, que más parece al leerlo materia para reír que no para otra cosa alguna. Y sólo noto desto que digo que los griegos fueron excelentes varones, y en quien muchos tiempos y edades florecieron las letras, y hubo en ellos varones muy ilustres y que vivirá la memoria dellos todo el tiempo que hubiere escripturas, y cayeron en este error. Los egipcios fue lo mismo, y los bactrianos y babilónicos, pues los romanos, a dicho de graves y doctos hombres, les pasaron; y tuvieron unos y otros unas maneras de dioses que son cosa donosa pensar en ello, aunque algunas destas naciones atribuyan el adorar y reverenciar por dios a uno por haber recebido dél algún beneficio, como fue a Saturno y a Júpiter y a otros; mas ya eran hombres, y

(216) Cieza deja constancia de la permanencia clandestina de cultos paganos y supersticiones. El cura mestizo Francisco de Avila, párroco de Huarochiri, en el Perú, en la costa, hizo un informe sobre la supervivencia de estas prácticas.

no bestias. De manera, pues que adonde había tanta sciencia humana, aunque falsa y engañosa, erraron. Así, estos indios, no embargante que adoraban al sol y a la luna, también adoraban en árboles, en piedras y en la mar y en la tierra, y en otras cosas que la imaginación les daba. Aunque, según yo me informé, en todas las más partes destas que tenían por sagradas era visto por sus sacerdotes el demonio, con el cual comunicaban no otra cosa que perdición para sus ánimas. Y así, en el templo más principal de Pachacama (217) tenían una zorra en grande estimación, la cual adoraban. Y en otras partes, como iré recontando en esta historia, y en esta comarca, afirman que el señor de Manta tiene o tenía una piedra de esmeralda, de mucha grandeza y muy rica, la cual tuvieron y poseyeron sus antecesores por muy venerada y estimada, y algunos días la ponían en público, y la odoraban y reverenciaban como si estuviera en ella encerrada alguna deidad. Y como algún indio o india estuviese malo, después de haber hecho sus sacrificios iban a hacer oración a la piedra, a la cual afirman que hacían servicio de otras piedras, haciendo entender el sacerdote que hablaba con el demonio que venía la salud mediante aquellas ofrendas; las cuales después el cacique y otros ministros del demonio aplicaban a sí porque de muchas partes de la tierra adentro venían los que estaban enfermos al pueblo de Manta a hacer los sacrificios y a ofrecer sus dones. Y así, me afirmaron a mí algunos españoles de los primeros que descubrieron este reino hallar mucha riqueza en este pueblo de Manta, y que siempre dio más que los comarcanos a él a los que tuvieron por señores o encomenderos. Y dicen que esta piedra tan grande y rica que jamás han querido decir della, aunque han hecho hartas amenazas a los señores y principales, ni aun lo dirán jamás, a lo que se cree, aunque los maten a todos: tanta fue la veneración en que la tenían. Este pueblo de Manta está en la costa, y por el consiguiente todos los más de los que he contado. La tierra adentro hay más número de gentes y mayores pueblos, y difieren en la lengua a los de la costa, y tienen los mismos mantenimientos y frutas que ellos. Sus casas son de madera, pequeñas; la cobertura, de

(217) Pachacamac, en la costa peruana del Pacífico, al sur de Lima.

paja o de hoja de palma. Andan vestidos unos y otros, estos que nombro, serranos, y lo mismo sus mujeres. Alcanzaron algún ganado de las ovejas que dicen del Perú, aunque no tantas como en Quito ni en las provincias del Cuzco. No eran tan grandes hechiceros y agoreros como los de la costa, ni aun eran tan malos en usar el pecado nefando. Tiénese esperanza que hay minas de oro en algunos ríos desta tierra, y que cierto está en ella la riquísima mina de las esmeraldas; la cual, aunque muchos capitanes han procurado saber donde está, no se ha podido alcanzar, ni los naturales lo dirán. Verdad es que el capitán Olmos dicen que tuvo lengua desta mina, y aun afirman que supo dónde estaba; lo cual yo creo, si así fuera, lo dijera a sus hermanos o a otras personas. Y cierto, mucho ha sido el número de esmeraldas que se han visto y hallado en esta comarca de Puerto Viejo, y son las mejores de todas las Indias; porque aunque en el nuevo reino de Granada haya más, no son tales, ni con mucho se igualan en el valor de las mejores de allá a las comunes de acá.

Los carangues y sus comarcanos es otro linaje de gente, y no son labrados, y eran de menos saber que sus vecinos, porque eran behetrías (218); por causas muy livianas se daban guerras unos a otros. En naciendo la criatura le abajaban la cabeza, y después la ponían entre dos tablas, liada de tal manera que cuando era de cuatro o cinco años le quedaba ancha o larga y sin colodrillo; y esto muchos lo hacen, y no contentándose con las cabezas que Dios les da, quieren ellos darles el talle que más les agrada; y así, unos la hacen ancha y otros larga. Decían ellos que ponían destos talles las cabezas porque serían más sanos y para más trabajo (219). Algunas destas gentes, especialmente los que están abajo del pueblo de Colima a la parte del norte, andaban desnudos y se contrataban con los indios de la costa que va de largo hacia el río de San Juan. Y cuentan que Guaynacapa llegó, después de haberle muerto a sus capitanes, hasta Colima, adonde mandó hacer una fortaleza; y como viese andar los indios desnudos, no pasó adelante, antes dicen que dio la vuelta, mandando a

(218) Parcialidades autónomas (véase nota 87).
(219) Véase nota 118.

ciertos capitanes suyos que contratasen y señoreasen lo que pudiesen, y llegaron por entonces al río de Santiago. Y cuentan muchos españoles que hay vivos en este tiempo, de los que vinieron con el adelantado don Pedro de Albarado, especialmente lo oí al mariscal Alonso de Albarado y a los capitanes Garcilaso de la Vega y Juan de Saavedra, y a otro hidalgo que ha por nombre Suer de Cangas, que como el adelantado don Pedro llegase a desembarcar con su gente en esta costa, y llegado a este pueblo, hallaron gran cantidad de oro y plata en vasos y otras joyas preciadas; sin lo cual, hallaron gran número de esmeraldas, que si las conocieran y guardaran se hubiera por su valor mucha suma de dinero; mas como todos afirmasen que eran de vidrio y que para hacer la experiencia (porque entre algunos se platicaba que podrían ser piedras) las llevaban donde tenían una gibornia (220), y que allí con martillo la quebraban, diciendo que si eran de vidrio luego se quebrarían, y si eran piedras se pararían más perfectas con los golpes. De manera que por la falta de conoscimiento y poca experiencia quebraron muchas destas esmeraldas, y pocos se aprovecharon dellas, ni tampoco del oro y plata gozaron, porque pasaron grandes hambres y fríos, y por las montañas y caminos se dejaban las cargas del oro y de la plata. Y porque en la tercera parte he dicho ya tener escrito estos sucesos cumplidamente, pasaré adelante (221).

CAPITULO LI

En que se concluye la relación de los indios de la provincia de Puerto Viejo y lo demás tocante a su fundación, y quién fue el fundador

Brevemente voy tratando lo tocante a estas provincias del Puerto Viejo, porque lo más substancial lo he decla-

(220) Yunque de dos puntas. Aparece, según Corominas, en 1495. Procede de *bicornia* (dos cuernos), usado ya en 1365.

(221) Esta afirmación nos muestra que cuando redacta, o corrige, este texto ya tiene no sólo pensada, sino escrita también la obra completa.

rado, para luego volver a los aposentos de Tumebamba, donde dejé la historia de que voy tratando. Por tanto, digo que luego que el adelantado don Pedro de Albarado y el mariscal don Diego de Almagro se concertaron en los llanos de Ríobamba, el adelantado don Pedro se fue para la ciudad de los Reyes, que era adonde había de recebir la paga de los cien mil castellanos que se le dieron por el armada. Y en el ínterin el mariscal don Diego de Almagro dejó mandado al capitán Sebastián de Belalcázar algunas cosas tocantes a la provincia y conquista del Quito, y entendió en reformar los pueblos marítimos de la costa, lo cual hizo en San Miguel y en Chimo (222); miró lugar provechoso y que tuviese las calidades convenientes para fundar la ciudad de Trujillo, que después pobló el marqués don Francisco Pizarro.

En todos estos caminos verdaderamente (según que yo entendí) el mariscal don Diego de Almagro se mostró diligente capitán; el cual, como llegase a la ciudad de San Miguel y supiese que las naos que venían de la Tierra Firme y de las provincias de Nicaragua y Guatimala y de la Nueva España, llegadas a la costa del Perú, saltaban los que venían en ellas en tierra y hacían mucho daño en los naturales de Manta y en los más indios de la costa de Puerto Viejo, por evitar estos daños, y para que los naturales fuesen mirados y favorescidos, porque supo que había copia dellos y adonde se podía fundar una villa o ciudad, determinó de enviar un capitán a lo hacer.

Y así, dicen que mandó luego al capitán Francisco Pacheco que saliese con la gente necesaria para ello; y Francisco Pacheco, haciéndolo así como le fue mandado, se embarcó en un pueblo que ha por nombre Picuaza, y en la parte que mejor le paresció fundó y pobló la ciudad de Puerto Viejo, que entonces se nombró villa. Esto fue día de San Gregorio, a 12 de marzo, año del nascimiento de nuestro redentor Jesucristo de 1535, y fundóse en nombre del emperador don Carlos, nuestro rey y señor.

Estando entendiendo en esta conquista y población el capitán Francisco Pacheco vino del Quito (donde también andaba por teniente general de don Francisco Pizarro el

(222) Se refiere al reino mochica de Chimú (Chimor en algunos escritos), en la zona de Trujillo del Perú, a la que hace referencia.

capitán Sebastián de Belalcázar) Pedro de Puelles, con alguna copia de españoles, a poblar la misma costa de la mar del Sur, y hubo entre unos y otros, a lo que cuentan, algunas cosquillas, hasta que, ida la nueva al gobernador don Francisco Pizarro, envió a mandar lo que entendió que convenía más al servicio de su majestad y a la buena gobernación y conservación de los indios. Y así, después de haber el capitán Pacheco conquistado las provincias y andado por ellas poco menos tiempo de dos años, pobló la ciudad, como tengo dicho, habiéndose vuelto el capitán Pedro de Puelles a Quito. Llamóse al principio la villa nueva de Puerto Viejo, la cual está asentada en lo mejor y más conveniente de sus comarcas, no muy lejos de la mar del Sur. En muchos términos desta ciudad de Puerto Viejo hacen para enterrar los difuntos unos hoyos muy hondos, que tienen más talle de pozos que de sepulturas (223); y cuando quieren meterlos dentro, después de estar bien limpio de la tierra que han cavado, júntase mucha gente de los mismos indios, adonde bailan y cantan y lloran, todo en un tiempo, sin olvidar el beber, tañendo sus atambores y otras músicas, más temerosas que suaves; y hechas estas cosas, y otras a uso de sus antepasados, meten al difunto dentro destas sepulturas tan hondas; con el cual, si es señor o principal, ponen dos o tres mujeres de las más hermosas y queridas suyas, y otras joyas de las más preciadas, y con la comida y cántaros de su vino de maíz, los que les parece. Hecho esto, ponen encima de la sepultura una caña de las gordas que ya he dicho haber en aquellas partes, y como sean estas casas huecas, tienen cuidado a sus tiempos de los echar deste brebaje que estos llaman azúa, hecho de maíz o de otras raíces; porque, engañados del demonio, creen y tienen por opinión (según yo lo entendí dellos) que el muerto bebe deste vino que por la caña le echan. Esta costumbre de meter consigo los muertos sus armas en las sepulturas y su tesoro y mucho mantenimiento, se usaba generalmente en la mayor parte destas tierras que se han descubierto; y en muchas provincias metían también mujeres vivas y muchachos.

(223) La descripción del tipo de sepulturas es muy exacta. Véase Oberem, 1975.

CAPITULO LII

De los pozos que hay en la punta de Santa Elena, y de lo que cuentan de la venida que hicieron los gigantes en aquella parte, y del ojo de alquitrán que en ella está

Porque al principio desta obra conté en particular los nombres de los puertos que hay en la costa del Perú, llevando la orden desde Panamá hasta los fines de la provincia de Chile, que es una gran longura, me pareció que no convenía tornarlos a recitar, y por esta causa no trataré desto. También he dado ya noticia de los principales pueblos desta comarca; y porque en el Perú hay fama de los gigantes que vinieron a desembarcar a la costa en la punta de Santa Elena, que es en los términos desta ciudad de Puerto Viejo, me paresció dar noticia de lo que oí dellos, según que yo lo entendí, sin mirar las opiniones del vulgo y sus dichos varios, que siempre engrandece las cosas más de lo que fueron.

Cuentan los naturales, por relación que oyeron de sus padres, la cual ellos tuvieron y tenían de muy atrás, que vinieron por la mar en unas balsas de juncos a manera de grandes barcas unos hombres tan grandes que tenían tanto uno dellos de la rodilla abajo como un hombre de los comunes en todo el cuerpo, aunque fuese de buena estatura, y que sus miembros conformaban con la grandeza de sus cuerpos, tan disformes, que era cosa monstruosa ver las cabezas, según eran grandes, y los cabellos, que les llegaban a las espaldas. Los ojos señalan que eran tan grandes como pequeños platos. Afirman que no tenían barbas, y que venían vestidos algunos dellos con pieles de animales y otros con la ropa que les dio natura, y que no trajeron mujeres consigo. Los cuales, como llegasen a esta punta, después de haber en ella su asiento a manera de pueblo (que aun en estos tiempos hay memoria de los sitios destas casas que tuvieron), como no hallasen agua, para remediar la falta que della sentían hicieron unos pozos hondísimos; obra por cierto digna de memoria, hecha por tan fortísimos hombres como se presume que serían aquéllos, pues era tanta su grandeza. Y cavaron estos pozos en peña viva hasta que hallaron el agua, y después los labraron desde ella hasta arriba de piedra, de tal manera que durará muchos tiempos y edades; en los cuales hay muy buena y sabrosa agua, y siempre tan fría que es gran contento beberla. Habiendo, pues, hecho sus asientos estos crecidos hombres o gigantes, y teniendo estos pozos o cisternas, de donde bebían, todo el mantenimiento que hallaban en la comarca de la tierra que ellos podían hollar lo destruían y comían; tanto, que dicen que uno dellos comía más vianda que cincuenta hombres de los naturales de aquella tierra; como no bastase la comida que hallaban para sustentarse, mataban mucho pescado en el mar con sus redes y aparejos, que según razón ternían. Vivieron en grande aborrecimiento de los naturales; por que por usar con sus mujeres las mataban, y a ellos hacían lo mismo por otras causas. Y los indios no se hallaban bastantes para matar a esta nueva gente que había venido a ocuparles su tierra y señorío, aunque se hicieron grandes juntas para platicar sobre ellos; pero no los osaron acometer. Pasados algunos años, estando todavía estos gigantes en esta parte, como les faltasen mujeres y las naturales no les cuadrasen por su grandeza, o porque sería vicio usado entre ellos, por consejo y inducimiento del maldito demonio, usaban unos con otros el pecado nefando de la sodomía, tan gravísimo y horrendo; el cual usaban y cometían pública y descubiertamente, sin temor de Dios y poca vergüenza de sí mismos. Y afirmaban todos los naturales que Dios nuestro Señor, no siendo servido de disimular pecado tan malo, les envió el castigo conforme a la fealdad del pecado. Y así, dicen que, estando todos juntos envueltos en su maldita sodomía, vino fuego del cielo temeroso y muy espantable, haciendo gran ruido, del medio del cual salió un ángel resplandeciente, con una espada tajante y muy refulgente, con la cual de un solo golpe los mató a todos y el fuego los consumió, que no quedó sino algunos huesos y calaveras, que para memoria del castigo quiso Dios que quedasen sin ser consumidas del fuego (224). Esto dicen de los gigantes; lo cual creemos que pasó, porque en esta parte que dicen se han hallado

(224) Se trata de un mito indígena sobre una época de gigantes, motivado o afirmado por el hallazgo de restos de animales terciarios (véase nota 51).

y se hallan huesos grandísimos. Y yo he oído a españoles que han visto pedazos de muela que juzgaban que a estar entera pesara más de media libra carnicera, y también que habían visto otro pedazo del hueso de una canilla, que es cosa admirable contar cuán grande era, lo cual hace testigo haber pasado (225); porque, sin esto, se ve adonde tuvieron los sitios de los pueblos y los pozos o cisternas que hicieron. Querer afirmar o decir de qué parte o por qué camino vinieron éstos no lo puedo afirmar porque no lo sé. En este año de 1550 oí yo contar, estando en la ciudad de los Reyes, que siendo el ilustrísimo don Antonio de Mendoza visorey y gobernador de la Nueva España se hallaron ciertos huesos en ella de hombres tan grandes como los destos gigantes, y aun mayores; y sin esto, también he oído antes de agora que en un antiquísimo sepulcro se hallaron en la ciudad de México o en otra parte de aquel reino ciertos huesos de gigantes. Por donde se puede tener, pues tantos los vieron y lo afirman, que hubo estos gigantes, y aun podrían ser todos unos. En esta punta de Santa Elena (que, como dicho tengo, está en la costa del Perú, en los términos de la ciudad de Puerto Viejo) se ve una cosa muy de notar, y es que hay ciertos ojos y mineros de alquitrán tan perfecto, que podrían calafatear con ellos a todos los navíos que quisiesen, porque mana; y este alquitrán debe ser algún minero que pasa por aquel lugar, el cual sale caliente; y destos mineros de alquitrán yo no he visto ninguno en las partes de las Indias que he andado; aunque creo que Gonzalo Hernández de Oviedo, en su primera parte de la *Historia natural y general de Indias* (226), da noticia deste y de otros. Mas como yo no escribo generalmente de las Indias, sino de las particularidades y acaescimientos del Perú, no trato de lo que hay en otras partes, y con esto se concluye en lo tocante a la ciudad del Puerto Viejo.

(225) Testimonio del hallazgo de huesos fósiles antidiluvianos.

(226) Notemos que Cieza estaba informado sobre lo que se escribía acerca de las Indias. Es posible que algún ejemplar de la obra de Fernández de Oviedo (no Hernández, como él dice) hubiera llegado al Perú, aunque es más posible que tuviera noticia de ella al regreso a España, cuando preparaba la edición de este libro.

CAPITULO LIII

De la fundación de la ciudad de Guayaquil y de la muerte que dieron los naturales a ciertos capitanes de Guaynacapa

Más adelante, hacia el poniente, está la ciudad de Guayaquil, y luego que se entra en sus términos los indios son guancavilcas, de los desdentados que por sacrificio y antigua costumbre y por honra de sus malditos dioses se sacaban los dientes que he dicho atrás, y por haber ya declarado su traje y costumbres no quiero en este capítulo tornarlo a repetir.

En tiempo de Topainga Yupangue, señor del Cuzco, ya dije cómo, después de haber vencido y subjectado las naciones deste reino, en que se mostró capitán excelente y alcanzó grandes vitorias y trofeos deshaciendo las guarniciones de los naturales, porque en ninguna parte parescían otras armas ni gente de guerra sino la que por su mandado estaba puesta en los lugares que él constituía, mandó a ciertos capitanes suyos que fuesen corriendo de largo la costa y mirasen lo que en ella estaba poblado, y procurasen con toda benevolencia y amistad allegarlo a su servicio; a los cuales sucedió lo que dije atrás, que fueron muertos, sin quedar ninguno con la vida, y no se entendió por entonces en dar el castigo que merescían aquellos que, falsando la paz, habían muerto a los que debajo de su amistad dormían (como dicen) sin cuidado ni recelo de semejante traición; porque el Inga estaba en el Cuzco y sus gobernadores y delegados tenían harto que hacer en sustentar los términos que cada uno gobernaba. Andando los tiempos, como Guaynacapa sucediese en el señorío y saliese tan valeroso y valiente capitán como su padre, y aun de más prudencia y vanaglorioso de mandar, con gran celeridad salió del Cuzco acompañado de los más principales orejones de los dos famosos linajes de la ciudad del Cuzco, que habían por nombre los hanancuzcos y orencuzcos (227), el cual, después de haber visitado el

(227) *Hanan-cuzcos* los del Cuzco superior y *Orencoscos (Hurincuzcos)* los del inferior. La diferencia y convivencia de los dos sectores ha dado lugar a diversas teorías sobre la sucesión de los monarcas cuzqueños. En la Segunda parte o *Señorío de los Incas* trata más ampliamente este tema.

solemne templo de Pachacama (228) y las guarniciones que estaban y por su mandado residían en la provincia de Jauja y en la de Caxalmaca (229) y otras partes, así de los moradores de la serranía como de los que vivían en los fructíferos valles de los llanos, llegó a la costa, y en el puerto de Tumbez se había hecho una fortaleza por su mandado, aunque algunos indios dicen ser más antiguo este edificio; y por estar los moradores de la isla de la Puna (230) diferentes con los naturales de Tumbez les fué fácil de hacer la fortaleza a los capitanes del Inga, que a no haber estas guerrillas y debates locos pudiera ser que se vieran en trabajo. De manera que puesta en término de acabar llegó Guaynacapa, el cual mandó edificar templo del sol junto a la fortaleza de Tumbez y colocar en él número de más de docientas vírgenes, las más hermosas que se hallaron en la comarca, hijas de los principales de los pueblos. Y en esta fortaleza (que en tiempo que no estaba ruinada fue, a lo que dicen, cosa harto de ver) tenía Guaynacapa su capitán o delegado con cantidad de mitimaes y muchos depósitos llenos de cosas preciadas, con copia de mantenimiento para sustentación de los que en ella residían y para la gente de guerra que por allí pasase. Y aun cuentan que le trujeron un león y un tigre muy fiero, y que mandó los tuviesen muy guardados; las cuales bestias deben ser las que echaron para que despedazasen al capitán Pedro de Gandía al tiempo que el gobernador don Francisco Pizarro, con sus trece compañeros (que fueron los descubridores del Perú, como se tratará en la tercera parte desta obra), llegaron a esta tierra. Y en esta fortaleza de Tumbez había gran número de plateros que hacían cántaros de oro y plata con otras muchas maneras de joyas, así para el servicio y ornamento del templo, que ellos tenían por sacrosanto, como para el servicio del mismo Inga, y para chapar las planchas deste metal por las paredes de los templos y palacios (231). Y las mujeres que estaban de-

(228) Pachacamac. Santuario preincaico, conservado por los incas, que además levantaron grandes edificios. Ha sido explorado por Max Uhle y Julio C. Tello.
(229) Cajamarca.
(230) Puná.
(231) Los orfebres pre-incaicos de la costa fueron muy superiores a los serranos.

dicadas para el servicio del templo no entendían en más que hilar y tejer ropa finísima de lana, lo cual hacían con mucho primor (232). Y porque estas materias se escriben bien larga y copiosamente en la segunda parte, que es de la que pude entender del reino de los ingas que hubo en el Perú, desde Mangocapa, que fue el primero, hasta Guascar, que derechamente, siendo señor, fue el último, no trataré aquí en este capítulo más de lo que conviene para su claridad. Pues luego que Guaynacapa se vio apoderado en la provincia de los guancavilcas y en la de Tumbez y en lo demás a ello comarcano, envió a mandar a Tumbala, señor de la Puna, que viniesen a le hacer reverencia, y después que le hubiese obedescido, le contribuyese con lo que hubiese en su isla. Oído por el señor de la isla de la Puna lo que el Inga mandaba, pesóle en gran manera; porque, siendo él señor y habiendo recebido aquella dignidad de sus progenitores, tenía por grave carga, perdiendo la libertad, don tan estimado por todas las naciones del mundo, recebir al extraño por solo y universal señor de su isla, el cual sabía que no solamente habían de servir con las personas, mas permitir que en ella se hiciesen casas fuertes y edificios, y a su costa sustentarlos y proveerlos, y aun darles para su servicio sus hijas y mujeres las más hermosas, que era lo que más sentían. Mas al fin, platicado unos con otros de la calamidad presente y cuán poca era su potencia para repudiar el poder del Inga, hallaron que sería consejo saludable otorgar el amistad aunque fuese con fingida paz. Y con esto envió Tumbala mensajeros propios a Guaynacapa con presentes, haciéndole grandes ofrescimientos; persuadiéndole quisiese venir a la isla de la Puna a holgarse en ella algunos días. Lo cual pasado y Guaynacapa satisfecho de la humildad con que se ofrescían a su servicio, Tumbala, con los más principales de la isla, hicieron sacrificios a sus dioses, pidiendo a los adivinos respuesta de lo que harían para no ser subjetos del que pensaba de todos ser soberano señor. Y cuenta la fama vulgar que enviaron sus mensajeros a

(232) Cuando Cieza habla de *lana*, se refiere a la de los auquénidos (llama, alpaca y vicuña), pues el ganado merino fue introducido mucho después. El *cumbi* (casi tan fino como una seda) es el tejido más fino, que estaba mezclado con hebras de plata y oro.

muchas partes de la comarca de la Tierra Firme para tentar los ánimos de los naturales della, porque procuraban con sus dichos y persuasiones provocarlos a ira contra Guaynacapa, para que, levantándose y tomadas las armas, eximir de sí el mando y señorío del Inga. Y esto se hacía con una secreta disimulación, que por pocos, fuera de los movedores, era entendida. Y en el ínterin destas pláticas Guaynacapa vino a la isla de la Puna, y en ella fue honradamente recebido y aposentado en los aposentos reales que para él estaban ordenados y hechos de tiempo breve, en los cuales se congregaban los orejones con los de la isla, mostrando todos una amicicia simple y no fingida.

Y como muchos de los de la Tierra Firme deseasen vivir como vivieron sus antepasados y siempre el mando extraño y peregrino (233) se tiene por muy grave y pesado y el natural por muy fácil y ligero, conjuráronse con los de la isla de Puna para matar a todos los que había en su tierra que entraron con el Inga. Y dicen que en este tiempo Guaynacapa mandó a ciertos capitanes suyos que con cantidad de gente de guerra fuesen a vistar ciertos pueblos de la Tierra Firme y a ordenar ciertas cosas que convenían a su servicio, y que mandaron a los naturales de aquella isla que los llevasen en balsas por la mar a desembarcar por un río arriba a parte dispuesta para ir adonde iban encaminados, y que hecho y ordenado por Guaynacapa esto y otras cosas en esta isla se volvió a Tumbez o a otra parte cerca della, y que salido, luego entraron los orejones, mancebos nobles del Cuzco, con sus capitanes, en las balsas, que muchas y grandes estaban aparejadas, y como fuesen descuidados dentro en el agua, los naturales engañosamente desataban las cuerdas con que iban atados los palos de las balsas, de tal manera que los pobres orejones caían en el agua, adonde con gran crueldad los mataban con las armas secretas que llevaban; y así, matando a unos y ahogando a otros, fueron todos los orejones muertos, sin quedar en las balsas sino algunas mantas, con otras joyas suyas. Hechas estas muer-

(233) Cieza usa la palabra *peregrino* en el sentido que tenía desde el siglo XIII, o sea de *extranjero*, según Corominas, explicable por aplicarse a los peregrinos que venían a Compostela.

tes, los agresores era mucha la alegría que tenían, y en las mismas balsas se saludaban y hablaban tan alegremente, que pensaban que por la hazaña que habían cometido estaba ya el Inga con todas sus reliquias en su poder. Y ellos, gozándose del trofeo y victoria, se aprovechaban de los tesoros y ornamentos de aquella gente del Cuzco; mas de otra suerte les sucedió el pensamiento, como iré relatando, a lo que ellos mismos cuentan. Muertos (como es dicho) los orejones que vinieron en las balsas, los matadores, con gran celeridad, volvieron adonde habían salido, para meter de nuevo más gente en ellas. Y como estuviesen descuidados del juego que habían hecho a sus confines, embarcáronse mayor número con sus ropas, armas y ornamentos, y en la parte que mataron a los de antes mataron a éstos, sin que ninguno escapase; porque si querían salvar las vidas algunos que sabían nadar, eran muertos con crueles y temerosos golpes que les daban, y si zabullían para ir huyendo de los enemigos a pedir favor a los peces que en el piélago del mar tienen su morada, no les aprovechaba, porque eran tan diestros en el nadar como lo son los mismos peces, porque lo más del tiempo que viven gastan dentro en la mar en sus pesquerías; alcanzábanlos, y allí en el agua los mataban y ahogaban, de manera que la mar estaba llena de la sangre, que era señal de triste espectáculo. Pues luego que fueron muertos los orejones que vinieron en las balsas, los de la Puna, con los otros que les habían sido consortes en el negocio, se volvieron a su isla. Estas cosas fueron sabidas por el rey Guaynacapa, el cual, como lo supo, recibió (a lo que dicen) grande enojo y mostró mucho sentimiento por que tantos de los suyos y tan principales careciesen de sepulturas (y a la verdad, en la mayor parte de las Indias se tiene más cuidado de hacer y adornar la sepultura donde han de meterse después de muertos que no en aderezar la casa en que han de vivir siempre vivos) (234), y que luego hizo llamamiento de gente, juntando las reliquias que le habían quedado, y con gran voluntad entendió en castigar los bárbaros de tal manera que, aunque ellos quisieron ponerse en resistencia, no

(234) Cieza no sólo informa, sino que, junto al dato etnográfico, aporta una interpretación antropológica.

fueron parte ni tampoco de gozar del perdón, porque el delito se tenía por tan grave que más se entendía en castigarlo con toda severidad que en perdonarlo con clemencia ni humanidad. Y así, fueron muertos con diferentes especies de muertes muchos millares de indios, y empalados y ahogados no pocos de los principales que fueron en el consejo. Después de haber hecho el castigo bien grande y temeroso, Guaynacapa mandó que en sus cantares en tiempos tristes y calamitosos se refiriese la maldad que allí se cometió; lo cual, con otras cosas, recitan ellos en sus lenguas como a manera de endechas. Y luego intentó de mandar hacer por el río de Guayaquil, que es muy grande, una calzada, que cierto, según paresce por algunos pedazos que della se ve, era cosa soberbia; mas no se acabó ni se hizo por entero lo que él quería, y llámase esto que digo el Paso de Guaynacapa. Y hecho este castigo, y mandado que todos obedesciesen a su gobernador, que estaba en la fortaleza de Tumbez, y ordenadas otras cosas, el Inga salió de aquella comarca. Otros pueblos y provincias están en los términos desta ciudad de Guayaquil, que no hay que decir dellos más que son de la manera y traje de los ya dichos y tienen una misma tierra.

CAPITULO LIV

De la isla de la Puna y de la Plata, y de la admirable raíz que llaman zarzaparrilla, tan provechosa para todas enfermedades

La isla de la Puna, que está cerca del puerto de Tumbez, terná de contorno poco más de diez leguas. Fue antiguamente tenida en mucho, porque, demás de ser los moradores della muy grandes contratantes y tener en su isla abasto de las cosas pertenecientes para la humana sustentación, que era causa bastante para ser ricos, eran para entre sus comarcanos tenidos por valientes. Y así, en los siglos pasados tuvieron muy grandes guerras y contiendas con los naturales de Tumbez y con otras comarcas. Y por causas muy livianas se mataban unos a otros, robándose y tomándose las mujeres y hijos. El gran Topainga (235) envió embajadores a los desta isla pidiéndoles que quisiesen ser sus amigos y confederados, y ellos, por la fama que tenían y porque habían oído dél grandes cosas, oyeron su embajada, mas no le sirvieron ni fueron enteramente sojuzgados hasta en tiempo de Guaynacapa (236), aunque otros dicen que antes fueron metidos debajo del señorío de los ingas por Inga Yupangue, y que se rebelaron. Como quiera que sea, pasó lo que he dicho de los capitanes que mataron, según es público. Son de medianos cuerpos, morenos, andan vestidos con ropas de algodón ellos y sus mujeres, y traen grandes vueltas de chaquira en algunas partes del cuerpo, y pónense otras piezas de oro para mostrarse galanos.

Tiene esta isla grandes florestas y arboledas y es muy viciosa de frutas. Dase mucho maíz y yuca y otras raíces gustosas, y asimismo hay en ella muchas aves de todo género, muchos papagayos y guacamayas, y gaticos pintados, y monos y zorras, leones y culebras, otros muchos animales. Cuando los señores se mueren son muy llorados por toda la gente della, así hombres como mujeres, y entiérranlos con gran veneración a su uso, poniendo en la sepultura cosas de las más ricas que él tiene y sus armas, y algunas de sus mujeres de las más hermosas, las cuales, como acostumbran en la mayor parte destas Indias, se meten vivas en las sepulturas para tener compañía a sus maridos. Lloran a los difuntos muchos días arreo, y tresquílanse las mujeres que en su casa quedan, y aun las más cercanas en parentesco, y pónense a tiempos tristes y hácenles sus obsequios. Eran dados a la religión y amigos de cometer algunos vicios. El demonio tenía sobre ellos el poder que sobre los pasados, y ellos con él sus pláticas, las cuales oían por los que estaban señalados para aquel efecto.

Tuvieron sus templos en partes ocultas y escuras, a donde con pinturas horribles tenían las paredes esculpidas. Y delante de sus altares, donde se hacían los sacrificios, mataban algunos animales y algunas aves, y aun

(235) Tupca-Yupanqui.
(236) Huayna-Capac.

también mataban, a lo que se dice, indios esclavos o tomados en tiempo de la guerra en otras tierras, y ofrecían la sangre dellos a su maldito diablo (237).

En otra isla pequeña que confina con ésta, la cual llaman de la Plata, tenían en tiempo de sus padres un templo o guaca, a donde también adoraban a sus dioses y hacían sacrificios, y en circuito del templo y junto al adoratorio tenían cantidad de oro y plata y otras cosas ricas de sus ropas de lana y joyas, las cuales en diversos tiempos habían allí ofrecido. También dicen que cometían algunos destos de la Puna el pecado nefando. En este tiempo, por la voluntad de Dios, no son tan malos; y si lo son, no públicamente ni hacen pecados al descubierto, porque hay en la isla clérigo, y tienen ya conocimiento de la ceguedad con que vivieron sus padres y cuán engañosa era su creencia, y cuánto se gana en creer nuestra santa fe católica y tener por Dios a Jesucristo, nuestro redentor. Y así, por su gran bondad, permitiéndolo su misericordia, muchos se han vuelto cristianos ,y cada día se vuelven más .

Aquí nace una hierba, de que hay mucha en esta isla y en los términos desta ciudad de Guayaquil, la cual llaman zarzaparrilla (238), porque sale como zarza de su nacimiento; y echa por los pimpollos y más partes de sus ramos unas pequeñas hojas. Las raíces desta hierba son provechosas para muchas enfermedades, y más para el mal de bubas (239) y dolores que causa a los hombres esta pestífera enfermedad; y así, a los que quieren sanar, con meterse en un aposento caliente y que esté abrigado, de manera que la frialdad o aire no dañe al enfermo, con solamente purgarse y comer viandas delicadas y de dieta y beber del agua destas raíces, las cuales cuecen lo que conviene para aquel efecto, y sacada el agua, que sale muy clara y no de mal sabor ni ninguno olor, dándola a beber al enfermo algunos días, sin le hacer otro beneficio, purga

(237) No hay muchos datos sobre sacrificios humanos en el Perú, y cuando Cieza los menciona es como referencia a informaciones oídas.

(238) Ya era conocida en España. Cieza se refiere a la llamada *havanensis* o americana.

(239) Tumores blandos, inguinales, generalmente de origen venéreo.

la maletía del cuerpo de tal manera, que en breve queda más sano que antes estaba, y el cuerpo más enjuto y sin señal ni cosa de las que suelen quedar con otras curas; antes queda en tanta perfección, que parece nunca estuvo malo, y así verdaderamente se han hecho grandes curas en este pueblo de Guayaquil en diversos tiempos. Y muchos que traían las asaduras dañadas y los cuerpos podridos, con solamente beber el agua destas raíces quedaban sanos y de mejor color que antes que estuviesen enfermos. Y otros que venían agravados de las bulbas y las traían metidas en el cuerpo y la boca de mal olor, bebiendo esta agua los días convenientes, también sanaban. En fin, muchos fueron hinchados y otros llagados y volvieron a sus casas sanos. Y tengo por cierto que es una de las mejores raíces o hierbas del mundo y la más provechosa, como se ve en muchos que han sanado con ella. En muchas partes de las Indias hay zarzaparrilla; pero hállase que no es tan buena ni tan perfeta como la que se cría en la isla de la Puna y en los términos de la ciudad de Guayaquil.

CAPITULO LV

De cómo se fundó y pobló la ciudad de Santiago de Guayaquil, y de algunos pueblos de indios que son a ella subjetos y otras cosas hasta salir de sus términos

Para que se entienda la manera como se pobló la ciudad de Santiago de Guayaquil será necesario decir algo dello, conforme a la relación que yo pude alcanzar, no embargante que en la tercera parte desta obra se trata más largo en el lugar que se cuenta al descubrimiento de Quito y conquista de aquellas provincias por el capitán Sebastián de Belalcázar, el cual, como tuviese poderes largos del adelantado don Francisco Pizarro y supiese haber gente en las provincias de Guayaquil, acordó por su persona poblar en la comarca dellas una ciudad. Y así, con los españoles que le pareció llevar, salió de San Miguel, donde a la sazón estaba allegando gente para volver a la conquista del Quito, y entrando en la provincia, luego procuró atraer los naturales a la paz de los españoles y a que conociesen que habían de tener por señor y rey natural a su majestad. Y como los indios ya sabían estar poblado de cristianos San Miguel y Puerto Viejo, y lo mismo Quito, salieron muchos dellos de paz, mostrando holgarse con su venida; y así, el capitán Sebastián de Belalcázar, en la parte que le pareció, fundó la ciudad, donde estuvo pocos días, porque le convino ir la vuelta de Quito, dejando por alcaide y capitán a un Diego Daza. Y como saliese de la provincia, no se tardó mucho cuando los indios comenzaron a entender las importunidades de los españoles y la gran cobdicia que tenían y la priesa con que les pedían oro y plata y mujeres hermosas (240). Y estando divididos unos de otros, acordaron los indios, después de lo haber platicado en sus ayuntamientos (241), de los matar, pues tan fácilmente lo podían hacer; y como lo determinaron lo pusieron por obra, y dieron en los cristianos estando bien descuidados de tal cosa, y mataron a todos los más, que no escaparon sino cinco o seis dellos y su caudillo Diego Daza; los cuales pudieron, aunque con trabajo y gran peligro, llegar a la ciudad de Quito, de donde había salido ya el capitán Belalcázar a hacer el descubrimiento de las provincias que están más llegadas al Norte, dejando en su lugar a un capitán que ha por nombre Juan Díaz Hidalgo. Y como se supiese en Quito esta nueva, algunos cristianos volvieron con el mismo Diego Daza y con el capitán Tapia, que quiso hallarse en esta población para entender en ella; y vueltos, tuvieron algunos rencuentros con los indios, porque unos a otros se habían hablado y animado, diciendo que habían de morir por defender sus personas y haciendas. Y aunque los españoles procuraron de los atraer de paz, no podían, por les haber cobrado grande odio y enemistad, la cual mostraron de tal manera, que mataron algunos cristianos y caballos, y los demás se volvieron a Quito. Pasado lo que voy, contando, el gobernador don Francisco Pizarro, como

(240) Cieza, sin exagerar, como el que habla de un mal conocido, vuelve a hacer referencia a lo que llama *importunidades* de los españoles.

(241) Reuniones. Cieza no emplea esta palabra como sinónimo de municipio.

lo supo, envió al capitán Zaera a que hiciese esta población; el cual, entrando de nuevo en la provincia, estando entendiendo en hacer el repartimiento del depósito de los pueblos y caciques entre los españoles que con él entraron en aquella conquista, el gobernador lo envió a llamar a toda priesa para que fuese con la gente que con él estaba al socorro de la ciudad de los Reyes, porque los indios la tuvieron cercada por algunas partes. Con esta nueva y mando del gobernador se tornó a despoblar la nueva ciudad. Pasados algunos días, por mandado del mismo adelantado don Francisco Pizarro tornó a entrar en la provincia el capitán Francisco de Orillana, con mayor cantidad de españoles y caballos, y en el mejor sitio y más dispuesto pobló la ciudad de Santiago de Guayaquil en nombre de su majestad, siendo su gobernador y capitán general en el Perú don Francisco Pizarro, año de nuestra reparación (242) de 1537 años. Muchos indios de los guancavilcas sirven a los españoles vecinos desta ciudad de Santiago de Guayaquil; y sin ellos, están en su comarca y jurisdicción los pueblos de Yacual, Colonche, Chinduy, Chongon, Daule, Chonana, y otros muchos que no quiero contar porque va poco en ello. Todos están poblados en tierras fértiles de mantenimiento, y todas las frutas que he contado haber en otras partes tienen ellos abundantemente. Y en las concavidades de los árboles se cría mucha miel singular. Hay en los términos desta ciudad grandes campos rasos de campaña, y algunas montañas, florestas y espesuras de grandes arboledas. De las sierras abajan ríos de agua muy buena.

Los indios, con sus mujeres, andan vestidos con sus camisetas y algunos maures para cubrir sus vergüenzas. En las cabezas se ponen unas coronas de cuentas muy menudas, a quien llaman chaquira, y algunas son de plata y otras de cuero de tigre o de león. El vestido que las mujeres usan es ponerse una manta de la cintura abajo, y otra que les cubre hasta los hombros, y traen los cabellos largos. En algunos destos pueblos los caciques y principales se clavan los dientes con puntas de oro. Es fama entre algunos que cuando hacen sus sementeras sacrificaban sangre humana y corazones de hombres a quien

(242) Hace referencia a la gran sublevación de Manco II.

ellos reverenciaban por dioses, y que había en cada pueblo indios viejos que hablaban con el demonio. Y cuando los señores estaban enfermos, para aplacar la ira de sus dioses y pedirles salud hacían otros sacrificios llenos de sus supersticiones, matando hombres, según yo tuve por relación, teniendo por grato sacrificio el que se hacía con sangre humana. Y para hacer estas cosas tenían sus atambores y campanillas y ídolos, algunos figuraban a manera de león o de tigre, en que adoraban. Cuando los señores morían, hacían una sepultura redonda con su bóveda, la puerta a donde sale el sol, y en ella le metían, acompañado de mujeres vivas y sus armas y otras cosas, de la manera que acostumbraban todos los más que quedan atrás. Las armas con que pelean estos indios son varas y bastones, que acá llamamos macanas (243). La mayor parte dellos se han consumido y acabado. De los que quedan, por la voluntad de Dios se han vuelto cristianos algunos, y poco a poco van olvidando sus costumbres malas y se llegan a nuestra santa fe. Y pareciéndome que basta lo dicho de las ciudades de Puerto Viejo y Guayaquil, volveré al camino real de los ingas (244), que dejé llegado a los aposentos reales de Tumebamba.

CAPITULO LVI

De los pueblos de indios que hay saliendo de los aposentos de Tumebamba hasta llegar al paraje de la ciudad de Loja, y de la fundación desta ciudad

Saliendo de Tumebamba por el gran camino hacia la ciudad del Cuzco, se va por toda la provincia de los Cañares hasta llegar a Cañaribamba (245) y a otros aposentos que están más adelante. Por una parte y por otra se

(243) Cieza no es exacto del todo. *Macana* o maza es palabra antillana y si dice *llamamos* se refiere al empleo de esta palabra por los españoles y no por los indígenas. Este vocablo (según Corominas) aparece ya en 1515 y era de uso común entre los castellanos a mediados del siglo XVI.

(244) *Camino real de los incas* llamaron los españoles a las calzadas peruanas.

(245) Pampa o llano de los cañares.

ven pueblos desta misma provincia y una montaña que está a la parte de oriente, la vertiente de la cual es poblada y discurre hacia el río del Marañón. Estando fuera de los términos destos indios cañares se llega a la provincia de los Paltas, en la cual hay unos aposentos que se nombran en este tiempo de las Piedras, porque allí se vieron muchas y muy primas, que los reyes ingas en el tiempo de su reinado habían mandado a sus mayordomos o delegados, por tener por importante esta provincia de los Paltas, se hiciesen estos tambos (246), los cuales fueron grandes y galanos, y labrada política y muy primamente la cantería con que estaban hechos, y asentados en el nacimiento del río de Tumbez, y junto a ellos muchos depósitos ordinarios, donde echaban los tributos y contribuciones que los naturales eran obligados a dar a su rey y señor, y a sus gobernadores en su nombre (247).

Hacia el poniente destos aposentos está la ciudad de Puerto Viejo; al oriente están las provincias de los bracamoros, en las cuales hay grandes regiones y muchos ríos, y algunos muy crecidos y poderosos. Y se tiene grande esperanza que andando veinte o treinta jornadas hallarán tierra fértil y muy rica; y hay grandes montañas, y algunas muy espantables y temerosas. Los indios andan desnudos, y no son de tanta razón como los del Perú, ni fueron subjetados por los reyes ingas, ni tienen la policía que éstos, ni en sus juntas se guarda orden ni la tuvieron mas que en los indios subjetos a la ciudad de Antiocha y a la villa de Arma (248), y a los más de la gobernación de Popayán; porque estos que están en estas provincias de los bracamoros (249) los imitan en las más de las costumbres y en tener casi unos mismos afetos na-

(246) Cieza emplea ya, lo que no ha hecho antes, la palabra correcta.

(247) Quizá haya que distinguir a los *tambos reales*, aderezados para albergar al Inka o su corte, o sus delegados, en sus viajes, de estos depósitos de los tributos. La moderna escuela peruanista quiere quitar la palabra *tributo* de la terminología institucional incaica, presentando esta entrega de productos y manufacturas por parte del pueblo, como un sistema de reciprocidad: el pueblo da y el monarca *redistribuye*, afirmando así su prestigio.

(248) Cieza, con intuición antropológica, compara a los indios colombianos con los que fueron sujetos por la influencia y conquista incaica.

(249) Norte del Perú incaico.

turales como ellos; afirman que son muy valientes y guerreros. Y aun los mismos orejones del Cuzco confiesan que Guaynacapa volvió huyendo de la furia dellos.

El capitán Pedro de Vergara anduvo algunos años descubriendo y conquistando en aquella región, y pobló en cierta parte della. Y con las alteraciones que hubo en el Perú no se acabó de hacer enteramente el descubrimiento; antes salieron por dos o tres veces los españoles que en él andaban para seguir las guerras civiles. Después el presidente Pedro de la Gasca tornó a enviar a este descubrimiento al capitán Diego Palomino, vecino de la ciudad de San Miguel. Y aun estando yo en la ciudad de los Reyes vinieron ciertos conquistadores (250) a dar cuenta al dicho presidente y oidores de lo que por ellos había sido hecho. Como es muy curioso el doctor Bravo de Saravia, oidor de aquella real audiencia, le estaban dando cuenta en particular de lo que habían descubierto. Y verdaderamente, metiendo por aquella parte buena copia de gente, el capitán que descubriere al occidente dará en próspera tierra y muy rica, a lo que yo alcancé, por la gran noticia que tengo dello. Y no embargante que a mí me conste haber poblado el capitán Diego Palomino, por no saber la certidumbre de aquella población ni los nombres de los pueblos, dejaré de decir lo que de las demás se cuenta, aunque basta lo apuntado para que se entienda lo que puede ser. De la provincia de los Cañares a la ciudad de Loja (que es la que también nombran la Zarza) ponen diez y siete leguas; el camino, todo fragoso y con algunos cenagales. Está entremedias la población de los Paltas, como tengo dicho.

Luego que parten del aposento de las Piedras comienza una montaña no muy grande, aunque muy fría, que dura poco más de diez leguas, al fin de la cual está otro aposento, que tiene por nombre Tamboblanco, de donde el camino real va a dar al río llamado Catamayo.

A la mano diestra, cerca deste mismo río, está asentada la ciudad de Loja, la cual fundó el capitán Alonso

(250) Cieza emplea la palabra *conquistadores* como sinónimo de exploradores. Es un dato a tener en cuenta para conocer cómo se nombraban a sí mismos los que hacían estas descubiertas en territorios desconocidos.

de Mercadillo en nombre de su majestad, año del Señor de 1546 años.

A una parte y a otra de donde está fundada esta ciudad de Loja hay muchas y muy grandes poblaciones, y los naturales dellas casi guardan y tienen las mismas costumbres que usan sus comarcanos; y para ser conocidos tienen sus llantos o ligaduras en las cabezas. Usaban de sacrificios como los demás, adorando por dios al sol y a otras cosas más comunes; cuanto al Hacedor de todo lo criado, tenían lo que he dicho tener otros; y en lo que toca a la inmortalidad del ánima, todos entienden que en lo interior del hombre hay más que cuerpo mortal. Muertos los principales, engañados por el demonio como los demás destos indios, los ponen en sepulturas grandes, acompañados de mujeres vivas y de sus cosas preciadas.

Y aun hasta los indios pobres tuvieron gran diligencia en adornar sus sepulturas; pero ya, como algunos entiendan lo poco que aprovecha usar de sus vanidades antiguas, no consienten matar mujeres para echar con los que mueren en ellas, ni derraman sangre humana, ni son tan curiosos en esto de las sepulturas; antes, riéndose de los que lo hacen, aborrecen lo que primero sus mayores tuvieron en tanto; de donde ha venido que, no tan solamente no curan de gastar el tiempo en hacer estos solenes sepulcros, mas antes, sintiéndose vecinos a la muerte, mandan que los entierren, como a los cristianos, en sepulturas pobres y pequeñas; esto guardan agora los que, lavados con la santísima agua del baptismo, merecen llamarse siervos de Dios y ser tenidos por ovejas de su pasto; muchos millares de indios viejos hay que son tan malos agora como lo fueron antes, y la serán hasta que Dios, por su bondad y misericordia, los traiga a verdadero conocimiento de su ley; y éstos, en lugares ocultos y desviados de las poblaciones y caminos que los cristianos usan y andan, y en altos cerros o entre algunas rocas de nieves, mandan poner sus cuerpos envueltos en cosas ricas y mantas grandes pintadas, con todo el oro que poseyeron (251); y estando sus ánimas en las tinieblas, los lloran muchos días, consintiendo los que dello tienen car-

(251) La precisión informativa, en el terreno etnográfico, no abandona nunca la exposición de Cieza.

go que se maten algunas mujeres, para que vayan a les tener compañía, con muchas cosas de comer y beber. Toda la mayor parte de los pueblos subjetos a esta ciudad fueron señoreados por los ingas, señores antiguos del Perú, los cuales (como en muchas partes desta historia tengo dicho) tuvieron su asiento y corte en el Cuzco, ciudad ilustrada por ellos y que siempre fue cabeza de todas las provincias, y no embargante que muchos destos naturales fuesen de poca razón, mediante la comunicación que tuvieron con ellos se apartaron de muchas cosas que tenían de rústicos y se llegaron a alguna más policía. El temple destas provincias es bueno y sano; en los valles y riberas de ríos es más templado que en la serranía; lo poblado de las sierras es también buena tierra, más fría que caliente, aunque los desiertos y montañas y rocas nevadas lo son en extremo. Hay muchos guanacos y vicunias (252), que son de la forma de sus ovejas, y muchas perdices, unas poco menores que gallinas y otras mayores que tórtolas. En los valles y llanadas de riberas de ríos hay grandes florestas y muchas arboledas de frutas de las de la tierra, y los españoles en este tiempo ya han plantado algunas parras y higueras, naranjos y otros árboles de los de España. Críanse en los términos desta ciudad de Loja muchas manadas de puercos (253) de la casta de los de España, y grandes hatos de cabras y otros ganados, porque tienen buenos pastos y muchas aguas de los ríos que por todas partes corren, los cuales abajan de las sierras, y son las aguas dellos muy delgadas; tiénese esperanza de haber en los términos desta ciudad ricas minas de plata y de oro, y en este tiempo se han ya descubierto en algunas partes; y los indios, como ya están seguros de los combates de la guerra, y con la paz sean señores de sus personas y haciendas, crían muchas gallinas de las de España, y capones, palomas y otras cosas de las que han podido haber. Legumbres se crían bien en esta nueva ciudad y en sus términos. Los naturales de las provincias subjetas a ella son de mediano cuerpo y otros no; todos andan vestidos con sus camisetas y mantas, y sus

(252) Obsérvese cómo para obtener en el tiempo de Cieza el sonido *ñ* se emplea la *ni*.

(253) Al decir de la casta española, indica Cieza que han sido importados, no que sean iguales a los de España.

mujeres lo mismo. Adelante de la montaña, en lo interior della, afirman los naturales haber gran poblado y algunos ríos grandes, y la gente, rica de oro, no embargante que andan desnudos ellos y sus mujeres, porque la tierra debe ser más cálida que la del Perú y porque los ingas no lo señorearon. El capitán Alonso de Mercadillo, con copia de españoles, salió en este año de 1550 a ver esta noticia, que se tiene por grande. El sitio de la ciudad es el mejor y más conveniente que se le pudo dar para estar en comarca de la provincia. Los repartimientos de indios que tienen los vecinos della los tenían primero por encomienda los que lo eran de Quito y San Miguel; y porque los españoles que caminaban por el camino real para ir al Quito y a otras partes corrían el riesgo de los indios de Carrochamba y de Chaparra, se fundó esta ciudad, como ya está dicho; la cual, no embargante que la mandó poblar Gonzalo Pizarro, en tiempo que andaba envuelto en su rebelión, el presidente Pedro de la Gasca, mirando que al servicio de su majestad convenía que la ciudad ya dicha no se despoblase, aprobó su fundación, confirmando la encomienda a los que estaban señalados por vecinos, y a los que, después de justiciado Gonzalo Pizarro, él dio indios. Y pareciéndome que basta lo ya contado desta ciudad, pasando adelante, trataré de las demás del reino.

CAPITULO LVII

De las provincias que hay de Tamboblanco a la ciudad de San Miguel, primera población hecha de cristianos españoles en el Perú, y de lo que hay que decir de los naturales dellas

Como convenga en esta escriptura satisfacer a los lectores de las cosas notables del Perú, aunque para mí sea gran trabajo parar con ella en una parte y volver a otra, no lo dejaré de hacer. Por lo cual trataré en este lugar, sin proseguir el camino de la serranía, la fundación de San Miguel, primera población hecha de cristianos españoles en el Perú, y la que también lo es de los llanos y arenales que en este gran reino hay; y della relataré las cosas destos llanos, y las provincias y valles por donde va de largo otro camino hecho por los reyes ingas, de tanta grandeza como el de la sierra. Y daré noticia de los yungas y de sus grandes edificios, y también contaré lo que yo entendí del secreto del no llover en todo el discurso del año en estos valles y llanos de arenales, y la gran fertilidad y abundancia de las cosas necesarias para la humana sustentación de los hombres; lo cual hecho, volveré a mi camino de la serranía, y proseguiré por él hasta dar fin a esta parte primera; pero antes que abaje a los llanos, digo que yendo por el propio camino real de la sierra se llega a las provincias de Calva y Ayabaca, de las cuales quedan los bracamoros y montañas de los Andes al oriente, y al poniente la ciudad de San Miguel, de quien luego escrebiré. En la provincia de Caxas había grandes aposentos y depósitos mandados hacer por los ingas y gobernador, con número de mitimaes, que tenían cuidado de cobrar los tributos. Saliendo de Caxas, se va hasta llegar a la provincia de Guancabamba, adonde estaban mayores edificios que el Calva, porque los ingas tenían allí sus fuerzas, entre las cuales estaba una agraciada fortaleza, la cual yo vi, y está desbaratada y deshecha como todo lo demás; había en esta Guancabamba templo del sol con número de mujeres. De la comarca destas regiones venían a adorar a este templo y a ofrecer sus dones; las mujeres vírgenes y ministros que en él estaban eran reverenciados y muy estimados, y los tributos de los señores de todas las provincias se traían; sin lo cual, iban al Cuzco cuando les era mandado. Adelante de Guancabamba hay otros aposentos y pueblos; algunos dellos sirven a la ciudad de Loja; los demás están encomendados a los moradores de la ciudad de San Miguel. En los tiempos pasados, unos indios destos tenían con otros sus guerras y contiendas, según ellos dicen, y por cosas livianas se mataban, tomándose las mujeres, y aun afirman que andaban desnudos y que algunos dellos comían carne humana, pareciendo en esto y en otras cosas a los naturales de la provincia de Popayán. Como los reyes ingas los señorearon, conquistaron y mandaron, perdieron mucha parte destas costumbres y usaron de la policía y razón que agora tienen, que es más de la que algunos de nosotros dicen. Y así, hicieron sus pueblos ordenados de otra manera que antes los tenían. Usan de ropas de la lana de sus ganados, que es fina y buena para ello, y no comen carne humana, antes lo tienen por gran pecado y aborrecen al que lo hace; y no embargante que son todos los naturales destas provincias tan conjuntos a los de Puerto Viejo y Guayaquil, no cometían el pecado nefando, porque yo entendí dellos que tenían por sucio y apocado a quien lo usaba, si engañado del demonio había alguno que tal cometiese. Afirman que antes que fuesen los naturales destas comarcas subjectados por inga Yupangue y por Topainga, su hijo, padre que fue de Guaynacapa, abuelo de Atabaliba, se defendieron tan bien y con tan gran denuedo, que murieron por no perder su libertad muchos millares dellos y hartos de los orejones del Cuzco; mas tanto los apretaron, que por no acabarse de perder, ciertos capitanes, en nombre de todos, dieron la obediencia a estos señores. Los hombres destas comarcas son de buen parecer, morenos; ellos y sus mujeres andan vestidos como aprendieron de los ingas, sus antiguos señores (254). En unas partes destas traen los cabellos demasiadamente largos, y en otras cortos, y en algunas trenzado muy menudamente. Barbas, si les nace algunas, se las pelan, y por maravilla vi en todas las tierras que anduve indio que las tuviese. Todos entienden la lengua general del Cuzco, sin la cual, usan sus lenguas particulares, como ya he contado. Solía haber gran cantidad del ganado que llaman ovejas del Perú; en este tiempo hay muy pocas, por la priesa que los españoles les han dado. Sus ropas son de lana destas ovejas y de vicunias, que es mejor y más fina, y de algunos guanacos que andan por los altos y despoblados; y los que no pueden tenerlas de lana, las hacen de algodón. Por los valles y vegas de lo poblado hay muchos ríos y arroyos pequeños y algunas fuentes; el agua dellas, muy buena y sabrosa. Hay en todas partes grandes criaderos para ganados y de los mantenimientos y raíces ya dichas, y en los más

(254) Cieza insiste en la diferencia que había entre la vida anterior a la conquista incaica y la producida por ésta, hasta en el cambio de la vestimenta y costumbres.

destos aposentos y provincias hay clérigos y frailes, los cuales, si quisieran vivir bien y abstenerse como requiere su religión, habrá gran fruto, como ya por la voluntad de Dios en las más partes deste gran reino se hace; porque muchos indios y muchachos se vuelven cristianos, y con su gracia cada día irá en crescimiento. Los templos antiguos, que generalmente llaman guacas (255), todos están ya derribados y profanados, y los ídolos quebrados, y el demonio, como malo, lanzado de aquellos lugares, a donde por los pecados de los hombres era tan estimado y reverenciado; y está puesta la cruz. En verdad, los españoles habíamos de dar siempre infinitas gracias a nuestro Señor Dios por ello.

CAPITULO LVIII

En que se prosigue la historia hasta contar la fundación de la ciudad de San Miguel, y quién fue el fundador

La ciudad de San Miguel fue la primera que en este reino se fundó por el marqués don Francisco Pizarro, y adonde se hizo el primer templo a honra de Dios nuestro Señor. Y para contar lo de los llanos, comenzando desde el valle de Tumbez, digo que por él corre un río, el nacimiento del cual es (como dije atrás) en la provincia de los Paltas, y viene a dar a la mar del Sur. La provincia, pueblos y comarcas destos valles de Tumbez por naturaleza es sequísima y estéril, puesto que en este valle algunas veces llueve, y aun llega el agua hasta cerca de la ciudad de San Miguel; y este llover es por las partes más llegadas a las sierras, porque en las que están cercanas a la mar no llueve. Este valle de Tumbez solía ser muy poblado y labrado, lleno de lindas y frescas acequias, sacadas del río, con las cuales regaban todo lo que querían, y cogían mucho maíz y otras cosas necesarias a la sustentación humana, y muchas frutas muy gustosas. Los señores antiguos dél, antes que fuesen señoreados por los

(255) Vuelve a insistir Cieza en que las *huacas* eran templos y no lugares sagrados, como ya se ha indicado (véase nota 215).

ingas, eran temidos y muy obedescidos por sus súbditos, más que ningunos de los que se han escripto, según es público y muy entendido por todos; y así, eran servidos con grandes cerimonias. Andaban vestidos con sus mantas y camisetas, y traían en la cabeza puestos sus ornamentos, que era cierta manera redonda que se ponían hecha de lana, y alguna de oro o plata, o de unas cuentas muy menudas, que tengo ya dicho llamarse chaquira. Eran estos indios dados a sus religiones y grandes sacrificadores, según que más largamente conté en las fundaciones de las ciudades de Puerto Viejo y Guayaquil. Son más regalados y viciosos (256) que los serranos; para labrar los campos son muy trabajadores, y llevan grandes cargas; los campos labran hermosamente y con mucho concierto, y tienen en el regarlos grande orden; críanse en ellos muchos géneros de frutas y raíces gustosas. El maíz se da dos veces en el año; dello y de frísoles (257) y habas cogen harta cantidad cuando lo siembran. Las ropas para su vestir son hechas de algodón, que cogen por el valle lo que para ello han menester. Sin esto, tienen estos indios naturales de Tumbez grandes pesquerías, de que les viene harto provecho; porque con ello y con lo que más contratan con los de la sierra han sido siempre ricos. Desde este valle de Tumbez se va en dos jornadas al valle de Solana, que antiguamente fue muy poblado, y que había en él edificios y depósitos. El camino real de los ingas pasa por estos valles entre arboledas y otras frescuras muy alegres; saliendo de Solana se llega a Pocheos, que está sobre el río llamado también Pocheos, aunque algunos le llaman Maicabilca, porque por bajo del valle estaba un principal o señor llamado deste nombre; este valle fue en extremo muy poblado, y cierto debió ser cosa y mucha la gente dél, según lo dan a entender los edificios, grandes y muchos; los cuales, aunque están gastados, se ve haber sido verdad lo que dél cuentan y la mucha estimación en que los reyes ingas lo tuvieron, pues en este valle tenían sus palacios reales y otros aposentos y depósitos; con el tiempo y guerras se ha todo consu-

(256) Véase nota 138.
(257) Habichuelas. Corominas (pág. 275) opina que procede del gallego *freixó*, aunque admite que en el sur de España es *fríjol*. La forma *frísol*, que es la empleada por Cieza, aparece en 1492.

mido en tanta manera, que no se ve, para que se crea lo que se afirma, otra cosa que las muchas y muy grandes sepulturas de los muertos, y ver que, siendo vivos, eran por ellos sembrados y cultivados tantos campos como en el valle están. Dos jornadas más adelante de Pocheos está el ancho y gran valle de Piura, adonde se juntan dos o tres ríos, que es causa que el valle sea tan ancho, en el cual está fundada y edificada la ciudad de San Miguel; y no embargante que esta ciudad se tenga en este tiempo en poca estimación por ser los repartimientos cortos y pobres, es justo se conozca que merece ser honrada y previlegiada por haber sido principio de lo que se ha hecho y asiento que los fuertes españoles tomaron antes que por ellos fuese preso el gran señor Atabaliba. Al principio estuvo poblada en el asiento que llaman Tangarara, de donde se pasó por ser sitio enfermo, adonde los españoles vivían con algunas enfermedades; adonde agora está fundada es entre dos valles llanos muy frescos y llenos de arboledas, junto a la población, más cerca del un valle que del otro, en un asiento áspero y seco y que no pueden, aunque lo han procurado, llevar el agua a él con acequias, como se hace en otras partes muchas de los llanos; es algo enferma, a lo que dicen los que en ella han vivido, especialmente de los ojos; lo cual creo causan los vientos y grandes polvos del verano y las muchas humidades del invierno; afirman no llover antiguamente en esta comarca, si no era algún rocío que caía del cielo, y de pocos años a esta parte caen algunos aguaceros pesados; el valle es como el de Tumbez, y adonde hay muchas viñas y higuerales y otros árboles de España, como luego diré. Esta ciudad de San Miguel pobló y fundó el adelantado don Francisco Pizarro, gobernador del Perú, llamado en aquel tiempo la Nueva Castilla, en nombre de su majestad, año del Señor de 1531 años.

CAPITULO LIX

Que trata la diferencia que hace el tiempo en este reino del Perú, que es cosa notable en no llover en toda la longura de los llanos que son a la parte del mar del Sur

Antes que pase adelante, me paresció declarar aquí lo que toca al no llover, de lo cual es de saber que en las sierras comienza el verano por abril, y dura mayo, junio, julio, agosto, setiembre, y por octubre ya entra el invierno, y dura noviembre, diciembre, enero, febrero, marzo; de manera que poco difiere a nuestra España en esto del tiempo; y así, los campos se agostan a sus tiempos, los días y las noches casi son iguales, y cuando los días crescen algo y son mayores es por el mes de noviembre; mas en estos llanos junto a la mar del Sur es al contrario de todo lo susodicho, porque cuando en la serranía es verano, es en ellos invierno, pues vemos comenzar el verano por octubre y durar hasta abril, y entonces entra el invierno; y verdaderamente es cosa extraña considerar esta diferencia tan grande, siendo dentro en una tierra y en un reino; y lo que es más de notar, que por algunas partes pueden con las capas de agua abajar a los llanos, sin las traer enjutas; y para lo decir más claro, parten por la mañana de tierra donde llueve, y antes de vísperas se hallan en otra donde jamás se cree que llovió (258); porque desde principio de octubre para adelante no llueve en todos los llanos si no es un tan pequeño rocío, que apenas en algunas partes mata el polvo; y por esta causa los naturales viven todos de riego, y no labran más tierra de la que los ríos pueden regar, porque en toda la más (por parte de su esterilidad) no se cría hierba, sino toda es arenales y pedregales sequísimos, y lo que en ellos nasce son árboles de poca hoja y sin fruto ninguno; también nascen muchos géneros de cardones y espinas, y a partes ninguna cosa destas, sino arena solamente; y el llamar invierno en los llanos no es más de ver unas nieblas muy

(258) La ciencia de Cieza se limita a decir que hay sólo dos estaciones, la seca y la lluviosa, aunque no cae en cuenta de que el verano es esta última en la sierra, coincidente con nuestro invierno, pero como la lluvia tropical, en las alturas serranas, se convierte en nieve, le hace parecer invierno.

espesas, que paresce que andan preñadas para llover mucho, y destilan, como tengo dicho, una lluvia tan liviana que apenas moja el polvo; y es cosa extraña que, con andar el cielo tan cargado de ñublados en el tiempo que digo, no llueve más en los seis meses ya dichos que estos rocíos pequeños por estos llanos, y se pasan algunos días que el sol, escondido entre la espesura de los ñublados, no es visto; y como la serranía es tan alta y los llanos y costa tan baja, parece que atrae a sí los ñublados sin los dejar parar en las tierras bajas; de manera que cuando las aguas son naturales llueve mucho en la sierra y nada en los llanos antes hace en ellos gran calor; y cuando caen los rocíos que digo es por el tiempo que la sierra está clara y no llueve en ella (259); y también hay otra cosa notable, que es haber un viento solo por esta costa, que es el sur; el cual, aunque en otras regiones sea húmido y atrae lluvias, en ésta no lo es; y como no halle contrario, reina a la contina por aquella costa hasta cerca de Tumbez; y de allí adelante, como hay otros vientos, saliendo de aquella constelación de cielo, llueve y viene ventando con grandes aguaceros. Razón natural de lo susodicho no se sabe más de que vemos claro que de cuatro grados de la línea a la parte del sur hasta pasar el trópico de Capricornio va estéril esta región.

Otra cosa muy de notar se ve, y es que debajo de la línea, en estas partes, en unas es caliente y húmida y en otra fría y húmida; pero esta tierra es caliente y seca, y saliendo de ella, a una parte y a otra llueve; esto alcanzo por lo que he visto y notado dello; quien hallare razones naturales, bien podrá decirlas, porque yo digo lo que vi, y no alcanzo otra cosa más de lo dicho (260).

(259) El rocío es en la costa, donde se le llama *garúa.* Afirma Cieza que la época seca es el invierno serrano.
(260) Estas palabras confirman lo observado en la nota 258.

CAPITULO LX

Del camino que los ingas mandaron hacer por estos llanos, en el cual hubo aposentos y depósitos como en el de la sierra, y por qué estos indios se llaman yungas

Por llevar con toda orden mi escriptura, quise, antes de volver a concluir con lo tocante a las provincias de las sierras, declarar lo que se me ofresce de los llanos, pues, como he dicho en otras partes, es cosa tan importante, y en este lugar daré noticias del gran camino que los ingas mandaron hacer por mitad dellos, el cual, aunque por muchos lugares está ya desbaratado y deshecho, da muestra de la grande cosa que fue y del poder de los que lo mandaron hacer.

Guaynacapa y Topainga Yupangue, su padre, fueron, a lo que los indios dicen, los que abajaron por toda la costa, visitando los valles y provincias de los yungas, aunque también cuentan algunos dellos que inga Yupangue, abuelo de Guaynacapa y padre de Topainga, fue el primero que vio la costa y anduvo por los llanos della; y en estos valles y la costa los caciques y principales, por su mandado, hicieron un camino tan ancho como quince pies, por una parte, y por otra dél iba una pared mayor que un estado bien fuertes; todo el despacio deste camino iba limpio y echado por debajo de arboledas, y destos árboles por muchas partes caían sobre el camino ramos dellos llenos de frutas, y por todas las florestas andaban en lar arboledas muchos géneros de pájaros y papagayos y otras aves; en cada uno destos valles había para los ingas aposentos grandes y muy principales, y depósitos para proveimientos de la gente de guerra (261), porque fueron tan temidos que no osaban dejar de tener gran proveimiento; y si faltaba alguna cosa se hacía castigo grande, y, por el consiguiente, si alguno de los que con él iban de una parte a otra era osado de entrar en las sementeras o casas de los indios, aunque el daño que hiciesen no fuese mucho, mandaba que fuese muerto. Por este camino du-

(261) Cieza es más preciso en esta información, ya que distingue entre el *tambo real* o *aposentos grandes* para el Inka y los depósitos para casos de emergencia o guerra.

raban las paredes que iban por una y otra parte dél hasta que los indios, con la muchedumbre de arena, no podían armar cimientos; desde donde, para que no se errase y se conosciese la grandeza del que aquello mandaba, hincaban largos y cumplidos palos, a manera de vigas, de trecho a trecho; y así como se tenía cuidado de limpiar por los valles el camino y renovar las paredes si se ruinaban y gastaban, lo tenían en mirar si algún horcón o palo largo de los que estaban en los arenales se caía con el viento, de tornarlo a poner; de manera que este camino cierto fue gran cosa, aunque no tan trabajoso como el de la sierra. Algunas fortalezas y templos del sol había en estos valles, como iré declarando en su lugar; y porque en muchas partes desta obra he de nombrar ingas y también yungas, satisfaré al letor en decir lo que quiere significar yungas, como hice en lo de atrás de lo de los ingas: así, entenderán que los pueblos y provincias del Perú están situadas de la manera que he declarado, muchas dellas en las abras que hacen las montañas de los Andes y serranía nevada, y a todos los moradores de los altos nombran serranos y a los que habitan en los llanos llaman yungas; y en muchos lugares de la sierra por donde van los ríos, como las sierras siendo muy altas, las llanuras estén abrigadas y templadas; tanto, que en muchas partes hace calor como en estos llanos; los moradores que viven en ellos, aunque estén en la sierra, se llaman yungas, y en todo el Perú, cuando hablan destas partes abrigadas y cálidas que están entre las sierras, luego dicen: «Es yunga», y los moradores no tienen otro nombre, aunque lo tengan en los pueblos y comarcas; de manera que los que viven en las partes ya dichas y los que moran en todos estos llanos y costa del Perú se llaman yungas, por vivir en tierra cálida (262).

(262) Cieza es más exacto en esta ocasión; los *yungas* se llaman así por el lugar donde viven, no porque sean una población o raza.

CAPITULO LXI

De cómo estos yungas fueron muy servidos, y eran dados a sus religiones, y cómo había ciertos linajes y naciones dellos

Antes que vaya contando los valles de los llanos y las fundaciones de las tres ciudades Trujillo, los Reyes, Arequipa, diré aquí algunas cosas a esto tocantes, por no reiterarlo en muchas partes dellas que yo vi y otras que supe de fray Domingo de Santo Tomás (263), de la orden de Santo Domingo, el cual es uno de los que bien saben la lengua y que ha estado mucho tiempo entre estos indios, dotrinándolos en las cosas de nuestra santa fe católica; así que, por lo que yo vi y comprendí el tiempo que anduve por aquellos valles, y por la relación que tengo de fray Domingo, haré la destos llanos: los señores naturales dellos fueron muy temidos antiguamente y obedescidos por sus súbditos, y se servían con gran aparato, según su usanza, trayendo consigo indios truhanes y bailadores, que siempre los estaban festejando, y otros contino tañían y cantaban. Tenían muchas mujeres, procurando que fuesen las más hermosas que se pudiesen hallar, y cada señor, en su valle, tenía sus aposentos grandes, con muchos pilares de adobes (264) y grandes terrados y otros portales, cubiertos con esteras, y en el circuito desta casa había una plaza grande donde se hacían sus bailes y areitos; y cuando el señor comía se juntaba gran número de gente, los cuales bebían de su brebaje, hecho de maíz o de otras raíces. En estos aposentos estaban porteros que tenían cargo de guardar las puertas y ver quién entraba o salía por ellas, todos andaban vestidos con sus camisetas de algodón y mantas largas, y las mujeres lo

(263) Fray Domingo de Santo Tomás ejerció un influjo cultural de gran importancia en los primeros tiempos de la evangelización y colonización, no sólo como fundador, sino por su interés en la lengua y cultura de los indígenas. Se le disputa como el primer quechuísta español, no sólo cronológicamente, sino por su gran conocimiento de la lengua autóctona peruana. Véase Porras Barrenechea, 1955, págs. 25-26, 30 y 110. Cieza, con el aserto de haber consultado al ilustre dominico, da una prueba de su afán de correcta información.

(264) Que es el material de la costa, aunque también se use en la sierra.

mismo, salvo que la vestimenta de la mujer era grande y ancha a manera de capuz abierta por los lados, por donde sacaban los brazos. Algunos dellos tenían guerra unos con otros, y en partes nunca pudieron los más dellos aprender la lengua del Cuzco. Aunque hubo tres o cuatro linajes de generaciones destos yungas, todos ellos tenían unos ritos y usaban unas costumbres; gastaban muchos días y noches en sus banquetes y bebidas; y cierto cosa es grande la cantidad de vino o chicha que estos indios beben, pues nunca dejan de tener el vaso (265) en la mano. Solían hospedar y tratar muy bien a los españoles que pasaban por sus aposentos, y recibirlos honradamente; ya no lo hacen así, porque luego que los españoles rompieron la paz y contendieron en guerra unos con otros, por los malos tratamientos que les hacían fueron aborrecidos de los indios, y también porque algunos de los gobernadores que han tenido les han hecho entender algunas bajezas tan grandes, que ya no se precian de hacer buen tratamiento a los que pasan, pero presumen de tener por mozos a algunos de los que solían ser señores; y esto consiste y ha estado en el gobierno de los que han venido a mandar, algunos de los cuales ha parecido grave la orden del servicio de acá, y que es opresión y molestia a los naturales sustentarlos en las costumbres antiguas que tenían, las cuales, si las tuvieran, ni les quebrantaban sus libertades ni aun los dejaban de poner más cercanos a la buena policía y conversión; porque verdaderamente pocas naciones hubo en el mundo, a mi ver, que tuvieron mejor gobierno que los ingas (266). Salido del gobierno yo no apruebo cosa alguna, antes lloro las extorsiones y malos tratamientos y violentas muertes que los españoles han hecho en estos indios, obradas por su crueldad, sin mirar su nobleza y la virtud tan grande de su

(265) *Kero,* vaso de madera, a veces simple, en muchas ocasiones adornado con incisiones y colores.

(266) Cieza, como algún otro autor contemporáneo suyo, antes de las *Informaciones* del virrey Toledo, que somete a crítica el régimen incaico, muestra su admiración por el sistema de gobierno y orden administrativo de los incas. Al tiempo, en un párrafo que podría haber redactado Fr. Bartolomé de las Casas, hace una durísima crítica de las exacciones y abusos de los españoles. No del gobierno o régimen hispano, sino de los individuos y hasta de los gobernadores.

nación, pues todos los más destos valles están ya casi desiertos, habiendo sido en lo pasado tan poblados como muchos saben (267).

CAPITULO LXII

Cómo los indios destos valles y otros destos reinos creían que las ánimas salían de los cuerpos y no morían, y por qué mandaban echar sus mujeres en las sepulturas

Muchas veces he tratado en esta historia que en la mayor parte deste reino del Perú es costumbre muy usada y guardada por todos los indios de enterrar con los cuerpos de los difuntos todas las cosas preciadas que ellos tenían, y algunas de sus mujeres las más hermosas y queridas dellos. Y parece que esto se usaba en la mayor parte destas Indias, por donde se colige que con la manera que el demonio engaña a los unos procura engañar a los otros. En el Cenu, que cae en la provincia de Cartagena, me hallé yo el año de 1535, donde se sacó en un campo raso, junto a un templo que allí estaba hecho a honra deste maldito demonio, tan gran cantidad de sepulturas, que fue cosa admirable, y algunas tan antiguas que había en ella árboles nacidos gruesos y grandes, y sacaron más de un millón destas sepulturas, sin lo que los indios sacaron dellas y sin lo que se queda perdido en la misma tierra. En estas otras partes también se han hallado grandes tesoros en sepulturas, y se hallarán cada día. Y no ha muchos años que Juan de la Torre, capitán que fue de Gonzalo Pizarro, en el valle de Ica, que es en estos valles de los llanos, halló una destas sepulturas, que afirman valió lo que dentro della sacó más de cincuenta mil pesos (268). De manera que en mandar hacer las sepulturas magníficas y altas, y adornallas con sus losas y bóvedas, y meter con el difunto todo su haber y mujeres y

(267) Cieza une al juicio de que hablamos en la nota anterior una alabanza a las virtudes del indio.

(268) Cieza —aunque lo ha hecho de pasada en capítulos anteriores— da cuenta de los primeros *huaqueros* (véase nota 215).

servicio, y mucha cantidad de comida, y no pocos cántaros de chicha o vino de lo que ellos usan, y sus armas y ornamentos (269), da a entender que ellos tenían conocimiento de la inmortalidad del ánima y que en el hombre había más que cuerpo mortal, y engañados por el demonio cumplían su mandamiento, porque él les hacía entender (según ellos dicen) que después de muertos habían de resucitar en otra parte que les tenía aparejada, adonde habían de comer y beber a voluntad, como lo hacían antes que muriesen; y para que creyesen que sería lo que él les decía cierto, y no falso y engañoso, a tiempos, y cuando la voluntad de Dios era servida de darle poder y permitirlo, tomaba la figura de alguno de los principales que ya era muerto, y mostrándose con su propia figura y talle tal cual él tuvo en el mundo, con apariencia del servicio y ornamento, hacía entenderles que estaba en otro reino alegre y apacible, de la manera que allí lo vían. Por los cuales dichos y ilusiones del demonio, ciegos estos indios, teniendo por ciertas aquellas falsas apariencias, tienen más cuidado en aderezar sus sepulcros o sepulturas que ninguna otra cosa. Y muerto el señor, le echan su tesoro, y mujeres vivas y muchachos, y otras personas con quien él tuvo, siendo vivo, mucha amistad. Y así, por lo que tengo dicho, era opinión general en todos estos indios yungas, y aun en los serranos deste reino del Perú, que las ánimas de los difuntos no morían, sino que para siempre vivían, y se juntaban allá en el otro mundo unos con otros, adonde, como arriba dije, creían que se holgaban y comían y bebían, que es su principal gloria. Y teniendo esto por cierto, enterraban con los difuntos las más queridas mujeres dellos, y los servidores y criados más privados, y finalmente todas sus cosas preciadas y armas y plumajes, y otros ornamentos de sus personas; y muchos de sus familiares, por no caber en su sepultura, hacían hoyos en las heredades y campos del señor ya muerto, o en las partes donde él solía más holgarse y festejarse, y allí se metían, creyendo

(269) Cieza, por informaciones como la presente, ha sido fuente esclarecedora para etnólogos y arqueólogos. A veces su información descansa en datos proporcionados por los habitantes de los lugares que visita, y luego el arqueólogo no halla confirmación de lo que dice, en especial a la reiterada noticia del enterramiento de mujeres con los difuntos.

que su ánima pasaría por aquellos lugares y los llevaría en su compañía para su servicio; y aun algunas mujeres, por le echar más carga y que tuviese en más el servicio, pareciéndoles que las sepulturas aun no estaban hechas, se colgaban de sus mismos cabellos, y así se mataban. Creemos ser todas estas cosas verdad porque las sepulturas de los muertos lo dan a entender y porque en muchas partes creen y guardan esta tan maldita costumbre; y aun yo me acuerdo, estando a la gobernación de Cartagena, habrá más de doce o trece años, siendo en ella gobernador y juez de residencia el licenciado Juan de Vadillo, de un pueblo llamado Pirina salió un muchacho, y venía huyendo adonde estaba Vadillo, porque le querían enterrar vivo con el señor de aquel pueblo, que había muerto en aquel tiempo. Y Alaya, señor de la mayor parte del valle de Jauja, murió ha casi dos años y cuentan los indios que echaron con él gran número de mujeres y sirvientes vivos; y aun, si yo no me engaño, se lo dijeron al presidente Gasca, y aunque no poco se lo retrajo a los demás señores, haciéndoles entender que era gran pecado el que cometían, y desvarío sin fruto. Ver al demonio transfigurado en las formas que digo, no hay duda sino que lo ven; llámanle en todo el Perú Sopay (270). Yo he oído que lo han visto desta suerte muchas veces, y aun también me afirmaron que en el valle de Lile, en los hombres de ceniza que allí estaban, entraba y hablaba con los vivos, diciéndoles estas cosas que voy escribiendo. A fray Domingo, que es (como tengo dicho) gran investigador (271) destos secretos, le oí que dijo una cierta persona que lo había enviado a llamar don Paulo (272), hijo de Guaynacapa, a quien los indios del Cuzco recibieron por inga, y contóle cómo un criado suyo decía que junto a la fortaleza del Cuzco oía grandes voces, las cuales decían con gran ruido: «¿Por qué no guardas, Inga, lo que eres obligado a guardar? Come y bebe y huélgate, que presto dejarás de

(270) *Supay*, palabra que aún se emplea para designar al demonio.

(271) Cieza da verdadero valor científico a esta palabra, ya que Fr. Domingo de Santo Tomás fue, efectivamente, un investigador en el moderno sentido del vocablo.

(272) Paullu Inca, hermano de Atau-Huallpa, designado Inka por Pizarro, pero muerto antes de que los españoles lleguen al Cuzco.

comer y beber y holgarte.» Y estas voces oyó el que lo dijo a don Paulo cinco o seis noches. Y sin se pasar muchos días, murió el don Paulo, y el que oyó las voces también. Estas son mañas del demonio y lazos que él arma para prender las ánimas destos, que tanto se precian agoreros. Todos los señores destos llanos y sus indios traen sus señales en las cabezas, por donde son conocidos los unos y los otros. En la Puna y en lo más de la comarca de Puerto Viejo, ya escribí cómo usaban el pecado nefando; en estos valles ni en los demás de la serranía no cuentan que cometían este pecado. Bien creo yo que sería entre ellos lo que es en todo el mundo, que habría algún malo; mas si se conocía, hacíanle grande afrenta, llamándole mujer, diciéndole que dejase el hábito de hombre que tenía. Y agora en nuestro tiempo, como ya vayan dejando los más de sus ritos, y el demonio no tenga fuerza ni poder, ni hay templo ni oráculo público, van entendiendo sus engaños y procuran de no ser tan malos como lo fueron antes que oyese la palabra del sacro Evangelio. En sus comidas y bebidas y lujurias con sus mujeres, yo creo, si la gracia de Dios no abaja en ellos, aprovecha poco amonestaciones para que dejen estos vicios, en los cuales entienden las noches y los días sin cansar.

CAPITULO LXIII

Cómo usaban hacer los enterramientos y cómo lloraban a los difuntos cuando hacían las obsequias

Pues conté en el capítulo pasado lo que se tiene destos indios en lo tocante a lo que creen de la inmortalidad del ánima y a lo que el enemigo de natura humana les hace entender, me parece será bien en este lugar dar razón de cómo hacían las sepulturas y de la manera que metían en ella a los difuntos. Y en esto hay una gran diferencia, porque en una parte las hacían hondas, y en otras altas, y en otras llanas, y cada nación buscaba nuevo género para hacer los sepulcros de sus difuntos; y cierto, aunque yo lo he procurado mucho y platicado con varones doctos y curiosos, no he podido alcanzar lo cierto del origen destos indios o su principio, para saber de dó tomaron esta costumbre, aunque en la segunda parte desta obra (273), en el primero capítulo, escribo lo que desto he podido alcanzar. Volviendo pues a la materia, digo que he visto que tienen estos indios distintos ritos en hacer las sepulturas, porque en la provincia de Collao (como relataré en su lugar) las hacen en las heredades, por su orden, tan grandes como torres (274), unas más y otras menos, y algunas hechas de buena labor, con piedras excelentes, y tienen sus puertas que salen al nacimiento del sol, y junto a ellas (como también diré) acostumbran hacer sus sacrificios y quemar algunas cosas, y rociar aquellos lugares con sangre de corderos o de otros animales.

En la comarca del Cuzco entierran a sus difuntos sentados en unos asentamientos principales, a quien llaman duhos (275), vestidos y adornados de lo más principal que ellos poseían.

En la provincia de Jauja, que es cosa muy principal en estos reinos del Perú, los meten en un pellejo de una oveja fresco, y con él los cosen, formándoles por de fuera el rostro, narices, boca y lo demás, y desta suerte los tienen en sus propias casas, y a los que son señores y principales, ciertas veces en el año los sacan sus hijos y los llevan a sus heredades y caseríos en andas con grandes cerimonias, y les ofrecen sus sacrificios de ovejas y corderos, y aun de niños y mujeres. Teniendo noticia desto el arzobispo don Jerónimo de Loaysa, mandó con gran rigor a los naturales de aquel valle y a los clérigos que en él estaban entendiendo en la doctrina que enterrasen todos aquellos cuerpos, sin que ninguno quedase de la suerte que estaba.

En otras muchas partes de las provincias que he pasado los entierran en sepulturas hondas y por de dentro huecas, y en algunas, como es en los términos de la ciudad de Antiocha, hacen las sepulturas grandes, y echan

(273) Una afirmación más de que el *Señorío de los Incas* es la Segunda parte de esta obra y no un libro independiente.

(274) Son las *chullpas* preincaicas, cuyo ejemplo más brillante es el conjunto de Sillustani, a pocos kilómetros al norte del lago Titicaca.

(275) Usa Cieza la palabra antillana *duho* o *dujo*, aunque diga que a los asientos unipersonales los *llaman* así. La palabra para asiento importante, en el Perú, a modo de trono, es *tiana*.

tanta tierra que parecen pequeños cerros. Y por la puerta que dejan en la sepultura entran con sus difuntos y con las mujeres vivas y lo demás que con él meten. Y en el Cenu muchas de las sepulturas eran llanas y grandes, con sus cuadras , y otras eran con mogotes, que parecían pequeños collados.

En la provincia de Chichán, que es en éstos llanos, los entierran echados en barbacoas o camas hechas de cañas.

En otro valle destos mismos, llamado Lunaguana, los entierran sentados. Finalmente, acerca de los enterramientos, en estar echados o en pie o sentados, diescrepan unos de otros. En muchos valles destos llanos, en saliendo del valle por las sierras de rocas y de arena, hay hechas grandes paredes y apartamientos, adonde cada linaje tiene su lugar establecido para enterrar sus difuntos, y para ello han hecho grandes huecos y concavidades cerradas con sus puertas, lo más primamente que ellos pueden; y cierto es cosa admirable ver la gran cantidad que hay de muertos por estos arenales y sierras de secadales; y apartados unos de otros, se ven gran número de calavenas y de sus ropas, ya podrecidas y gastadas con el tiempo. Llaman a estos lugares, que ellos tienen por sagrados, guaca (276), que es nombre triste, y muchas dellas se han abierto, y aun sacado los tiempos pasados, luego que los españoles ganaron este reino, gran cantidad de oro y plata; y por estos valles se usa mucho el enterrar con el muerto sus riquezas y cosas preciadas, y muchas mujeres y sirvientes de los más privados que tenía el señor siendo vivo. Y usaron en los tiempos pasados de abrir las sepulturas y renovar la ropa y comida que en ellas habían puesto. Y cuando los señores morían, se juntaban los principales del valle y hacían grandes lloros, y muchas de las mujeres se cortaban los cabellos hasta quedar sin ninguno, y con atambores y flautas salían con sones tristes cantando por aquellas partes por donde el señor solía festejarse más a menudo, para provocar a llorar a los oyentes. Y habiendo llorado, hacían más sacrificios y supersticiones, teniendo sus pláticas con el demonio. Y después de hecho esto y muértose algunas de sus mujeres, los metían en las

(276) Cieza intuitivamente llega a documentar al lector, como vemos, con la reproducción de los informes que recibe.

sepulturas con sus tesoros y no poca comida, teniendo por cierto que iban a estar en la parte que el demonio les hace entender. Y guardaron, y aun agora lo acostumbran generalmente, que antes que los metían en las sepulturas los lloran cuatro o cinco o seis días, o diez, según es la persona del muerto, porque mientras mayor señor es, más honra se le hace y mayor sentimiento muestran, llorándolo con grandes gemidos y endechándolo con música dolorosa, diciendo en sus cantares todas las cosas que sucedieron al muerto siendo vivo. Y si fue valiente, llévanlo con estos lloros, contando sus hazañas; y al tiempo que meten el cuerpo en la sepultura, algunas joyas y ropas suyas queman junto a ella, y otras meten con él. Muchas destas cerimonias ya no se usan, porque Dios no lo permite y porque poco a poco van estas gentes conociendo el error que sus padres tuvieron y cuán poco aprovechan estas pompas y vanas honras, pues basta enterrar los cuerpos en sepulturas comunes, como se entierran los cristianos, sin procurar de llevar consigo otra cosa que buenas obras, pues lo demás sirve de agradar al demonio y que el ánima abaja al infierno más pesada y agravada. Aunque cierto los más de los señores viejos tenga que se deben de mandar enterrar en partes secretas y ocultas, de la manera ya dicha, por no ser vistos ni sentidos por los cristianos. Y que lo hagan así lo sabemos y entendemos por los dichos de los más mozos.

CAPITULO LXIV

Cómo el demonio hacía entender a los indios destas partes que era ofrenda grata a sus dioses tener indios que asistiesen en los templos para que los señores tuviesen con ellos conocimiento, cometiendo el gravísimo pecado de la sodomía

En esta primera parte desta historia he declarado muchas costumbres y usos destos indios, así de las que yo alcancé el tiempo que anduve entre ellos como de lo que también oí a algunos religiosos y personas de mucha calidad, los cuales, a mi ver, por ninguna cosa dejarían de decir la verdad de lo que sabían y alcanzaban, porque es justo que los que somos cristianos tengamos alguna curiosidad, para que, sabiendo y entendiendo las malas costumbres destos, apartarlos dellas y hacerles entender el camino de la verdad, para que se salven. Por tanto, diré aquí una maldad grande del demonio, la cual es que en algunas partes deste gran reino del Perú solamente algunos pueblos comarcanos a Puerto Viejo y a la isla de la Puna usaban el pecado nefando, y no en otras. Lo cual yo tengo que era así porque los señores ingas fueron limpios en esto y también los demás señores naturales. En toda la gobernación de Popayán tampoco alcancé que cometiesen este maldito vicio, porque el demonio debía de contentarse con que usasen la crueldad que cometían de comerse unos a otros y ser tan crueles y perversos los padres para los hijos. Y en estotros, por los tener el demonio más presos en las cadenas de su perdición, se tiene ciertamente que en los oráculos y adoratorios donde se daban las respuestas hacía entender que convenía para el servicio suyo que algunos mozos dende su niñez estuviesen en los templos, para que a tiempo y cuando se hiciesen los sacrificios y fiestas solenes, los señores y otros principales usasen con ellos el maldito pecado de la sodomía. Y para que entiendan los que esto leyeren cómo aun se guardaba entre algunos esta diabólica santimonia, pondré una relación que me dio della en la ciudad de los Reyes el padre fray Domingo de Santo Tomás, la cual tengo en mi poder y dice así (277):

«Verdad es que generalmente entre los serranos y yungas ha el demonio introducido este vicio debajo de especie de santidad, y es que cada templo o adoratorio principal tiene un hombre o dos o más, según es el ídolo, los cuales andan vestidos como mujeres dende el tiempo que eran niños, y hablaban como tales, y en su manera, traje y todo lo demás remedaban a las mujeres. Con éstos, casi como por vía de santidad y religión, tienen las fiestas y días principales su ayuntamiento carnal y torpe, especialmente los señores y principales. Esto sé porque he castigado a

(277) Fr. Domingo incurre también en el error de llamar templo a la *huaca* (véase nota 215).

dos: el uno de los indios de la sierra, que estaba para este efeto en un templo, que ellos llaman guaca, de la provincia de los Conchucos, término de la ciudad de Guanuco (278); el otro era en la provincia de Chincha; indios de su majestad; a los cuales hablándoles yo sobre esta maldad que cometían, y agravándoles la fealdad del pecado, me respondieron que ellos no tenían culpa, porque desde el tiempo de su niñez los habían puesto allí sus caciques para usar con ellos este maldito y nefando vicio y para ser sacerdotes y guarda de los templos de sus ídolos (279). De manera que lo que les saqué de aquí es que estaba el demonio tan señoreado en esta tierra que, no se contentando con los hacer caer en pecado tan enorme, les hacía entender que el tal vicio era especie de santidad y religión, para tenerlos más subjetos.» Esto me dio de su misma letra fray Domingo, que por todos es conocido y saben cuán amigo es de verdad. Y aun también me acuerdo que Diego de Gálvez, secretario que agora es de su majestad en la corte de España, me contó cómo, viniendo él y Peralonso Carrasco, un conquistador antiguo que es vecino de la ciudad del Cuzco, de la provincia del Collao, vieron uno o dos destos indios que habían estado puestos en los templos como fray Domingo dice. Por donde yo creo bien que estas cosas son obra del demonio, nuestro adversario, y se parece claro, pues con tan baja y maldita obra quiere ser servido.

(278) Huánuco. Hay la ciudad de Huánuco y el gran recinto incaico, probablemente un gran acuartelamiento, estudiado por Hart-Terré, llamado *Huánuco Viejo*, a bastante distancia de la población moderna.

(279) Se refiere Fr. Domingo al tiempo anterior a la conquista incaica, ya que habla de *sus caciques*. La dominación de los incas en territorio yunga era relativamente reciente.

CAPITULO LXV

Cómo en la mayor parte destas provincias se usó poner nombre a los muchachos, y cómo miraban en agüeros y señales

Una cosa noté en el tiempo que estuve (280) en estos reinos del Perú, y es que en la mayor parte de sus provincias se usó poner nombres a los niños cuando tenían quince o veinte días, y les duran hasta ser de diez o doce años, y deste tiempo, y algunos de menos, tornan a recebir otros nombres, habiendo primero en cierto día, que está establecido para semejantes casos, juntándose la mayor parte de los parientes y amigos del padre, adonde bailan a su usanza y beben, que es su mayor fiesta, y después de ser pasado el regocijo, uno de ellos, el más anciano y estimado, tresquila al mozo o moza que ha de recebir nombre y le corta las uñas, las cuales, con los cabellos, guardan con gran cuidado. Los nombres que les ponen y ellos usan son nombres de pueblos y de aves, o hierbas o pescado. Y esto entendí que pasa así, porque yo he tenido indio que había por nombre Urco, que quiere decir carnero, y otro que se llamaba Llama, que es nombre de oveja, y otros he visto llamarse Piscos, que es nombre de pájaros; y algunos tienen gran cuenta con llamarse los nombres de sus padres o abuelos. Los señores y principales buscan nombres a su gusto, y los mayores que para entre ellos hallan; aunque Atabaliba (que fue el inga que prendieron los españoles en la provincia de Caxamalca) quiere decir su nombre tanto como gallina, y su padre se llamaba Guaynacapa (281), que significa mancebo rico. Tenían por mal agüero estos indios que una mujer pariese dos criaturas de un vientre, o cuando alguna criatura nace con algún defeto natural, como es en una mano seis dedos, o otra cosa semejante. Y si (como digo) alguna mujer paría de un vientre dos criaturas, o con algún defeto, se entristecían ella y su marido, y ayunaban sin comer ají ni beber chicha, que es el vino que ellos beben, y hacían otras

(280) Esta redacción hace pensar que esta parte estuvo escrita en España.
(281) Huayna-Capac. Más bien significa Joven Jefe.

cosas a su uso y como lo aprendieron de sus padres. Asimismo miraban estos indios mucho en señales y en prodigios. Y cuando corre alguna estrella (282) es grandísima la grita que hacen, y tienen gran cuenta con la luna y con los planetas (283), y todos los más eran agoreros. Cuando se prendió Atabaliba en la provincia de Caxamalca, hay vivos algunos cristianos que se hallaron con el marqués don Francisco Pizarro, que lo prendió, que vieron en el cielo de media noche abajo una señal verde, tan gruesa como un brazo y tan larga como una lanza jineta; y como los españoles anduviesen mirando en ello, y Atabaliba lo entendiese, dicen que les pidió que lo sacasen para la ver, y como lo vio, se paró triste, y lo estuvo el día siguiente; y el gobernador don Francisco Pizarro le preguntó que por qué se había parado tan triste. Respondió él: «He mirado la señal del cielo, y dígote que cuando mi padre, Guaynacapa, murió, se vio otra señal semejante a aquella.» Y dentro de quince días murió Atabaliba.

CAPITULO LXVI

De la fertilidad de la tierra de los llanos, y de las muchas frutas y raíces que hay en ellos, y la orden tan buena con que riegan los campos

Pues ya he contado lo más brevemente que he podido algunas cosas convenientes a nuestro propósito, será bien volver a tratar de los valles, contando cada uno por sí particularmente, como se ha hecho de los pueblos y provincias de la serranía, aunque primero daré alguna razón de las frutas y mantenimientos y asequias que hay en ellos. Lo cual hecho, proseguiré con lo que falta. Digo,

(282) Cometa.
(283) Esta información es muy valiosa y pasó inadvertida a muchos tratadistas, pues fue creencia generalizada que los peruanos no tuvieron el cuidado calendárico-astronómico que poseyeron los mayas y aztecas. Los modernos estudios de Zuydema demuestran que la cuenta del tiempo entre los peruanos (sobre la base de los cultivos) era extraordinariamente compleja, pues se tenía en cuenta no sólo el paso del tiempo, sino la rotación sobre los terrenos, estableciéndose zonas de privilegio.

pues, que toda la tierra de los valles adonde no llega la arena, hasta donde toman las arboledas dellos, es una de las más fértiles tierras y abundantes del mundo, y la más gruesa para sembrar todo lo que quisieren, y adonde con poco trabajo se puede cultivar y aderezar. Ya he dicho cómo no llueve en ellos y cómo el agua que tienen es de riego de los ríos que abajan de las sierras, hasta ir a dar a la mar del Sur. Por estos valles siembran los indios el maíz, y lo cogen en el año dos veces, y se da en abundancia; y en algunas partes ponen raíces de yuca, que son provechosas para hacer pan y brebaje a falta de maíz, y críanse muchas batatas dulces, que el sabor dellas es casi como de castañas; y asimismo hay algunas papas y muchos frisoles, y otras raíces gustosas. Por todos los valles destos llanos hay también una de las singulares frutas que yo he visto, a la cual llaman pepinos 284), de muy buen sabor y muy olorosos algunos dellos. Nacen asimismo gran cantidad de árboles de guayabas, y de muchas guabas y paltas, que son a manera de peras, guanabanas y caimitos, y piñas de las de aquellas partes (285). Por las casas de los indios se ven muchos perros diferentes de la casta de España, del tamaño de gozques, a quien llaman chonos. Crían también muchos patos, y en la espesura de los valles hay algarrobas algo largas y angostas, no tan gordas como vainas de habas. En algunas partes hacen pan destas algarrobas, y lo tienen por bueno. Usan mucho de secar las frutas y raíces que son aparejadas para ello, como nosotros hacemos los higos, pasas y otras frutas. Agora (286) en este tiempo, por muchos destos valles hay grandes viñas, de donde cogen muchas uvas. Hasta agora no se ha hecho vino, y por eso no se puede certificar qué tal será; presúmese que, por ser de regadío, será flaco. También hay grandes higuerales y muchos granados, y en algunas partes se dan ya membrillos (287). Pe-

(284) Quiere decir los españoles, pues la palabra no es quéchua. Aparece, según Corominas, en los escritos en 1495, a los tres años del Descubrimiento.

(285) Cieza sigue empleando la nomenclatura antillana.

(286) Este *ahora* tiene un significado preciso, ya que los peruanos no tuvieron vides, que fueron importadas por los españoles, es decir *(agora)* en el tiempo en que escribe Cieza.

(287) Este *ya* hace que apliquemos el mismo razonamiento de la nota anterior.

ro ¿para qué voy contando esto, pues se cree y tiene por cierto que se darán todas las frutas que de España sembraron? Trigo se coge tanto como saben los que lo han visto, y es cosa hermosa de ver campos llenos de sementeras por tierra estéril de agua natural y que estén tan frescos y viciosos que parecen matas de albahaca. La cebada se da como el trigo; limones, limas, naranjas, cidras, toronjas, todo lo hay mucho y muy bueno, y grandes platanales. Sin lo dicho, hay por todos estos valles otras frutas muchas y sabrosas que no digo, porque me parece que basta haber contado las principales. Y como los ríos abajan de la sierra por estos llanos, y algunos de los valles son anchos, y todos se siembran o solían sembrarse cuando estaban más poblados, sacaban acequias en cabos y por partes, que es cosa extraña afirmarlo, porque las echaban por lugares altos y bajos, y por laderas de los cabezos y haldas de sierras que están en los valles, y por ellos mismos atraviesan muchas, unas por una parte y otras por otra, que es gran delectación caminar por aquellos valles, porque parece que se anda entre huertas y florestas llenas de frescuras. Tenían los indios, y aun tienen, muy gran cuenta en esto de sacar el agua y echarla por estas acequias; y algunas veces me ha acaecido a mí para junto a una acequia, y sin haber acabado de poner la tienda, estar el acequia seca y haber echado el agua por otra parte. Porque, como los ríos no se sequen, es en mano destos indios echar el agua por los lugares que quiere. Y están siempre estas acequias muy verdes, y hay en ellas mucha hierba de grama para los caballos, y por los árboles y florestas andan muchos pájaros de diversas maneras, y gran cantidad de palomas, tórtolas, pavas, faisanes y algunas perdices y muchos venados. Cosa mala, ni serpientes, culebras, lobos, no los hay; y lo que más se ve es algunas raposas, tan engañosas, que aunque hayan gran cuidado en guardar las cosas, adondequiera que se aposenten españoles o indios han de hurtar, y cuando no hayan qué, se llevan los látigos de las cinchas de los caballos o las riendas de los frenos. En muchas partes destos valles hay gran cantidad de cañaverales de cañas dulces, que es causa que en algunos lugares se hacen azúcares y otras frutas con su miel. Todos estos indios yungas son grandes trabajadores, y cuando llevan cargas encima de sus hombros se desnudan en carnes, sin dejar en sus cuerpos si no es una pequeña manta del largor de un palmo y de menos anchor, con que cubren sus vergüenzas, y ceñidas sus mantas a los cuerpos, van corriendo con las cargas. Y volviendo al riego de estos indios, como en él tenían tanta orden para regar sus campos, la tenían mayor y tienen en sembrarlos con muy gran concierto. Y dejado esto, diré el camino que hay de la ciudad de San Miguel hasta la de Trujillo.

CAPITULO LXVII

Del camino que hay desde la ciudad de San Miguel hasta la de Trujillo, y de los valles que hay en medio

En los capítulos pasados declaré la fundación de la ciudad de San Miguel, primera población hecha de cristianos en el Perú. Por tanto, trataré de lo que desta ciudad hay hasta la de Trujillo. Y digo que de una ciudad a otra puede haber sesenta leguas, poco más o menos. Saliendo de San Miguel hasta llegar al valle de Motupe hay veinte y dos leguas, todo de arenales y camino muy trabajoso, especialmente por donde agora se camina. En el término destas veinte y dos leguas hay ciertos vallecetes; y aunque de lo alto de la sierra descienden algunos ríos, no abajan por ellos, antes se sumen y esconden entre los arenales de tal manera, que no dan de sí provecho ninguno. Y para andar estas veinte y dos leguas es menester salir por la tarde, por que caminando toda la noche se llegue a buena hora adonde están unos jagüeyes (288), de los cuales beben los caminantes, y de allí salen sin sentir mucho la calor del sol; y los que pueden llevar sus calabazas de agua y botas de vino para lo de adelante. Llegado al valle de Hotupe, se ve luego el camino real de los ingas, ancho y obrado de la manera que conté en los capítulos pasados. Este valle es ancho y muy fértil, y no embargante que también abaja de la sierra un río razonable a

(288) Cisterna o aljibe. Es palabra taina, que aparece ya en 1518.

dar en él, se esconde antes de llegar a la mar. Los algarrobos y otros árboles se extienden gran trecho, causado de la humidad que hallan abajo sus raíces. Y aunque en lo más bajo del valle hay pueblos de indios, se mantienen del agua que sacan de pozos hondos que hacen, y unos y otros tienen su contratación dando unas cosas por otras (289), porque no usan de moneda ni se ha hallado cuño della en estas partes. Cuentan que había en este valle grandes aposentos para los ingas y muchos depósitos, y por los altos y sierras de pedregales tenían y tienen sus guacas y enterramientos. Con las guerras pasadas falta mucha gente dél; y los edificios y aposentos están deshechos y desbaratados, y los indios viven en casas pequeñas, hechas como ya dije en los capítulos de atrás. En algunos tiempos contratan con los de la serranía, y tienen en este valle grandes algodonales, de que hacen su ropa. Cuatro leguas de Motupe está el hermoso y fresco valle de Xayanca, que tiene de ancho casi cuatro leguas; pasa por él un lindo río, de donde sacan acequias que bastan regar todo lo que los indios quieren sembrar. Y fue en los tiempos pasados este valle muy poblado, como los demás, y hay en él grandes aposentos y depósitos de los señores principales, en los cuales estaban sus mayordomos mayores, que tenían los cargos que otros que en lo de atrás he contado. Los señores naturales destos valles fueron estimados y acatados por sus súbditos; todavía lo son los que han quedado, y andan acompañados y muy servidos de mujeres y criados, y tienen sus porteros y guardas. Deste valle se va al de Tuqueme, que también es grande y vistoso y lleno de florestas y arboledas, y asimismo dan muestra los edificios que tienen, aunque ruinados y derribados, de lo mucho que fue. Más adelante una jornada pequeña está otro valle muy hermoso, llamado Cinto. Y ha de entender el lector que de valle a valle destos, y de los más que quedan de escrebir, es todo arenales y pedregales sequísimos, y que por ellos no se ve cosa viva ni nacida, hierba ni árbol, si no son algunos pájaros ir volando. Y como van caminando por tanta arena y se ve el valle (aunque esté lejos), reciben gran contento, especialmente si van a pie y con mucho sol y gana de beber. Conviene no caminar

(289) Trueque.

por estos llanos hombres nuevos en la tierra, si no fuere con buenas guías que los sepan llevar por los arenales. Deste valle se llega al de Collique, por donde corre un río que tiene el nombre del valle; y es tan grande, que no se puede vadear si no es cuando en la tierra es verano y en los llanos invierno; aunque, a la verdad, los naturales dél se dan tan buena maña a sacar acequias, que aunque sea invierno en la sierra, algunas veces dejan la madre y corriente descubierta. Este valle es también ancho y lleno de arboledas como los pasados, y faltan en él la mayor parte de los naturales, que, con las guerras que hubo entre unos españoles con otros, se han consumido con males y trabajos que estas guerras acarrean.

CAPITULO LXVIII

En que se prosigue el mismo camino que se ha tratado en el capítulo pasado, hasta llegar a la ciudad de Trujillo

Deste valle de Collique se camina hasta llegar a otro valle que nombran Zana, de la suerte y manera que los pasados. Más adelante se entra en el valle de Pacasmayo, que es más fértil y bien poblado de todos los que tengo escripto, y adonde los que son naturales deste valle, antes que fuesen señoreados por los ingas, eran poderosos y muy estimados de sus comarcanos, y tenían grandes templos, donde hacían sus sacrificios a sus dioses. Todo está ya derribado. Por las rocas y sierras de pedregales hay gran cantidad de guacas, que son los enterramientos destos indios (290). En todos los más destos valles están clérigos o frailes, que tienen cuidado de la conversión dellos y de su dotrina, no consintiendo que usen de sus religiones y costumbres antiguas. Por este valle pasa un muy hermoso río, del cual sacan muchas y grandes acequias, que bastan a regar los campos que dél quieren los indios sembrar, y tiene de las raíces y frutas ya contadas. Y el camino real de los ingas pasa por él, como hace por los

(290) Observemos que en este caso Cieza ya llama *huaca* a la tumba.

demás valles, y en éste había grandes aposentos para el servicio dellos. Algunas antigüedades cuentan de sus progenitores, que por las tener por fábulas no las escribo. Los delegados de los ingas cogían los tributos en los depósitos que para guarda dellos estaban hechos, de donde eran llevados a las cabeceras de las provincias, lugar señalado para residir los capitanes generales y adonde estaban los templos del sol. En este valle de Pacasmayo se hace gran cantidad de ropa de algodón y se crían bien las vacas, y mejor los puercos y cabras, con los demás ganados que quieren, y tienen muy buen temple. Yo pasé por él en el mes de setiembre del año de 1548, a juntarme con los demás soldados que salimos de la gobernación de Popayán con el campo de su majestad, para castigar la alteración pasada, y me pareció extremadamente bien este valle, y alababa a Dios viendo su frescura, con tantas arboledas y florestas llenas de mil géneros de pájaros. Yendo más adelante se llega al de Chacama, no menos fértil y abundoso que Pacasmayo por su grandeza y fertilidad, sin lo cual hay en él gran cantidad de cañaverales dulces, de que se hace mucho azúcar y muy bueno, y otras frutas y conservas; y hay un monasterio de Santo Domingo, que fundó el reverendo padre fray Domingo de Santo Tomás. Cuatro leguas más adelante está el valle de Chimo (291), ancho y muy grande, y adonde está edificada la ciudad de Trujillo. Cuentan algunos indios que antiguamente, antes que los ingas tuviesen señoríos, hubo en este valle un poderoso señor, a quien llamaban Chimo, como el valle se nombra agora, el cual hizo grandes cosas, venciendo muchas batallas, y edificó unos edificios que, aunque son tan antiguos, se parece claramente haber sido gran cosa. Como las ingas, reyes del Cuzco, se hicieron señores destos llanos, tuvieron en mucha estimación a este valle de Chimo, y mandaron hacer en él grandes aposentos y casas de placer, y el camino real pasa de largo, hecho con sus paredes. Los caciques naturales deste valle fueron siempre estimados y tenidos por ricos. Y esto se ha conocido ser verdad, pues en las sepulturas de sus mayores se ha hallado cantidad de oro y plata. En el tiempo presente hay pocos indios, y los señores no tienen tanta estima-

(291) Reino de Chimú.

ción, y lo más del valle está repartido entre los españoles pobladores de la nueva ciudad de Trujillo, para hacer sus casas y heredamientos. El puerto de la mar, que nombran el arrecife de Trujillo, no está muy lejos deste valle, y por toda la costa matan mucho pescado para proveimiento de la ciudad y de los mismos indios.

CAPITULO LXIX

De la fundación de la ciudad de Trujillo, y quién fue el fundador

En el valle de Chimo está fundada la ciudad de Trujillo, cerca de un río algo grande y hermoso, del cual sacan acequias, con que los españoles riegan sus huertas y vergeles, y el agua dellas pasa por todas las casas desta ciudad, y siempre están verdes y floridas. Esta ciudad de Trujillo es situada en tierra que se tiene por sana, y a todas partes cercada de muchos heredamientos, que en España llaman granjas o cortijos, en donde tienen los vecinos sus ganados y sementeras. Y como todo ello se riega, hay por todas partes puestas muchas viñas y granados y higueras, y otras frutas de España, y gran cantidad de trigo y muchos naranjales, de los cuales es cosa hermosa ver el azahar que sacan. También hay cidras, toronjas, limas, limones. Frutas de las naturales hay muchas y muy buenas. Sin esto, se crían muchas aves, gallinas, capones. De manera que se podrá tener que los españoles vecinos de esta ciudad son de todos proveídos, por tener tanta abundancia de las cosas ya contadas; y no falta de pescado, pues tiene la mar a media legua. Esta ciudad está asentada en un llano que hace el valle en medio de sus frescuras y arboledas, cerca de unas sierras de rocas y secadales, bien trazada y edificada, y las calles muy anchas y la plaza grande. Los indios serranos abajan de sus provincias a servir a los españoles que sobre ellos tienen encomienda, y proveen la ciudad de las cosas que ellos tienen en sus pueblos. De aquí sacan navíos cargados de ropa de algodón hecha por los indios, para vender en otras partes. Fundó y pobló la ciudad de Trujillo el adelantado don Francisco Pizarro, gobernador y capitán general en los reinos del Perú, en nombre del emperador don Carlos, nuestro señor, año del nacimiento de nuestro salvador Jesucristo de 1530 años.

CAPITULO LXX

De los más valles y pueblos que hay por el camino de los llanos hasta llegar a la ciudad de los Reyes

En la serranía, antes de llegar al paraje de la ciudad de los Reyes, están pobladas las ciudades de la frontera de los chachapoyas y la ciudad de León de Guanuco. No determino tratar dellas nada hasta que vaya dando noticia de los pueblos y provincias que me quedan de contar de la serranía, en donde escrebiré sus fundaciones con la más brevedad que yo pudiere; y con tanto, pasaré adelante con lo comenzado. Digo que desta ciudad de Trujillo a la de los Reyes hay ochenta leguas, todo camino de arenales y valles. Luego que salen de Trujillo se va al valle de Guanape, que está siete leguas más hacia la ciudad de los Reyes, que no fue en los tiempos pasados menos nombrado entre los naturales, por el brebaje de chicha que en él se hacía, que Madrigal o San Martín en Castilla, por el buen vino que cogen. Antiguamente también fue muy poblado este valle, y hubo en él señores principales, y fueron bien tratados y honrados por los ingas después que ellos se hicieron señores. Los indios que han quedado de las guerras y trabajos pasados entienden en sus labranzas como los demás, sacando acequias del río para regar los campos que labran, y claro se ve cómo los reyes ingas tuvieron en él depósitos y aposentos. Un puerto de mar hay en este valle de Guanape, provechoso, porque muchas de las naos que andan por esta mar del Sur, de Panamá al Perú, se fornecen en él de mantenimiento.

De aquí se camina al valle de Santa; y antes de llegar a él se pasa un valle pequeño, por el cual no corre río, salvo que se ve cierto ojo de agua buena, de que beben los indios y caminantes que van por aquella parte; y esto se debe causar de algún río que corre por las entrañas de la misma tierra. El valle de Santa fue en los tiempos pasados muy bien poblado, y hubo en él grandes capitanes y señores naturales; tanto, que a los principios osaron competir con los ingas; de los cuales cuentan que, más por amor y maña que tuvieron que por rigor ni fuerza de armas, se hicieron señores dellos, y después los estimaron y tuvieron en mucho, y edificaron por su mandado grandes aposentos y muchos depósitos; porque este valle es uno de los mayores y más ancho y largo de cuantos se han pasado. Corre por él un río furioso y grande, y en tiempo que en la sierra es invierno viene crecido, y algunos españoles se han ahogado pasándolo de una a otra parte. En este tiempo hay balsas con que pasan los indios, de los cuales hubo antiguamente muchos millares dellos, y agora no se hallan cuatrocientos naturales (292); de lo cual no es poca lástima contemplar en ello. Lo que más me admiró cuando pasé por este valle fue ver la muchedumbre que tienen de sepulturas y que por todas las sierras y secadales en los altos del valle hay número grande de apartados, hechos a su usanza, todos cubiertos de huesos de muertos. De manera que lo que hay en este valle más que ver es las sepulturas de los muertos y los campos que labraron siendo vivos. Solían sacar del río grandes acequias, con que regaban todo lo más del valle, por lugares altos y por laderas. Mas agora, como haya tan pocos indios como he dicho, todo lo más de los campos están por labrar, hechos florestas y breñales, y tantas espesuras, que por muchas partes no se puede hender. Los naturales de aquí andan vestidos con sus mantas y camisetas, y las mujeres lo mismo. Por la cabeza traen sus ligaduras o señales. Frutas de las que se han contado se dan en este valle muy bien, y legumbres de España, y matan mucho pescado. Las naos que andan por la costa siempre toman agua en este río y se proveen destas cosas. Y como haya tantas arboledas y tan poca gente, críanse en estas espesuras tanta cantidad de mosquitos, que dan pena a los que pasan o duermen en este valle, del cual está el de Guambacho dos

(292) Cieza insiste, como vemos, en el despoblamiento y testimonio en cada caso dónde y cuándo se ha producido.

jornadas, de quien no terné que decir más de que es de la suerte y manera de los que quedan atrás y que tenía aposentos de los señores; y del río que corre por él sacaban acequias para regar los campos pue sembraban. Deste valle fuí yo en día y medio al de Guarmey, que también en lo pasado tuvo mucha gente. Crían en este tiempo cantidad de ganado de puercos y vacas y yeguas. Deste valle de Guarmey se llega al de Parmonga (293), no menos deleitoso que los demás, y creo yo que en él no hay indios ningunos que se aprovechen de su fertilidad; y si de ventura han quedado algunos, estarán en las cabezadas de la sierra y más alto del valle, porque no vemos otra cosa que arboledas y florestas desiertas. Una cosa hay que ver en este valle, que es una galana y bien trazada fortaleza al uso de los que la edificaron (294); y cierto es cosa de notar ver por dónde llevaban el agua por acequias para regar lo más alto della. Las moradas y aposentos eran muy galanos, y tienen por las paredes pintados muchos animales fieros y pájaros, cercada toda de fuertes paredes y bien obrada; ya está toda muy ruinada, y por muchas partes minada (295), por buscar oro y plata de enterramientos. En este tiempo no sirve esta fortaleza de más de ser testigo de lo que fue. A dos leguas deste valle el río de Guaman (296), que en nuestra lengua castellana quiere decir río de Halcón, y comúnmente le llaman la Barranca. Este valle tiene las calidades que los demás; y cuando en la sierra llueve mucho, este río de suso dicho es peligroso, y algunos pasando de una parte a otra se han ahogado. Una jornada más adelante está el valle de Guaura, de donde pasaremos al de Lima.

(293) Paramonga.
(294) Famosa hasta hoy. Construida de grandes adobones, defensora del valle en un promontorio estratégico.
(295) Nuevos datos sobre los comienzos de la *huaquería*.
(296) Aguila, *Huamán* en quéchua.

CAPITULO LXXI

De la manera que está situada la ciudad de los Reyes, y de su fundación, y quién fue el fundador

El valle de Lima es el mayor y más ancho de todos los que se han escripto de Tumbez a él; y así, como era grande, fue muy poblado (297). En este tiempo hay pocos indios de los naturales, porque, como se pobló la ciudad en su tierra y les ocuparon sus campos y riegos, unos se fueron a unos valles y otros a otros. Si de ventura han quedado algunos, ternán sus campos y acequias para regar los que siembran. Al tiempo que el adelantado don Pedro de Albarado entró en este reino hallóse el adelantado don Francisco Pizarro, gobernador dél por su majestad, en la ciudad del Cuzco. Y como el mariscal don Diego de Almagro fuése a lo que apunté en el capítulo que trata de Ríobamba, temiéndose el adelantado no quisiese ocupar alguna parte de la costa, abajando a estos llanos, determinó de poblar una ciudad en este valle. Y en aquel tiempo no estaba poblado Trujillo ni Arequipa ni Guamanga, ni las otras ciudades que después se fundaron. Y como el gobernador don Francisco Pizarro pensase hacer esta población, después de haberse visto el valle de Sangalla y otros asientos desta costa, abajando un día con algunos españoles por donde la ciudad está agora puesta, les pareció lugar convenible para ello y que tenía las calidades necesarias; y así, luego se hizo la traza y se edificó la ciudad en un campo raso deste valle, dos pequeñas leguas de la mar. Nace por encima della un río a la parte de levante, que en tiempo que en la serranía es verano lleva poca agua, y cuando es invierno va algo grande, y entra en la mar por la del poniente. La ciudad está asentada de tal manera que nunca el sol toma al río de través, sino que nace a la parte de la ciudad, la cual está tan junto al río que desde la plaza un buen bracero puede dar con una pequeña piedra en él, y por aquella parte no se puede alargar la ciudad para que la plaza pudiese quedar en comarca; an-

(297) Los modernos estudios de María Rostworowski permiten conocer la verdad de lo que afirma Cieza. Fue precisamente el sistema implantado por Pedro de la Gasca lo que contribuyó a este despoblamiento.

tes, de necesidad, ha de quedar a una parte. Esta ciudad, después del Cuzco, es la mayor de todo el reino del Perú y la más principal, y en ella hay muy buenas casas, y algunas muy galanas con sus torres y terrados, y la plaza es grande y las calles anchas, y por todas las más de las casas pasan acequias, que es no poco contento; del agua dellas se sirven y riegan sus huertos y jardines, que son muchos, frescos y delitosos. Está en este tiempo asentada en esta ciudad la corte y chancillería real; por lo cual y porque la contratación de todo el reino de Tierra Firme está en ella, hay siempre mucha gente y grandes y ricas tiendas de mercaderes. Y en el año que yo salí deste reino había muchos vecinos de los que tenían encomienda de indios, tan ricos y prósperos que valían sus haciendas a ciento y cincuenta mil ducados, y a ochenta, y a sesenta, y a cincuenta, y algunos a más y otros a menos. En fin, ricos y prósperos los dejé a todos los más; y muchas veces salen navíos del puerto desta ciudad que llevan a ochocientos mil ducados cada uno, y algunos más de un millón. Lo cual yo ruego al todopoderoso Dios que, como sea para su servicio y crecimiento de nuestra santa fe y salvación de nuestras ánimas, él siempre lo lleve en crecimiento. Por encima de la ciudad, a la parte de oriente, está un grande y muy alto cerro, donde está puesta una cruz (298). Fuera de la ciudad, a una parte y a otra, hay muchas estancias y heredamientos, donde los españoles tienen sus ganados y palomares, y muchas viñas y huertas muy frescas y deleitosas, llenas de las frutas naturales de la tierra, y de higueras, platanales, granados, cañas dulces, melones, naranjos, limas, cidras, toronjas y las legumbres que se han traído de España; todo tan bueno y gustoso que no tiene falta, antes digo por su belleza para dar gracias al gran Dios y Señor Nuestro, que lo crió. Y cierto, para pasar la vida humana, cesando los escándalos y alborotos y no habiendo guerra, verdaderamente es una de las buenas tierras del mundo, pues vemos que en ella no hay hambre, ni pestilencia, ni llueve, ni caen rayos ni relámpagos, ni se oyen truenos, antes siempre está el cielo

(298) Cerro de San Cristóbal, hoy cuajado de viviendas de ventura, suburbio insalubre.

sereno y muy hermoso (299). Otras particularidades della se pudieran decir; mas, pareciéndome que basta lo dicho, pasaré adelante, concluyendo con que la pobló y fundó el adelantado don Francisco Pizarro, gobernador y capitán general en estos reinos, en nombre de su majestad el emperador don Carlos, nuestro señor, año de nuestra reparación de 1530 años.

CAPITULO LXXII

Del valle de Pachacama y del antiquísimo templo que en él estuvo, y cómo fue reverenciado por los yungas

Pasando de la ciudad de los Reyes por la misma costa, a cuatro leguas della está el valle de Pachacama, muy nombrado entre estos indios. Este valle es deleitoso y frutífero, y en él estuvo uno de los suntuosos templos que se vieron en estas partes: del cual dicen que, no embargante que los reyes ingas hicieron, sin el templo del Cuzco, otros muchos, y los ilustraron y acrecentaron con riqueza, ninguno se igualó con este de Pachacama, el cual estaba edificado sobre un pequeño cerro hecho a mano (300), todo de adobes y de tierra, y en lo alto puesto el edificio, comenzando desde lo bajo, y tenía muchas puertas, pintadas ellas y las paredes con figuras de animales fieros. Dentro del templo, donde ponían el ídolo estaban los sacerdotes, que no fingían poca santimonia. Y cuando hacían los sacrificios delante de la multitud del pueblo iban los rostros hacia las puertas del templo y las espaldas a la figura del dolo, llevando los ojos bajos y llenos de gran temblor,

(299) Cieza debe referirse a los meses de diciembre a marzo, pues el resto del año el cielo está permanentemente encapotado. Lima se llamó, como es sabido, Ciudad de los Reyes, no en honor de los de España, sino de los tres Magos de Oriente, en un 6 de enero, por lo tanto. Quizá la luminosidad de estas fechas veraniegas —en el Perú— fue lo que decidió a Pizarro a establecerse allí, en la cercanía de un puerto.

(300) Se trata de una pirámide escalonada pre-incaica. La gran fama que gozaba Pachacamac en la costa hizo que los incas lo *adoptaran*, dentro de su sincretismo, estableciendo allí convento de *mamacuna* y otras grandes edificaciones, para las que tuvieron que traer la piedra de bastante distancia.

y con tanta turbación, según publican algunos indios de los que hoy son vivos, que casi se podrá comparar con lo que se lee de los sacerdotes de Apolo cuando los gentiles aguardaban sus vanas respuestas. Y dicen más: que delante de la figura deste demonio sacrificaban número de animales y alguna sangre humana de personas que mataban; y que en sus fiestas, las que ellos tenían por más solenes, daba respuestas; y como eran oídas, las creían y tenían por de mucha verdad. Por los terrados deste templo y por lo más bajo estaba enterrada gran suma de oro y plata (301). Los sacerdotes eran muy estimados, y los señores y caciques les obedecían en muchas cosas de las que ellos mandaban; y es fama que había junto al templo hechos muchos y grandes aposentos (302) para los que venían en romería, y que a la redonda dél no se permitía enterrar ni era digno de tener sepultura si no eran los señores o sacerdotes o los que venían en romería y a traer ofrendas al templo. Cuando se hacían las fiestas grandes del año era mucha la gente que se juntaba, haciendo sus juegos con sones de instrumentos de música de la que ellos tienen. Pues como los ingas, señores tan principales, señoreasen el reino y llegasen a este valle de Pachacama, y tuviesen por costumbre mandar por toda la tierra que ganaban que se hiciesen templos y adoratorios al sol, viendo la grandeza deste templo y su gran antigüedad, y la autoridad que tenía con todas las gentes de las comarcas, y la mucha devoción que a él todos mostraban, pareciéndoles que con gran dificultad la podrían quitar, dicen que trataron con los señores naturales y con los ministros de su dios o demonio que este templo de Pachacama se quedase con el autoridad (303) y servicio que tenía, con tanto que se hiciese otro templo grande y que tuviese el más eminente lugar para el sol; y siendo hecho como los ingas lo mandaron su templo del sol, se hizo muy rico y se pusieron en él muchas mujeres vírgenes. El demonio Pachaca-

(301) Cuando Atau-Huallpa fue preso y ofreció entregar gran cantidad de oro y plata para su rescate, Hernando Pizarro, con un pequeño grupo, fue hasta este santuario, llegando hasta el sagrado del mismo, que describió como una covacha maloliente.

(302) Se refiere a los construidos por los incas, de que se habla en la nota 300.

(303) Cieza nos informa aquí de cómo los incas incorporaron a su sincretismo el culto periódico de Pachacamac.

ma, alegre en este concierto, afirman que mostraba en sus respuestas gran contento, pues con lo uno y lo otro era él servido y quedaban las ánimas de los simples malaventurados presas en su poder. Algunos indios dicen que en lugares secretos habla con los más viejos este malvado demonio Pachacama; el cual, como ve que ha perdido su crédito y autoridad y que muchos de los que le solían servir tienen ya opinión contraria, conociendo su error, les dice que el Dios que los cristianos predican y él son una cosa, y otras palabras dichas de tal adversario, y con engaños y falsas apariencias procura estorbar que no reciban agua del baptismo, para lo cual es poca parte, porque Dios, doliéndose de las ánimas destos pecadores, es servido que muchos vengan a su conocimiento y se llamen hijos de su iglesia, y así, cada día se baptizan. Y estos templos todos están deshechos y ruinados de tal manera que lo principal de los edificios falta; y a pesar del demonio, en el lugar donde él fue tan servido y adorado está la cruz, para más espanto suyo y consuelo de los fieles. El nombre deste demonio quería decir hacedor del mundo, porque camac quiere decir hacedor, y pacha (304), mundo. Y cuando el gobernador don Francisco Pizarro (permitiéndolo Dios), prendió en la provincia de Caxamalca a Atabaliba, teniendo gran noticia deste templo y dela mucha riqueza que en él estaba, envió al capitán Hernando Pizarro, su hermano, con copia de españoles, para que llegasen a este valle y sacasen todo el oro que en el maldito templo hubiese, con lo cual diese la vuelta a Caxamalca. Y aunque el capitán Hernando Pizarro procuró con diligencia llegar a Pachacama, es público entre los indios que los principales y los sacerdotes del templo habían sacado más de cuatrocientas cargas de oro, lo cual nunca ha parecido, ni los indios que hoy son vivos saben dónde está, y todavía halló Hernando Pizarro (que fue, como digo, el primer capitán español que en él entró) alguna cantidad de oro y plata. Y andando los tiempos, el capitán Rodrigo Orgóñez (305) y

(304) *Pacha,* como dice Cieza, es *mundo* o *tierra,* pero también significa *tiempo.*

(305) Rodrigo Orgóñez era hijo de judía y tomó parte en el *sacco* o saqueo de Roma, llevando a su tierra extremeña un copón de oro, que no admitió la iglesia, por ser robo sacrílego. Probó la aventura americana y en el Perú se convirtió en el segundo de

Francisco de Godoy y otros sacaron gran suma de oro y plata de los enterramientos, y aun se presume y tiene por cierto que hay mucho más; pero como no se sabe dónde está enterrado, se pierde, y si no fuere acaso hallarse, poco se cobrará. Desde el tiempo que Hernando Pizarro y los otros cristianos entraron en este templo, se perdió y el demonio tuvo poco poder, y los ídolos que tenía fueron destruídos, y los edificios y templo del sol, por el consiguiente, se perdió, y aun la más desta gente falta; tanto, que muy pocos indios han quedado en él. Es tan vicioso y lleno de arboledas como sus comarcanos, y en los campos deste valle se crían muchas vacas y otros ganados y yeguas, de las cuales salen algunos caballos buenos.

CAPITULO LXXIII

De los valles que hay desde Pachacama hasta llegar a la fortaleza del Guarco, y de una cosa notable que en este valle se hace

Deste valle de Pachacama, donde estaba el templo ya dicho, se va hasta llegar al de Chilca, donde se ve una cosa que es de notar por ser muy extraña, y es que ni del cielo se ve caer agua ni por él pasa río ni arroyo, y está lo más del valle lleno de sementeras de maíz y de otras raíces y árboles de frutas. Es cosa notable de oír lo que en este valle se hace: que, para que tenga la humidad necesaria, los indios hacen unas hoyas anchas y muy hondas, en las cuales siembran y ponen lo que tengo dicho; y con el rocío y humidad es Dios servido que se críe; pero el maíz por ninguna forma ni vía podría nacer ni mortificarse el grano si con cada uno no echasen una o dos cabezas de sardinas de las que toman con sus redes en la mar; y así, al sembrar, las ponen y juntan con el maíz en el propio hoyo que hacen para echar los granos, y desta manera nace y se da en abundancia (306). Cierto es cosa notable

Diego de Almagro, siguiéndole hasta el final, muriendo en la batalla de Las Salinas.

(306) Hoy se pesca en la costa pacífica la *anchoveta,* para la fabricación de fertilizantes. Los indios costeños del Perú, empíricamente habían inventado el abono de sus campos a base de la pesca.

y nunca vista que en tierra donde ni llueve ni cae sino algún pequeño rocío puedan gentes vivir a su placer. El agua que beben los deste valle la sacan de grandes y hondos pozos. Y en este paraje, en la mar matan tantas sardinas que bastan para el mantenimiento destos indios y para hacer con ellas sus sementeras. Y hubo en él aposentos y depósitos de los ingas, para estar cuando andaban visitando las provincias de su reino. Tres leguas más adelante de Chilca está el valle de Mala, que es adonde el demonio, por los pecados de los hombres, acabó de meter el mal en esta tierra que había comenzado, y se confirmó la guerra entre los dos gobernadores, don Francisco Pizarro y don Diego de Almagro, pasando primero grandes trances y acaecimientos, porque dejaron el negocio del debate (que era sobre en cuál de los gobernadores caía la ciudad del Cuzco) en manos y poder de fray Francisco de Bobadilla, fraile de la orden de Nuestra Señora de la Merced; y habiendo tomado juramento solemne a los unos capitanes y a los otros, los dos adelantados Pizarro y Almagro se vieron, y de las vistas no resultó más de se volver con gran disimulación don Diego de Almagro a poder de su gente y capitanes, y el juez árbitro, Bobadilla, sentenció los debates y declaró lo que yo escribo en la cuarta parte desta historia, en el primer libro, de la guerra de las Salinas. Por este valle de Mala pasa un río muy bueno, lleno de espesas arboledas y florestas. Adelante deste valle de Mala, poco más de cinco leguas, está el del Guarco, bien nombrado en este reino, grande y muy ancho y lleno de arboledas de frutales. Especialmente hay en él cantidad de guayabas muy olorosas y gustosas y mayor de guabas. El trigo y maíz se da bien, y todas las más cosas que siembran, así de los naturales como de lo que plantan de los árboles de España. Hay, sin esto, muchas palomas, tórtolas y otros géneros de pájaros. Y las florestas y espesuras que hace el valle son muy sombrías; por debajo della pasan las acequias. En este valle dicen los moradores que hubo en los tiempos pasados gran número de gentes, y que competían con los de la sierra y con otros señores de los llanos. Y que como los ingas viniesen conquistando y haciéndose señores de todo lo que vían, no queriendo estos naturales quedar por sus vasallos, pues sus padres los habían dejado libres, se mostraron tan valerosos que sostuvieron la guerra y la mantuvieron, con no menos ánimo que virtud, más tiempo de cuatro años, en el discurso de los cuales pasaron entre unos y otros cosas notables, a lo que dicen los orejones del Cuzco y ellos mismos, según se trata en la segunda parte. Y como la porfía durase, no embargante que el Inga se retiraba los veranos al Cuzco por causa del calor, sus gentes trataron la guerra, que, por ser larga y el rey inga haber tomado voluntad de la llegar al cabo, abajando con la nobleza del Cuzco, edificó otra nueva ciudad, a la cual nombró Cuzco, como a su principal asiento. Y cuentan asimismo que mandó que los barrios y collados tuviesen los nombres propios que tenían los de Cuzco; durante el cual tiempo, después de haber los del Guarco y sus valedores hecho hasta lo último que pudieron, fueron vencidos y puestos en servidumbre del rey tirano; y que no tenía otro derecho a los señoríos que adquiría más que la fortuna de la guerra (307). Y habiéndole sido próspera, se volvió con su gente al Cuzco, perdiéndose el nombre de la nueva población que habían hecho. No embargante que por triunfo de su vitoria mandó edificar en un collado alto del valle la más agraciada y vistosa fortaleza que había en todo el reino del Perú, fundada sobre grandes losas cuadradas, y las portadas muy bien hechas y los recebimientos y patios grandes. De lo más alto desta casa real abajaba una escalera de piedra que llegaba hasta la mar; tanto, que las mismas ondas della baten en el edificio con tan grande ímpetu y fuerza, que pone grande admiración pensar cómo se pudo labrar de la manera tan prima y fuerte que tiene. Estaba en su tiempo esta fortaleza muy adornada de pinturas, y antiguamente había mucho tesoro en ella de los reyes ingas. Todo el edificio desta fuerza, aunque es tanto como tengo dicho, y las piedras muy grandes, no se parece mezcla ni señal de cómo las piedras encajan unas en otras, y están

(307) Cieza afirma la norma jurídico-moral española de su tiempo, según la cual el que señorea por la fuerza es un *tirano*. Por esta razón los españoles del siglo XVI se preocuparon tanto de buscar los *justos títulos* de su señorío en las Indias, que habían sido conseguidos por la fuerza de la guerra.

tan apegadas que a mala vez se parece la juntura (308). Cuando este edificio se hizo dicen que, llegando a lo interior de la peña con sus picos y herramientas, hicieron concavidades, en las cuales, habiendo socavado, ponían encima grandes losas y piedras; de manera que con tal cimiento quedó el edificio tan fuerte. Y cierto, para ser obra hecha por estos indios, es digna de loor y que causa a los que la ven admiración; aunque está desierta y ruinada, se ve haber sido lo que dicen en lo pasado. Y donde es esta fortaleza y lo que ha quedado de la del Cuzco, me parece a mí que se debía mandar, so graves penas, que los españoles ni los indios no acabasen de deshacerlas, porque estos dos edificios son los que en todo el Perú parecen fuertes y más de ver, y aun, andando los tiempos, podrían aprovechar para algunos efetos (309).

CAPITULO LXXIV

De la gran provincia de Chincha y cuánto fue estimada en los tiempos antiguos

Adelante de la fortaleza del Guarco, poco más de dos leguas, está un río algo grande, a quien llaman de Lunaguana, y el valle que hace, por donde pasa su corriente, es de la natura de los pasados. Seis leguas deste río de Lunaguana está el hermoso y grande valle de Chincha, tan nombrado en todo el Perú como temido antiguamente por los más de los naturales. Lo cual se cree que sería así, pues sabemos que cuando el marqués don Francisco Pizarro con sus trece compañeros descubrió la costa deste reino, por toda ella le decían que fuese a Chincha, que era

(308) Esta es una de las más ponderadas características del sistema de levantar muros por los incas, pero Cieza es el primero que hace esta observación, normal luego en todos los restantes.

(309) Entre los aspectos riquísimos del pensamiento de Cieza, que va desgranando al ritmo de su descripción de los hechos, cosas y paisajes, está esta preocupación por lo que desaparece y por lo que puede conservarse. Quizá eran pocos los hombres de su tiempo que propusieran la conservación de un monumento y, menos, de su restauración. En este aspecto, Cieza se muestra como un precursor.

la mayor y mejor de todo. Y así, como cosa tenida por tal, sin saber los secretos de la tierra, en la capitulación que hizo con su majestad, pidió por términos de su gobernación desde Tempulla o el río de Santiago hasta este valle de Chincha. Queriendo saber el origen destos indios de Chincha y de dónde vinieron a poblar en este valle, dicen que cantidad dellos salieron en los tiempos pasados debajo de la bandera de un capitán esforzado, dellos mismos, el cual era muy dado al servicio de sus religiones, y que, con buena maña que tuvo, pudo llegar con toda su gente a este valle de Chincha, adonde hallaron mucha gente, y todos de tan pequeños cuerpos que el mayor tenía poco más de dos codos; y que mostrándose esforzados, y estos naturales cobardes y tímidos, les tomaron y ganaron su señorío; y afirmaron más: que todos los naturales que quedaron se fueron consumiendo, y que los abuelos de los padres, que hoy son vivos, vieron en algunas sepulturas los huesos suyos y ser tan pequeños como se ha dicho. Y como estos indios así quedasen por señores del valle y fuese tan fresco y abundante, cuentan que hicieron sus pueblos concertados; y dicen más: que por una peña oyeron cierto oráculo, y que todos tuvieron al tal lugar por sagrado, al cual llaman Chincha y Camay. Y siempre le hicieron sacrificios, y el demonio hablaba con los más viejos, procurando de los tener tan engañados como tenía a los demás. En este tiempo los caciques principales deste valle, con otros muchos indios, se han vuelto cristianos, y hay en él fundado monesterio del glorioso santo Domingo. Volviendo al propósito, afirman que crecieron tanto en poder y en gente estos indios, que los más de los valles comarcanos procuraron de tener con ellos confederación y amistad, a gran ventaja y honor suyo; y que, viéndose tan poderosos, en tiempo que los primeros ingas entendían en la fundación del Cuzco acordaron de salir con sus armas a robar las provincias de las sierras, y así dicen que lo pusieron por obra, y que hicieron gran daño en los soras y lucanes, y que llegaron hasta la gran provincia de Collao (310). De donde, después de haber conseguido muchas victorias y habido grandes despojos, dieron la vuelta a su valle, donde estuvieron ellos y sus descendientes dándose

(310) El *Colla-suyu* de los incas.

a sus placeres y pasatiempos con muchedumbre de mujeres, usando y guardando los ritos y costumbres que los demás. Y tanta fue la gente que había en este valle, que muchos españoles dicen que cuando se ganó por el marqués y ellos este reino había más de veinte y cinco mil hombres, y agora creo yo que no hay cabales cinco mil: tantos han sido los combates y fatigas que han tenido. El señorío destos fue siempre seguro y próspero, hasta que el valeroso inga Yupangue extendió su señorío tanto que superó la mayor parte deste reino, y deseando tener mando sobre los señores de Chincha, envió un capitán suyo de su linaje, llamado Capainga Yupangue, el cual, con ejército de muchos orejones y otras gentes, llegó a Chincha, donde tuvo con los naturales algunos recuentros, y no pudiendo del todo sojuzgarlos, pasó adelante. En tiempo de Topainga Yupangue, padre de Guaynacapa, concluyeron en decir que hubieron al cabo de quedar por sus súbditos, y desde aquel tiempo tomaron leyes de los señores ingas, gobernándose los pueblos del valle por ellas, y se hicieron grandes y suntuosos aposentos para los reyes, y muchos depósitos donde ponían los mantenimientos y provisiones de la guerra; y puesto que los ingas no privaron del señorío a los caciques y principales, pusieron su delegado o mayordomo mayor en el valle, y mandaron que adorasen al sol, a quien ellos tenían por Dios; y así, se hizo en este valle templo del sol. En el cual se pusieron la cantidad de vírgines que se ponían en otros del reino, y con los ministros del templo para celebrar sus fiestas y hacer sus sacrificios; y no embargante que se hiciese este templo del sol tan principal, los naturales de Chincha no dejaron de adorar también en su antiguo templo de Chinchaycama. También tuvieron los reyes ingas en este gran valle sus mitimaes (311), y mandaron que en algunos meses del año residiesen los señores en la corte del Cuzco (312), y en las guerras que se hicieron en tiempo de Guaynacapa se halló en las más dellas el señor de Chincha,

(311) *Mitma-cuna* (véase nota 175).

(312) Sistema propiamente imperial, como el de la Rusia zarista, que convertía en Príncipes Rusos a los hijos de los jefes mongoles o samoyedos. Los incas hacían *orejones* a los hijos de los *curacas*, aunque no fueran de rango imperial, como los miembros de las diversas *panakas* de los monarcas incas.

que hoy es vivo, hombre de gran razón y de buen entendimiento, para ser indio (313).

Este valle es uno de los mayores de todo el Perú, y es cosa hermosa de ver sus arboledas y acequias y cuántas frutas hay por todo él, y cuán sabrosos y olorosos pepinos, no de la naturaleza de los de España, aunque en el talle les parecen algo, porque los de acá son amarillos quitándoles la cáscara, y tan gustosos que cierto ha menester comer muchos un hombre para quedar satisfecho. Por las florestas hay de las aves y pájaros en otras partes referidos. De las ovejas (314) desta tierra casi no hay ninguna, porque las guerras de los cristianos que unos con otros tuvieron acabaron las muchas que tenían. También se da en este valle mucho trigo, y se crían los sarmientos de viñas que han plantado, y se dan todas las más cosas que de España ponen.

Había en este valle grandísima cantidad de sepulturas, hechas por los altos y secadales del valle. Muchas dellas abrieron los españoles y sacaron gran suma de oro. Usaron estos indios de grandes bailes, y los señores andaban con gran pompa y aparato, y eran muy servidos por sus vasallos. Como los ingas los señorearon, tomaron dellos muchas costumbres y usaron su traje, imitándolos en otras cosas que ellos mandaban, como únicos señores que fueron. Haberse apocado la mucha gente deste gran valle halo causado las guerras largas que hubo en este Perú y sacar para llevarlos cargados muchas veces (según es público) gran cantidad dellos.

CAPITULO LXXV

De los más valles que hay hasta llegar a la provincia de Tarapacá

De la hermosa provincia de Chincha, caminando por los llanos y arenales, se va al fresco valle de Ica, que no

(313) Aunque Cieza ha hablado anteriormente de la excelente y envidiable administración incaica y de las virtudes del indio, inconscientemente surge en esta frase su sentido de la superioridad del español o de la minusvalencia del indio.

(314) Llamas y alpacas.

fue menos grande y poblado que los demás. Pasa por él un río, el cual, en algunos meses del año, al tiempo que en la serranía es verano, lleva tan poca agua que sienten falta della los moradores deste valle. En el tiempo que estaban en su prosperidad, antes que fuesen subjetados por los españoles (315), cuando gozaban del gobierno de los ingas, demás de las acequias con que regaban el valle, tenían una muy mayor que todas, traída con grande orden de lo alto de las sierras, de tal manera que pasaban sin echar menos el río. Agora en este tiempo, cuando tienen falta y el acequia grande está deshecha, por el mismo río hacen grandes pozas a trechos, y el agua queda en ellas, de que beben y llevan acequias pequeñas para riego de sus sementeras. En este valle de Ica hubo antiguamente grandes señores, y fueron muy temidos y obedecidos. Los ingas mandaron hacer en él sus palacios y depósitos, y usaron de las costumbres que he puesto tener los de atrás. Y así, enterraban con sus difuntos mujeres vivas y grandes tesoros. Hay en este valle grandes espesuras de algarrobales y muchas arboledas de frutas de las ya escriptas, y venados, palomas, tórtolas y otras cazas; críanse muchos potros y vacas. Deste valle de Inca se camina hasta verse los lindos valles y ríos de la Nasca. Los cuales fueron asimismo en los tiempos pasados muy poblados, y los ríos regaban los campos de los valles con la orden y manera ya puesta. Las guerras pasadas consumieron con su crueldad (según es público) todos estos pobres indios. Algunos españoles de crédito me dijeron que el mayor daño que a estos indios les vino para su destrucción fue por el debate que tuvieron los dos gobernadores Pizarro y Almagro sobre los límites y términos de sus gobernaciones, que tan caro costó, como verá el lector en su lugar.

En el principal valle destos de la Nasca (que por otro nombre se llama Caxamalca) había grandes edificios con muchos depósitos, mandados hacer por los ingas. Y de los naturales no tengo más que tratar de que también cuentan que sus progenitores fueron valientes para entre ellos y estimados por los reyes del Cuzco. En las sepulturas y

(315) La palabra *subjetos* encierra un grande contenido, de sumisión y tristeza, que contrasta con la siguiente de que *gozabán* del gobierno de los incas.

guacas suyas he oído que sacaron los españoles cantidad de tesoro. Y siendo estos valles tan fértiles como he dicho, se ha plantado en uno dellos gran cantidad de cañaverales dulces, de que hacen mucho azúcar, y otras frutas que llevan a vender a las ciudades deste reino. Por todos estos valles y por los que se han pasado va de luengo el hermoso y gran camino de los ingas, y por algunas partes de los arenales se ven señales para que atinen el camino que han de llevar. Destos valles de la Nasca van hasta llegar al de Hacari, y adelante están Ocoña y Camaña y Quilca, en los cuales hay grandes ríos. Y no embargante que en los tiempos presentes hay poca gente de los naturales, en los pasados hubo la que en todas partes destos llanos, y con las guerras y calamidades pasadas se fueron apocando, hasta quedar en lo que vemos. Cuando a lo demás, son los valles frutíferos y abundantes, aparejados para criar ganados. Adelante deste valle de Quilca, que es el puerto de la ciudad de Arequipa, está el valle de Chuli y Tambopalla y el de Ilo. Más adelante están los ricos valles de Tarapacá. Cerca de la mar, en la comarca destos valles, hay algunas islas bien pobladas de lobos marinos (316). Los naturales van a ellas en balsas, y de las rocas que están en sus altos traen gran cantidad de estiércol de las aves para sembrar sus maizales y mantenimientos, hallándolo tan provechoso que la tierra se para con ello muy gruesa y frutífera, siendo en la parte que lo siembran estéril; porque si dejan de echar deste estiércol, cogen poco maíz, y no podrían sustentarse si las aves, posándose en aquellas rocas de las islas de suso dichas, no dejasen lo que después de cogido se tiene por estimado, y como tal contratan con ello, como cosa preciada, unos con otros (317).

Decir más particularidades de las dichas en lo tocante a estos valles hasta llegar a Tarapacá paréceme que importa poco, pues lo principal y más substancial se ha puesto de lo que yo vi y pude alcanzar. Por tanto, concluyo en esto con que de los naturales han quedado pocos, y que antiguamente había en todos los valles aposentos y depósitos como en los pasados que hay en los llanos y arena-

(316) Focas, probablemente.
(317) También los peruanos de la costa, desde tiempos anteriores a los incas, descubrieron el guano como fertilizante o abono.

les. Y los tributos que daban a los reyes ingas, unos dellos los llevaban al Cuzco, otros a Hatuncolla, otros a Bilcas y algunos a Caxamalca; porque las grandezas de los ingas y las cabezas de las provincias, lo más substancial era en la sierra.

En los valles de Tarapacá es cierto que hay grandes minas y muy ricas, y de plata muy blanca y resplandeciente. Adelante dellos, dicen los que han andado por aquellas tierras que ha algunos desiertos (318) hasta que se llega a los términos de la gobernación de Chile. Por toda esta costa se mata pescado, y alguno bueno, y los indios hacen balsas para sus pesquerías de grandes haces de avena (319) o de cueros de lobos marinos, que hay tantos en algunas partes que es cosa de ver los bufidos que dan cuando están muchos juntos.

CAPITULO LXXVI

De la fundación de la ciudad de Arequipa, cómo fue fundada y quién fue su fundador

Desde la ciudad de los Reyes hasta la de Arequipa hay ciento y veinte leguas. Esta ciudad está puesta y edificada en el valle de Quilca, catorce leguas de la mar, en la mejor parte y más fresca que se halló conveniente para el edificar; y es tan bueno el asiento y temple desta ciudad, que se alaba por la más sana del Perú y más apacible para vivir. Dase en ella muy excelente trigo, del cual hacen pan muy bueno y sabroso. Desde el valle de Hacaro para adelante, hasta pasar de Tarapacá, son términos suyos, y en la provincia de Condesuyo tiene asimismo algunos pueblos subjetos a sí, y algunos vecinos españoles tienen encomienda sobre los naturales dellos. Los hubinas y chiquiguanita y quimistaca y los collaguas son pueblos de los subjetos a esta ciudad, los cuales antiguamente fueron muy poblados y poseían mucho ganado de sus ovejas. La

(318) Desierto de Atacama.
(319) Grandes pajas, en haces, fabricaron con ellos unos esquifes capaces para pocas personas. Son de *totora.*

guerra de los españoles consumió la mayor parte de lo uno y de lo otro. Los indios que eran serranos de las partes ya dichas adoraban al sol y enterraban a los principales en grandes sepulturas, de la manera que hacían los demás. Todos, unos y otros, andan vestidos con sus mantas y camisetas. Por las más partes destas atravesaban caminos reales antiguos, hechos para los reyes, y había depósitos y aposentos, y todos daban tributo de lo que cogían y tenían en sus tierras. Esta ciudad de Arequipa, por tener el puerto de la mar tan cerca, es bien proveída de los refrescos y mercaderías que traen de España, y la mayor parte del tesoro que sale de las Charcas viene a ella, de donde lo embarcan en navíos que lo más del tiempo hay en el puerto de Quilca, para volver a la ciudad de los Reyes. Algunos indios y cristianos dicen que por el paraje de Hacari, bien adentro en la mar, hay unas islas grandes y ricas, de las cuales publica la fama que se traía mucha suma de oro para contratar con los naturales desta costa. En el año de 1550 salí yo del Perú, y habían los señores del audiencia real encargado al capitán Gómez de Solís el descubrimiento destas islas. Créese que serán ricas si las hay. En lo tocante a la fundación de Arequipa, no tengo que decir más de que cuando se fundó en otro lugar, y por causas convenientes se pasó adonde agora está. Cerca della hay un volcán (320), que algunos temen no reviente y haga algún daño. En algunos tiempos hace en esta ciudad grandes temblores la tierra. La cual pobló y fundó el marqués don Francisco Pizarro, en nombre de su majestad, año de nuestra reparación de 1530 años.

CAPITULO LXXVII

En que se declara cómo adelante de la provincia de Guancabamba está la de Caxamalca, y otras grandes y muy pobladas

Porque las más provincias deste gran reino se imitaban los naturales dellas en tanta manera unos a otros que

(320) El Misti.

se puede bien afirmar en muchas cosas parecer que todos eran unos; por tanto, brevemente toco lo que hay en algunas por haberlo escripto largo en las otras. Y pues ya he concluído lo mejor que he podido en lo de los llanos, volveré a lo de las sierras. Y para hacerlo, digo que en lo de atrás escrebí los pueblos y aposentos que había de la ciudad de Quito hasta la de Loja y provincia de Guancabamba, donde paré por tratar la fundación de San Miguel y lo demás que de suso he dicho. Y volviendo a este camino, me parece que habrá de Guanacabamba a la provincia de Caxamalca (321) cincuenta leguas, poco más o menos, la cual es término de la ciudad de Trujillo. Y fue ilustrada esta provincia por la prisión de Atabaliba y muy memorada en todo este reino por ser grande y muy rica. Cuentan los moradores de Caxamalca que fueron muy estimados por sus comarcanos antes que los ingas los señoreasen, y que tenían sus templos y adoratorios por los altos de los cerros, y que puesto que anduviesen vestidos, no era tan primamente como lo fue después y lo es agora. Dicen unos de los indios que fue el primero que los sojuzgó Inga Yupangue; otros dicen que no fué sino su hijo Topainga Yupangue. Cualquiera dellos que fuese, se afirma por muy averiguado que primero que quedase por señor de Caxamalca le mataron en las batallas que se dieron gran parte de su gente, y que más por maña y buenas palabras, blandas y amorosas, que por fuerza quedaron debajo de su señorío. Los naturales señores desta provincia fueron muy obedecidos de sus indios y tenían muchas mujeres. La una de las cuales era la más principal, cuyo hijo, si lo habían, sucedía en el señorío. Y cuando fallecía, usaban lo que guardaban los demás señores y caciques pasados, enterrando consigo de sus tesoros y mujeres, y hacíanse en estos tiempos grandes lloros continuos. Sus templos y adoratorios eran muy venerados, y ofrecían en ellos por sacrificio sangre de corderos y de ovejas, y decían que los ministros destos templos hablaban con el demonio. Y cuando celebraban sus fiestas se juntaban número grande de gente en plazas limpias y muy barridas, adonde se hacían

(321) Cajamarca.

los bailes y areitos (322), en los cuales no se gastaba poca cantidad de su vino, hecho de maíz y de otras raíces. Todos andan vestidos con mantas y camisetas ricas, y traen por señal en la cabeza, para ser conocidos dellos, unas hondas y otros unos cordones a manera de cinta no muy ancha (323).

Ganada y conquistada esta provincia de Caxamalca por los ingas, afirman que la tuvieron en mucho y mandaron hacer en ellas sus palacios, y edificaron templo para el servicio del sol, muy principal, y había número grande de depósitos. Y las mujeres vírgenes que estaban en el templo no entendían en más que hilar y tejer ropa finísima y tan prima cuanto aquí se puede encarecer, a las cuales daban las mejores colores y más perfetas que se pudieran dar en gran parte del mundo (324). Y en este templo había gran riqueza para el servicio dél. En algunos días era visto el demonio por los ministros suyos, con el cual tenían sus pláticas y comunicaban sus cosas. Había en esta provincia de Caxamalca gran cantidad de indios mitimaes, y todos obedecían al mayordomo mayor, que tenía cargo de proveer y mandar en los términos y destrito que le estaba asignado; porque, puesto que por todas partes y en los más pueblos había grandes depósitos y aposentos, aquí se venía a dar la cuenta, por ser la cabeza de las provincias a ella comarcanas y de muchos de los valles de los llanos. Y así, dicen que, no embargante que en los pueblos y valles de los arenales había los templos y santuarios por mí escriptos, y otros muchos, de muchos dellos venían a reverenciar al sol y a hacer en su templo sacrificios. En los palacios de los ingas había muchas cosas que ver, especialmente unos baños muy buenos, adonde los señores y principales se bañaban estando aquí aposentados. Ya ha venido en gran diminución esta provincia, porque, muerto Guaynacapa, rey natural destos reinos, en el propio año y tiempo que el marqués don Francisco Pizarro con sus trece compañeros, por la voluntad de Dios, merecieron descubrir tan próspero reino, donde, luego que

(322) Sigue utilizando la terminología antillana, llamando *areito* a las fiestas o bailes indígenas (véase nota 178).
(323) Es la forma de *llautu*, signo distintivo de los incas.
(324) Esta era una de las misiones de las *acllas* encerradas en los *conventos* de la *mamacuna*.

en el Cuzco se supo, el primogénito y universal heredero Guascar (325), su hijo mayor y habido en su legítima mujer la Coya, que es nombre de reina y de señora la más principal (326), tomó la borla y corona de todo el imperio y envió por todas partes sus mensajeros para que por fin y muerte de su padre le obedesciesen y tuviesen por único señor. Y como en la conquista del Quito se hubiese hallado en la guerra con Guaynacapa el gran capitán Chalicuchima (327) y el Quizquiz, Inclagualpac y Oruminavi (328), y otros que para entre ellos se tenían por muy famosos, habían platicado de hacer otro nuevo Cuzco (329) en el Quito y en las provincias que caen a la parte del norte, para que fuese reino dividido y apartado del Cuzco, y tomar por señor a Atabaliba, noble mancebo y muy entendido y avisado, y que estaba bienquisto de todos los soldados y capitanes viejos (330) porque había salido de la ciudad del Cuzco con su padre, de tierna edad, y andado grandes tiempos en su ejército. Y aun muchos indios dicen también que el mismo Guaynacapa, antes de su muerte, conociendo que el reino que dejaba era tan grande que tenía de costa más de mil leguas, y que por la parte de los quillacingas y popayaenses había otra gran tierra, determinó de lo dejar por señor de lo de Quito y sus conquistas. Como quiera que sea, de la una manera o de la otra, entendido por Atabaliba y los de su bando cómo Guascar

(325) Huaskar, elegido heredero legítimo.

(326) La *coya* era la única esposa del Inka y hermana suya. Las restantes *mujeres* eran concubinas, pero no como un harén musulmán, sino para garantizar una progenie de origen imperial, de donde se extraían los generales para la guerra, los administradores, los sacerdotes, etc., y que constituían la *panaka* o estirpe de cada inka.

(327) Chalcuchima, general de Atau-Huallpa, luego, tras la muerte de éste, ajusticiado por Pizarro en el camino a Cuzco, al descubrirse que iba preparando emboscadas a los españoles, mediante *chasquis* o correos que enviaba por delante del avance de la hueste castellana.

(328) Rumiñahui, así llamado *(ojo de piedra)* por una catarata que tenía en un ojo.

(329) Los españoles llamaron en comienzo Cuzco al Inka, y así Huayna-Capac era *el Cuzco viejo* y Huaskar *el Cuzco mozo*.

(330) Las conquistas de Huayna-Capac en el Norte dieron lugar al nacimiento de una nueva nobleza, la de las armas, con capitanes y generales que no eran *orejones*. Por esta razón, cuando Quis-Quis, uno de los generales de Atau-Huallpa, ocupa Cuzco, lo primero que hace es ejecutar a todos los miembros de la *panaka* de Huaskar y a infinitos *orejones* y sus familias.

quería que le diesen la obediencia, se pusieron en armas; aunque primero, por astucia del capitán Atoco, se afirma que Atabaliba fue preso en la provincia de Tumebamba, donde también dicen que con ayuda de una mujer Atabaliba se soltó, y llegado a Quito, hizo junta de gente, y dio en los pueblos de Ambato batalla campal al capitán Atoco, en la cual fue muerto, y vencida la parte del rey (331) Guascar, según que más largamente tengo escripto en la tercera parte desta obra, que es donde se trata del descubrimiento y conquista deste reino. Sabida, pues, en el Cuzco la muerte de Atoco, salieron por mandado del rey Guascar los capitanes Guancauque y Ingaroque (332) con gran número de gente, y tuvieron grandes guerras con Atabaliba por constreñirle a que diese obediencia al rey natural (333) Guascar. Y él, no solamente por no se la dar, pero por quitarle el señorío y reinado y haberlo para sí, procuraba llegar gentes y buscar favores. De manera que sobre esto hubo grandes contiendas, y murieron en las guerras y batallas (a lo que se afirma por cierto entre los mismos indios) más de cien mil hombres, porque luego hubo entre todos parcialidades y división, yendo siempre Atabaliba vencedor. El cual llegó con su gente a la provincia de Caxamalca (que es causa por que trato aquí esta historia), adonde supo lo que ya había oído de las nuevas gentes que habían entrado en el reino, y que ya estaban cerca dél. Y teniendo por cierto que le sería muy fácil prenderlos para los tener por sus siervos, mandó el capitán Chalicuchima que con grande ejército fuese al Cuzco y procurase de prender o matar a su enemigo. Y así ordenado, quedándose él en Caxamalca, llegó el gobernador don Francisco Pizarro, y después de pasadas las cosas y sucesos que se cuentan en la parte arriba dicha, se dio el recuento entre el poder de Atabaliba y los españoles, que no fueron más de ciento y sesenta, en el cual murieron cantidad de indios y Atabaliba fue preso. Con estos debates, y con el tiempo largo que estuvieron los cristianos (334)

(331) Como vemos, Cieza usa la palabra *rey* para designar al inka.
(332) Inca-Roca.
(333) Para los españoles, un *rey natural* era el legítimo.
(334) Sigue el resabio de la Reconquista: *cristianos* contra musulmanes, en Indias *cristianos* contra *paganos*, a los que a veces, incluso, se llama erróneamente *infieles*.

españoles en Caxamalca, quedó tal, que no la juzgaban por más que el nombre, y cierto en ella se hizo gran daño. Después se tornó a conservar algún tanto; mas, como nunca, por nuestros pecados, han faltado guerras y calamidades, no ha tornado ni tornará a ser lo que era. Por encomienda la tiene el capitán Melchior Verdugo, vecino que es de la ciudad de Trujillo. Todos los edificios de los ingas y depósitos están, como los demás, deshechos y muy ruinados.

Esta provincia de Caxamalca es fertilísima en gran manera, porque en ella se da trigo tan bien como en Sicilia y se crían muchos ganados, y hay abundancia de maíz y otras raíces provechosas y de todas las frutas que he dicho haber en otras partes. Hay, sin esto, halcones y muchas perdices, palomas, tórtolas y otras cazas. Los indios son de buena manera, pacíficos, y unos entre otros tienen entre sus costumbres algunas buenas para pasar esta vida sin necesidad; y danse poco por honra; y así, no son ambiciosos por haberla; y a los cristianos que pasan por su provincia los hospedan y dan bien de comer, sin les hacer enojo ni mal aunque sea uno solo el que pasare. Destas cosas y otras alaban mucho a estos indios de Caxamalca los españoles que en ellas han estado muchos días. Y son de grande ingenio para sacar acequias y para hacer casas, y cultivar las tierras y criar ganados, y labrar plata y oro muy primamente. Y hacen por sus manos tan buena tapicería como en Flandes, de la lana de sus ganados, y tan de ver, que parece la trama della toda seda, siendo tan solo lana. Las mujeres son amorosas y algunas hermosas. Andan vestidas muchas dellas al uso de las pallas del Cuzco. Sus templos y guacas ya están deshechos, y quebrados los ídolos; y muchos se han vuelto cristianos; y siempre están entre ellos clérigos o frailes dotrinándolos en las cosas de nuestra santa fe católica. Hubo siempre en la comarca y término desta provincia de Caxamalca ricas minas de metales.

CAPITULO LXXVIII

De la fundación de la ciudad de Frontera y quién fue el fundador, y de algunas costumbres de los indios de su comarca

Antes de llegar a esta provincia de Caxamalca sale un camino que también fue mandado hacer por los reyes ingas, por el cual se iba a las provincias de los chachapoyas. Y pues en la comarca dellas está poblada la ciudad de la Frontera, será necesario contar su fundación, de donde pasaré a tratar lo de Guanuco (335). Tengo entendido y sabido por muy cierto que antes que los españoles ganasen ni entrasen en este reino del Perú, los ingas, señores naturales que fueron dél, tuvieron grandes guerras y conquistas; y los indios chachapoyanos fueron por ellos conquistados, aunque primero, por defender su libertad y vivir con tranquilidad y sosiego, pelearon de tal manera que se dice poder tanto que le Inga huyó feamente. Mas como la potencia de los ingas fuese tanta y los chachapoyas tuviesen pocos favores, hubieron de quedar por siervos del que quería ser de todos monarca. Y así, después que tuvieron sobre sí el mando real del Inga fueron muchos al Cuzco por su mandado, adonde les dio tierras para labrar y lugares para casas no muy lejos de un collado que está pegado a la ciudad, llamado Carmenga. Y porque del todo no estaban pacíficas las provincias de la serranía confinantes a los chachapoyas, los ingas mandaron con ellos y con algunos orejones del Cuzco hacer frontera y guarnición, para tenerlo por seguro. Y por esta causa tenían gran proveimiento de armas de todas las que ellos usan, para estar apercibidos a lo que sucediese. Son estos indios naturales de Chachapoyas los más blancos y agraciados de todos cuantos yo he visto en las Indias que he andado, y sus mujeres fueron tan hermosas que por sólo su gentileza muchas dellas merecieron serlo de los ingas y ser llevadas a los templos del sol; y así, vemos hoy día que las indias que han quedado deste linaje son en extremo hermosas, porque son blancas y muchas muy dispuestas. Andan vestidas ellas y sus maridos con ropas de lana

(335) Huánuco.

y por las cabezas usan ponerse sus llantos (336), que son señal que traen para ser conoscidas en toda parte. Después que fueron subjetados por los ingas, tomaron dellos leyes y costumbres, con que vivían, y adoraban al sol y a otros dioses, como los demás; y así, debían hablar con el demonio y enterrar sus difuntos, como ellos, y los imitaban en otras costumbres.

En los pueblos desta provincia de los chachapoyas entró el mariscal Alonso de Albarado siendo capitán del marqués don Francisco Pizarro. El cual después que hubo conquistado la provincia y puestos los indios naturales debajo del servicio de su majestad pobló y fundó la ciudad de la Frontera en un sitio llamado Levanto, lugar fuerte y que con los picos y azadones se allanó para hacer la población, aunque dende a pocos días se pasó a otra provincia que llaman los Guancas (337), comarca que se tiene por sana. Los indios chachapoyas y estos guancas sirven a los vecinos desta ciudad que sobre ellos tienen encomienda, y lo mismo hace la provincia de Cascayunga y otros pueblos que dejo de nombrar por ir poco en ello. En todas estas provincias hubo grandes aposentos y depósitos de los ingas. Y los pueblos son muy sanos, y en algunos dellos hay ricas minas de oro. Andan los naturales todos vestidos, y sus mujeres lo mismo. Antiguamente tuvieron templos y sacrificaban a los que tenían por dioses, y poseyeron gran número de ganado de ovejas. Hacían rica y preciada ropa para los ingas; y hoy día la hacen muy prima, y tapicería tan fina y vistosa que es de tener en mucho por su primor. En muchas partes de las provincias dichas, subjetas a esta ciudad, hay arboledas y cantidad de frutas semejantes a las que ya se han contado otras veces, y la tierra es fértil, y el trigo y cebada se da bien, y lo mismo hacen parras de uvas y higueras y otros árboles de fruta que de España han plantado. En las costumbres, cirimonias y entierros y sacrificios, puédese decir destos lo que se ha escripto de los más, porque también se enterraban en grandes sepulturas, acompañados de sus mujeres y riqueza. A la redonda de la ciudad tienen los españoles sus

(336) *Llautus,* cintas rodeando la cabeza. Lo de *llantos* debe ser una mala lectura del original.
(337) Huancas.

estancias, con sus granjerías y sementeras, donde cogen gran cantidad de trigo y se dan bien las legumbres de España. Por la parte de oriente desta ciudad pasa la cordillera de los Andes; al poniente está la mar del Sur. Y pasado el monte y espesura de los Andes está Moyobamba y otros ríos muy grandes, y algunas poblaciones de gentes de menos razón que estos de que voy tratando, según que diré en la conquista que hizo el capitán Alonso de Albarado en estos chachapoyas, y Juan Pérez de Guevara en las provincias que están metidas en los montes. Y tiénese por cierto que por esta parte la tierra adentro están poblados los descendientes del famoso capitán Ancoallo; el cual, por la crueldad que los capitanes generales del Inga usaron con él, desnaturándose de su patria, se fue con los chancas (338) que le quisieron seguir, según trataré en la segunda parte. Y la fama cuenta grandes cosas de una laguna donde dicen que están los pueblos destos.

En el año del Señor de 1550 años llegaron a la ciudad de la Frontera (siendo en ella corregidor el noble caballero Gómez de Albarado) más de docientos indios, los cuales contaron que había algunos años que, saliendo de la tierra donde vivían número grande de gente dellos, atravesaron por muchas partes y provincias, y que tanta guerra les dieron, que faltaron todos, sin quedar más de los que dije. Los cuales afirman que a la parte de levante hay grandes tierras, pobladas de mucha gente, y algunas muy ricas de metales de oro y plata; y éstos, con los demás que murieron, salieron a buscar tierras para poblar, según oí. El capitán Gómez de Albarado y el capitán Juan Pérez de Guevara y otros han procurado haber la demanda y conquista de aquella tierra, y muchos soldados aguardaban al señor visorey para seguir al capitán que llevase poder de hacer el descubrimiento. Pobló y fundó la ciudad de la Frontera de los Chachapoyas el capitán Alonso de Albarado en nombre su majestad, siendo su gobernador del Perú el adelantado don Francisco Pizarro, año de nuestra reparación de 1536 años.

(338) Los chancas fueron los más duros adversarios de los incas cuzqueños; casi se apoderaron del Cuzco, pero fueron vencidos. A raíz de esta victoria se consolidó la dinastía cuzqueña y se emprendió la expansión conquistadora de los incas.

CAPITULO LXXIX

Que trata de la fundación de la ciudad de León de Guanuco, y quién fue el fundador della

Para decir la fundación de la ciudad de León de Guanuco es de saber que cuando el marqués don Francisco Pizarro fundó en los llanos y arenales la rica ciudad de los Reyes todas las provincias que están sufragadas en estos tiempos a esta ciudad sirvieron a ella, y los vecinos de los Reyes tenían sobre los caciques encomienda. Y como Illatopa el tirano, con otros indios de su linaje y sus allegados, anduviese dando guerra a los naturales desta comarca y ruinase los pueblos, y los repartimientos fuesen demasiados, y estuviesen muchos conquistadores sin tener encomienda de indios, queriendo el marqués tirar inconvenientes y gratificar a estos tales, dando también indios a algunos españoles de los que habían seguido al adelantado don Diego de Almagro, a los cuales procuraba atraer a su amistad, deseando contentar a los unos y a los otros, pues habían trabajado y servido a su majestad, tuviesen algún provecho en la tierra. Y no embargante que el cabildo de la ciudad de los Reyes procuró con protestaciones y otros requerimientos estorbar lo que se hacía en daño de su república, el marqués, nombrando por su teniente al capitán Gómez de Albarado, hermano del adelantado don Pedro de Albarado, le mandó que fuese con copia de españoles a poblar una ciudad en las provincias del nombrado Guanuco. Y así, Gómez de Albarado se partió, y después de haber pasado con los naturales algunas cosas, en la parte que le pareció fundó la ciudad de León de Guanuco, a la cual dio luego nombre de república, señalando los que pareció convenientes para el gobierno della. Hecho esto y pasados algunos años, se despobló la nueva ciudad por causa del alzamiento que hicieron los naturales de todo lo más del reino; y a cabo de algunos días Pedro Barroso tornó a reedificar esta ciudad; y última vez, con poderes del licenciado (339) Cristóbal Vaca de Castro, después de

(339) En general hay pocos licenciados (graduados en leyes) en Indias, en los primeros tiempos, salvo con misión oficial, como Vaca de Castro.

pasada la cruel batalla de Chupas, Pedro de Puelles fue a entender en las cosas della y se acabó de asentar, porque Juan de Varagas y otros habían preso al tirano Illatopa. De manera que aunque ha habido lo que se ha escrito, podré decir haber sido el fundador Gómez de Albarado, pues dio nombre a la ciudad, y si se despobló fue por necesidad más que por voluntad, y con tenerla para volverse los vecinos españoles a sus casas. El cual la pobló y fundó en nombre de su majestad, con poder del marqués don Francisco Pizarro, su gobernador y capitán general en este reino, año del Señor de 1539 años.

CAPITULO LXXX

Del asiento desta ciudad y de la fertilidad de sus campos, y costumbres de los naturales, y de un hermoso aposento o palacio de Guanuco, edificio de los ingas

El sitio desta ciudad de León de Guanuco es bueno y se tiene por muy sano, y alabado por pueblo donde hace muy templadas noches y mañanas, y adonde, por su buen temple, los hombres viven sanos. Cógese en ella trigo en gran abundancia y maíz. Danse viñas, críanse higuerales, naranjos, cidras, limones y otras frutas de las que se han plantado de España, y de las frutas naturales de la tierra hay muchas y muy buenas y todas las legumbres que de España han traído; sin esto hay grandes platanales; de manera que él es buen pueblo, y se tiene esperanza que será cada día mejor. Por los campos se crían gran cantidad de vacas, cabras, yeguas y otras aves, y halcones para volarlas. En los montes también hay algunos leones, y osos muy grandes y otros animales, y por los más de los pueblos que son subjetos a esta ciudad atraviesan caminos reales, y había depósitos y aposentos de los ingas, muy bastecidos. En lo que llaman Guanuco (340) había una casa real de admirable edificio, porque las piedras eran grandes y estaban muy polidamente asentadas. Este palacio o aposento era cabeza de las provincias comarcanas a los An-

(340) Se refiere a Huánuco Viejo (véase nota 278).

des, y junto a él había templo del sol con número de vírgines y ministros; y fue tan gran cosa en tiempos de los ingas, que había a la contina para solamente servicio dél más de treinta mil indios. Los mayordomos de los ingas tenían cuidado de cobrar los tributos ordinarios, y las comarcas acudían con sus servicios a este palacio (341). Cuando los reyes ingas mandaban que pareciesen personalmente los señores de las provincias en la corte del Cuzco, lo hacían. Cuentan que muchas destas naciones fueron valientes y robustas, y que antes que los ingas los señoreasen se dieron entre unos y otros muchas y muy crueles batallas, y que en las más partes tenían los pueblos derramados, y tan desviados, que los unos no sabían por entero de los otros si no era cuando se juntaban a sus congregaciones y fiestas. Y en los altos edificaban sus fuerzas y fortalezas, de donde se daban guerra los unos a los otros por causas muy livianas. Y los templos suyos estaban en lugares convenientes para hacer sus sacrificios y supersticiones; oían en algunos dellos respuesta del demonio, que se comunicaba con los que para aquella religión estaban señalados. Creían la inmortalidad del ánima, debajo de la ceguedad general de todos. Estos indios son de buena razón, y la dan de sí a todo lo que les preguntan y dellos quieren saber. Los señores naturales destos pueblos, cuando fallecían no los metían solos en las sepulturas, antes los acompañaban de mujeres vivas de las más hermosas, como todos los demás usaban. Y estando éstos muertos, sus ánimas fuera de los cuerpos, están estas mujeres que con ellos entierran aguardando la hora espantosa de la muerte, tan temerosa de pasar, para irse a juntar con el muerto, metidas en las grandes bóvedas que hacen en las sepulturas; teniendo por gran felicidad y bienaventuranza ir juntas con su marido o señor, creyendo que luego habían de entender en servillo de la manera que acostumbraban en el mundo. Y por esta causa les parescía que la que presto pasase desta vida, más en breve se vería en la otra con el señor o marido suyo. Esta costumbre procede de lo que otras veces tengo dicho, que es ver (a lo que ello di-

(341) La descripción de Cieza es más de lo indicado en la nota 278, que lo propio de un palacio, aunque en las ruinas se distinguen habitaciones superiores en rango a las habilitadas para los *30.000 indios* de que habla Cieza.

cen) apariencias del demonio por los heredamientos y sementeras, que demuestra ser los señores que ya eran muertos, acompañados de sus mujeres y de lo que más con ellos metieron en las sepulturas. Entre estos indios había algunos que eran agoreros y miraban en las señales de estrellas.

Señoreadas estas gentes por los ingas, guardaron y mantuvieron las costumbres y ritos dellos, y hicieron sus pueblos ordenados, y en cada uno había depósitos y aposentos reales, y usaron de más policía en el traje y ornamento suyo, y hablaban la lengua general del Cuzco, conforme a la ley y edictos de los reyes, que mandaban que todos sus súbditos la supiesen y hablasen. Los conchucos y la gran provincia de Guaylos, Tamara y Bombón, y otros pueblos mayores y menores, sirven a esta ciudad de León de Guanuco, y son todos fertilísimos de mantenimientos, y hay muchas raíces gustosas y provechosas para la humana sustentación. Había en los tiempos pasados tan gran cantidad de ganado de ovejas y carneros, que no tienen cuenta; mas las guerras lo acabaron en tanta manera, que desta muchedumbre que había ha quedado tan poco, que si no lo guardan los naturales para hacer sus ropas y vestidos de su lana, se verán en trabajo. Las casas destos indios, y aun las de todos los más, son de piedra y la cobertura de paja (342). Por las cabezas traen todos sus cordones y señales para ser conocidos. El pecado nefando (aunque el demonio ha tenido sobre ellos gran poder) no he oído que lo usasen. Verdad es que, como suele ser en todas partes, no dejará de haber algunos malos; mas estos tales, si los conocen y lo saben, son tenidos en poco y por afeminados, y casi los mandan como a mujeres, según tengo escripto.

En muchas partes desta comarca se hallan grandes minas de plata, y si se dan a sacarla, será mucha la que se abra.

(342) Esta es una de las primeras descripciones que se hacen de la arquitectura inca.

CAPITULO LXXXI

De lo que hay que decir desde Caxamalca hasta el valle de Jauja, y del pueblo de Guamachuco, que comarca con Caxamalca

Declarado he lo que pude entender en lo tocante a las fundaciones de las ciudades de la Frontera de los Chachapoyas y de León de Guanuco; volviendo, pues, al camino real, diré las provincias que hay desde Caxamalca hasta el hermoso valle de Jauja, del cual a Caxamalca habrá ochenta leguas, poco más o menos, todo camino real de los ingas.

Más adelante de Caxamalca casi once leguas está otra provincia grande y que antiguamente fué muy poblada, a la cual llaman Guamachuco (343). Y antes de llegar a ella, en el comedio del camino, hay un valle muy apacible y deleitoso, el cual, como está abrigado con las sierras, es su asiento cálido; y pasa por él un lindo río, en cuyas riberas se da trigo en abundancia y parras de uvas, higueras, naranjos, limones y otras muchas que de España se han traído. Antiguamente en las vegas y llanuras deste gran valle había aposentos para los señores, y muchas sementeras para ellos y para el templo del sol. La provincia de Guamachuco es semejante a la de Caxamalca y los indios son de una lengua y traje, y en las religiones y sacrificios se imitaban los unos a los otros y, por el consiguiente, en las ropas y llantos (344). Hubo en esta provincia de Guamachuco en los tiempos pasados grandes señores; y así, cuentan que fueron muy estimados de los ingas. En lo más principal de la provincia está un campo grande, donde estaban edificados los tambos o palacios reales, entre los cuales hay dos de anchor de veinte y dos pies, y de largor tienen tanto como una carrera de caballos, todos hechos de piedras, el ornato dellas de crecidas y gruesas vigas, puesta en lo más alto de la paja, que ellos usan con grande orden. Con las alteraciones y guerras pasadas se ha consumido mucha parte de la gente desta provincia. El temple della es bueno, más frío que caliente, muy abun-

(343) Huamachuco.
(344) *Llautos.*

dante de mantenimiento y de otras cosas pertenecientes para la sustentación de los hombres. Había, antes que los españoles entrasen en este reino, en la comarca desta provincia de Guamachuco gran número de ganado de oveja, y por altos y despoblados andaban otra mayor cantidad del ganado campestre y salvaje, llamado guanacos y vicunias (345), que son del talle y manera del manso y doméstico.

Tenían los ingas en esta provincia (según me informaron) un soto real, en el cual, so pena de muerte, era mandado que ninguno de los naturales entrase en él a matar deste ganado silvestre, del cual había número grande, y algunos leones, osos, raposas y venados. Y cuando el Inga quería hacer alguna caza real mandaba juntar tres mil o cuatro mil indios, o diez mil o veinte mil, o los que él era servido que fuesen, y estos cercaban una gran parte del campo (346) de tal manera que poco a poco y con buena orden se venían a juntar tanto, que se asían de las manos; y en lo que ellos mismos habían cercado estaba la caza recogida; donde es gran pasatiempo ver los guanacos los saltos que dan; y las raposas, con el temor que han, andan por una parte y por otra, buscando salida; y entrando en el cercado otro número de indios con sus aillos (347) y palos, matan y toman el número que el señor quiere; porque destas cazas tomaban diez mil o quince mil cabezas de ganado, o el número que quería: tanto fue lo mucho que dello había (348). De la lana destos ganados o vicunias se hacían las ropas preciadas para ornamentos de los templos y para servicio del mismo Inga y de sus mujeres y hijos. Son estos indios de Guamachuco muy domésticos, y han estado casi siempre en gran confederación con los españoles. En los tiempos antiguos tenían sus religiones y supersticiones, y adoraban en algunas piedras tan grandes como huevos, y otras mayores, de diversas colores, las cua-

(345) El guanaco es escaso en esta parte de la sierra, y en ocasiones puede ser reducido a domesticidad, no así la vicuña, como muy bien informa Cieza.

(346) Este sistema de caza no sólo se hacía por orden de los inkas; también lo acordaban las comunidades, abandonando todos los hombres los poblados, en que quedaban solo las mujeres.

(347) *Aylluy* en quéchua, castellanizado: bastón, vara o palo. Puede ser también holladora.

(348) A este tipo de cacería se le llamaba *chaco*.

les tenían puestas en sus templos o guacas, que tenían por los altos y sierras de nieve. Señoreados por los ingas, reverenciaban al sol, y usaron de más policía así en su gobernación como en el tratamiento de sus personas. Solían en sus sacrificios derramar sangre de ovejas y corderos, desollándolos vivos sin degollarlos, y luego con gran presteza les sacaban el corazón y asadura para mirar en ello sus señales y hechicerías, porque algunos dellos eran agoreros, y miraron (a lo que yo supe y entendí) en el correr de las cometas, como la gentilidad, y donde estaban sus oráculos veían al demonio, con el cual es público que tenían sus coloquios. Ya estas cosas han caído, y sus ídolos están destruídos, y en su lugar puesta la cruz, para poner temor y espanto al demonio, nuestro adversario. Y algunos indios, con sus mujeres y hijos, se han vuelto cristianos, y cada día, con la predicación del santo Evangelio, se vuelven más, porque en estos aposentos principales no deja de haber clérigos o frailes que los doctrinan. Desta provincia de Guamachuco sale un camino real de los ingas a dar a los Conchucos; y en Bombón se torna a juntar con otro tan grande como él. El uno de los cuales dicen que fue mandado por Topainga Yupangue, y el otro por Guaynacapa, su hijo.

CAPITULO LXXXII

En que se trata de cómo los ingas mandaban que estuviesen los aposentos bien proveídos, y cómo así lo estaban para la gente de guerra

Desta provincia de Guamachuco, por el real camino de los ingas se va hasta llegar a la provincia de los Conchucos, que está de Guamachuco dos jornadas pequeñas, y en el comedio dellas había aposentos y depósitos, para cuando los reyes caminaban poderse alojar. Porque fue costumbre suya, cuando andaban por alguna parte deste gran reino, ir con gran majestad y servirse con gran aparato, a su usanza y costumbre; porque afirman que, si no era cuando convenía a su servicio, no andaban más de cuatro leguas cada día. Y para que hubiese recaudo bastante para su gente, había en el término de cuatro a cuatro leguas (349) aposentos y depósitos con grande abundancia de todas las cosas que en estas partes se podía haber; y aunque fuese despoblado y desierto, había de haber estos aposentos y depósitos; y los delegados o mayordomos que residían en las cabeceras de las provincias tenían especial cuidado de mandar a los naturales que tuviesen muy buen recaudo en estos tambos o aposentos; y para que los unos no diesen más que los otros y todos contribuyesen con su tributo, tenían cuenta por una manera de ñudos, que llaman quipo, por lo cual, pasado el campo se entendían y no había ningún fraude. Y cierto, aunque a nosotros nos parece ciega y obscura, es una gentil manera de cuenta, la cual yo diré en la segunda parte. De manera que aunque de Guamachuco a los Conchucos hubiera dos jornadas, en dos partes estaban hechos destos aposentos y depósitos dichos. Y el camino por todas estas partes lo tenían siempre muy limpio; y si algunas sierras eran fragosas, se desechaban por las laderas, haciendo grandes descensos y escaleras enlosadas (350), y tan fuertes, que viven y vivirán en su ser muchas edades (351).

En los Conchucos no dejaba de haber aposentos y otras cosas, como en los pueblos que se han pasado, y los naturales son de mediano cuerpo. Andan vestidos ellos y sus mujeres, y traen sus cordones o señales por las cabezas. Afirman que los indios desta provicia fueron belicosos y los ingas se vieron en trabajo para sojuzgarlos, puesto que algunos de los ingas siempre procuraron atraer a sí las gentes por buenas obras que les hacían y palabras de amistad. Españoles han muerto algunos destos indios en diversas veces; tanto, que el marqués don Francisco Pizarro envió al capitán Francisco de Chaves con algunos cristianos, y hicieron la guerra muy temerosa y espantable, porque algunos españoles dicen que se quemaron y

(349) Exacta la definición de Cieza, de las distancias. En la enumeración de Huamán Poma, la separación de uno a otro es de 20 kilómetros, más o menos.

(350) Para los constructores incas era lo mismo la escalera de piedra que el llano o pendiente enlosada, ya que al no usar carros, por desconocer la rueda, lo que interesaba era acortar distancias.

(351) Cieza comprendió que la solidez de estas calzadas les permitiría larga vida. Aún hoy los indígenas serranos las transitan.

empalaron número grande de indios. Y a la verdad, en aquellos tiempos, o poco antes, sucedió el alzamiento general de las más provincias, y mataron también los indios en el término que hay del Cuzco a Quito más de setecientos cristianos españoles (352), a los cuales daban muertes muy crueles a los que podían tomar vivos y llevarlos entre ellos. Dios nos libre del furor de los indios, que cierto es de temer cuando pueden efectuar su deseo; aunque ellos decían que peleaban por su libertad y por eximirse del tratamiento tan áspero que se les hacía, y los españoles, por quedar por señores de su tierra y dellos. En esta provincia de los Conchucos ha habido siempre mineros ricos de metales de oro y plata. Adelante della cantidad de diez y seis leguas está la provincia de Piscobamba, en la cual había un tambo o aposento para señores, de piedra, algo ancho y muy largo. Andan vestidos como los demás estos indios naturales de Piscobamba, y traen por las cabezas puestas unas pequeñas maderas de lana colorada. En costumbres parecen a los comarcanos, y tiénense por entendidos y muy domésticos y bien inclinados y amigos de cristianos; y la tierra donde tienen los pueblos es muy fértil y abundante, y hay muchas frutas y mantenimientos, de los que todos tienen y siembran. Más adelante está la provincia de Guaraz (353), que está de Piscobamba ocho leguas en sierras bien ásperas, y es de ver el real camino cuán bien hecho y desechado va por ellos, y cuán ancho y llano por las laderas y por las sierras, socavadas algunas partes la peña viva para hacer sus descansos y escaleras. También tienen estos indios medianos cuerpos, y son grandes trabajadores y eran dados a sacar plata, y en tiempo pasado tributaban con ella a los reyes ingas. Entre los aposentos antiguos se ve una fortaleza grande o antigualla, que es una a manera de cuadra, que tenía de largo ciento y cuarenta pasos y de ancho mayor (354), y por mu-

(352) Hace referencia al gran alzamiento de Manco II, después de su huida del Cuzco, por no resistir las exigencias de los españoles de que les proporcionara más tesoros.

(353) Huaraz.

(354) Estas largas habitaciones, destinadas a *obraje* o taller, como se desprende de la descripción, se denominan *Kallankas*. La referencia que hace de la figuración de rostros humanos parece describir las cabezas calvas que existen en construcciones pre-incaicas, tanto de Chavín como de Tiahuanaco, o sea en el norte y en el sur de la Sierra.

chas partes della están figurados rostros y talles humanos, todo primísimamente obrado; y dicen algunos indios que los ingas, en señal de triunfo por haber vencido cierta batalla, mandaron hacer aquella memoria, y por tenerla para fuerza de sus aliados. Otros cuentan, y lo tienen por más cierto, que no es esto, sino que antiguamente, muchos tiempos antes que los ingas reinasen, hubo en aquellas partes hombres a manera de gigantes, tan crecidos como lo mostraban las figuras que estaban esculpidas en las piedras, y que con el tiempo y con la guerra grande que tuvieron con los que agora son señores de aquellos campos se disminuyeron y perdieron, sin haber quedado dellos otra memoria que las piedras y cimiento que he contado. Adelante desta provincia está la de Pincos, cerca de donde pasa un río, en el cual están padrones para poner la puente que hacen para pasar de una parte a otra. Son los naturales de aquí buenos cuerpos, y que para ser indios tienen gentil presencia. Adelante está el grande y suntuoso aposento de Guanuco, cabecera principal de todos los que se han pasado a Caxamalca a él, y de otros muchos, como se contó en los capítulos de atrás, al tiempo que escrebí la fundación de la ciudad de León de Guanuco.

CAPITULO LXXXIII

De la laguna de Bombón y cómo se presume ser nacimiento del gran río de la Plata

Esta provincia de Bombón es fuerte por la disposición que tiene, que fue causa que los naturales fueron muy belicosos; y antes que los ingas los señoreasen, pasaron con ellos grandes trances y batallas, hasta que (según agora publican muchos indios de los más viejos) por dádivas y ofrecimientos que les hicieron quedaron por sus súbditos. Hay una laguna en la tierra destos indios, que terná de contorno más de diez leguas. Y esta tierra de Bombón es llana y muy fría, y las sierras distan algún espacio de la laguna. Los indios tienen sus pueblos puestos a la redonda della, con grandes fosados y fuerzas que en ellos tenían. Poseyeron estos naturales de Bombón gran número de ganado, y aunque con las guerras se ha consumido y gastado, según se puede presumir, todavía les ha quedado alguno; y por los altos y despoblados de sus términos se ven grandes manadas de lo silvestre. Dase poco maíz en esta parte, por ser la tierra tan fría como he dicho; pero no dejan de tener otras raíces y mantenimientos, con que se sustentan. En esta laguna hay algunas islas y rocas, en donde en tiempo de guerra se guarecen los indios y están seguros de sus enemigos. Del agua que sale desta palude o lago se tiene por cierto que nasce el famoso río de la Plata, porque por el valle de Jauja va hecho río poderoso, y adelante se juntan con él los ríos de Parcos, Bilcas, Abancay, Apurima, Yucay; y corriendo al occidente, atraviesa muchas tierras, de donde salen para entrar en él otros ríos mayores que no sabemos, hasta llegar al Paraguay, donde andan los cristianos españoles primeros descubridores del río de la Plata. Creo yo, por lo que he oído deste gran río, que debe de nacer de dos o tres brazos, o por ventura más, como el río del Marañón, el de Santa Marta y el del Darién, y otros destas partes. Como quiera que ello sea, en este reino del Perú creemos ser su nascimiento en esta laguna de Bombón, adonde viene a parar el agua que se deshace, con el calor del sol, de las nieves que caen sobre los altos y sierras, que no debe de ser poca.

Adelante de Bombón diez leguas está la provincia de Tarama, que los naturales della no fueron menos belicosos que los de Bombón. Es de mejor temple, que es causa de que se coja en ella mucho maíz y trigo, y otras frutas de las naturales que suele haber en estas tierras. Había en Tarama en los tiempos pasados grandes aposentos y depósitos de los reyes ingas. Andan los naturales vestidos, y lo mismo sus mujeres, de ropa de lana de sus ganados, y hacían su adoración al sol, que ellos llaman Mocha. Cuando alguno de casa, juntándose en sus convites, bebiendo de vino, allegan a se ver el novio y la esposa; y dándose paz en los carrillos, y hechas otras cerimonias, queda hecho el casamiento. Y cuando los señores mueren, los entierran de la suerte y manera que todos los de atrás usan, y las mujeres que quedan se tresquilan y ponen capirotes negros, y se untan los rostros con una mixtura negra que ellos hacen, y ha de estar con esta viudez un año. El cual pasado, según que yo lo entendí, y no antes, se puede casar, si lo quiere hacer. En el año tienen sus fiestas generales, y los ayunos por ellos establecidos los guardan con grande observancia, sin comer carne ni sal ni dormir con sus mujeres. Y al que entre ellos tienen por más dado a la religión y amigo de sus dioses o demonios ruegan que ayune un año entero por la salud de todos; lo cual hecho, al tiempo del coger de los maíces se juntan, y gastan algunos días y noches en comer y beber. Es gente limpia del pecado nefando; tanto, que entre ellos se tiene un refrán antiguo y donoso, el cual es que antiguamente debió de haber en la provincia de Guaylas algunos naturales viciosos en este pecado tan grave, y tuviéronlo por tan feo los indios comarcanos y vecinos a los que lo usaron, que por los afrentar y apocar decían, hablando en ello, el refrán, que no han perdido de la memoria, que en su lengua dice : «Asta Guaylas», y en la nuestra dirá: «Tras ti vayan los de Guaylas». Es público entre ellos que hablan con el demonio en sus oráculos y templos, y los indios viejos señalados para hacer las religiones tenían con ellos sus coloquios, y el demonio respondía con voces roncas y temerosas. De Tarama, yendo por el real camino de los ingas, se llega al grande y hermoso valle de Jauja, que fue una de las principales cosas que hubo en el Perú.

CAPITULO LXXXIV

Que trata del valle de Jauja y de los naturales dél, y cuán gran cosa fue en los tiempos pasados

Por este valle de Jauja pasa un río, que es el que dije en el capítulo de Bombón ser el nacimiento del río de la Plata. Terná este valle de largo catorce leguas, y de ancho cuatro, y cinco, y más, y menos. Fue todo tan poblado, que al tiempo que los españoles entraron en él, dicen y se tiene por cierto que había más de treinta mil indios, y agora dudo haber diez mil. Estaban todos repartidos en tres parcialidades, aunque todos tenían y tienen por nombre los Guancas. Dicen que del tiempo de Guaynacapa o de su padre hubo esta orden, el cual les partió las tierras y términos; y así, llaman a la una parte Jauja, de donde el valle tomó el nombre, y el señor Cucixaca. La segunda llaman Maricabilca, de que es señor Guacaropa. La tercera tiene por nombre Laxapalanga, y el señor Alaya. En todas estas partes había grandes aposentos de los ingas, aunque los más principales estaban en el principio del valle, en la parte que llaman Jauja, porque había un grande cercado donde estaban fuertes aposentos y muy primos de piedra, y casa de mujeres de sol, y templo muy riquísimo, y muchos depósitos llenos de todas las cosas que podían ser habidas. Sin lo cual, había grande número de plateros que labraban vasos y vasijas de plata y de oro para el servicio de los ingas y ornamentos del templo. Estaban estantes más de ocho mil indios para el servicio del templo y de los palacios de los señores. Los edificios todos eran de piedra. Lo alto de las casas y aposentos eran grandísimas vigas, y por cobertura paja larga. Tuvieron estos guancas con los ingas, antes que los conquistasen, grandes batallas, como se dirá en la segunda parte. Para la guarda de las mujeres del sol había gran recaudo, y si alguna usaba con hombre, la castigaban con gran rigor.

Estos indios cuentan una cosa muy donosa, y es que afirman que su origen y nascimiento procede de cierto varón (de cuyo nombre no me acuerdo) y de una mujer que se llamaba Urochombe, que salieron de una fuente, a quien llaman Guaribilca, los cuales se dieron tan buena maña a engendrar, que los guancas proceden dellos; y que para memoria desto que cuentan hicieron sus pasados una muralla alta y muy grande, y junto a ella un templo, a donde, como a cosa principal, venían a adorar. Lo que desto se puede colegir es que, como estos indios carecieron de fe verdadera, permitiéndolo nuestro Dios por sus pecados, el demonio tuvo sobre ellos gran poder; el cual, como malo y que deseaba la perdición de sus ánimas, les hacía entender estos desvaríos, como a otros que hacía creer que nascieron de piedras y de lagunas y de cuevas; todo a fin de que le hiciesen templos, donde él fuera adorado. Conoscen estos indios guancas que hay Hacedor de las cosas, al cual llaman Ticeviracocha (355). Creían la inmortalidad del ánima. A los que tomaban en las guerras desollaban, y henchían los cueros de ceniza, y de otros hacían atambores. Andan vestidos con mantas y camisetas. Los pueblos tenían a barrios como fuerzas hechas de piedra, que parescían pequeñas torres, anchas de nascimiento y angostas en lo alto. Hoy día a quien ve estos pueblos de lejos le parescen torres de España. Todos ellos fueron antiguamente behetrías, y se daban guerra unos a otros. Mas después, cuando fueron gobernados por los ingas, se dieron más a la labor y criaban gran cantidad de ganado. Usaron de ropas más largas que las que ellos traían. Por llantos (356) traen en las cabezas una cinta de lana del anchor de cuatro dedos. Peleaban con hondas y con dardos y algunas lanzas. Antiguamente, cabe la fuente ya dicha, edificaron un templo, a quien llamaban Guaribilca; yo lo vi; y junto a él estaban tres o cuatro árboles llamados molles, como grandes nogales. A éstos tenían por sagrados, y junto a ellos estaba un asiento hecho para los señores que venían a sacrificar; de donde se abajaba por unas losas hasta llegar a un cercado, donde estaba la traza del templo. Había en la puerta puestos porteros que guardaban la entrada, y abajaba una escalera de piedra hasta la fuente y dicha, adonde está una gran muralla antigua, hecha en triángulo; destos aposentos estaba un llano, donde dicen que solía estar el demonio, a quien adoraban; el cual hablaba con algunos dellos en aquel lugar.

Dicen, sin esto, otra cosa estos indios: que oyeron a sus pasados que un tiempo remanescieron mucha multitud de demonios por aquella parte, los cuales hicieron mucho daño en los naturales, espantándolos con sus vistas; y que estando así, parescieron en el cielo cinco soles, los cuales con su resplandor y vista turbaron tanto a los demonios, que desaparescieron, dando grandes aullidos y gemidos; y el demonio Guaribilca, que estaba en este lugar de suso dicho, nunca más fue visto, y que todo el sitio donde él estaba fue quemado y abrasado; y como los ingas

(355) Ticci-Viracocha. Viracocha es el dios inca, que les fue impuesto a los vencidos Huancas, añadiéndole lo de Ticci.
(356) *Llautos* o bandas que ciñen la cabeza.

reinaron en esta tierra y señorearon este valle, aunque por ellos fue mandado edificar en el templo de sol tan grande y principal como solían en las demás partes, no dejaron de hacer sus ofrendas y sacrificios a este de Guaribilca. Lo cual todo, así lo uno como lo otro, está deshecho y ruinado y lleno de grandes herbazales y malezas; porque, entrado en este valle el gobernador don Francisco Pizarro, dicen los indios que el obispo fray Vicente de Valverde quebró figuras de los ídolos; desde el cual tiempo en aquel lugar no fue oído más el demonio. Yo fui a ver este edificio y templo dicho, y fue conmigo don Cristóbal, hijo del señor Alaya, ya difunto, y me mostró esta antigualla. Y este y los otros señores del valle se han vuelto cristianos, y hay dos clérigos y un fraile que tienen cargo de los enseñar en las cosas de nuestra santa fe católica. Este valle de Jauja está cercado de sierras de nieve; por las más partes dél hay valles, donde los guancas tienen sus sementeras. La ciudad de los Reyes (357) estuvo en este valle asentada antes que se poblase en el lugar que agora está, y hallaron en él cantidad de oro y plata.

CAPITULO LXXXV

En que se declara el camino que hay de Jauja hasta llegar a la ciudad de Guamanga, y lo que en este camino hay que anotar

Hallo yo que hay en este valle de Jauja a la ciudad de la Vitoria de Guamanga treinta leguas. Y caminando por el real camino (358) se va, hasta que en unos altos que están por encima del valle se ven ciertos edificios muy antiguos, todos deshechos y gastados. Prosiguiendo el camino, se llega al pueblo de Acos, que está junto a un tremedal lleno de grandes juncales, donde había aposentos y depó-

(357) Cieza quiere decir que el primer establecimiento de la capital de la Gobernación estuvo allí, trasladándose luego a lo que se llamaría Ciudad de los Reyes, nombre que no tuvo en este primer asentamiento.

(358) Siempre Cieza distingue la marcha por el campo o la sierra, del uso del *real camino*.

sitos de los ingas, como en los demás pueblos de sus reinos. Los naturales de Acos están desviados del camino real, poblados entre unas sierras que están al oriente, muy ásperas. No tengo que decir dellos más de que todos andan vestidos con ropas de lana, y sus casas y pueblos son de piedra, cubiertas con paja, como todas las demás. De Acos sale el camino para ir al aposento de Pico, y por una loma, hasta que, abajando por unas laderas, que, puesto que por ser ásperas hace que parezca el camino dificultoso, va tan bien desechado y tan ancho, que casi parecerá ir hecho por tierra llana; y así abaja al río que pasa por Jauja, el cual tiene su puente, y el paso se llama Angoyaco; y junto a este puente se ven unas barrancas blancas, de donde sale un manantial de agua salobre. En este paso de Angoyaco estaban edificios de los ingas, y un cercado de piedra, adonde había un baño del agua que salía por aquella parte, que de suyo por naturaleza manaba cálida y conveniente para el baño; de lo cual se preciaron todos los señores ingas, y aun los más indios de estas partes usaron y usan lavarse y bañarse cada día, ellos y sus mujeres. Por la parte que corre el río va este lugar a manera de valle pequeño, en donde hay muchos árboles de molles y otros frutales y florestas. Caminando más adelante se llega al pueblo de Picoy, pasando primero otro río pequeño, adonde también hay puente, porque en tiempo de invierno corre con mucha furia. Saliendo de Picoy, se va a los aposentos de Parcos, que estaban hechos en la cumbre de una sierra. Los indios están poblados en grandes sierras ásperas y muy altas, que están a una parte y a otra destos aposentos, y todavía hay algunos donde los españoles que van y vienen por aquellos caminos se albergan. Antes de llegar a este pueblo de Parcos, en un despoblado pequeño está un sitio que tiene por nombre Pucara (que en nuestra lengua quiere decir cosa fuerte), adonde antiguamente (a lo que los indios dicen) hubo palacios de los ingas y templo del sol; y muchas provincias acudían con los tributos ordinarios a este Pucara, para entregarlos al mayordomo mayor, que tenía cargo de los depósitos y de coger estos tributos. En este lugar hay tanta cantidad de piedras, hechas y nacidas de tal manera, que desde lejos parece verdaderamente ser alguna ciudad o castillo muy torreado, por donde se juzga que los indios le pusieron buen nombre. Entre estos riscos o peñas está una peña junto a un pequeño río, tan grande cuanto admirable de ver, contemplando su grosor y grandor, la más fuerte que se puede pensar. Yo la vi, y dormí una noche en ella, y me parece que terná de altura más de docientos codos y en contorno más de docientos pasos, en lo más alto della. Si estuviera en alguna frontera peligrosa, fácilmente se pudiera hacer tal fortaleza que fuera tenida por inexpugnable. Y tiene otra cosa que notar esta gran peña: que por su contorno hay tantas concavidades, que pueden estar debajo della más de cien hombres y algunos caballos. Y en esto, como en las demás cosas, muestra Dios su gran poder y proveimiento; porque todos estos caminos están llenos de cuevas, donde los hombres y animales se pueden guarecer del agua y nieve. Los naturales desta comarca que se ha pasado tienen sus pueblos en grandes sierras, como tengo dicho. Lo alto de las más dellas, en todo lo más del tiempo está lleno de copos de nieve. Y siembran sus comidas en lugares abrigados, a manera de valles, que se hacen entre las mismas sierras. Y en muchas dellas hay grandes vetas deste metal de plata. De Parcos abaja el camino real por unas sierras, hasta llegar a un río que tiene el mismo nombre que los aposentos, en donde está una puente armada sobre grandes padrones de piedra. En esta sierra de Parco fue donde se dio batalla entre los indios y el capitán Morgovejo (359) de Quiñones, y adonde Gonzalo Pizarro mandó matar al capitán Gaspar Rodríguez de Camporedondo, como se dirá en los libros de adelante. Pasado este río de Parco está el aposento de Asangaro, repartimiento que es de Diego Gavilán, de donde se va por el real camino hasta llegar a la ciudad de San Juan de la Vitoria de Guamanga.

(359) Mogrovejo.

CAPITULO LXXXVI

Que trata la razón por que se fundó la ciudad de Guamanga, siendo primero sus provincias términos del Cuzco y de la ciudad de los Reyes

Después de pasada la porfiada guerra que hubo en el Cuzco entre los indios naturales y los españoles, viéndose desbaratado el rey Mango inga Yupangue (360) y que no podía tornar a cobrar la ciudad del Cuzco, determinó de retirarse a las provincias de Viticos (361), que están en lo más adentro de las regiones, pasada la cordillera de la gran montaña de los Andes, habiéndole primero dado el capitán Rodrigo Orgóñez un gran alcance, en el cual libertó al capitán Ruy Díaz, que había algunos días que el inga tenía en su poder. Y como tuviese este pensamiento Mango inga, muchos de los orejones del Cuzco, que era la nobleza de aquella ciudad, quisieron seguirle. Allegado, pues, a Viticos el rey Mango inga con suma muy grande de tesoros, que tomó de muchas partes donde él lo tenía, y sus mujeres y aparato, hicieron su asiento en el lugar que les pareció más fuerte, de donde salieron muchas veces y por muchas partes a inquietar lo que estaba pacífico, procurando de hacer el daño que pudiesen a los españoles, a los cuales tenían por crueles enemigos, pues por haberles ocupado su señorío les había sido forzado dejar su natural tierra y vivir en destierro. Estas cosas y otras publicaba Mango inga y los suyos por las partes que salían a robar y a hacer daño que digo. Y como en estas provincias no se hubiere edificado ninguna ciudad de españoles, antes los naturales della unos estaban encomendados a los vecinos de la ciudad del Cuzco y otros a los de la ciudad de los Reyes, era causa que los indios de Mango inga pudiesen fácilmente hacer grandes daños a los españoles y a los indios sus confederados, y así mataron y robaron a muchos. Y llegó a tanto este negocio, que el

(360) Manco II, el sublevado contra los españoles.

(361) Viticos, Vitcos, Vilcabamba son los diversos nombres de la ciudad adonde se retiró, como narra Cieza, Manco II después de su fallida rebelión. Cuando en 1911 Hiram Bingham descubrió Machu Picchu, él y muchos otros creyeron haber hallado la nunca entrevista *Vilcabamba la Vieja*, pero no hay todavía certeza de ello.

marqués don Francisco Pizarro envió capitanes contra él. Y saliendo del Cuzco por su mandado el fator (362) Illán Suárez de Carvajal, envió al capitán Villadiego con alguna copia de españoles a correr la tierra, porque tuvieron nueva que estaba Mango inga no muy lejos de donde ellos estaban. Y no embargante que se vieron sin caballos (que es la fuerza principal de la guerra para estos indios), confiados de sus fuerzas, y con la codicia que tuvieron de gozar del Inga (363), porque creyeron que con él vendrían sus mujeres con parte de su tesoro y aparato, subiendo por una alta sierra llegaron a la cumbre della tan cansados y fatigados, que Mango inga, con pocos más de ochenta indios, dio, por aviso que tuvo, en los cristianos, que eran veinte y ocho o treinta, y mató al capitán Villadiego y a todos los más, que no escaparon sino dos o tres, con ayuda de indios amigos, que los pusieron delante la presencia del fator, que mucho sintió la desgracia sucedida. Lo cual entendido por el marqués don Francisco Pizarro, con gran priesa salió de la ciudad del Cuzco con gente, mandando salir luego tras Mango inga; aunque no aprovechó, porque con las cabezas de los cristianos se retiró a su asiento de Viticos, hasta que después el capitán Gonzalo Pizarro le dió grandes alcances y le deshizo muchas albarradas, ganándole algunas puentes. Y como los males y daños que los indios que andaban alzados hicieron hubiesen sido muchos, el gobernador don Francisco Pizarro, con acuerdo de algunos varones y de los oficiales reales que con él estaban, determinó de poblar en el comedio del Cuzco y de Lima (que es la ciudad de los Reyes) una ciudad de cristianos, para que hiciesen el paso seguro a los caminantes y contratantes, la cual se llamó San Juan de la Frontera, hasta que después el licenciado Cristóbal Vaca de Castro, su predecesor (364) en el gobierno del reino, por la victoria que hubo de los de Chile en las lomas o llanadas de Chupas, la llamó de la Victoria. Todos los pueblos y pro-

(362) El *factor* actuaba como *oficial real,* aunque fuera escogido entre los de la hueste.

(363) Esta frase poco clara de *gozar del Inca* viene aclarada a continuación, al mencionar a quienes había de gozarse, que eran las mujeres del Inka, y el botín de los *tesoros* a que Cieza ha hecho referencia anteriormente.

(364) Debe leerse *sucesor* en vez de *predecesor.*

vincias que había en la comarca desde los Andes hasta la mar del Sur eran términos de la ciudad del Cuzco y de la de los Reyes, y los indios estaban encomendados a los vecinos destas dos ciudades. Mas como el gobernador don Francisco Pizarro determinase de hacer esta fundación, requirió a los unos y a los otros que viniesen a ser vecinos en la nueva ciudad; donde no, que perdiesen el aución que tenían a la encomienda de los indios de aquella parte, quedando con solamente los que poseían desde la provincia de Jauja, que se dio por términos a Lima, y desde la de Andabailas (365), que se dio al Cuzco. Esta ciudad está trazada y fundada de la manera siguiente.

CAPITULO LXXXVII

De la fundación de la ciudad de Guamanga y quién fue el fundador

Cuando el marqués don Francisco Pizarro determinó de asentar esta ciudad en esta provincia, hizo su fundación no donde agora está, sino en un pueblo de indios llamado Guamanga, que fue causa que la ciudad tomase este mismo nombre, que estaba cerca de la larga y gran cordillera de los Andes; donde dejó por su teniente al capitán Francisco de Cárdenas. Andando los tiempos, por algunas causas se mudó en la parte donde agora está, que es un llano cerca de una cordillera de pequeñas sierras que están a la parte del sur; y aunque en otro llano, media legua deste sitio, pudiera estar más al gusto de los pobladores, pero por la falta del agua se dejó de hacer. Cerca de la ciudad pasa un pequeño arroyo de agua muy buena, de donde beben los desta ciudad, en la cual han edificado las mayores y mejores casas que hay en todo el Perú, todas de piedra, ladrillo (366) y teja, con grandes torres; de manera que no falta aposentos. La plaza está llana y

(365) Andahuailas. Observemos que ocurre lo mismo que con Atabaliba en vez de Atau-Hualipa.

(366) El ladrillo, barro cocido, era una novedad introducida por los españoles, pues los incas sólo tuvieron adobes, o sea barro entremezclado con paja.

bien grande. El sitio es sanísimo, porque ni el sol, aire ni sereno hace mal, ni es húmida ni cálida, antes tiene un grande y excelente temple de bueno. Los españoles han hecho sus caserías, donde están sus ganados, en los ríos y valles comarcanos a la ciudad. El mayor río dellos tiene por nombre Vinaque, adonde están unos grandes y muy antiquísimos edificios, que cierto, según están gastados y ruinados, debe de haber pasado por ellos muchas edades. Preguntando a los indios comarcanos quién hizo aquella antigualla, responden que otras gentes barbadas y blancas como nosotros, los cuales, muchos tiempos antes que los ingas reinasen, dicen que vinieron a estas partes e hicieron allí su morada. Y desto y de otros edificios antiguos que hay en este reino me parece que no son la traza dellos como los que los ingas hicieron o mandaron hacer. Porque este edificio era cuadrado, y los de los ingas largos y angostos. Y también hay fama que se hallaron ciertas letras en una losa deste edificio; lo cual ni lo afirmo ni dejo de tener para mí que en los tiempos pasados hubiese llegado aquí alguna gente de tal juicio y razón que hiciese estas cosas y otras que no vemos. En este río de Vinaque, y por otros lugares comarcanos a esta ciudad, se coge gran cantidad de trigo de lo que siembran, del cual se hace pan tan excelente y bueno como lo mejor del Andalucía. Hanse puesto algunas parras, y se cree que por tiempos habrá grandes y muchas viñas, y por el consiguiente se darán las más cosas que de España plantaren. De las frutas naturales hay muchas y muy buenas, y tantas palomas, que en ninguna parte de las Indias vi donde tantas se criasen. En tiempo del estío se pasa alguna necesidad de hierba para los caballos; mas con el servicio de los indios no se siente esta falta; y hase de entender que caballos y más bestias no comen en ningún tiempo del año paja, ni acá la que se coge aprovecha de nada, porque los ganados tampoco la comen, sino la hierba de los campos. Las salidas que tiene esta ciudad son buenas, aunque por muchas partes hay tantas espinas y abrojos, que conviene llevar tino los que caminaren así a pie como a caballo. Esta ciudad de San Juan de la Vitoria de Guamanga fundó y pobló el marqués don Francisco Pizarro, gobernador del Perú, en nombre de su majestad, a 9 días del mes de enero de 1539 años.

CAPITULO LXXXVIII

En que se declaran algunas cosas de los naturales comarcanos a esta ciudad

Muchos indios se repartieron a los vecinos desta ciudad de Guamanga para que sobre ellos tuviesen encomienda. Y no embargante que en este tiempo haya gran número dellos, muchos son los que faltan con las guerras. Los más dellos eran mitimaes, que, según ya dije, eran indios traspuestos de unas tierras en otras; industria de los reyes ingas. Algunos destos eran orejones, aunque no de los principales del Cuzco. Por la parte de oriente está desta ciudad la gran serranía de los Andes. Al poniente está la costa y mar del Sur. Los pueblos de indios que hay junto al camino real ya los he nombrado; los que quedan tienen tierra fértil de mantenimiento, y abundante de ganado, y todos andan vestidos. Tenían en partes escondidas adoratorios y oráculos, donde hacían sus sacrificios y vanidades. En sus enterramientos usaron lo que todos, que es enterrar con los difuntos algunas mujeres y de sus cosas preciadas. Señoreados por los ingas, adoraban al sol y gobernábanse por sus leyes y costumbres. Fueron en los principios gente indómita y tan belicosa, que los ingas tuvieron aprieto en su conquista; tanto, que afirman que en tiempo que reinaba Inga Yupangue, después de haber desbaratado a los soras y lucanes, provincias donde moran gentes robustas y que también caen en los términos desta ciudad, se encastillaron en un fuerte peñol número grande de indios, con los cuales se pasaron grandes trances, como se relatará en su lugar. Porque ellos, por no perder su libertad ni ser siervos del tirano, tenían en poco la hambre y prolija guerra que pasaban. Inga Yupangue, por el consiguiente, codicioso del señorío y deseoso de no perder reputación, los cercó y tuvo en gran aprieto más de dos años; en fin de los cuales, después de haber hecho lo posible, se dieron a este inga. En el tiempo que Gonzalo Pizarro se levantó en el reino por temor de sus capitanes y con voluntad de servir a su majestad, los principales vecinos desta ciudad de Guamanga, después de haber alzado bandera en su real nombre, se fueron a este peñol a encastillar, y vieron (a lo que oí a algunos dellos) reliquias de lo que los indios cuentan. Todos traen sus señales para ser conocidos y como lo usaron sus pasados, y algunos hubo que se dieron mucho en mirar señales y que fueron grandes agoreros, preciándose de contar lo que había de suceder de futuro, en lo cual desvariaron, como agora desvarían cuando quieren decir o pronosticar lo que criatura ninguna sabe ni alcanza, pues lo que está por venir sólo Dios lo sabe.

CAPITULO LXXXIX

De los grandes aposentos que hubo en la provincia de Bilcas, que es pasada la provincia de Guamanga

Desde la ciudad de Guamanga a la del Cuzco hay sesenta leguas, poco más o menos. En este camino están las lomas y llano de Chupas, que es donde se dió la cruel batalla entre el gobernador Vaca de Castro y don Diego de Almagro el mozo, tan porfiada y reñida como en su lugar escribo. Más adelante, yendo por el real camino, se llega a los edificios de Bilcas, que están once leguas de Guamanga, adonde dicen los naturales que fué el medio del señorío y reino de los ingas; porque desde Quito a Bilcas afirman que hay tanto como de Bilcas a Chile, que fueron los fines de su imperio. Algunos españoles que han andado el camino de lo uno y lo otro dicen lo mismo. Inga Yupangue fue el que mandó hacer estos aposentos, a lo que los indios dicen, y sus predecesores acrecentaron sus edificios. El templo del sol fue grande y muy labrado. Adonde están los edificios hay un altozano en lo más alto de una sierra, la cual tenían siempre limpia. A una parte deste llano, hacia el nacimiento del sol, estaba un adoratorio de los señores, hecho de piedra, cercado con una pequeña muralla, de donde salía un terrado no muy grande, de anchor de seis pies, yendo fundadas otras cercas sobre él, hasta que en el remate estaba el asiento para donde el señor se ponía a hacer su oración, hecho de una sola pieza, tan grande, que tiene de largo once pies y de ancho siete, en la cual están hechos dos asientos para el efeto dicho. Esta piedra dicen que solía estar llena de joyas de oro y de pedrería, que adornaban el lugar que ellos tanto veneraron y estimaron, y en otra piedra no pequeña, que está en este tiempo en mitad desta plaza, a manera de pila, donde sacrificaban y mataban los animales y niños tiernos (a lo que dicen), cuya sangre ofrecían a sus dioses. En estos terrados se ha hallado por los españoles algún tesoro de lo que estaba enterrado. A las espaldas deste adoratorio estaban los palacios de Topainga Yupangue y otros aposentos grandes, y muchos depósitos donde se ponían las armas y ropa fina, con todas las demás cosas de que daban tributo los indios y provincias que caían en la juridición de Bilcas, que, como otras veces he dicho, era como cabeza de reino. Junto a una pequeña sierra estaban y están más de setecientas casas, donde recogían el maíz y las cosas de proveimiento de la gente de guerra que andaba por el reino. En medio de la gran plaza había otro escaño a manera de teatro, donde el señor se asentaba para ver los bailes y fiestas ordinarias. El templo del sol, que era hecho de piedra, asentada una en otra muy primamente, tenía dos portadas grandes; para ir a ellas había dos escaleras de piedra, que tenían, a mi cuenta, treinta gradas cada una. Dentro deste templo había aposentos para los sacerdotes y para los que miraban las mujeres mamaconas, que guardaban su religión con grande observancia, sin entender en más de lo dicho en otras partes desta historia. Y afirman los orejones y otros indios que la figura del sol era de gran riqueza, y que había mucho tesoro en piezas y enterrado, y que servían a estos aposentos más de cuarenta mil indios, repartidos en cada tiempo su cantidad, entendiendo cada principal lo que le era mandado por el gobernador, que tenía poder del rey inga, y que solamente para guardar las puertas del templo había cuarenta porteros. Por medio desta plaza pasaba una gentil acequia, traída con mucho primor, y tenían los señores sus baños secretos para ellos y para sus mujeres. Lo que hay que ver desto son los cimientos de los edificios, y las paredes y cercas de los adoratorios, y las piedras (367) dichas, y el templo con sus gradas, aunque desbaratado y lleno de herbazales, y todos los más de los depósitos derribados; en fin, fue lo que no es, y por lo que es juzgamos lo que fue. De los españoles primeros conquistadores hay algunos que vieron lo más deste edificio entero y en su perfeción, y así lo he oído yo a ellos mismos.

De aquí prosigue el camino real hasta Uramarca, que está siete leguas más adelante hacia el Cuzco; en el cual término se pasa el espacioso río llamado Bilcas, por estar cerca destos aposentos. De una parte y de otra del río están hechos dos grandes y muy crecidos padrones de piedra, sacados con cimientos muy hondos y fuertes, para poner la puente, que es hecho de maromas de rama, a manera de las sogas que tienen las anorias para sacar agua con la rueda. Y éstas, después de hechas, son tan fuertes, que pueden pasar los caballos a rienda suelta, como si fuesen por la puente de Alcántara o de Córdoba. Tenía de largo esta puente, cuando yo la pasé, ciento y sesenta y seis pasos. En el nacimiento deste río está la provincia de los soras, muy fértil y abundante, poblada de gentes belicosas. Ellos y los lucanes son de una habla y andan vestidos con ropa de lana; poseyeron mucho ganado, y en sus provincias hay minas ricas de oro y plata; y en tanto estimaron los ingas a los soras y lucanes, que sus provincias eran cámaras suyas y los hijos de los principales residían en la corte del Cuzco. Hay en ellas aposentos y depósitos ordinarios, y por los desiertos gran número de ganado salvaje; y volviendo al camino principal se llega a los aposentos de Uramarca, que es población de mitimaes; porque los naturales, con las guerras de los ingas, murieron los más dellos.

(367) Esta descripción, como todas las que hace Cieza de construcciones, es muy minuciosa. Destaquemos la referencia a los cimientos, una de las características más apreciables de los arquitectos incaicos, pues gracias a ellos adquieren los edificios extraordinaria solidez, que ha permitido calificar a la arquitectura inca de *antisísmica*.

CAPITULO XC

De la provincia de Andabailas y lo que se contiene en ella hasta llegar al valle de Xaquixaguana

Cuando yo entré en esta provincia era señor della un indio principal llamado Basco, y los naturales han por nombre chancas. Andan vestidos con mantas y camisetas de lana. Fueron en los tiempos pasados tan valientes (a lo que se dice) éstos, que no solamente ganaron tierras y señoríos, mas pudieron tanto que tuvieron cercada la ciudad del Cuzco, y se dieron grandes batallas entre los de la ciudad y ellos, hasta que por el valor de inga Yunpangue fueron vencidos (368); y también fue natural desta provincia el capitán Ancoallo, tan mentado en estas partes por su grande valor; del cual cuentan que, no pudiendo sufrir el ser mandado por los ingas y las tiranías de algunos de sus capitanes, después de haber hecho grandes cosas en la comarca de Tarama y Bombón, se metió en lo más adentro de las montañas y pobló riberas de un lago que está, a lo que también se dice, por bajo del río de Moyobamba. Preguntándoles yo a estos chancas qué sentían de sí propios y dónde tuvo principio su origen, cuentan otra niñería o novela como los de Jauja, y es que dicen que sus padres remanecieron y salieron por un palude pequeño, llamado Soclococha, desde donde conquistaron hasta llegar a una parte que nombran Chuquibamba, adonde lugero hicieron su asiento. Y pasados algunos años, contendieron con los quichúas, nación muy antigua y señores que eran desta provincia de Andabailas, la cual ganaron y quedaron por señores della hasta hoy. Al lago de donde salieron tenían por sagrado, y era su principal templo donde adoraban y sacrificaban. Usaron los entierros como los demás; y así, creían la inmortalidad del ánima, que ellos llaman xongon, que es también nombre de corazón. Metían con los señores que enterraban mujeres vivas y algún tesoro y ropa. Tenían sus días señalados, y aun deben agora tener, para solemnizar sus fiestas, y plazas he-

(368) En pocas palabras resume Cieza la mayor crisis militar que tuvieron los incas, al ser atacados por los chanca. De todo ello dará razón más amplia en la Segunda parte de esta *Crónica del Perú*, o *Señorío de los Incas.*

chas para sus bailes. Como en esta provincia ha estado a la continua clérigo industriando a los indios, se han vuelto algunos dellos cristianos, especialmente de los mozos. Ha tenido siempre sobre ella encomienda el capitán Diego Maldonado. Todos los más traen cabellos largos entranzados menudamente, puestos unos cordones de lana que les viene a caer por debajo de la barba. Las casas son de piedra. En el comedio de la provincia había grandes aposentos y depósitos para los señores. Antiguamente hubo muchos indios en esta provincia de Andabailas, y la guerra los ha apocado como a los demás deste reino. Es muy larga y poseen gran número de ganado doméstico, y en sus términos no tiene cuenta lo que hay montes. Y es bien bastecida de mantenimientos y dase trigo, y por los valles calientes hay muchos árboles de fruta. Aquí estuvimos (369) muchos días con el presidente Gasca cuando iba a castigar la rebelión de Gonzalo Pizarro (y fue mucho lo que estos indios pasaron y sirvieron con la importunidad de los españoles. Y este buen indio, señor deste valle, Guasco, entendía en este proveimiento con gran cuidado. Desta provincia de Andabailas (que los españoles comúnmente llaman Andaguailas) se llega al río de Abancay, que está nueva leguas más adelante hacia el Cuzco, y tiene este río sus padrones o pilares de piedra bien fuertes, adonde está puente, como en los demás ríos. Por donde éste pasa hacen las sierras un valle pequeño, adonde hay arboledas y se crían frutas y otros mantenimientos abundantemente. En este río fue donde el adelantado don Diego de Almagro desbarató y prendió al capitán Alonso de Albarado, general del gobernador don Francisco Pizarro, como diré en la guerra de las Salinas (370). No muy lejos deste río estaban aposentos y depósitos como los que había en los demás pueblos pequeños, y no de mucha importancia.

(369) Este *estuvimos* plural se refiere a los que acompañaron al pacificador La Gasca.

(370) Cieza va dando constante prueba del plan que le guió en la confección de su obra, y como ya está trazado cuando redacta su *Primera parte.*

CAPITULO XCI

Del río de Apurima y del valle de Xaquixaguana, y de la calzada que pasa por él, y lo que más hay que contar hasta llegar a la ciudad del Cuzco

Adelante está el río de Apurima, que es el mayor de los que se han pasado desde Caxamalca, hacia la parte del Sur, ocho leguas del de Abancay; el camino ya va bien desechado por las laderas y sierras, y debieron de pasar gran trabajo los que hicieron este camino en quebrantar las piedras y allanarlo por ellas, especialmente cuando se abaja por él al río, que va tan áspero y dificultoso este camino que algunos caballos cargados de plata y de oro han caído en él y perdido, sin lo poder cobrar. Tiene dos grandes pilares de piedra para poder armar la puente (371). Cuando yo volví a la ciudad de los Reyes después que hubimos desbaratado a Gonzalo Pizarro pasamos este río algunos soldados, sin puente, por estar desecha, metidos en un cesto cada uno por sí, descolgándonos por una maroma que estaba atada a los pilares de una parte a otra del río, más de cincuenta estados: que no es pequeño espanto ver lo mucho a que se ponen (372) los hombres que por las Indias andan. Pasado este río se ve luego dónde estuvieron los aposentos de los ingas, y en donde tenían un oráculo, y el demonio respondía (a lo que los indios dicen) por el troncón de un árbol, junto al cual enterraban oro y hacían sus sacrificios. Deste río de Apurima se va hasta llegar a los aposentos de Limatambo, y pasando la sierra de Bilcaconga (que es donde el adelantado don Diego de Almagro, con algunos españoles, tuvo una batalla con los indios antes que se entrase en el Cuzco) (373) se llega al valle de Xaquixaguana, el cual es llano, situado entre las cordilleras de sierras. No es muy ancho ni tampo-

(371) Estos pilares de piedra eran sólidas bases para amarrar las muy gruesas sogas de que pendían los puentes colgantes, que subsistieron hasta tiempos recientes.

(372) Quiere decir *exponen*. Aparte de la disculpable vanidad de narrar su peligrosa experiencia, Cieza aporta este testimonio de cómo son las dificultades, para dar fuerza de veracidad.

(373) Esta es una referencia histórica a hechos más antiguos, a la marcha de toda la hueste desde Cajamarca al Cuzco, y al encuentro de Villcaconga.

co largo. Al principio dél es el lugar donde Gonzalo Pizarro fue desbaratado, y juntamente él, con otros capitanes y valedores suyos, justiciado por mandado del licenciado Pedro de la Gasca, presidente de su majestad. Había en este valle muy suntuosos aposentos y ricos, adonde los señores del Cuzco salían a tomar sus placeres y solaces. Aquí fue también donde el gobernador don Francisco Pizarro mandó quemar al capitán general de Atabaliba, Chalicuchima (374). Hay deste valle a la ciudad del Cuzco cinco leguas, y pasa por él el gran camino real. Y del agua de un río que nace cerca deste valle se hace un grande tremedal hondo, y que con gran dificultad se pudiera andar si no se hiciera una calzada ancha y muy fuerte, que los ingas mandaron hacer, con sus paredes de una parte y otra, tan fijas, que durarán muchos tiempos. Saliendo de la calzada, se camina por unos pequeños collados y laderas hasta llegar a la ciudad del Cuzco. Antiguamente fue todo este valle muy poblado y lleno de sementeras, tantas y tan grandes, que era cosa de ver, por ser hechas con una orden de paredes anchas; y con su compás algo desviado salían otras, habiendo distancia en el anchor de una y otra para poder sembrar sus sementeras de maíz y de otras raíces que ellos siembran (375). Y así, estaban hechas desta manera, pegadas a las haldas de las sierras. Muchas destas sementeras son de trigo, porque se da bien. Y hay en él muchos ganados de los españoles vecinos de la antigua ciudad del Cuzco. La cual está situada entre unos cerros, de la manera y forma que en el siguiente capítulo se declara.

CAPITULO XCII

De la manera y traza con que está fundada la ciudad del Cuzco, y de los cuatro caminos reales que della salen, y de los grandes edificios que tuvo, y quién fue el fundador

La ciudad del Cuzco está fundada en un sitio bien áspero y por todas partes cercado de sierras, entre dos arroyos

(374) Véase nota 327.
(375) Primera descripción del sistema de andenerías incaicas de cultivo.

pequeños, el uno de los cuales pasa por medio, porque se ha poblado de entrambas partes. Tiene un valle a la parte de levante, que comienza desde la propia ciudad: por manera que las aguas de los arroyos que por la ciudad pasan corren al poniente. En este valle, por ser frío demasiado, no hay género de árbol que pueda dar fruta, si no son algunos molles (376). Tiene la ciudad a la parte del norte, en el cerro más alto y más cercano a ella, una fuerza (377), la cual por su grandeza y fortaleza fue excelente edificio, y lo es en este tiempo, aunque lo más della está deshecha; pero todavía están en pie los grandes y fuertes cimientos, con los cubos principales (378). Tiene asimesmo a las partes de levante y del norte las provincias de Andesuyo, que son las espesuras y montañas de los Andes y la mayor de Chichasuyo, que se entienden las tierras que quedan hacia el Quito. A la parte del sur tiene las provincias de Collao y Condesuyo, de las cuales el Collao está entre el viento levante y el austro o mediodía, que en la navegación se llama sur, y la de Condesuyo entre el sur y poniente. Una parte desta ciudad tenía por nombre Hanancuzco y la otra Orencuzco, lugares donde vivían los más nobles della y adonde había linajes (379) antiguas. Por otra estaba el cerro de Carmenga, de donde salen a trechos ciertas torrecillas pequeñas, que servían para tener cuenta con el movimiento del sol, de que ellos mucho se preciaron. En el comedio cerca de los collados della, donde estaba lo más de la población, había una plaza de buen tamaño, la cual dicen que antiguamente era tremedal o lago, y que los fundadores, con mezcla y piedra, lo allanaron y pusieron co-

(376) *Schipus molle,* terebintacea de cuyos frutos también se hace una bebida fermentada.

(377) Fuerza o fortaleza. Se refiere a Sacsay-Huamán. Parece realmente una fortaleza por su formidable murallaje de piedras de varias toneladas, pero no hay mención en la historia tradicional de que sirviera de protección al Cuzco en el asedio chanca, ni que se defendieran allí de los españoles, entrando sin dificultad Pizarro en la ciudad, ni que al sublevarse Manco II se hicieran fuertes allí los conquistadores. Puede pensarse que tuviera una función sagrada, para fiestas religiosas y observaciones astronómicas.

(378) Esta es también la primera descripción de Sacsay-Huamán.

(379) Esta referencia a linajes antiguos significa la persistencia de las *panakas* o familias descendientes de cada inka. Que en los dos Cuzcos residieran estos linajes fortalece la idea de dos dinastías reinantes, paralelas, como parece imponerse entre los peruanistas actuales.

mo agora está. Desta plaza salían cuatro caminos reales; en el que llamaban Chichasuyo se camina a las tierras de los llanos con toda la serranía, hasta las provincias de Quito y Pasto. Por el segundo camino, que nombran Condesuyo, entran las provincias que son subjetas a esta ciudad y a la de Arequipa. Por el tercero camino real, que tiene por nombre Andesuyo, se va a las provincias que caen en las faldas de los Andes y a algunos pueblos que están pasada la cordillera. En el último camino destos, que dicen Collasuyo, entran las provincias que llegan hasta Chile. De manera que, como en España los antiguos hacían división de toda ella por las provincias, así estos indios, para contar las que había en tierra tan grande, lo entendían por sus caminos (380). El río que pasa por esta ciudad tiene sus puentes para pasar de una parte a otra. Y en ninguna parte deste reino del Perú se halló forma de ciudad con noble ornamento si no fue este Cuzco, que (como muchas veces he dicho) era la cabeza del imperio de los ingas y su asiento real. Y sin esto, las más provincias de las Indias son poblaciones. Y si hay algunos pueblos, no tienen traza ni orden ni cosa política que se haya de loar; el Cuzco tuvo gran manera y calidad; debió ser fundada por gente de gran ser. Había grandes calles, salvo que eran angostas, y las casas, hechas de piedra pura, con tan lindas junturas que ilustra el antigüedad del edificio, pues estaban piedras tan grandes muy bien asentadas. Lo demás de las casas todo era madera y paja o terrados, porque teja, ladrillo ni cal no vemos reliquia dello. En esta ciudad había en muchas partes aposentos principales de los reyes ingas, en los cuales el que sucedía en el señorío celebraba sus fiestas. Estaba asimismo en ella el magnífico y solemne templo del sol, al cual llamaban Curicanche (381), que fue de los ricos de oro y plata que hubo en muchas partes del mundo. Lo más de la ciudad fue poblada de mitimaes, y hubo en ella grandes leyes y estatutos a su usanza, y de tal manera, que por todos era entendido, así en lo tocante de sus vanidades y templos como en lo del gobierno. Fue la más rica que hubo en las Indias de lo que dellas sabe-

(380) Son los *ceques*, que posteriormente describe Polo de Ondegardo.
(381) *Cori-cancha*, patio, plaza o campo de oro.

mos, porque de muchos tiempos estaban en ella tesoros allegados para grandeza de los señores, y ningún oro ni plata que en ella entraba podía salir, so pena de muerte. De todas las provincias venían a tiempos los hijos de los señores a residir en esta corte con su servicio y aparato. Había gran suma de plateros, de doradores, que entendían en labrar lo que era mandado por los ingas. Residía en su templo principal que ellos tenían su gran sacerdote, a quien llamaban Vilaoma (382). En este tiempo (383) hay casas muy buenas y torreadas, cubiertas con teja. Esta ciudad, aunque es fría, es muy sana, y la más proveída de mantenimientos de todo el reino, y la mayor dél, y adonde más españoles tienen encomienda sobre los indios, la cual fundó y pobló Mangocapa (384), primer rey inga que en ella hubo. Y después de haber pasado otros diez señores que le sucedieron en el señorío, la reedificó y tornó a fundar el adelantado don Francisco Pizarro, gobernador y capitán general destos reinos, en nombre del emperador don Carlos, nuestro señor, año de 1534 años, por el mes octubre (385).

CAPITULO XCIII

En que se declaran más en particular las cosas desta ciudad del Cuzco

Como fuese esta ciudad la más importante y principal deste reino, en ciertos tiempos del año acudían los indios de las provincias, unos a hacer los edificios y otros a limpiar las calles y barrios y a hacer lo que más les fuese mandado (386). Cerca della, a una parte y a otra, son muchos los edificios que hay, de aposentos y depósitos que hubo, todos de la traza y compostura que tenían los demás

(382) Villac-Umu, gran sacerdote, generalmente de la familia del Inka.
(383) Se refiere a su tiempo contemporáneo, en que los españoles han introducido la teja en la construcción.
(384) Manco-Capac.
(385) La información histórica de Cieza falla en esta ocasión. El día de la fundación fue el 23 de marzo de 1534.
(386) Servicio de *mita,* repartido entre los *suyus* y comunidades.

de todo el reino; aunque unos mayores y otros menores y unos más fuertes que otros. Y como estos ingas fueron tan ricos y poderosos, algunos destos edificios eran dorados y otros estaban adornados con planchas de oro (387). Sus antecesores tuvieron por cosa sagrada un cerro grande que llamaron Guanacaure (388), que está cerca desta ciudad; y así, dicen sacrificaban en él sangre humana y de muchos corderos y ovejas, y como esta ciudad estuviese llena de naciones extranjeras y tan peregrinas, pues había indios de Chile, Pasto, sañares, chachapoyas, guancas, collas, y de los más linajes que hay en las provincias ya dichas, cada linaje dellos estaba por sí en el lugar y parte que les era señalado por los gobernadores de la misma ciudad. Estos guardaban las costumbres de sus padres y andaban al uso de sus tierras, y aunque hubiese juntos cien mil hombres, fácilmente se conoscían con las señales que en las cabezas se ponían. Algunos destos extranjeros enterraban a sus difuntos en cerros altos, otros en sus casas, y algunos en las heredades, con sus mujeres vivas y cosas de las preciadas que ellos tenían por estimadas, como de suso es dicho, y cantidad de mantenimiento: y los ingas (a lo que yo entendí) no les vedaban ninguna cosa destas, con tanto que todos adorasen al sol y le hiciesen reverencia (389), que ellos llaman Mocha. En muchas partes desta ciudad hay grandes edificios debajo la tierra, y en las mismas entrañas della hoy día se hallan algunas losas y caños, y aun joyas y piezas de oro de lo que enterraban; y cierto debe de haber en el circuito desta ciudad enterrados grandes tesoros, sin saber dellos lo que son vivos; y como en ella hubiese tanta gente y el demonio tan enseñoreado sobre ellos por la permisión de Dios, había muchos hechiceros, agoreros, idolatradores; y destas reliquias no está del todo limpia esta ciudad, especialmente de las hechicerías. Cerca desta ciudad hay muchos valles templados, y adonde hay arboledas y frutales y se cría lo uno y lo otro bien; lo cual traen lo más dellos a vender a la ciudad. Y en este tiempo se coge mucho trigo, de que hacen pan. Y hay plan-

(387) El Coricancha especialmente, de ahí su nombre.
(388) Huanacauri, correspondiente a la *panaka* o estirpe de Manco-Capac, fundador de la dinastía.
(389) Sistema inca que con tal de ser aceptado el culto oficial permitía los cultos locales, como hemos visto en Pachacamac.

tados en los lugares que digo muchos naranjos y otros árboles de frutas de España y de la misma tierra. Del río que pasa por la ciudad tiene sus moliendas, y cuatro leguas della se ven las pedreras donde sacaban la cantería, losa y portadas para los edificios, que no es poco de ver. Demás de lo dicho, se crían en el Cuzco muchas gallinas y capones, tan buenos y gordos como en Granada, y por los valles hay hatos de vacas y cabras y otros ganados, así de España como de lo natural. Y puesto que no haya en esta ciudad arboledas, críanse muy bien las legumbres de España.

CAPITULO XCIV

Que trata del valle de Yucay (390) *y de los fuertes aposentos de Tambo, y parte de la provincia de Condesuyo*

Cuatro leguas desta ciudad del Cuzco, poco más o menos, está un valle llamado de Yucay, muy hermoso, metido entre la altura de las sierras, de tal manera que con el abrigo que le hacen es de temple sano y alegre, porque ni hace frío demiado ni calor, antes se tiene por tan excelente, que se ha platicado algunas veces por los vecinos regidores del Cuzco de pasar la ciudad a él, y tan de veras, que se pensó poner en efeto (391). Mas como haya tan grandes edificios en las casas de sus moradas, no se mudará por no tornar de nuevo a edificar, ni lo permitirán por que no se pierda la antigüedad de la ciudad. En este valle de Yucay han puesto y plantado muchas cosas de las que dije en el capítulo precedente. Y cierto en este valle y en el de

(390) Hoy llamado *valle sagrado,* donde los incas y sus familias tuvieron residencias y palacios.

(391) En el comienzo de la estancia de los españoles en Cuzco, la aclimatación fue muy difícil, y las parturientas tenían dificultades para conseguir la supervivencia de sus hijos. Por este motivo, como relata Cieza, se pensó trasladar la fundación de la ciudad al valle de Yucay. La solución fue conceder tierras a los vecinos de Cuzco en el valle, lo que produjo pleitos con la Iglesia, por ser tierras antiguamente pertenecientes al Sol, es decir a la administración religiosa incaica, cuyos herederos fueron los eclesiásticos españoles. En el Archivo Histórico del Cuzco se conserva un plano de la distribución de solares en Yucay entre los vecinos de Cuzco, allí figura el padre del inca Garcilaso.

Bilcas, y en otros semejantes (según lo que paresce en lo que agora se comienza), hay esperanza que por tiempos habrá buenos pagos de viñas y huertas, y vergeles frescos y vistosos. Y digo en particular más deste valle que de otros porque los ingas lo tuvieron en mucho y se venían a él a tomar sus regocijos y fiestas; especialmente Viracoche inga, que fue abuelo de Topainga Yupangue. Por todas partes dél se ven pedazos de muchos edificios y muy grandes que había, especialmente los que hubo en Tambo, que está el valle abajo tres leguas, entre dos grandes cerros, junto a una quebrada por donde pasa un arroyo. Y aunque el valle es del temple tan bueno como de suso he dicho, lo más del año están estos cerros bien blancos de la mucha nieve que en ellos cae. En este lugar tuvieron los ingas una gran fuerza de las más fuertes de todo su señorío, asentada entre unas rocas, que poca gente bastaba a defenderse de mucha. Entre estas rocas estaban algunas peñas tajadas, que hacían inexpugnables el sitio; y por lo bajo está lleno de grandes andenes (392) que parescen murallas, unas encima de otras, en el ancho de las cuales sembraban las semillas de que comían. Y agora se ve entre estas piedras algunas figuras de leones y de otros animales fieros, y de hombres con unas armas en las manos a manera de alabardas, como que fuesen guarda del paso, y esto bien obrado y primamente. Los edificios de las casas eran muchos, y dicen que en ellos había, antes que los españoles señoreasen este reino, grandes tesoros y cierto se ven en estos edificios piedras puestas en ellos, labradas y asentadas, tan grandes, que era menester fuerza de mucha gente y con mucho ingenio para llevarlas y ponerlas donde están. Sin esto, se dice por certo que en estos edificios de Tambo o de otros que tenían este nombre (que no es sólo este lugar el que se llamó Tambo) (393) se halló en cierta parte del palacio real o del templo del sol oro derretido en lugar de mezcla, con que, juntamente con el betún que ellos ponen, quedaban las piedras asentadas unas con otras. Y que el gobernador don Francisco Pizarro hubo desto mucho antes que los indios lo hiciesen y llevasen, y

(392) Primera vez que Cieza designa con este nombre a los bancales de cultivo.

(393) Cieza confirma que la palabra *tambo* era el nombre de las residencias imperiales de los caminos y no sólo de un lugar.

de Pacaritambo dicen algunos españoles que en veces sacaron cantidad de oro Hernando Pizarro y don Diego de Almagro el mozo. Estas cosas no dejo yo de pensar que son así cuando me acuerdo de las piezas tan ricas que se vieron en Sevilla, llevadas de Caxamalca, adonde se juntó el tesoro que Atabaliba prometió a los españoles, sacado lo más del Cuzco (394); y fue poco para lo que después se repartió, que se halló por los mismos cristianos, y más que lo uno y lo otro, lo que los indios han llevado está enterrado en partes que ninguno sabe dello; y si la ropa fina que se desperdició y perdió en aquellos tiempos se guardara, valiera tanto, que no lo oso afirmar, según tengo que fuera mucho, y con tanto, digo que los indios que llamaban chumbibilcas y los ubinas, y Pomatambo, y otras naciones muchas que no cuento, entran en lo que llaman Condesuyo. Algunos dellos fueron belicosos, y los pueblos tienen entre sierras altísimas. Poseían suma sin cuento de ganado doméstico y bravo. Las casas todas son de piedra y paja (395). En muchos lugares había aposentos de los señores. Y tuvieron estos naturales sus ritos y costumbres como todos, y en sus templos sacrificaban corderos y otras cosas, y es fama que el demonio era visto en un templo que tenían en cierta parte desta comarca de Condesuyo, y aun en este tiempo he yo oído a algunos españoles que se ven aparesciencias de nuestro enemigo y adversario. En los ríos que pasan por los aimaraes (396) se ho cogido mucha suma de oro, y se sacaba en el tiempo que yo estaba en el Cuzco. En Pomatambo y en algunas otras partes deste reino se hace tapicería muy buena, por ser muy buena la lana de que se hace, y las colores tan perfectas, que sobrepujan a las de otros reinos. En esta provincia de Condesuyo hay muchos ríos; algunos dellos pasan con puentes de criznejas (397), hechas como tengo ya dicho que se hacen deste reino. Asimismo hay muchas frutas de las natu-

(394) Cieza se refiere al tesoro que llevó Hernando Pizarro, o sea, el *quinto real* y el regalo de los conquistadores, desde Cajamarca.

(395) La paja es la de las techumbres.

(396) Aymaras. Pueblos de habla diferente, del Alto Perú (Bolivia), Collao o Collasuyu.

(397) Esta palabra se halla ya en manuscritos en 1505, según Corominas, como *soga o pleita de esparto o materia semejante.*

rales y muchas arboledas. Hay también venados y perdices, y buenos halcones para volarlas.

CAPITULO XCV

De las montañas de los Andes y de su gran espesura, y de las grandes culebras que en ella se crían, y de las malas costumbres de los indios que viven en lo interior de la montaña

Esta cordillera de sierras que se llama de los Andes se tiene por una de las grandes del mundo, porque su principio es desde el estrecho de Magallanes, a lo que se ha visto y crece; y viene de largo por todo este reino del Perú, y atraviesa tantas tierras y provincias que no se puede decir. Toda está llena de altos cerros, algunos dellos bien poblados de nieve, y otros de bocas de fuego (398). Son muy dificultosas estas sierras y montañas, por su espesura y porque lo más del tiempo llueve en ellas, y la tierra es tan sombría que es menester ir con gran tino, porque las raíces de los árboles salen debajo della y ocupan todo el monte, y cuando quieren pasar caballos se recibe más trabajo en hacer los caminos. Fama es entre los orejones del Cuzco que Topainga Yupangue atravesó con grande ejército esta montaña (399), y que fueron muy difíciles de conquistar y traer a su señorío muchas gentes de las que en ellas habitaban; en las faldas dellas, a las vertientes de la mar del Sur, eran los naturales de buena razón, y que todos andaban vestidos, y se gobernaron por las leyes y costumbres de los ingas; y por el consiguiente, a las vertientes de la otra mar, a la parte del nascimiento del sol, es público que los naturales son de menos razón y entendimiento, los cuales crían gran cantidad de coca, que es una hierba preciada entre los indios, como diré en el capítulo siguiente; y como estas montañas sean tan grandes, puédese tener ser verdad lo que dicen de haber en ellas muchos animales, así como osos, tigres, leones, dantas, puer-

(398) Volcanes.
(399) Selva.

cos y gaticos pintados, con otras salvajinas muchas y que son de ver; y también se han visto por algunos españoles unas culebras tan grandes que parecen vigas, y éstas se dice que, aunque se sienten encima dellas y sea su grandeza tan monstruosa y de talle tan fiero, no hacen mal ni se muestran fieras en matar ni hacer daño a ninguno (400). Tratando yo en el Cuzco sobre estas culebras con los indios, me contaron una cosa que aquí diré, la cual escribo porque me la certificaron, y es que en tiempo del inga Yupangue, hijo que fue de Viracoche inga, salieron por su mandado ciertos capitanes con mucha gente de guerra a visitar estos Andes y a someter los indios que pudiesen al imperio de los ingas; y que entrados en los montes, estas culebras mataron a todos los más de los que iban con los capitanes ya dichos, y que fue el daño tanto que el Inga mostró por ello gran sentimiento; lo cual visto por una vieja encantadora le dijo que la dejase ir a los Andes, que ella adormiría las culebras de tal manera que nunca hiciesen mal; y dándole licencia, fue adonde habían recebido el daño; y allí, haciendo sus conjuros y diciendo ciertas palabras, las volvió de fiera y bravas en tan mansas y bobas como agora están. Esto puede ser ficción o fábula que éstos dicen; pero lo que agora se ve es que estas culebras, con ser tan grandes, ningún daño hacen. Estos Andes, adonde los ingas tuvieron aposentos y casas principales, en partes fueron muy poblados. La tierra es muy fértil, porque se da bien el maíz y yuca, con las otras raíces que ellos siembran, y frutas hay muchas y muy excelentes, y los más de los españoles vecinos del Cuzco han ya hecho plantar naranjos y limas, higueras, parrales y otras plantas de España, sin lo cual se hacen grandes platanales y hay piñas sabrosas y muy olorosas. Bien adentro destas montañas y espesuras afirman que hay gente tan rústica que ni tienen casa ni ropa, antes andan como animales, matando con flechas aves y bestias las que pueden para comer, y que no tienen señores ni capitanes, salvo que por las cuevas y huecos de árboles se allegan unos en unas partes y otros en otras. En las más de las cuales dicen también (que yo no las he visto) que hay unas monas muy grandes que andan por los árboles, con las cuales, por ten-

(400) *Boa Constrictor.*

tación del demonio (que siempre busca cómo y por dónde los hombres cometerán mayores pecados y más graves), éstos usan con ellas como mujeres, y afirman que algunas parían monstruos que tenían las cabezas y miembros deshonestos como hombres y las manos y pies como mona; son, según dicen, de pequeños cuerpos y de talle monstruoso, y vellosos (401). En fin, parescerán (si es verdad que los hay) al demonio, su padre. Dicen más: que no tienen habla, sino un gemido o aullido temeroso. Yo esto ni lo afirmo ni dejo de entender que, como muchos hombres de entendimiento y razón y que saben que hay Dios, gloria y infierno, dejando a sus mujeres, se han ensuciado con mulas, perras, yeguas y otras bestias, que me da gran pena referirlo, puede ser que esto así sea. Yendo yo el año de 1549 a los Charcas (402) a ver las provincias y ciudades que en aquella tierra hay, para lo cual llevaba del presidente Gasca cartas para todos los corregidores que me diesen favor para saber y inquirir lo más notable de las provincias, acertamos una noche a dormir en una tienda un hidalgo, vecino de Málaga, llamado Iñigo López de Nuncibay, y yo, y nos contó un español que allí se halló cómo por sus ojos había visto en la montaña uno destos monstruos muerto, del talle y manera dicha. Y Juan de Varagas (403), vecino de la ciudad de la Paz, me dijo y afirmó que en Guanuco le decían los indios que oían aullidos destos diablos o monas; de manera que esta fama hay deste pecado cometido por estos malaventurados. También he oído por muy cierto que Francisco de Almendras, que fue vecino de la villa de Plata, tomó a una india y a un perro cometiendo este pecado, y que mandó quemar la india. Y sin todo esto, he oído a Lope de Mendieta y a Juan Ortiz de Zárate, y a otros vecinos de la villa de Plata, que oyeron a indios suyos cómo en la provincia de Aulaga parió una india, de un perro, tres o cuatro monstruos, los

(401) En América no hay grandes monos, sino micos. Estas informaciones de bestialismo pueden ser ciertas, pues los pastores de llamas lo practicaron, adquiriendo así la sífilis, que es una enfermedad cutánea de los auquénidos.

(402) Dato importante de cuándo y cómo viajaba Cieza. Los Charcas es Bolivia.

(403) Debe ser Vargas, aunque, como lo repite después, fuera quizá Barajas.

cuales vivieron pocos días. Plega a nuestro Señor Dios que, aunque nuestras maldades sean tantas y tan grandes, no permita que se cometan pecados tan feos y enormes.

CAPITULO XCVI

Cómo en todas las más de las Indias usaron los naturales dellas traer hierba o raíces en la boca, y de la preciada hierba llamada coca, que se cría en muchas partes deste reino

Por todas las partes de las Indias que yo he andado he notado que los indios naturales muestran gran deleitación en traer en las bocas raíces, ramos o hierbas. Y así, en la comarca de la ciudad de Antiocha algunos usan traer de una coca menuda, y en las provincias de Arma, de otras hierbas; en las de Quimbaya y Ancerma, de unos árboles medianos, tiernos y que siempre están muy verdes, cortan unos palotes, con los cuales se dan por los dientes sin se cansar. En los más pueblos de los que están subjetos a la ciudad de Cali y Popayán traen por las bocas de la coca menuda ya dicha, y de unos pequeños calabazos sacan cierta mixtura o confación que ellos hacen, y puesto en la boca, lo traen por ella, haciendo lo mismo de ciera tierra que es a manera de cal. En el Perú, en todo él se usó y usa traer esta coca en la boca, y desde la mañana hasta que se van a dormir la traen, sin la echar della. Preguntando a algunos indios por qué causa traen siempre ocupada la boca con aquesta hierba (la cual no comen ni hacen más de traerla en los dientes), dicen que sienten poco la hambre y que se hallan en gran vigor y fuerza. Creo yo que algo lo debe de causar, aunque más me paresce una costumbre aviciada y conveniente para semejante gente que estos indios son. En los Andes, desde Guamanga hasta la villa de Plata, se siembra esta coca, la cual da árboles pequeños y los labran y regalan mucho para que den la hoja que llaman coca, que es a manera de arrayán, y sécanla al sol, y después la ponen en unos cestos largos y angostos, que terná uno dellos poco más de una arroba, y fue tan preciada esta coca o hierba en el Perú el año de 1548, 49 y 51, que no hay para qué pensar que en el mundo haya habido hierba ni raíz ni cosa criada de árbol que críe y produzca cada año como ésta, fuera la especiería, que es cosa diferente, se estimase tanto, porque valieron los repartimientos en estos años, digo, los más del Cuzco, la ciudad de la Paz, la villa de Plata, a ochenta mil pesos de renta, y a sesenta, y a cuarenta, y a viente, y a más y a menos, todo por esta cosa. Y al que le daban encomienda de indios luego ponía por principal los cestos de coca que cogía. En fin, teníanlo como por posesión de hierba de Trujillo. Esta coca se llevaba a vender a las minas de Potosí, y diéronse tanto al poner árboles della y coger la hoja, que es esta coca que no vale ya tanto, ni con mucho; mas nunca dejará de ser estimada (404). Algunos están en España ricos con lo que hubieron de valor desta coca mercándola y tornándola a vender y rescatándola en los tiangues (405) o mercados a los indios.

CAPITULO XCVII

Del camino que se anda dende el Cuzco hasta la ciudad de la Paz, y de los pueblos que hay hasta salir de los indios que llaman canches

Desde la ciudad del Cuzco hasta la ciudad de la Paz hay ochenta yeguas, poco más o menos, y es de saber que antes que esta ciudad se poblase fueron términos del Cuzco to-

(404) Quizá una de las descripciones e informaciones más amplias que pueda ofrecer Cieza es ésta de la coca, en lo relativo a cultivo, difusión, uso y comercialización. La *coca* en tiempos del *Tahuantinsuyu* incaico era privativa de las clases privilegiadas. Realmente su secularización se debió a los españoles, ignorantes de su toxicidad, y muchos de ellos, como relata más adelante, se enriquecieron con su comercio. La coca *(Erythoxylon coca)* es masticada por los indios serranos para no pasar hambre, sed o fatiga, y es lo que los dietistas llaman *alimento de ahorro,* pero que a la larga es destructiva de la salud. El alcaloide de la coca *(cocaína)* fue aislado por Niemann en 1859 y es de utilidad en medicina, aunque se ha convertido en un azote de la sociedad a través de drogaadicción.

(405) *Tianguis,* palabra de origen azteca que usaron los españoles por todas las Indias (ver Friederici, 1947, pág. 607, *tianquiz*).

dos los pueblos y valles que hay subjetos a esta nueva ciudad de la Paz. Digo, pues, que, saliendo del Cuzco por el camino real de Collasuyo, se va hasta llegar a las angosturas de Mohina, quedando a la siniestra mano los aposentos de Quispicanche (406); va el camino por este lugar, luego que salen del Cuzco, hecho de calzada ancha y muy fuerte de cantería. En Mohina está un tremedal lleno de cenagales, por los cuales va el camino hecho en grandes cimientos, la calzada (407) de suso dicha. Hubo en este Mohina grandes edificios; ya están todos perdidos y deshechos. Y cuando el gobernador don Francisco Pizarro entró en el Cuzco con los españoles, dicen que hallaron cerca destos edificios, y en ellos mismos, mucha cantidad de plata y de oro, y mayor de ropa de la preciada y rica que otras veces he notado, y a algunos españoles he oído decir que hubo en este lugar un bulto de piedra conforme al talle de un hombre, con manera de vestidura larga y cuentas en la mano, y otras figuras y bultos. Lo cual era grandeza de los ingas y señales que ellos querían que quedase para en lo futuro; y algunos eran ídolos en que adoraban. Adelante de Mohina está el antiguo pueblo de Urcos, que estará seis leguas del Cuzco; en este camino está una muralla muy grande y fuerte, y según dicen los naturales por lo alto della venían caños de agua, sacada con grande industria de algún río y traída con la policía y orden que ellos hacen sus acequias. Estaba en esta gran muralla una ancha puerta, en la cual había porteros que cobraban los derechos y tributos que eran obligados a dar a los señores, y otros mayordomos de los mismos ingas estaban en este lugar para prender y castigar a los que con atrevimiento eran osados a sacar plata y oro de la ciudad del Cuzco, y en esta parte estaban las canterías de donde sacaban las piedras para hacer los edificios, que no son poco de ver. Está asentado Urcos en un cerro, donde hubo aposento para los señores; de aquí a Quiquixana hay tres leguas, todo de sierras bien ásperas; por medio dellas abaja el río de Yucay, en el cual hay puente de la hechura de las otras que se ponen en semejantes ríos; cerca deste lugar están poblados los in-

(406) Quispicanchis, zona del sur del Cuzco.
(407) Cieza emplea en este casi el término correcto, pues eran vías para ser recorridas a pie o a caballo, no con vehículos, que no poseían.

dios que llaman cavinas, los cuales, antes que fuesen señoreados por los ingas, tenían abiertas las orejas y puesto en el redondo dellas aquel ornamento suyo, y eran orejones. Mangocapa, fundador de la ciudad del Cuzco, dicen que los atrajo a su amistad. Andan vestidos con ropa de lana, los más dellos sin cabellos, y por la cabeza se dan vuelta con una trenza negra. Los pueblos tienen en las sierras hechas las casas de piedra. Tuvieron antiguamente un templo en gran variación, a quien llamaban Auzancata, cerca del cual dicen que sus pasados vieron un ídolo o demonio con la figura y traje que ellos traen, con el cual tenían su cuenta, haciéndole sacrificios a su uso. Y cuentan estos indios que tuvieron en los tiempos pasados por cosa cierta que las ánimas que salían de los cuerpos iban a un gran lago, donde su vana creencia les hacía entender haber sido su principio, y que de allí entraban en los cuerpos de los que nascían. Después, como los señorearon los ingas, fueron más polidos y de más razón, y adoraron al sol, no olvidando el reverenciar a su antiguo templo. Adelante desta provincia están los canches (408), que son indios bien domésticos y de buena razón, faltos de malicia, y que siempre fueron provechosos para trabajo, especialmente para sacar metales de plata y de oro, y poseyeron mucho ganado de sus ovejas y carneros; los pueblos que tienen no son más ni menos que los de sus vecinos, y así andan vestidos, y traen por señal en las cabezas unas trenzas negras que les viene por debajo de la barba. Antiguamente cuentan que tuvieron grandes guerras con Viracoche inga y con otros de sus predecesores, y que puestos en su señorío, los tuvieron en mucho. Usan por armas algunos dardos y hondas y unos que llaman aillos, con que prendían a los enemigos (409). Los enterramientos y religiones suyas conformaban con los ya dichos, y las sepulturas tienen hechas por los campos de piedra, altas, en las cuales metían a los señores con algunas de sus mujeres y otros sirvientes. No tienen cuenta de honra ni pompa, aunque es verdad que algunos de los señores se muestran soberbios con sus naturales y los tratan ásperamente. En señalados tiempos del año celebraban sus fiestas, teniendo para ello sus días

(408) O canchis.
(409) Véase la nota 347.

situados. En los aposentos de los señores tenían sus plazas para hacer sus bailes, y adonde el señor comía y bebía. Hablaban con el demonio en la manera que todos los demás. En toda la tierra destos canches se da trigo y maíz y hay muchas perdices y cóndores, y en sus casas tienen los indios muchas gallinas, y por los ríos toman mucho pescado, bueno y sabroso.

CAPITULO XCVIII

De la provincia de los Canas y de los que dicen de Ayavire, que en tiempo de los ingas fue, a lo que se tiene, gran cosa

Luego que salen de los Canches, se entra en la provincia de los Canas, que es otra nación de gente, y los pueblos dellos se llaman en esta manera: Hatuncana, Chicuana, Horuro, Cacha (410), y otros que no cuento. Andan todos vestidos, y lo mismo sus mujeres, y en la cabeza usan ponerse unos bonetes de lana, grandes y muy redondos y altos. Antes que los ingas los señoreasen tuvieron en los collados fuertes sus pueblos, de donde salían a darse guerra; después los bajaron a lo llano, haciéndolos concertadamente. Y también hacen, como los canches, sus sepulturas en las heredades, y guardan y tienen unas mismas costumbres. En la comarca destos canas hubo un templo a quien llamaban Aconcagua; es donde sacrificaban conforme a su ceguedad. Y en el pueblo de Chaca (411) había grandes aposentos hechos por mandato de Topainga Yupangue (412). Pasado un río está un pequeño cercado, dentro del cual se halló alguna cantidad de oro, porque dicen que a comemoración y remembranza de su dios Ticeviracocha, a quien llaman hacedor, estaba hecho este templo, y puesto en él un ídolo de piedra de la estatura de un hombre, con su vestimenta y una corona o tiara en la cabe-

(410) Hoy Racchi, donde se halla el importante edificio llamado *templo* de Viracocha y una amplia zona de edificaciones residencias, depósitos, etc. Una misión española la ha explorado de 1976 a 1983.
(411) Antes le da la ortografía correcta: Cacha.
(412) En este caso documenta quién fue el constructor de los grandes aposentos.

za; algunos dijeron que podía ser esta hechura a figura de algún apóstol que llegó a esta tierra; de lo cual en la segunda parte trataré lo que desto sentí y pude entender, y la que dicen del fuego del cielo que abajó, el cual convirtió en ceniza muchas piedras (413). En toda esta comarca de los Canas hace frío, y lo mismo en los Canches, y es bien proveída de mantenimientos y ganados. Al poniente tiene la mar del Sur,y al oriente la espesura de los Andes. Del pueblo de Chicuana (414), que es desta provincia de los Canas, hasta el de Ayavire habrá quince leguas, en el cual término hay algunos pueblos destos canas, y muchos llanos, y grandes vegas bien aparejadas para criar ganados, aunque el ser fría esta región demasiadamente lo estorba; y la muchedumbre de hierba que en ella se cría no da provecho si no es a los guanacos y vicunias. Antiguamente fue (a lo que dicen) gran cosa de ver este pueblo de Ayavire, y en este tiempo lo es, especialmente las grandes sepulturas que tiene, que son tantas que ocupan más campo que la población. Afirman por cierto los indios que los naturales deste pueblo de Ayavire fueron de linaje y prosapia de los canas, y que inga Yupangue tuvo con ellos algunas guerras y batallas, en las cuales, demás de quedar vencidos del Inga, se hallaron tan quebrantados, que hubieron de rendírsele y darse por sus siervos, por no acabar de perderse. Mas como algunos de los ingas debieron ser vengativos, cuentan más: que después de haber con engaño y cantela muerto el Inga mucho número de indios de Copacopa y de otros pueblos confinantes a la montaña de los Andes, hizo lo mismo de los naturales de Ayavire, de tal manera que pocos o ninguno quedaron vivos, y los que escaparon es público que andaban por las sementeras lla-

(413) Esta es una de las leyendas que más ha dado que pensar. Los indios atribuyen la lluvia de fuego a Viracocha, como castigo a no haberlo reconocido (indudable mito volcánico, legitimado por la existencia del cercano volcán Quimsachata, cuyos pomez y basaltos recubren todo el terreno de la vieja Cacha, hoy Racchi). Pero los españoles dieron la vuelta a la tradición y atribuyeron el prodigio a San Bartolomé. La descripción de la estatua corresponde a la de la cabeza, llamada de Viracocha, conservada en la *Colección Larrea* de Madrid, y que fue sacada del Perú clandestinamente por Juan Larrea en 1930. Parte del cuerpo de esta estatua ha sido hallada en 1970 al hacer excavaciones en Cuzco, para una construcción nueva, en lo que fue solar donde estuvo edificada la Casa Profesa de la Compañía de Jesús.

(414) Sicuani.

mando a sus mayores, muertos de mucho tiempo, y lamentando su perdición con gemidos de gran sentimiento de la destruición que por ellos y por su pueblo había venido. Y como este Ayavire está en gran comarca y cerca dél corre un río muy bueno, mandó inga Yupangue que le hiciesen unos palacios grandes, y conforme al uso dellos se edificaron, haciendo también muchos depósitos pegados a la falda de una pequeña sierra, donde metían los tributos; y como cosa importante y principal, mandó fundar templo del sol (415). Hecho esto, como los naturales de Ayavire faltasen por la causa dicha, inga Yupangue mandó que viniesen de las naciones comarcanas indios con sus mujeres (que son los que llaman mitimaes), para que fuesen señores de los campos y heredades de los muertos, y hiciesen la población grande y concertada junto al templo del sol y a los aposentos principales. Y dende en adelante fue en crecimiento este pueblo, hasta que los españoles entraron en este reino; y después, con las guerras y calamidades pasadas, ha venido en gran diminución, como todos los demás. Yo entré en él (416) en tiempo que estaba encomendado a Juan de Pancorbo, vecino del Cuzco, y con las mejores lenguas que se pudieron haber se entendió este suceso que escribo. Cerca deste pueblo está un templo desbaratado, donde antiguamente hacían los sacrificios; y tuve por cosa grande las muchas sepulturas que están y se parecen por toda la redonda deste pueblo.

(415) Aquí Cieza debe confundirse con algún otro lugar, probablemente Racchi (por referir que Tupac Yupanqui ordenó la construcción de grandes palacios), pues en Ayaviri no hay la menor huella de ruina alguna de esta importancia.

(416) El testimonio de haber estado desorienta sobre lo dicho en la nota anterior. En la Segunda parte o *Señorío de los Incas* vuelve sobre el tema. Dejemos el argumento para la edición de dicha parte.

CAPITULO XCIX

De la gran comarca que tienen los Collas, y la disposición de la tierra donde están sus pueblos, y de cómo tenían puestos mitimaes para proveimiento dellos

Esta parte que llaman Collas es la mayor comarca, a mi ver, de todo el Perú y la más poblada. Desde Ayavire comienzan los Collas, y llegan hasta Caracollo. Al oriente tienen las montañas de los Andes, al poniente las cabezadas de las sierras nevadas y las vertientes dellas, que van a parar a la mar del Sur. Sin la tierra que ocupan con sus pueblos y labores, hay grandes despoblados, y que están bien llenos de ganado silvestre. Es la tierra del Collao toda llana, y por muchas partes corren ríos de buen agua; y en estos llanos hay hermosas vegas y muy espaciosas, que siempre tienen hierba en cantidad, y a tiempos muy verde, aunque en el estío se agosta como en España. El invierno comienza (como ya he escrito) de octubre y dura hasta abril. Los días y las noches son casi iguales, y en esta comarca hace más frío que en ninguna otra de las del Perú, fuera los altos y sierras nevadas, y cáusalo ser la tierra alta; tanto, que ahína que emparejara con las sierras. Y cierto si esta tierra del Collao fuera un valle hondo como el de Jauja o Choquiabo, que pudiera dar maíz, se tuviera por lo mejor y más rico de gran parte destas Indias. Caminando con viento es gran trabajo andar por estos llanos del Collao; faltando el viento y haciendo sol da gran contento ver tan lindas vegas y tan pobladas; pero, como sea tan fría, no da fruto el maíz ni hay ningún género de árboles; antes es tan estéril, que no da frutas de las muchas que otros valles producen y crían. Los pueblos tienen los naturales juntos, pegadas las casas unas con otras, no muy grandes, todas hechas de piedra, y por cobertura paja, de la que todos, en lugar de teja, suelen usar. Y fue antiguamente muy poblada toda esta región de los Collas, y adonde hubo grandes pueblos todos juntos. Alrededor de los cuales tienen los indios sus sementeras, donde siembran sus comidas. El principal mantenimiento dellos es papas (417), que son como turmas de tierra, según otras veces he declarado en esta historia, y éstas las secan al sol y guardan de una cosecha para otra; y llaman a esta papa, después de estar seca, chuno (418), y entre ellos es estimada y tenida en gran precio, porque no tienen agua de acequias, como otros muchos deste reino, para regar sus campos; antes si les falta el agua natural para hacer las sementeras padecen necesidad y trabajo sino se hallan con este mantenimiento de las papas secas. Y muchos españoles enriquecieron y fueron a España prósperos con solamente llevar deste chuno a vender a las minas de Potosí. Tienen otra suerte de comida, llamada oca, que es, por el consiguiente, provechosa; aunque más lo es la semilla, que también cogen, llamada quinua (419), que es menuda como arroz. Siendo el año abundante, todos los moradores deste Collao viven contentos y sin necesidad; mas si es estéril y falto de agua, pasan grandísima necesidad; aunque, a la verdad, como los reyes ingas que mandaron este imperio fueron tan sabios y de tan buena gobernación y tan bien proveídos, establecieron cosas y ordenaron leyes a su usanza que verdaderamente, si no fuera mediante ello, las más de las gentes de su señorío pasaran gran trabajo y vivieran con gran necesidad, como antes que por ellos fueran señoreados. Y esto helo dicho porque en estos Collas, y en todos los más valles del Perú, que por ser fríos no eran tan fértiles y abundantes como los pueblos cálidos y bien proveídos, mandaron que, pues la gran serranía de los Andes comarcaba con la mayor parte de los pueblos, que de cada uno saliese cierta cantidad de indios con sus mujeres, y estos tales, puestos en las partes que sus caciques les mandaban y señalaban, labraban sus campos, en donde sembraban lo que faltaba en sus naturalezas, proveyendo con el fruto que cogían a sus señores o

(417) Cieza emplea la palabra —*papa*— que ha perdurado en América. En 1540, a la papa se la llama ya *patata* en España, por asimilación con la *batata*, tubérculo también.

(418) *Chuño*, palabra aún en uso entre los campesinos serranos. No sólo la secan al sol, sino también al relente. Al cocerlas se hidratan de nuevo.

(419) No debe confundirse esta planta alimenticia con la quina, como ya se dijo en la nota 165.

capitanes, y eran llamados mitimaes (420). Hoy día sirven y están debajo de la encomienda principal, y crían y curan la preciada coca. Por manera que, aunque en todo el Collao no se coge ni siembra maíz, no les falta a los señores naturales dél y a los que lo quieren procurar con la orden ya dicha, porque nunca dejan de traer cargas de maíz, coca y frutas de todo género, y cantidad de miel, la cual hay en toda la mayor parte destas espesuras, criada en la concavidad de los árboles de la manera que conté en lo de Quimbaya. En la provincia de los Charcas hay desta miel muy buena. Francisco de Caravajal, maestro de campo de Gonzalo Pizarro, el cual se dio por traidor, dicen que siempre comía desta miel, y aunque la bebía como si fuera agua o vino, afirmando hallarse con ella sano y muy recio, y así estaba él cuando yo lo vi justiciar en el valle de Xaquixaguana con gran subjeto, aunque pasaba de ochenta años su edad a la cuenta suya (421).

CAPITULO C

De lo que se dice destos collas, de su origen y traje, y cómo hacían sus enterramientos cuando morían

Muchos destos indios cuentan que oyeron a sus antiguos que hubo en los tiempos pasados un diluvio grande y de la manera que yo le escribo en el tercero capítulo de la segunda parte. Y dan a entender que es mucha la antigüedad de sus antepasados, de cuyo origen cuentan tantos dichos y tantas fábulas, si lo son, que yo no quiero detenerme en lo escribir, porque unos dicen que salieron de una fuente, otros que de una peña, otros de lagunas. De manera que de su origen no se puede sacar dellos otra cosa. Concuerdan unos y otros que sus antecesores vivían con poca

(420) Cualquier estudio sociológico sobre el antiguo Perú ha de aprovechar las muchas veces que Cieza hace referencia a los *mitmacuna*, de cuyo singular los españoles fabricaron el plural *mitimaes* (véase nota 175).

(421) Fue llamado *el demonio de los Andes*, por los que transitaba montado en mula.

orden antes que los ingas los señoreasen (422), y que por lo alto de los cerros tenían sus pueblos fuertes, de donde se daban guerra, y que eran viciosos en otras costumbres malas. Después tomaron de los ingas lo que todos los que quedaban por sus vasallos aprendían, y hicieron sus pueblos de la manera que agora los tienen. Andan vestidos de ropa de lana ellos y sus mujeres; las cuales dicen que, puesto que antes que se casen puedan andar sueltamente, si después de entregada al marido le hace traición usando de su cuerpo con otro varón, la mataban. En las cabezas traen puestos unos bonetes a manera de morteros, hechos de su lana, que nombran duchos (423); y ténenlas todos muy largas y sin colodrillo, porque desde niños se las quebrantan y ponen como quieren, según tengo escrito. Las mujeres se ponen en la cabeza uno capillos casi del talle de los que tienen los frailes. Antes que los ingas reinasen, cuentan muchos indios destos collas que hubo en su provincia dos grandes señores, el uno tenía por nombre Zapana y el otro Cari, y que estos conquistaron muchos pucares (424), que son sus fortalezas; y que el uno dellos entró en la laguna de Titicaca, y que halló en la isla mayor que tiene aquel palude gentes blancas y que tenían barbas, con los cuales peleó de tal manera que los pudo matar a todos. Y más dicen: que pasado esto tuvieron grandes batallas con los canas y con los canches. Y al fin de haber hecho notables cosas estos dos tiranos o señores que se habían levantado en el Collao, volvieron las armas contra sí dándose guerra el uno al otro, procurando el amistad y favor de Viracoche inga, que en aquellos tiempos reinaba en el Cuzco, el cual trató la paz en Chucuito con Cari, y tuvo tales mañas que sin guerra se hizo señor de muchas gentes destos collas. Los señores principales andan muy acompañados, y cuando van caminos los llevan en andas y son muy servidos de todos sus indios. Por los des-

(422) Cieza se hace eco una vez más de la leyenda de bestialismo de los pueblos conquistados, impuesta oficialmente por los incas, en lo que no se diferencian de otros pueblos imperialistas, que justifican sus conquistas con esta versión. Tal concepto es inexacto tanto para la cultura de los pueblos de la costa como los de la sierra, en que se produjeron civilizaciones muy notables, resucitadas para la ciencia por la arqueología.

(423) *Chullos.*

(424) *Pucara,* fortín.

poblados y lugares secretos tenían su guacas o templos, donde honraban sus dioses, usando de sus vanidades, y hablando en los oráculos con el demonio los que para ello eran elegidos. La cosa más notable y de ver que hay en este Collao, a mi ver, es las sepulturas de los muertos. Cuando yo pasé por él me detenía a escrebir lo que entendía de las cosas que había que notar destos indios. Y verdaderamente me admiraba en pensar cómo los vivos se daban poco por tener casas grandes y galanas, y con cuanto cuidado adornaban las sepulturas donde se habían de enterar, como si toda su felicidad no consistiera en otra cosa; y así, por las vegas y llanos cerca de los pueblos estaban las sepulturas destos indios, hechas como pequeñas torres (425) de cuatro esquinas, unas de piedra sola y otras de piedra y tierra, algunas anchas y otras angostas; en fin, como tenían la posibilidad o eran las personas que lo edificaban. Los chapiteles, algunos estaban cubiertos con paja; otros, con unas losas grandes; y parecióme que tenían las puertas estas sepulturas hacia la parte de levante. Cuando morían los naturales en este Collao, llorábanlos con grandes lloros muchos días, teniendo las mujeres bordones en las manos y ceñidas por los cuerpos, y los parientes del muerto traía cada uno lo que podía, así de ovejas, corderos, maíz, como de otras cosas, y antes que enterrasen al muerto mataban las ovejas y ponían las asaduras en las plazas que tienen en sus aposentos. En los días que lloran a los difuntos, antes de los haber enterrado, del maíz suyo, o del que los parientes han ofrecido, hacían mucho de su vino o brebaje para beber; y como hubiese gran cantidad deste vino, tienen al difunto por más honrado que si se gastase poco. Hecho, pues, su brebaje y muertas las ovejas y corderos, dicen que llevaban al difunto a los campos donde tenían la sepultura; yendo (si era señor) acompañando al cuerpo la más gente del pueblo, y junto a ella quemaban diez ovejas o veinte, o más o menos, como quien era el difunto; y mataban las mujeres, niños y criados que habían de enviar con él para que le sirviesen conforme a su vanidad; y estos tales, juntamente con algunas ovejas y otras cosas de su casa, entierran junto con el cuerpo en la misma sepultura, metiendo (según también

(425) *Chullpas,* en Sillustani son circulares.

se usa entre todos ellos) algunas personas vivas; y enterrado el difunto desta manera, se vuelven todos los que le habían ido a honrar a la casa donde le sacaron, y allí comen la comida que se había recogido y beben la chicha qu se había hecho, saliendo de cuando en cuando a las plazas que hay hechas junto a las casas de los señores, en donde en corro, y como lo tienen en costumbre, bailan llorando. Y esto dura algunos días, en fin de los cuales, habiendo mandado juntar los indios y indias más pobres, les dan a comer y beber lo que ha sobrado; y si por caso el difunto era señor grande, dicen que no luego en muriendo le enterraban, porque antes que lo hiciesen lo tenían algunos días usando de otras vanidades que no digo. Lo cual hecho, dicen que salen por el pueblo las mujeres que habían quedado sin se matar, y otras sirvientas, con sus mantas capirotes, y destas unas llevan en las manos las armas del señor, otras el ornamento que se ponía en la cabeza, y otras sus ropas; finalmente, llevan el duho (426) en que se sentaba y otras cosas, y andaban a son de un atambor que lleva delante un indio que va llorando; y todos dicen palabras dolorosas y tristes; y así van endechando por las más partes del pueblo, diciendo en sus cantos lo que por el señor pasó siendo vivo, y otras cosas a esto tocantes. En el pueblo de Nicasio, me acuerdo, cuando iba a los Charcas, que yendo juntos un Diego de Uceda, vecino que es de la ciudad de la Paz, y yo, vimos ciertas mujeres andar de la suerte ya dicha, y con las lenguas del mismo pueblo entendimos que decían lo contado en este capítulo que ellos usan, y aun dijo uno de los que allí estaban: «Cuando acaben estas indias de llorar, luego se han de embriagar y matarse algunas dellas para ir a tener compañía al señor que agora murió.» En muchos otros pueblos he visto llorar muchos días a los difuntos y ponerse las mujeres por las cabezas sogas de esparto para mostrar más sentimiento.

(426) Asiento o silla. Ya vimos que es palabra taina, que los españoles aplicaron a todas las Indias.

CAPITULO CI

De cómo usaron hacer sus honras y cabos de años estos indios y de cómo tuvieron antiguamente sus templos

Como estas gentes tuviesen en tanto poner los muertos en las espulturas como se ha declarado en el capítulo antes deste, pasado el entierro, las mujeres y sirvientes que quedaban se tresquilaban los cabellos, poniéndose las más comunes ropas suyas, sin darse mucho por curar de sus personas; sin lo cual, por hacer más notable el sentimiento, se ponían por sus cabezas sogas de esparto, y gastaban en continos lloros, si el muerto era señor, un año, sin hacer en la casa donde él moría lumbre por algunos días. Y como éstos fuesen engañados por el demonio, por la permisión de Dios, como todos los demás, con las falsas aparencias que hacía, haciendo con sus ilusiones demostración de algunas personas de las que eran ya muertas, por las heredades, parecíales que los vían adornados y vestidos como los pusieron en las sepulturas; y para echar más cargo a sus difuntos usaron y usan estos indios hacer sus cabos de año, para lo cual llevan a su tiempo algunas hierbas y animales, los cuales matan junto a las sepulturas, y queman mucho sebo de corderos; lo cual hecho, vierten muchas vasijas de su brebaje por las mismas sepulturas, y con ello dan fin a su costumbre tan ciega y vana. Y como fuese esta nación de los Collas tan grande, tuvieron antiguamente grandes templos y sus ritos, venerando mucho a los que tenían por sacerdotes y que hablaban con el demonio; y guardaban sus fiestas en el tiempo de coger las papas, que es su principal mantenimiento, matando de sus animales para hacer los sacrificios semejantes. En este tiempo no sabemos que tengan templo público; antes, por la voluntad de nuestro Dios y Señor, se han fundado muchas iglesias católicas, donde los sacerdotes nuestros predican el Santo Evangelio, enseñando la fe a todos los que destos indios quieren recebir agua del bautismo. Y cierto, si no hubiera habido las guerras, y nosotros con verdadera intención y propósito hubiéramos procurado la conversión destas gentes, tengo para mí que muchos que se han condenado destos indios se hubieran salvado (427). En este tiempo por muchas partes desde Collao andan y están frailes y clérigos puestos por los señores que tienen encomienda sobre los indios, que entienden en dotrinarlos; lo cual plegue a Dios lleve adelante, sin mirar nuestros pecados. Estos naturales del Collao dicen lo que todos los más de la sierra, que el hacedor de todas las cosas se llama Ticeviracocha, y conocen que su asiento principal es el cielo; pero engañados del demonio, adoraban en dioses diversos, como todos los gentiles hicieron; usan de una manera de romances o cantares, con los cuales les queda memoria de sus acaecimientos, sin se les olvidar, aunque carecen de letras (428) y entre los naturales de este Collao hay hombres de buena razón y que la dan de sí en lo que les preguntan y dellos quieren saber; y tienen cuenta del tiempo, y conocieron algunos movimientos, así del sol como de la luna, que es causa que ellos tengan su cuenta al uso de como lo aprendieron de tener sus años, los cuales hacen de diez en diez meses; y así, entendí yo dellos que nombraban al año mari. y al mes y la luna alespaquexe, y al día auro. Cuando éstos quedaron por vasallos de los ingas, hicieron por su mandado grandes templos, así en la isla de Titicaca como en Hatuncolla y en otras partes. Destos se tiene que aborrecían el pecado nefando, puesto que dicen que algunos de los rústicos que andaban guardando ganado lo usaban secretamente, y los que ponían en los templos por indumento del demonio, como ya tengo contado.

CAPITULO CII

De las antiguallas que hay en Pucara, y de lo mucho que dicen que fue Hatuncolla, y del pueblo llamado Asagaro, y de otras cosas que de aquí se cuentan

Ya que he tratado algunas cosas de lo que yo pude entender de los collas, lo más brevemente que he podido, me

(427) Estas frases contienen una dolida censura de la actuación de los conquistadores, hablando en primera persona, diciendo *nosotros*.
(428) Escritura.

parece proseguir con mi escriptura por el camino real, para dar relación particular de los pueblos que hay hasta llegar a la ciudad de la Paz, que está fundada en el valle de Chuquiabo, términos desta gran comarca del Collao; de lo cual digo que desde Ayavire, yendo por el camino real, se va hasta llegar a la Pucara, que quiere decir cosa fuerte, que está cuatro leguas de Ayavire. Y es fama entre estos indios que antiguamente hubo en este Pucara gran poblado; en este tiempo casi no hay indio. Yo estuve un día en este lugar mirándolo todo. Los comarcanos a él dicen que Topainga Yupangue tuvo en tiempo de su reinado cercados estos indios muchos días; porque primero que los pudiese subjetar se mostraron tan valerosos que le mataron mucha gente; pero como al fin quedasen vencidos, mandó el Inga, por memoria de su victoria, hacer grandes bultos de piedra; si es así, yo no lo sé más de que lo dicen. Lo que vi en este Pucara es grandes edificios ruinados y desbaratados, y muchos bultos de piedra, figurados en ellos figuras humanas y otras cosas dignas de notar. Desde Pucara hasta Hatuncolla hay cantidad de quince leguas; en el comedio dellas están algunos pueblos, como son Nicasio, Xullaca (429) y otros. Hatuncilla (430) fue en los tiempos pasados la más principal cosa del Collao, y afirman los naturales dél que antes que los ingas los sojuzgasen los mandaron Zapana y otros decendientes suyos, los cuales pudieron tanto que ganaron muchos despojos en batallas que dieron a los comarcanos; y después los ingas adornaron este pueblo con crecimiento de edificios y mucha cantidad de depósitos, adonde por su mandado se ponían los tributos que se traían de las comarcas, y había templo del sol con número de mamaconas y sacerdotes para servicio dél, y cantidad de mitimaes y gente de guerra puesta por frontera para guarda de la provincia y seguridad de que no se levantase tirano ninguno contra el que ellos tenían por su soberano señor. De manera que se puede con verdad afirmar haber sido Hatuncolla gran cosa, y así lo muestra su nombre, porque hatun quiere decir en nuestra lengua, grande. En el tiempo presente

(429) Juliaca.
(430) *Hatun* significa grande, importante, lo más importante del Collao.

todo está perdido, y faltan de los naturales la mayor parte, que se han consumido con la guerra. De Ayavire (el que ya queda atrás) sale otro camino, que llaman Omasuyo, que pasa por la otra parte de la gran laguna de que luego diré, y más cerca de la montaña de los Andes; iban por él a los grandes pueblos de Horuro y Asilo y Asangaro, y a otros que no son de poca estima, antes se tienen por muy ricos, así de ganados como de mantenimiento. Cuando los ingas señoreaban este reino tenían por todos estos pueblos muchas manadas de sus ovejas y carneros. Está en el paraje dellos, en el monte de la serranía, el nombrado y riquísimo río de Carbaya, donde en los años pasados se sacaron más de un millón y setecientos mil pesos de oro, tan fino, que subía de la ley, y deste oro todavía se halla en el río, pero sácase con trabajo y con muerte de los indios, si ellos son los que lo han de sacar, por tenerse por enfermo aquel lugar, a lo que dicen; pero la riqueza del río es grande.

CAPITULO CIII

De la gran laguna que está en esta comarca del Collao y cuán honda es, y del templo de Titicaca

Como sea tan grande esta tierra del Collao (según se dijo en los capítulos pasados), hay, sin lo poblado, muchos desiertos y montes nevados y otros campos bien poblados de hierba, que sirve de mantenimiento para el ganado campesino que por todas partes anda. Y en el comedio de la provincia se hace una laguna, la mayor y más ancha que se ha hallado ni visto en la mayor partes destas Indias, y junto a ella están los más pueblos del Collao; y en islas grandes que tiene este lago siembran sus sementeras y guardan las cosas preciadas, por tenerlas más seguras que en los pueblos que están en los caminos.

Acuérdome que tengo ya dicho cómo hace en esta provincia tanto frío que, no solamente no hay arboledas de frutales, pero el maíz no se siembra porque tampoco da fruto por la misma razón. En los juncales deste lago hay grande número de pájaros de muchos géneros, y patos grandes y otras aves, y matan en ella dos o tres géneros de peces bien sabrosos, aunque se tiene por enfermo lo más dello. Esta laguna es tan grande que tiene por contorno ochenta leguas, y tan honda que el capitán Juan Ladrillero me dijo a mí que por algunas partes della, andando en sus bergantines, se hallaba tener setenta y ochenta brazas, y más, y en partes menos. En fin, en esto y en las olas que hace cuando el viento la sopla parece algún seno de mar; querer yo decir cómo está reclusa tanta agua en aquella laguna y de dónde nace, no lo sé; porque, puesto que muchos ríos y arroyos entren en ella, paréceme que dellos solos no bastaba a se hacer lo que hay; mayormente saliendo lo que desta laguna se desagua por otra menor, que llaman de los Aulagas (431). Podría ser que del tiempo del diluvio quedó así esta agua que vemos, porque a mi ver, si fuera ojo de mar estuviera salobre el agua, y no dulce, cuanto más que estará de la mar más de sesenta leguas. Y toda esta agua desagua por un río hondo y que se tuvo por gran fuerza para esta comarca, al cual llaman el Desaguadero, y entra en la laguna que digo arriba llamarse de las Aulagas. Otra cosa se nota sobre este caso, y es que vemos cómo el agua de una laguna entra la otra (ésta es la del Collao en la de los Aulagas), y no como sale, aunque por todas partes se ha andado el lago de los Aulagas. Y sobre esto he oído a los españoles y indios que en unos valles de los que están cercanos a la mar del Sur se han visto y ven contino ojos de agua que van por debajo de tierra a dar a la misma mar; y creen que podría ser que fuese el agua destos lagos, desaguando por algunas partes, abriendo camino por las entrañas de la misma tierra, hasta ir a parar donde todas van, que es la mar. La gran laguna del Collao tiene por nombre Titicaca, por el templo que estuvo edificado en la misma laguna; de donde los naturales tuvieron por opinión una vanidad muy grande, y es que cuentan estos indios que sus antiguos lo afirmaron por cierto, como hicieron otras burlerías que dicen, que carecieron de lumbre muchos días, y que estando todos puestos en tinieblas y obscuridad salió desta isla de Titicaca el sol muy resplandeciente, por

(431) Huallaga.

lo cual la tuvieron por cosa sagrada, y los ingas hicieron en ella el templo que digo, que fue entre ellos muy estimado y venerado, a honra de su sol, poniendo en él mujeres vírgines y sacerdotes con grandes tesoros; de lo cual, puesto que los españoles, en diversos tiempos han habido mucho, se tiene que falta lo más. Y si estos indios tuvieron alguna falta de la lumbre que dicen, podría ser causado por alguna eclipsi del sol; y como ellos son tan agoreros, fingirían esta fábula, y también les ayudarían a ello las ilusiones del demonio, permitiéndolo Dios por sus pecados dellos.

CAPITULO CIV

En que se continúa este camino y se declaran los pueblos que hay hasta llegar a Tiaguanaco

Pues volviendo adonde dejé el camino que prosigo en esta escriptura, que fue en Hatuncolla, digo que dél se pasa por Paucarcolla y por otros pueblos desta nación de los Collas hasta llegar a Chuquito, que es la más principal y entera población que hay en la mayor parte deste gran reino, el cual ha sido y es cabeza de los indios que su majestad tiene en esta comarca; y es cierto que antiguamente los ingas también tuvieron por importante cosa a este Chuquito (432), y es de lo más antiguo de todo lo que se ha escripto, a la cuenta que los mismos indios dan. Cariapasa fue señor deste pueblo, y para ser indio fue hombre bien entendido. Hay en él grandes aposentos, y antes que fuesen señoreados por los ingas pudieron mucho los señores deste pueblo, de los cuales cuentan dos por los más principales, y los nombran Cari y Yumalla. En este tiempo es (como digo) la cabecera de los indios de su majestad, cuyos pueblos se nombran Xuli, Chilane, Acos, Pomata, Cepita, y en ellos hay señores y mandan muchos indios. Cuando yo pasé por aquella parte era corregidor Ximón Pinto y gobernador don Gaspar, indio, harto en-

(432) Cieza emplea la *q* como *c*. Es Chucuito.

tendido y de buena razón. Son ricos de ganado de sus ovejas, y tienen muchos mantenimientos de los naturales, y en las islas y en otras partes tienen puestos mitimaes para sembrar su coca y maíz. En los pueblos ya dichos hay iglesias muy labradas, fundadas las más por el reverendo padre fray Tomás de San Martín, provincial de los dominicos, y los muchachos y los que más quieren se juntan a oír la dotrina evangélica, que les predican frailes y clérigos, y los más de los señores se han vuelto cristianos. Por junto a Cepita pasa el Desaguadero, donde en tiempo de los ingas solía haber portalgueros que cobraban tributo de los que pasaban la puente, la cual era hecha de haces de avena, de tal manera que por ella pasan caballos y hombres y lo demás. En uno destos pueblos, llamado Xuli, dio garrote al maestre de campo Francisco Caravajal al capitán Hernando Bachicao, en ejemplo para conoscer que pudo ser azote de Dios las guerras civiles y debates que hubo en el Perú, pues unos a otros se mataban con tanta crueldad como se dirá en su lugar. Más adelante destos pueblos está Guaqui (433), donde hubo aposentos de los ingas, y está hecha en él la iglesia para que los niños oigan en ella la dotrina a sus horas.

CAPITULO CV

Del pueblo de Tiaguanaco y de los edificios tan grandes y antiguos que en él se ven

Tiaguanaco no es pueblo muy grande, pero es mentado por los grandes edificios que tiene, que cierto son cosa notable y para ver. Cerca de los aposentos principales está un collado hecho a mano, armado sobre grandes cimientos de piedra (434). Más adelante deste cerro están los ídolos de piedra del talle y figura humana, muy primamente hechos y formadas las faiciones; tanto, que paresce que se hicieron por mano de grandes artífices o maestros; son

(433) Huaqui.
(434) Pirámide llamada *Akkapana* por Posnasky, por su primer explorador.

tan grandes que parescen pequeños gigantes, y vese que tienen forma de vestimentas largas, diferenciadas de las que vemos a los naturales destas provincias; en las cabezas paresce tener su ornamento. Cerca destas estatuas de piedra está otro edificio, del cual la antigüedad suya y falta de letras es causa para que no se sepa qué gentes hicieron tan grandes cimientos y fuerzas y que tanto tiempo por ello ha pasado, porque de presente no se ve más que una muralla bien obrada (435) y que debe de haber muchos tiempos y edades que se hizo; algunas de las piedras están muy gastadas y consumidas, y en esta parte hay piedras tan grandes y crescidas que causa admiración pensar cómo siendo de tanta grandeza bastaron fuerzas humanas a las traer donde las vemos; y muchas destas piedras que digo están labradas de diferentes maneras, y algunas dellas tienen forma de cuerpos de hombres, que debieron ser sus ídolos; junto a la muralla hay muchos huecos y concavidades debajo de tierra; en otro lugar más hacia el poniente deste edificio están otras mayores antiguallas, porque hay muchas portadas grandes con sus quicios, umbrales y portaletes, todo de una sola piedra (436). Lo que yo más noté cuando anduve mirando y escribiendo estas cosas fue que destas portadas tan grandes salían otras mayores piedras, sobre que estaban formadas, de las cuales tenían algunas treinta pies en ancho, y de largo quince más, y de frente seis, y esto y la portada y sus quicios y umbrales era una sola piedra, que es cosa de mucha grandeza, bien considerada esta obra, la cual yo no alcanzo ni entiendo con qué instrumentos y herramientas se labró, porque bien se puede tener que antes que estas tan grandes piedras se labrasen ni pusiesen en perfeción mucho mayores debían estar para las dejar como las vemos, y nótase por lo que se ve destos edificios que no se acabaron de hacer, porque en ellos no hay más que estas portadas y otras piedras de extraña grandeza, que yo vi labradas algunas y aderezadas para poner en el edificio,

(435) Esta muralla fue también destruida por el tiempo, por los constructores del Tiahuanaco colonial, en una mayor proximidad del lago Titicaca. Debe referirse al *Kalasasaya,* de planta rectangular.

(436) Así es la llamada *Puerta del Sol* y otras puertas en *Pumapuncu,* que significa *Puerta del Puma.* Cieza intuye que estas edificaciones deben ser de lo más antiguo que ha conocido en el Perú.

del cual estaba algo desviado un retrete (437) pequeño, donde está puesto un gran ídolo de piedra en que debían de adorar, y aun es fama que junto a este ídolo se halló alguna cantidad de oro, y alrededor deste templo había otro número de piedras grandes y pequeñas, labradas y talladas como las ya dichas.

Otras cosas hay más que decir deste Tiaguanaco, que paso por no detenerme, concluyendo que yo para mí tengo esta antigualla por la más antigua de todo el Perú; y así, se tiene que antes que los ingas reinasen, con muchos tiempos, estaban hechos algunos edificios destos; porque yo he oído afirmar a indios que los ingas hicieron los edificios grandes del Cuzco por la forma que vieron tener la muralla o pared que se ve en este pueblo; y aun dicen más: que los primeros ingas platicaron de hacer su corte y asiento della en este Tiaguanaco (438). También se nota otra cosa grande, y es que en muy gran parte desta comarca no hay ni se ven rocas, canteras ni piedras donde pudiesen haber sacado las muchas que vemos, y para traerlas no debía de juntarse poca gente. Yo pregunté a los naturales, en presencia de Juan Varagas (que es el que sobre ellos tiene encomienda), si estos edificios se habían hecho e ntiempo de los ingas, y riéronse desta pregunta, afirmando lo ya dicho, que antes que ellos reinasen estaban hechos, mas que ellos no podían decir ni afirmar quién los hizo, mas de que oyeron a sus pasados que en una noche remaneció hecho lo que allí se vía. Por esto, y por lo que también dicen haber visto en la isla de Titicaca hombres barbados y haber hecho el edificio de Vinaque semejantes gentes, digo que por ventura pudo ser que antes que los ingas mandasen debió de haber alguna gente de entendimiento (439) en estos reinos, venida por alguna parte que no se sabe, los cuales harían estas cosas, y siendo pocos, y los naturales tantos, serían muertos en las guerras. Por estar estas cosas tan ciegas podemos decir

(437) Pequeña habitación (véase nota 100).

(438) Cieza afirma, pues, la mayor antigüedad de Tiahuanaco (que hoy los arqueólogos peruanistas escriben Tiwanaco, dando a la *W* el valor fonético anglosajón). Aunque antes ha afirmado que estos pueblos *antes de que los incas los señoreasen* no tenían orden, este testimonio de que los edificios son pre-incas invalida aquella versión.

(439) Ratificación de lo comentado en la nota anterior.

que bienaventurada la invención de las letras, que con la virtud de su sonido dura la memoria muchos siglos y hacen que vuele la fama de las cosas que suceden por el universo, y no ignoramos lo que queremos teniendo en las manos la letura; y como en este Nuevo Mundo de Indias no se hayan hallado letras, vamos a tino en muchas cosas. Apartados destos edificios están los aposentos de los ingas y la casa donde nació Mango inga, hijo de Guaynacapa, y están junto a ellos dos sepulturas de los señores naturales deste pueblo, tan altas como torres anchas y esquinadas; las puertas, al nascimiento del sol.

CAPITULO CVI

De la fundación de la ciudad llamada Nuestra Señora de la Paz, y quién fue el fundador, y el camino que della hay hasta la villa de Plata

Del punto de Tiaguanaco, yendo por el camino derecho se va hasta llegar al de Viacha, que está de Tiaguanaco siete leguas, quedan a la siniestra mano los pueblos llamados Cacayavire, Caquingora, Mallama y otros desta calidad, que me paresce ya poco en que se nombren todos en particular; entre ellos está el llano junto a otro pueblo que nombran Guarina, lugar que fue donde en los días pasados se dio batalla entre Diego Centeno y Gonzalo Pizarro; fue cosa notable (como se escrebirá en su lugar), y a donde murieron muchos capitanes y caballeros de los que seguían el partido del Rey debajo de la bandera del capitán Diego Centeno, y algunos de los que eran cómplices de Gonzalo Pizarro, el cual fue Dios servido que quedase por vencedor della. Para llegar a la ciudad de la Paz se deja el camino real de los ingas y se sale al pueblo de Laxa; adelante dél una jornada está la ciudad, puesta en la angostura de un pequeño valle que hacen las sierras, y en la parte más dispuesta y llana se fundó la ciudad, por causa del agua y leña, de que hay mucha en este pequeño valle, como por ser tierra más templada que los llanos y vegas del Collao, que están por lo alto della, adonde no hay las cosas que para proveimiento de semejantes ciudades requiere que haya; no embargante que se ha tratado entre los vecinos de la mudar cerca de la laguna grande de Titicaca o junto a los pueblos de Tiaguanaco o de Guaqui. Pero ella se quedará fundada en el asiento y aposentos del valle de Chuquiabo, que fue donde en los años pasados se sacó gran cantidad de oro de mineros ricos que hay en este lugar. Los ingas tuvieron por gran cosa a este Chuquiabo; cerca dél está el pueblo de Oyune, donde dicen que está en la cumbre de un gran monte de nieve gran tesoro escondido en un templo que los antiguos tuvieron, el cual no se puede hallar ni saben a qué parte está. Fundó y pobló esta ciudad de Nuestra Señora de la Paz el capitán Alonso de Mendoza, en nombre del emperador nuestro señor, siendo presidente en este reino el licenciado Pedro de la Gasca, año de nuestra reparación de 1549 años. En este valle que hacen las sierras, donde está fundada la ciudad, siembran maíz y algunos árboles, aunque pocos, y se cría hortaliza y legumbres de España. Los españoles son bien proveídos de mantenimientos y pescado de la laguna y de muchas frutas que traen de los valles calientes, adonde se siembra gran cantidad de trigo, y crían vacas, cabras y otros ganados. Tiene esta ciudad ásperas y dificultosas salidas, por estar, como digo, entre las sierras; junto a ella pasa un pequeño río de muy buen agua. Desta ciudad de la Paz hasta la villa de Plata, que es en la provincia de los Charcas, hay noventa leguas, poco más o menos. De aquí, para proseguir con orden, volveré al camino real que dejé; y así, digo que desde Viacha se va hasta Hayohayo, donde hubo grandes aposentos para los ingas. Y más adelante de Hayohayo está Siquisica, que es hasta donde llega la comarca de los collas, puesto que a una parte y a otra hay destos pueblos otros algunos. Deste pueblo de Siquisica van al pueblo de Caracollo, que está once leguas dél, el cual está asentado en unas vegas de campaña cerca de la provincia de Paria, que fue cosa muy estimada por los ingas; y andan vestidos los naturales de la provincia de Paria como todos los demás, y traen por ornamento en las cabezas un tocado a manera de bonetes pequeños hechos de lana. Fueron los señores muy servidos de sus indios, y había depósitos y aposentos reales para los ingas y templo del sol. Agora se ve gran cantidad de sepulturas altas, donde metían sus difuntos. Los pueblos de indios subjetos a Paria, que son Caponota y otros muchos, dellos están en la laguna y dellos en otras partes de la comarca; más adelante de Paria están los pueblos de Pocoata, Macha, Caracara, Moromoro, y cerca de los Andes están otras provincias y grandes señores.

CAPITULO CVII

De la fundación de la villa de Plata, que está situada en la provincia de los Charcas

La noble y leal villa de Plata, población de españoles en los Charcas, asentada en Chuquisaca, es muy mentada en los reinos del Perú y en mucha parte del mundo, por los grandes tesoros que della han ido estos años a España. Y está puesta esta villa en la mejor parte que se halló, a quien (como digo) llaman Chuquisaca (440), y es tierra de muy buen temple, muy aparejada para criar árboles de fruta y para sembrar trigo y cebada, viñas y otras cosas.

Las estancias y heredamientos tienen en este tiempo gran precio, causado por la riqueza que se ha descubierto de las minas de Potosí. Tiene muchos términos y pasan algunos ríos por cerca della, de agua muy buena, y en los heredamientos de los españoles se crían muchas vacas, yeguas y cabras; y algunos de los vecinos desta villa son de los ricos y prósperos de las Indias, porque el año de 1548 y 49 hubo repartimiento, que fue el del general Pedro de Hinojosa, que rentó más de cien mil castellanos, y otros a ochenta mil, y algunos a más. Por manera que fue gran cosa los tesoros que hubo en estos tiempos. Esta villa de Plata pobló y fundó el capitán Peranzúrez, en nombre de su majestad del emperador y rey nuestro señor, siendo

(440) Hoy Sucre. Fue sede de la famosa Audiencia de Charcas y es la capital de Bolivia, con residencia de la Suprema Corte de Justicia, heredera de la Audiencia. La Paz es la residencia del Gobierno.

su gobernador y capitán general del Perú el adelantado don Francisco Pizarro, año de 1538 años; y digo que, sin los pueblos ya dichos, tiene esta villa a Totora, Tapacari, Sipisipe, Cochabamba, los Carangues, Quillanca, Chaianta, Chaqui y los Chichas, y otros muchos, y todos muy ricos, y algunos, como el valle de Cochabamba, fértiles para sembrar trigo y maíz y criar ganados. Más adelante desta villa está la provincia de Tucuma, y las regiones donde entraron a descubrir el capitán Felipe Gutiérrez y Diego de Rojas y Nicolás de Heredia, por la cual parte descubrieron el río de la Plata, y llegaron más adelante hacia el sur; de donde está la fortaleza que hizo Sebastián Gaboto; y como Diego de Rojas murió de una herida de flecha con hierba, que los indios le dieron, y después, con gran soltura, Francisco de Mendoza prendió a Filipe Gutiérrez y le constriñó volver al Perú con harto riesgo, y el mismo Francisco de Mendoza, a la vuelta que volvió del descubrimiento del río, fue muerto, juntamente con su maestre de campo Ruy Sánchez de Hinojosa, por Nicolás de Heredia, no se descubrieron enteramente aquellas partes, porque tantas pasiones tuvieron unos con otros que se volvieron al Perú; y encontrando con Lope de Mendoza, maestre de campo del capitán Diego Centeno, que venía huyendo de la furia de Caravajal (441), capitán de Gonzalo Pizarro, se juntaron con él. Estando ya divididos, y en un pueblo que llaman Cocona, fueron desbaratados por el mismo Caravajal, y luego, con la diligencia que tuvo, presos en su poder el Nicolás de Heredia y Lope de Mendoza y muertos ellos y otros. Más adelante está la gobernación de Chile, de que es gobernador Pedro de Valdivia, y otras tierras comarcanas con el estrecho que dicen de Magallanes. Y porque las cosas de Chile son grandes y convendría hacer particular relación dellas, he yo escrito lo que he visto desde Urabá hasta Potosí, que está junto con esta villa, camino tan grande que a mi ver habrá (tomando desde los términos que tiene Urabá hasta salir de los de la villa de Plata) bien mil y doscientas leguas, como ya he escrito; por tanto, no pasaré de aquí en esta primera parte más de decir los indios subjetos a la villa de Plata que sus costumbres y las de los otros son todas

(441) Carvajal.

unas. Cuando fueron sojuzgados por los ingas hicieron sus pueblos ordenados, y todos andan vestidos, y lo mismo sus mujeres, y adoran al sol y en otras cosas, y tuvieron templos en que hacían sus sacrificios, y muchos dellos, como fueron los que llaman naturales charcas y los carangues, fueron muy guerreros. Desta villa salieron en diversas veces capitanes con vecinos y soldados a servir a su majestad en las guerras pasadas, y sirvieron lealmente, con lo cual hago fin en lo tocante a su fundación.

CAPITULO CVIII

De la riqueza que hubo en Porco y de cómo en los términos desta villa hay grandes vetas de plata

Parece por lo que oí y los indios dicen que en tiempo que los reyes ingas mandaron este gran reino del Perú les sacaban en algunas partes desta provincia de los Charcas cantidad grande de metal de plata, y para ello estaban puestos indios, los cuales daban el metal de plata que sacaban a los veedores (442) y delegados suyos. Y en este cerro de Porco, que está cerca de la villa de Plata, había minas, donde sacaban plata para los señores; y afirman que mucha de la plata que estaba en el templo del sol de Curicancha fue sacada deste cerro; y los españoles han sacado mucha dél. Agora en este año se está limpiando una mina del capitán Hernando Pizarro, que afirman que le valdrá por año las ansendradas que della sacarán más de docientos mil pesos de oro. Antonio Alvarez, vecino desta villa, me mostró en la ciudad de los Reyes un poco de metal, sacado de otra mina que él tiene en este cerro de Porco, que casi todo parecía plata; por manera que Porco fue antiguamente cosa riquísima, y agora lo es, y se cree que será para siempre. También en muchas sierras comarcanas a esta villa de Plata y de sus términos y jurisdición se han hallado ricas minas de plata; y tiénese por cierto, por lo que se ve, que hay tanto deste metal, que si hubiese quien lo buscase y sacase, sacarían dél poco

(442) Inspectores.

menos que en la provincia de Vizcaya sacan hierro. Pero por no sacarlo con indios, y por ser la tierra fría para negros y muy costosa, parece que es causa que esta riqueza tan grande esté perdida. También digo que en algunas partes de la comarca desta villa hay ríos que llevan oro, y bien fino. Mas como las minas de plata son más ricas, danse poco por sacarlo. En los Chichas, pueblos derramados, que están encomendados a Hernando Pizarro y son subjetos a esta villa, se dice que en algunas partes dellos hay minas de plata; y en las montañas de los Andes nascen ríos grandes en los cuales, si quisieren buscar mineros de oro, tengo que se hallaran.

CAPITULO CIX

Cómo se descubrieron las minas de Potosí, donde se ha sacado riqueza nunca vista ni oída en otros tiempos, de plata y de cómo por no correr el metal la sacan los indios con la invención de las guairas

Las minas de Porco y otras que se han visto en estos reinos, muchas dellas desde el tiempo de los ingas, están abiertas y descubiertas las vetas de donde sacaban el metal; pero las que se hallaron en este cerro de Potosí (de quien quiero agora escrebir) ni se vió la riqueza que había ni se sacó del metal hasta que el año de 1547 años, andando un español llamado Villarroel con ciertos indios a buscar metal que sacar, dio en esta grandeza, que está en un collado alto, el más hermoso y bien asentado que hay en toda aquella comarca; y porque los indios llaman Potosí a los cerros y cosas altas, quedósele por nombre Potosí, como le llaman. Y aunque en este tiempo Gonzalo Pizarro andaba dando guerra al visorey y el reino lleno de alteraciones causadas desta rebelión, se pobló la falda deste cerro y se hicieron casas grandes y muchas (443), y los españoles hicieron su principal asiento en esta parte, pasándose la justicia a él; tanto, que la villa estaba casi

(443) Sobre la fundación de Potosí véase Ballesteros Gaibrois, 1957.

desierta y despoblada; y así, luego tomaron minas, y descubrieron por lo alto del cerro cinco vetas riquísimas, que nombran Veta Rica, Veta del Estado, y la cuarta de Mendieta, y la quinta de Oñate; y fue tan sonada esta riqueza, que de todas las comarcas venían indios a sacar plata a este cerro, el sitio del cual es frío, porque junto a él no hay ningún poblado (444). Pues tomada posesión por los españoles, comenzaron a sacar plata desta manera: que al que tenía mina le daban los indios que en ella entraban un marco, y si era muy rica, dos cada semana; y si no tenía mina, a los señores comenderos de indios les daban medio marco cada semana. Cargó tanta gente a sacar plata, que parecía aquel sitio una gran ciudad. Y porque forzado ha de ir en crescimiento o venir en disminución tanta riqueza, digo que para que se sepa la grandeza destas minas, según lo que yo vi el año del Señor de 1549 en este asiento, siendo corregidor en él y en la villa de Plata por su majestad el licenciado Polo (445), que cada sábado en su propia casa, donde estaban las cajas de las tres llaves, se hacía fundición, y de los quintos reales venían a su majestad treinta mil pesos, y veinte y cinco, y algunos poco menos y algunos más de cuarenta. Y con sacar tanta grandeza que montaba el quinto de la plata que pertence a su majestad más de ciento y veinte mil castellanos cada mes, decían que salía poca plata y que no andaban las minas buenas. Y esto que venía a la fundición era solamente metal de los cristianos, y no todo lo que tenían, porque mucho sacaban en tejuelos para llevar do querían, y los indios verdaderamente se cree que llevaron a sus tierras grandes tesoros. Por donde con gran verdad se podrá tener que en ninguna parte del mundo se halló cerro tan rico, ni ningún príncipe, de un solo pueblo, como en esta famosa villa de Plata, tuvo ni tiene tantas rentas ni provecho; pues desde el año de 1548 hasta el de 51 le han valido sus quintos reales más de tres millones de ducados, que monta más que cuanto hubieron los españoles de Atabaliba ni se halló en la ciudad del Cuzco cuando la descubrieron. Paresce, por lo que se ve, que el metal de la

(444) La ciudad creció enormemente, hasta tener cerca de 200.000 habitantes, en tiempos posteriores al paso de Cieza por ella.

(445) Juan Polo de Ondegardo, también escritor de las cosas de Indias.

plata no puede correr con fuelles ni quedar con la materia del fuego convertido en plata. En Porco y en otras partes deste reino donde sacan metal hacen grandes planchas de plata, y el metal lo purifican y apartan de la escoria que se crían con la tierra, con fuego, teniendo para ello sus fuelles grandes. En este Potosí, aunque por muchos se ha procurado, jamás han podido salir con ello (446); la reciura del metal paresce que lo causa, o algún otro misterio; porque grandes maestros han intentado, como digo, de los sacar con fuelles, y no ha prestado nada su diligencia; y al fin, como para todas las cosas puedan hallar los hombres en esta vida remedio, no les faltó para sacar esta plata, con una invención la más extraña del mundo, y es que antiguamente, como lo ingas fueron tan ingeniosos en algunas partes que les sacaban plata, debía no querer correr con fuelles, como en esta de Potosí, y para aprovecharse del metal hacían unas formas de barro, del talle y manera que es un albahaquero en España, teniendo por muchas partes algunos agujeros o respiraderos. En estos tales ponían carbón, y el metal encima; y puestos por los cerros o laderas donde el viento tenía más fuerzas, sacaban dél plata, la cual apuraban y afinaban después con sus fuelles pequeños, o cañones con que soplan. Desta manera se sacó toda esta multitud de plata que ha salido deste cerro, y los indios se iban con el metal a los altos de la redonda dél a sacar plata. Llaman a estas formas guaires, y de noche hay tantas dellas por todos los campos y collados, que parescen luminarias; y en tiempo que hace viento recio se saca plata en cantidad; cuando el viento falta, por ninguna manera pueden sacar ninguna. De manera que, así como el viento es provechoso para navegar por el mar, lo es en este lugar para sacar la plata, y como los indios no hayan tenido veedores ni se pueda irles a la mano en cuanto al sacar plata, por llevarla ellos (como está ya dicho) a sacar a los cerros, se cree que muchos han enriquescido y llevado a sus tierras gran cantidad desta plata. Y fue esto causa que de muchas partes del reino acudían indios a este asiento

(446) La gran altura impide que pueda realizarse esta función.

de Potosí para aprovecharse, pues había para ello tan grande aparejo (447).

CAPITULO CX

De cómo junto a este cerro de Potosí hubo el más rico mercado del mundo en tiempo que estas minas estaban en su prosperidad

En todo este reino del Perú se sabe por los que por él habemos andado que hubo grandes tiangues, que son mercados, donde los naturales contrataban sus cosas, entre los cuales el más grande y rico que hubo antiguamente fue el de la ciudad del Cuzco; porque aun en tiempo de los españoles se conoció su grandeza, por el mucho oro que se compraba y vendía en él y por otras cosas que traían de todo lo que se podía haber y pensar. Mas no se igualó este mercado o tiangues ni otro ninguno del reino al soberbio de Potosí; porque fue tan grande la contratación, que solamente entre indios, sin entrevenir cristianos, se vendía cada día, en tiempo que las minas andaban prósperas, veinte y cinco y treinta mil pesos de oro, y días de más de cuarenta mil; cosa extraña y que creo que ninguna feria del mundo se iguala al trato deste mercado. Yo lo noté algunas veces, y vía que en un llano que hacía la plaza deste asiento, por una parte dél iba una hilera de cestos de coca, que fue la mayor riqueza destas partes; por otra, rimeros de mantas y camisetas ricas delgadas y bastas; por otra estaban montones de maíz y de papas secas y de las otras sus comidas; sin lo cual, había gran número de cuartos de carne de la mejor que había en el reino. En fin, se vendían otras cosas muchas que no digo; y duraba esta feria o mercado desde la mañana hasta que escurecía la noche; y como se sacase plata cada

(447) Posteriormente se reguló el trabajo de las minas por medio de la *mita*, antigua institución incaica para las labores obligatorias. Los indios *mitayos* trabajaban por un tiempo limitado, y debían volver a sus pueblos de origen, pero muchos se quedaban para comerciar, beneficiar algo de plata de las escorias, hacer contrabando de maíz, para la fabricación de la chicha, o aportar maderas desde lugares muy lejanos.

día y estos indios son amigos de comer y beber, especialmente los que tratan con los españoles, todo se gastaba lo que se traía a vender; en tanta manera, que de todas partes acudían con bastimentos y cosas necesarias para su proveimiento. Y así, muchos españoles enriquecieron en este asiento de Potosí con solamente tener dos o tres indias que les contrataban en este tiangues, y de muchas partes acudieron grandes cuadrillas de anaconas (448), que se entiende ser indios libres que podían servir a quien fuese su voluntad; y las más hermosas indias del Cuzco y de todo el reino se hallaban en este asiento. Una cosa miré el tiempo que en él estuve: que se hacían muchas trapazas y por algunos se trataban pocas verdades. Y al valor de las cosas fueron tantas mercaderías, que se vendían los ruanes (449), paños y holandas casi tan barato como en España, y en almoneda vi yo vender cosas por tan poco precio que en Sevilla se tuvieran por baratas. Y muchos hombres que habían habido mucha riqueza, no hartando su codicia insaciable, se perdieron en tratar de mercar y vender; algunos de los cuales se fueron huyendo a Chile y a Tucuma (450) y a otras partes, por miedo de las deudas; y así, todo lo más que se trataba era pleitos y debates que unos con otros tenían. El asiento desde Potosí es sano, especialmente para indios, porque pocos o ningunos adolecían en él. La plata llevan por el camino real del Cuzco a dar a la ciudad de Arequipa, cerca de donde está el puerto de Quilca. Y toda la mayor parte della llevan carneros y ovejas; que a faltar éstos, con gran dificultad se pudiera contratar ni andar en este reino, por la mucha distancia que hay de una ciudad a otra y por la falta de bestias.

(448) Los incas tuvieron indios de servicio permanente, que fueron los *yana*, cuyo plural es *yana-cuna*, de que los españoles hicieron el plural castellano *yanaconas*. En muchos casos, como el presente, se suprimía la *y* inicial y se escribía *anacona*.

(449) Telas de Ruán, o *ruanes*. En la Colombia actual el poncho abierto por delante se llama todavía *ruana*.

(450) Tucumán, en el noroeste argentino.

CAPITULO CXI

De los carneros, ovejas, guanacos y vicunias que hay en toda la mayor parte de la serranía del Perú

Paréceme que de ninguna parte del mundo se ha oído ni entendido que se hubiesen hallado la manera de ovejas como son las destas Indias, especialmente en este reino, en la gobernación de Chile y en algunas de las provincias del río de la Plata, puesto que podrá ser que se hallen y vean en partidas que nos están ignotas y escondidas. Estas ovejas digo que es uno de los excelentes animales que Dios crió, y más provechoso, el cual parece que la Majestad divina tuvo cuidado de criar este ganado en estas partes para que las gentes pudiesen vivir y sustentarse. Porque por vía ninguna estos indios, digo los serranos del Perú, pudieran pasar la vida si no tuvieran deste ganado, o de otro que les diera el provecho que dél sacan, el cual es de la manera que en este capítulo diré.

En los valles de los llanos, y en otras partes calientes, siembran los naturales algodón, y hacen sus ropas dél, con que no sienten falta ninguna, porque la ropa de algodón es conveniente para esta tierra.

En la serranía, en muchas partes, como es en la provincia de Collao, los soras y charcas de la villa de Plata, y en otros valles, no se cría árbol, ni el algodón aunque se sembrara daría fruto. Y poder los naturales, si no lo tuvieran de suyo, por vía de contratación haber ropa todos, fuera cosa imposible. Por lo cual el dador de los bienes, que es Dios, nuestro Sumo Bien, crió en estas partes tanta cantidad del ganado que nosotros llamamos ovejas, que si los españoles con las guerras no dieran tanta priesa a lo apocar, no había cuento ni suma lo mucho que por todas partes había. Mas, como tengo dicho, en indios y ganado vino gran pestilencia con las guerras que los españoles unos con otros tuvieron. Llaman los naturales a las ovejas llamas y a los carneros urcos. Unos son blancos, otros negros, otros pardos. Su talle es que hay algunos carneros y ovejas tan grandes como pequeños asnillos, crecidos de piernas y anchos de barriga; tira su pescuezo y talle a camello (451); las cabezas son largas, parecen a las de las ovejas de España. La carne deste ganado es muy buena si está gordo, y los corderos son mejores y de más sabor que los de España. Es ganado muy doméstico y que no da ruido. Los carneros llevan a dos y a tres arrobas de peso muy bien, y en cansando no se pierde, pues la carne es tan buena. Verdaderamente en la tierra del Collao es gran placer ver salir los indios con sus arados en estos carneros, y a la tarde verlos volver a sus casas cargados de leña. Comen de la hierba del campo. Cuando se quejan, echándose como los camellos, gimen. Otro linaje hay deste ganado, a quien llaman guanacos, desta forma y talle, los cuales son muy grandes y andan hechos monteses por los campos manadas grandes dellos, y a saltos van corriendo con tanta ligereza que el perro que los ha de alcanzar ha de ser demasiado ligero. Sin éstos, hay asimesmo otra suerte destas ovejas o llamas, a quien llaman vicunias; éstas son más ligeras que los guanacos, aunque más pequeñas; andan por los despoblados, comiendo de la hierba que en ellos cría Dios. La lana destas vicunias es excelente, y toda tan buena que es más fina que la de las ovejas merinas de España. No sé yo si se podrían hacer paños della; sé que es cosa de ver la ropa que se hacía para los señores desta tierra. La carne destas vicunias y guanacos tira el sabor della a carne de monte, mas es buena. Y en la ciudad de la Paz comí yo en la posada del capitán Alonso de Mendoza cecina de uno destos guanacos gordos, y me pareció la mejor que había visto en mi vida. Otro género hay de ganado doméstico, a quien llaman pacos (452), aunque es muy feo y lanudo; es del talle de las llamas o ovejas, salvo que es más pequeño; los corderos, cuando son tiernos mucho se parecen a los de España. Pare en el año una vez una destas ovejas, y no más.

(451) Intuición certera de Cieza, pues en realidad los auquénidos son los camélidos americanos.

(452) Alpacas, útiles por su fino pelaje, para tejidos, y en caso de necesidad por su carne para comida.

CAPITULO CXII

Del árbol llamado molle, y de otras hierbas y raíces que hay en este reino del Perú

Cuando escrebí lo tocante a la ciudad de Guayaquile traté de la zarzaparrilla, hierba tan provechosa, como saben los que han andado por aquellas partes. En este lugar me pareció tratar de los árboles llamados molles, por el provecho grande que en ellos hay. Y digo que en los llanos y valles del Perú hay muy grandes arboledas, y lo mismo en las espesuras de los Andes, con árboles de diferentes naturas y maneras, de los cuales pocos o ningunos hay que parecen a los de España. Algunos dellos, que son los aguacates, guayabos, caimitos, guabos, llevan fruta de la suerte y manera que en algunos lugares desta escriptura he declarado; los demás son todos llenos de abrojos o espinas o montes claros, y algunas cebas de gran grandor, en las cuales, y en otros árboles que tienen huecos y concavidades, crían las abejas miel singular con grande orden y concierto. En toda la mayor parte de lo poblado desta tierra se ven unos árboles grandes y pequeños, a quien llaman molles; éstos tienen la hoja muy menuda, y en el olor conforme a hinojo, y la corteza o cáscara deste árbol es tan provechosa que si está un hombre con grave dolor de piernas y las tiene hinchadas, con solamente cocerlas en agua y lavarse algunas veces, queda sin dolor ni hinchazón. Para limpiar los dientes son los ramicos pequeños provechosos; de una fruta muy menuda que cría este árbol hacen vino o brebaje muy bueno, y vinagre; y miel harto buena, con no más de deshacer la cantidad que quieren desta fruta con agua en alguna vasija, y puesta al fuego, después de ser gastada la parte perteneciente, queda convertida en vino o en vinagre o en miel, según es el cocimiento. Los indios tienen en mucho estos árboles. Y en estas partes hay hierbas de gran virtud, de las cuales diré de algunas que yo vi; y así, digo que en la provincia de Quimbaya, y donde está situada la ciudad de Cartago, se crían unos bejucos o raíces por entre los árboles que hay en aquella provincia, tan provechosos para purgar, que con solamente tomar poco más de una braza dellos, que serán del gordor de un dedo, y echarlos en una vasija de agua que tenga poco menos de un azumbre, embebe en una noche que está en el agua la mayor parte della; de la otra, bebiendo cantidad de medio cuartillo de agua, es tan cordial y provechosa para purgar, que el enfermo queda tan limpio como si hubiera purgado con ruibarbo. Yo me purgué una o dos veces en la ciudad de Cartago con este bejuco o raíz, y me fue bien, y todos lo teníamos por medicinal. Otras habas hay para este efeto que algunos las alaban y otros dicen que son dañosas. En los aposentos de Bilcas me adoleció a mí una esclava por ir enferma de ciertas llagas que llevaba en la parte inferior; por un carnero que di a unos indios vi que trajeron unas hierbas que echaban una flor amarilla, y las tostaron a la candela para hacerlas polvo, y con dos o tres veces que la untaron quedó sana.

En la provincia de Andaguailas vi otra hierba tan buena para la boca y dentadura, que limpiándose con ella una hora o dos dejaba los dientes sin olor y blancos como nieve. Otras muchas hierbas hay en estas partes provechosas para la salud de los hombres, y algunas tan dañosas que mueren con su ponzoña.

CAPITULO CXIII

De cómo en este reino hay grandes salinas y baños y la tierra es aparejada para criarse olivos y otras frutas de España, y de algunos animales y aves que en él hay

Pues concluí en lo tocante a las fundaciones de las nuevas ciudades que hay en el Perú, bien será dar noticia de algunas particularidades y cosas notables antes de dar fin a esta primera parte. Y agora diré de las grandes salinas naturales que vemos en este reino, pues para la sustentación de los hombres es cosa muy importante. En toda la gobernación de Popayán conté cómo no había salinas ningunas, y que Dios nuestro Señor proveyó de manantiales salobres del agua, de los cuales las gentes hacen sal, con que pasan sus vidas. Acá en el Perú hay tan grandes y hermosas salinas que dellas se podrían proveer de sal todos los reinos de España, Italia, Francia y otras mayores partes. Cerca de Tumbez y de Puerto Viejo, dentro en el agua, junto a la costa de la mar, sacan grandes piedras de sal, que llevan en naos a la ciudad de Cali y a la Tierra Firme, y a otras partes donde quieren. En los llanos y arenales deste reino, no muy lejos del valle que llaman de Guaura, hay unas salinas muy buenas y muy grandes, la sal albísima, y grandes montones della, la cual toda está perdida, que muy pocos indios se aprovechan della. En la serranía cerca de la provincia de Guailas hay otras salinas mayores que éstas. Media legua de la ciudad del Cuzco están otras pozas, en las cuales los indios hacen tanta sal que basta para el proveimiento de muchos dellos. En las provincias de Condesuyo y en algunas de Andesuyo hay, sin las salinas ya dichas, algunas bien grandes y de sal muy excelente. Por manera que podré afirmar que cuanto a sal es bien proveído este reino del Perú.

Hay asimesmo en muchas partes grandes baños, y muchas fuentes de agua caliente, donde los naturales se bañaban y bañan. Muchas dellas he yo visto por las partes que anduve dél: y en algunos lugares deste reino, como los llanos y valles de los ríos y la tierra templada de la serranía, son muy fértiles, pues los trigos se crían tan hermosos y dan fruto en gran cantidad; lo mismo hace el maíz y cebada. Pues viñas no hay pocas en los términos de San Miguel, Trujillo y los Reyes y en las ciudades del Cuzco y Guamanga, y en otras de la serranía comienza ya a las haber, y se tiene grande esperanza de hacer buenos vinos. Naranjales, granados y otras frutas, todas las hay, de las que han traído de España como las de la tierra. Legumbres de todo género se hallan; y en fin, gran reino es el del Perú, grandes poblaciones adonde hubiere aparejo para se hacer; y pasada esta nuestra edad, se podrán sacar del Perú para otras partes trigo, vinos, carnes, lanas y aun sedas. Porque para plantar moreras hay el mejor aparejo del mundo: sola una cosa vemos que no se ha traído a estas Indias, que es olivos, que después del pan y vino es lo más principal. Paréceme a mí que si traen enjertos dellos para poner en estos llanos y en las vegas de los ríos de las tierras, que se harán tan grandes montañas dellos como en el ajarafe de Sevilla y otros grandes olivares que hay en España. Porque si quiere tierra templada, la tiene; si con mucha agua, lo mismo, y sin ninguna y con poca. Jamás truena ni se ve relámpago, ni caen nieves ni hielos en estos llanos, que es lo que daña el fruto de los olivos. En fin, como vengan los enjertos, también vendrá tiempo en lo futuro que provea el Perú de aceite como de lo más. En este reino no se han hallado encinales; y en la provincia de Collao y en la comarca del Cuzco, y en otras partes dél, si se sembrasen, me parece lo mismo que de los olivares, que habrá no pocas dehesas. Por tanto, mi parecer es que los conquistadores y pobladores destas partes no se les vaya el tiempo en contar de batallas y alcances: entiendan en plantar y sembrar, que es lo que aprovechará más. Quiero decir aquí una cosa que hay en esta serranía del Perú, y es unas raposas no muy grandes, las cuales tienen tal propiedad que echan de sí tan pestífero y hediondo olor que no se puede compadecer; y si por caso alguna destas raposas orina en alguna lanza o cosa otra, aunque mucho se lave, por muchos días tiene el mal olor ya dicho. En ninguna parte dél se han visto lobos ni otros animales dañosos, salvo los grandes tigres que conté que hay en la montaña del puerto de Buenaventura, comarcana a la ciudad de Cali, los cuales han muerto algunos españoles y muchos indios. Avestruces adelante de los Charcas (453) se han hallado, y los indios los tenían en mucho. Hay otro género de animal, que llaman viscacha (454), del tamaño de una liebre y de la forma, salvo que tienen la cola larga como raposas; crían en pedregales y entre rocas, y muchas matan con ballestas y arcabuces, y los indios con lazos; son buenas para comer como estén manidas; y aun de los pelos o lana destas viscachas hacen los indios mantas grandes, tan blandas como si fuesen de seda, y son muy preciadas. Hay muchos halcones, que en España serían estimados; perdices, en muchos lugares he dicho haber dos maneras dellas, unas pequeñas y otras como gallinas; hurones hay los mejores del mundo. En los llanos y en la sierra hay unas aves muy hediondas, a quien llaman auras;

(453) Más al sur de Bolivia, en Argentina. Son los *ñandús*.
(454) *Lagostomus biscacha* de los zoólogos. Sólo se dan en esta zona andina.

mantiénense de comer cosas muertas y otras bascosidades (455). Del linaje destas hay unos cóndores grandísimos, que casi parecen grifos; algunos acometen a los corderos y guanacos pequeños de los campos.

CAPITULO CXIV

De cómo los indios naturales deste reino fueron grandes maestros de plateros y de hacer edificios, y de cómo para las ropas finas tuvieron colores muy perfetas y buenas

Por las relaciones que los indios nos dan se entiende que antiguamente no tuvieron el orden en las cosas ni la policía que después que los ingas los señorearon y agora tienen; porque cierto entre ellos se han visto y ven cosas tan primamente hechas por su mano, que todos los que dellas tienen noticia se admiran; y lo que más se nota es que tienen pocas herramientas y aparejos para hacer lo que hacen, y con mucha facilidad lo dan hecho con gran primor. En tiempo que se ganó este reino por los españoles se vieron piezas hechas de oro y barro y plata, soldado lo uno y lo otro de tal manera que parescía que había nascido así. Viéronse cosas más extrañas de argentería, de figuras y otras cosas mayores, que no cuento por no haberlo visto; baste que afirmo haber visto que con dos pedazos de cobre y otras dos o tres piedras vi hacer vajillas, y tan bien labradas, y llenos los bernegales (456), fuentes y candeleros de follajes y labores, que tuvieran bien que hacer otros oficiales en hacerlo tal y tan bueno con todos los aderezos y herramientas que tienen; y cuando labran no hacen más de un hornillo de barro, donde ponen el carbón, y con unos cañutos soplan en lugar de fuelles. Sin las cosas de plata, muchos hacen estampas, cordones y otras cosas de oro; y muchachos que quien los ve juzgara que aun no saben hablar, entienden en hacer destas cosas. Poco es lo que agora labran, en comparación de las grandes y ricas piezas que hacían en tiempo de los ingas; pues

(455) Derivado de *basca,* náusea. Comienza a usarse en el siglo XVI, probablemente, según Corominas, del celta *Waska.*

la chaquira tan menuda y pareja la hacen, por lo cual paresce haber grandes plateros en este reino, y hay muchos de los que estaban puestos por los reyes ingas en las partes más principales dél. Pues de armar cimientos, fuertes edificios, ellos lo hacen muy bien; y así, ellos mismos labran sus moradas y casas de los españoles, y hacen el ladrillo y teja y asientan las piedras bien grandes y crecidas, unas encima de otras, con tanto primor que casi no se parece la juntura; también hacen bultos (457) y otras cosas mayores, y en muchas partes se han visto que los han hecho y hacen sin tener otras herramientas más que piedras y sus grandes ingenios. Para sacar grandes acequias no creo yo que en el mundo ha habido gente ni nación que por partes tan ásperas ni dificultades las sacasen y llevasen, como largamente declaré en los capítulos dichos. Para tejer sus mantas tienen sus telares pequeños; y antiguamente, en tiempo que los reyes ingas mandaron este reino, tenían en las cabezas de las provincias cantidad de mujeres, que llamaban mamaconas, que estaban dedicadas al servicio de sus dioses en los templos del sol, que ellos tenían por sagrados, las cuales no entendían sino en tejer ropa finísima para los señores ingas, de lana de las vicunias; y cierto fué tan prima esta roja como habrán visto en España por alguna que allá fué luego que se ganó este reino. Los vestidos destos ingas eran camisetas destas ropas, unas pobladas de argentería de oro, otras de esmeraldas y piedras preciosas, y algunas de plumas de aves; otras, de solamente la manta. Para hacer estas ropas tuvieron y tienen tan perfetas colores de carmesí, azul, amarillo, negro y de otras suertes, que verdaderamente tienen ventaja a las de España.

En la gobernación de Popayán hay una tierra con la cual, y con unas hojas de un árbol, queda teñido lo que quieren de un color negro perfeto. Recitar las particularidades con que y cómo se hacen estas colores téngolo por menudencia, y parésceme que basta contar solamente lo principal.

(456) Vaso para beber, usado en el País Vasco.
(457) Estatuas.

CAPITULO CXV

Cómo en la mayor parte deste reino hay grandes mineros de metales

Desde el estrecho de Magallanes comienza la cordillera o longura de sierras que llamamos Andes, y atraviesa muchas tierras y grandes provincias, como escrebí en la descripción desta tierra, y sabemos que a la parte de la mar del Sur (que es al poniente) se halla en los más ríos y collados gran riqueza; y las tierras y provincias que caen a la parte de levante se tienen por pobres de metales, según dicen los que pasaron al río de la Plata conquistando, y salieron algunos dellos al Perú por la parte de Potosí, los cuales cuentan que la fama de riqueza los trajo a unas provincias tan fértiles de bastimento como pobladas de gente, que están a las espaldas de los Charcas, pocas jornadas adelante. Y la noticia que tenían no era otra sino el Perú, ni la plata que vieron, que fue poca, salió de otra parte que de los términos de la villa de Plata, y por vía de contratación la habían los de aquellas partes. Los que fueron a descubrir con los capitanes Diego de Rojas, Filipe Gutiérrez, Nicolás de Heredia, tampoco hallaron riqueza. Después de entrados en la tierra que está pasada la cordillera de los Andes, el adelantado Francisco de Orillana, yendo por el Marañón en el barco, al tiempo que andando en el descubrimiento de la canela, lo envió el capitán Gonzalo Pizarro, aunque muchas veces daba con los españoles en grandes pueblos, poco oro ni plata, o ninguno, vieron. En fin, no hay para qué tratar sobre esto, pues si no fué en la provincia de Bogotá, en ninguna otra de la otra parte de la cordillera de los Andes se ha visto riqueza ninguna; lo cual todo es al contrario por la parte del sur, pues se han hallado las mayores riquezas y tesoros que se han visto en el mundo en muchas edades; y si el oro que había en las provincias que están comarcanas al río grande de Santa Marta, desde la ciudad de Popayán hasta la villa de Mopox, estuviera en un poder y de un solo señor, como fué en las provincias del Perú, hubiera mayor grandeza que en el Cuzco. En fin, por las faldas desta cordillera se han hallado grandes mineros de plata y oro, así por la parte de Antiocha como de la de Cartago, que es la gobernación de Popayán, y en todo el reino del Perú; y si hubiese quien lo sacase, hay oro y plata que sacar para siempre jamás; porque en las tierras y en los llanos y en los ríos, y por todas partes que caven y busquen, hallarán plata y oro. Sin esto, hay gran cantidad de cobre y mayor de hierro por los secadales y cabezadas de las sierras que abajan a los llanos. En fin, se halla plomo, y de todos los metales que Dios crió es bien proveído este reino; y a mí paréceme que mientras hubiere hombres no dejará de haberse gran riqueza en él; y tanta ha sido la que dél se ha sacado, que ha encarecido a España de tal manera cual nunca los hombres lo pensaron.

CAPITULO CXVI

Cómo muchas naciones destos indios se daban guerra unos a otros, y cuán opresos tienen los señores principales a los indios pobres

Verdaderamente, yo tengo que ha muchos tiempos y años que hay gentes en estas Indias, según lo demuestran sus antigüedades y tierras tan anchas y grandes como han poblado; y aunque todos ellos son morenos lampiños (458) y se parecen en tantas cosas unos a otros, hay tanta multitud de lenguas entre ellos que casi a cada legua y en cada parte hay nuevas lenguas. Pues como hayan pasado tantas edades por estas gentes y hayan vivido sueltamente, unos a otros se dieron grandes guerras y batallas, quedándose con las provincias que ganaban. Y así, en los términos de la villa de Arma, de la gobernación de Popayán, está una gran provincia, a quien llaman Carrapa, entre la cual y la de Quimbaya (que es donde se fundó la ciudad de Cartago) había cantidad de gente; los cuales, llevando por capitán o señor a uno de ellos, el más principal, llamado Urrúa, se entraron en Carrapa, y a pesar de los naturales hicieron señores de lo mejor de su provincia. Y esto sé porque cuando descubrimos enteramente aquellas co-

(458) Imberbes, rasgo común a todos los indios americanos.

marcas vimos las rocas y pueblos quemados que habían dejado los naturales de la provincia de Quimbaya. Todos fueron lanzados della antiguamente por los que se hicieron señores de sus campos, según es público entre ellos. En muchas partes de las provincias desta gobernación de Popayán fue lo mismo. En el Perú no hablan otra cosa los indios sino decir que los unos vinieron de una parte y los otros de otra, y con guerras y contiendas los unos se hacían señores de las tierras de los otros, y bien parece ser verdad, y la gran antigüedad desta gente por las señales de los campos que labraban ser tantos, y porque en algunas partes que se ve que hubo sementeras y fue poblado hay árboles nascidos tan grandes como bueyes. Los ingas claramente se conoce que se hicieron señores deste reino por fuerza y por maña, pues cuentan que Mangocapa, el que fundó el Cuzco, tuvo poco principio, y duraron en el señorío hasta que, habiendo división entre Guascar, único heredero, y Atabaliba sobre la gobernación del imperio, entraron los españoles y pudieron fácilmente ganar el reino y a ellos apartarlos de sus porfías: por lo cual parece que también se usó de guerras y tiranías entre estos indios, como en las demás partes del mundo, pues leemos que tiranos se hicieron señores de grandes reinos y señoríos. Yo entendí en el tiempo que estuve en aquellas partes que es grande la opresión que los mayores tienen a los menores, y con el rigor que algunos de los caciques mandan a los indios; porque si el encomendero les pide alguna cosa, o que por fuerza hayan de hacer algún servicio personal o con hacienda, luego estos tales mandan a sus mandones que lo provean, los cuales andan por las casas de los más pobres mandando que lo cumplan, y si dan alguna excusa, aunque sea justa, no solamente no los oyen, mas maltrátanlos, tomándoles por fuerza lo que quieren. En los indios del Rey y en otros pueblos del Collao oí yo lamentar a los pobres indios esta opresión, y en el valle de Jauja y en otras muchas partes, los cuales, aunque reciben algún agravio, no saben quejarse. Y si son necesarias ovejas o carneros, no se va por ellos a las manadas de los señores, sino a los dos o tres que tienen los tristes indios; y algunos son tan molestados que se ausentan por miedo de tantos trabajos como les mandan hacer.

Y en los llanos y valles de los yungas son más trabajados por los señores que en la serranía. Verdad es que, como ya en las más provincias deste reino estén religiosos dotrinándolos, y algunos entiendan la lengua, oyen estas quejas y remedian muchas dellas. Todo va cada día en más orden, y hay tanto temor entre cristianos y caciques que no osan poner las manos en un indio, por la gran justicia que hay con haberse puesto en aquestas partes las audiencias y chancillerías reales; cosa de grande remedio para el gobierno dellas.

CAPITULO CXVII

En que se declaran algunas cosas que en esta historia se han tratado cerca de los indios, y de lo que acaeció a un clérigo con uno dellos en un pueblo deste reino

Porque algunas personas dicen de los indios grandes males, comparándolos con las bestias, diciendo que sus costumbres y manera de vivir son más de brutos que de hombres, y que son tan malos que no solamente usan el pecado nefando, mas que se comen unos a otros, y puesto que en esta mi historia yo haya escripto algo desto y de algunas otras fealdades y abusos dellos, quiero que se sepa que no es mi intención decir que esto se entienda por todos; antes es de saber que si en una provincia comen carne humana y sacrifican sangre de hombres, en otras muchas aborrecen este pecado. Y si, por el consiguiente, en otra el pecado de contra natura, en muchas lo tienen por gran fealdad y no lo acostumbran, antes lo aborrecen; y así son las costumbres dellos: por manera que será cosa injusta condenarlos en general. Y aun destos males que éstos hacían, parece que los descarga la falta que tenían de la lumbre de nuestra santa fe, por lo cual ignoraban el mal que cometían, como otras muchas naciones, mayormente los pasados gentiles, que también como estos indios estuvieron faltos de lumbre de fe, sacrificaban tanto y más que ellos (459). Y aun si miramos, muchos hay que han profesado nuestra ley y recebido agua del santo baptismo los cuales, engañados por el demonio, cometen cada día graves pecados, de manera que si estos indios usaban de las costumbres que he escripto, fué porque no tuvieron quien los encaminase en el camino de la verdad en los tiempos pasados. Agora los que oyen la doctrina del santo Evangelio conocen las tinieblas de la perdición que tienen los que della se apartan, y el demonio, como le crece más la envidia de ver el fruto que sale de nuestra santa fe, procura de engañar con temores y espantos a estas gentes; pero poca parte es, y cada día será menos, mirando lo que Dios nuestro Señor obra en todo tiempo, con ensalzamiento de su santa fe. Y entre otras notables, diré una que pasó en esta provincia, en un pueblo llamado Lampaz, según se contiene en la relación que me dió en el pueblo de Asangaro (460), repartimiento de Antonio de Quiñones, vecino del Cuzco, un clérigo, contándome lo que pasó en la conversión de un indio; al cual yo rogué me la diese por escrito de su letra, que sin tirar ni poder cosa alguna es la siguiente: «Marcos Otazo, clérigo, vecino de Valladolid, estando en el pueblo de Lampaz dotrinando los indios a nuestra santa fe cristiana, año de 1547, en el mes de mayo, siendo la luna llena, vinieron a mí todos los caciques y principales a me rogar muy ahincadamente les diese licencia para que hiciesen lo que ellos en aquel tiempo acostumbraban hacer; yo les respondí que había de estar prasente, porque si fuese cosa no lícita en nuestra santa fe católica de allí adelante no lo hiciesen; ellos lo tuvieron por bien; y así, fueron todos a sus casas; y siendo, a mi ver, el mediodía en punto, comenzaron a tocar en diversas partes muchos atabales con un solo palo (461), que así los tocan entre ellos, y luego fueron en la plaza, en diversas partes della, echadas por el suelo mantas, a manera de tapices, para se asentar los caciques y principales, muy aderezados y vestidos de sus mejores ropas, los cabellos hechos trenzas hasta abajo, como tienen por costumbre, de

(459) Si Cieza conoció las actividades y doctrinas del P. Las Casas, no lo cita, pero su propia experiencia y conciencia le empujan a afirmar la humanidad y capacidad de los indios.
(460) Azángaro.
(461) Atabal, tambor.

cada lado una crizneja de cuatro ramales, tejida. Sentados en sus lugares, vi que salieron derecho por cada cacique un muchacho de edad de hasta de doce años, el más hermoso y dispuesto de todos, muy ricamente vestido a su modo, de las rodillas abajo las piernas, a manera de salvaje, cubiertas de borlas coloradas; asimismo los brazos, y en en el cuerpo muchas medallas y estampas de oro y plata; traía en la mano derecha una manera de arma como alabarda, y en la izquierda un bolsa de lana, grande, en que ellos echan la coca; y al lado izquierdo venía una muchacha de hasta diez años, muy hermosa, vestida de su mismo traje, salvo que por detrás traía gran falda, que no acostumbraban traer las otras mujeres, la cual falda le traía una india mayor, hermosa, de mucha autoridad. Tras ésta venían otras muchas indias a maneras de dueñas, con mucha mesura y crianza; y aquella niña llevaba en la mano derecha una bolsa de lana, muy rica, llena de muchas estampas de oro y plata; de las espaldas le colgaban un cuero de león pequeño, que las cubría todas. Tras estas dueñas venían seis indios a manera de labradores, cada uno con su arado en el hombro, y en las cabezas sus diademas y plumas muy hermosas, de muchos colores. Luego venían otros seis como sus mozos, con unos costales de papas, tocando su atambor, y por su orden llegaron hasta un paso del señor. El muchacho y niño ya dichos, y todos los demás, como iban en su orden, le hicieron una muy gran reverencia, bajando sus cabezas, y el cacique y los demás la recibieron inclinando las suyas. Hecho esto cada cual a su cacique, que eran dos parcialidades, por la misma orden que iban el niño y los demás se volvieron hacia atrás, sin quitar el rostro dellos, cuanto veinte pasos, por la orden que tengo dicho; y allí los labradores hincaron sus arados en el suelo en renglera, y dellos colgaron aquellos costales de papas, muy escogidos y grandes; lo cual hecho, tocando sus atabales, todos en pie, sin se mudar de un lugar, hacían una manera de baile, alzándose sobre las puntas de los pies, y de rato en rato alzaban hacia arriba aquellas bolsas que en las manos tenían. Solamente hacían éstos esto que tengo dicho, que eran los que iban con aquel muchacho y muchacha, con todas sus dueñas, porque todos los caciques y la demás gente estaban por su orden sentados en el suelo con muy gran silencio, escuchando y mirando lo que hacían. Esto hecho, se sentaron y trajeron un cordero de hasta un año, sin ninguna mancha, todo de una color, otros indios que habían ido por él, y adelante del señor principal, cercado de muchos indios alrededor porque yo no lo viese, tendido en el suelo vivo, le sacaron por un lado toda la asadura, y ésta fue dada a sus agoreros, que ellos llamaban guacamayos (462), como sacerdotes entre nosotros. Y vi que ciertos indios dellos llevaban apriesa cuanto más podían de la sangre del cordero en las manos y la echaban entre las papas que tenían en los costales. Y en este instante salió un principal que había pocos días que se había vuelto cristiano, como diré abajo, dando voces y llamándolos de perros y otras cosas en su lengua, que no entendí; y se fue al pie de una cruz alta que estaba en medio de la plaza, desde donde a mayores voces, sin ningún temor, osadamente reprendía aquel rito diabólico. De manera que con sus dichos y mis amonestaciones se fueron muy temerosos y corridos, sin haber dado fin a su sacrificio, donde pronostican sus sementeras y sucesos de todo el año. Y otros que se llaman homo (463), a los cuales preguntan muchas cosas por venir, porque hablan con el demonio y traen consigo su figura, hecha de un hueso hueco, y encima un bulto de cera negra, que acá hay. Estando yo en este pueblo de Lampaz, un jueves de la Cena vino a mí un muchacho mío (464) que en la iglesia dormía, muy espantado, rogando me levantase y fuese a baptizar a un cacique que en la iglesia estaba hincado de rodillas delante de las imágenes, muy temeroso y espantado; el cual estando la noche pasada, que fue miércoles de Tinieblas, metido en una guaca, que es donde ellos adoran, decía haber visto un hombre vestido de blanco, el cual le dijo que qué hacía allí con aquella estatua de piedra. Que se fuese luego, y viniese para mí a se volver cristiano. Y cuando fue de día yo me levanté y recé mis horas, y no creyendo que era así, me llegué a la

(462) *Huaca-mayoc,* administradores u oficiantes en las *huacas,* igual que los *Quipu-ca-mayoc* son los custodios y lectores de los quipus. Estos *guamacamyos* de Otazo no pertenecían al clero oficial.
(463) *Umu,* sacerdote del culto oficial.
(464) Servidor o monaguillo.

iglesia para decir misa (465), y lo hallé de la misma manera, hincado de rodillas. Y como me vio se echó a mis pies, rogándome mucho le volviese cristiano, a lo cual le respondí que sí haría, y dije misa, la cual oyeron algunos cristianos que allí estaban; y dicha, lo bapticé, y salió con mucha alegría, dando voces, diciendo que él ya era cristiano, y no malo, como los indios; y sin decir nada a persona ninguna, fué adonde tenía su casa y la quemó, y sus mujeres y ganados repartió por sus hermanos y parientes, y se vino a la iglesia, donde estuvo siempre predicando a los indios lo que les convenía para su salvación, amonestándoles se apartasen de sus pecados y vicios; lo cual hacía con gran hervor, como aquel que estaba alumbrado por el Espíritu Santo, y a la continua estaba en la iglesia o junto a una cruz. Muchos indios se volvieron cristianos por las persuasiones deste nuevo convertido. Contaba que el hombre que vió estando en la guaca o templo del diablo era blanco y muy hermoso, y que sus ropas asimismo eran resplandecientes.»

Esto me dió el clérigo por escripto, y yo veo cada día grandes señales por las cuales Dios se sirve en estos tiempos más que en los pasados. Y los indios se convierten y van poco a poco olvidando sus ritos y malas costumbres, y si se han tardado, ha sido por nuestro descuido más que por la malicia dellos; porque el verdadero convertir los indios ha de ser amonestando y obrando bien, para que los nuevamente convertidos tomen ejemplo.

CAPITULO CXVIII

De cómo, queriéndose volver cristiano, un cacique comarcano de la villa de Ancerma veía visiblemente a los demonios, que con espantos le querían quitar de su buen propósitos

En el capítulo pasado escrebí la manera cómo se volvió cristiano un indio en el pueblo de Lampaz; aquí diré otro

(465) Recordemos que el que habla es el doctrinero de Lampaz, Marcos Otazo.

extraño caso, para que los fieles glorifiquen el nombre de Dios, que tantas mercedes nos hacen, y los malos y incrédulos teman y reconozcan las obras del Señor. Y es que siendo gobernador de la provincia de Popayán el adelantado Belalcázar, en la villa de Ancerma, donde era su teniente un Gómez Hernández, sucedió que casi cuatro leguas desta villa está un pueblo llamado Pirsa, y el señor natural dél, teniendo un hermano mancebo de buen parescer que se llama Tamaracunga, y inspirando Dios en él, deseaba volverse cristiano y quería venir al pueblo de los cristianos a recibir baptismo. Y los demonios, que no les debía agradar el tal deseo, pesándoles de perder lo que tenían por tan ganado, espantaban a aqueste Tamarcunga de tal manera que lo asombraban, y permitiéndolo Dios, los demonios, en figura de unas aves hediondas llamadas auras, se ponían donde el cacique sólo las podía ver; el cual, como se sintió tan perseguido del demonio, envió a toda priesa a llamar a un cristiano que estaba cerca de allí; el cual fue luego donde estaba el cacique, y sabida su intención, lo siguió con la señal de la cruz, y los demonios lo espantaban más que primero, viéndolos solamente el indio, en figuras horribles. El cristiano vía que caían piedras por el aire y silbaban; y viniendo del pueblo de los cristianos un hermano de un Juan Pacheco, vecino de la misma villa, que a la sazón estaba en ella en lugar del Gómez Hernández, que había salido, a lo que dicen, de Caramanta, se juntó con el otro, y vían que el Tamaracunga estaba muy desmayado y maltratado de los demonios; tanto, que en presencia de los cristianos lo traían por el aire de una parte a otra, y él quejándose, y los demonios silbaban y daban alaridos. Y algunas veces, estando el cacique sentado y teniendo delante un vaso para beber, vían los dos cristianos cómo se alzaba el vaso con el vino en el aire y dende a un poco parescía sin el vino, y a cabo de un rato vía caer el vino en el vaso, y el cacique atapábase en mantas el rostro y todo el cuerpo por no ver las malas visiones que tenía delante; y estando así, sin se tirar ropa ni desatapar la cara, le ponían barro en la boca como que lo querían ahogar. En fin, los cristianos, que nunca dejaban de rezar, acordaron de se volver a la villa y llevar al cacique para que luego se baptizase, y vinieron con ellos y con el cacique pasados de docientos indios; mas estaban tan temerosos de los demonios, que no osaban llegar al cacique; y yendo con los cristianos, llegaron a unos malos pasos, donde los demonios tomaron al indio en el aire para despeñarlo, y él daba voces diciendo: «Váleme, cristianos, váleme»; los cuales luego fueron a él y le tomaron en medio, y los indios ninguno osaba hablar, cuanto más ayudar a éste, que tanto por los demonios fue perseguido para provecho de su ánima y mayor confusión y envidia deste cruel enemigo nuestro; y como los dos cristianos viesen que no era Dios servido de que los demonios dejasen a aquel indio y que por los riscos lo querían despeñar, tomáronlo en medio, y atando unas cuerdas a los cintos, rezando y pidiendo a Dios los oyese, caminaron con el indio en medio, de la manera ya dicha, llevando tres cruces en las manos; pero todavía los derribaron algunas veces, y con trabajo grande llegaron a una subida, donde se vieron en mayor aprieto. Y como estuviesen cerca de la villa, enviaron a Juan Pacheco un indio para que viniese a los socorrer, el cual fué luego allá, y como se juntó con ellos, los demonios arrojaban piedras por los aires, y desta suerte llegaron a la villa, y se fueron derechos con el cacique a las casas deste Juan Pacheco, adonde se juntaron todos los más de los cristianos que estaban en el pueblo, y todos vían caer piedras pequeñas de lo alto de la casa y oían silbos. Y como los indios, cuando van a la guerra, dicen «Hu, hu, hu», así oían que lo decían los demonios muy apriesa y recio. Todos comenzaron a suplicar a nuestro Señor que, para gloria suya y salud del ánima de aquel infiel, no permitiese que los demonios tuviesen poder de lo matar; porque ellos, por lo que andaban, según las palabras que el cacique les oía, era porque no se volviese cristiano. Y como tirasen muchas piedras, salieron para ir a la iglesia; en la cual, por ser de paja, no había Sacramento, y algunos cristianos dicen que oyeron pasos por la misma iglesia antes que se abriese, y como la abrieron y entraron dentro, el indio Tamaracunga dicen que decía que vía los demonios con fieras cataduras, las cabezas abajo y los pies arriba. Y entrado un fraile llamado fray Juan de Santa María, de la orden de nuestra Señora de la Merced, a le baptizar, los demonios, en su presencia y de todos los cristianos, sin los ver mas que sólo el indio, lo tomaron y lo tuvieron en el aire, poniéndolo como ellos estaban, la cabeza abajo y los pies arriba. Y los cristianos, diciendo a grandes voces: «Jesucristo, Jesucristo sea con nosotros», y signándose con la cruz, arremetieron al indio y lo tomaron, poniéndole luego una estola, y le echaron agua bendita; pero todavía se oían aullidos y silbos dentro de la iglesia, y Tamaracunga los vía visiblemente, y fueron a él y le dieron tantos bofetones, que le arrojaron lejos de allí un sombrero que tenía puesto en los ojos por no los ver, y en el rostro le echaban saliva podrida y hedionda. Todo esto pasó de noche, y venido el día, el fraile se vistió para decir misa, y en el punto que se comenzó, en aquel no se oyó cosa ninguna, ni los demonios osaron parar ni el cacique recibió más daño; y como la misa santísima se acabó, el Tamaracunga pidió por su boca agua del baptismo, y luego hizo lo mismo su mujer y hijo, y después de ya baptizado dijo que, pues ya era cristiano, que lo dejasen andar solo, para ver los demonios si tenían poder sobre él; y los cristianos lo dejaron ir, quedando todos rogando a nuestro Señor y suplicándole que, para ensalzamiento de su santa fe y para que los indios infieles se convirtiesen, no permitiese que el demonio tuviese más poder sobre aquel que ya era cristiano. Y en esto salió Tamaracunga con gran alegría, diciendo: «Cristiano soy»; y alabando en su lengua a Dios, dió dos o tres vueltas por la iglesia, y no vió ni sintió más los demonios; antes se fué a su casa alegre y contento, obrando el poder de Dios; y fué este caso tan notado en los indios, que muchos se volvieron cristianos y se volverán cada día. Esto pasó en el año de 1549 años.

CAPITULO CXIX

Cómo se han visto claramente grandes milagros en el descubrimiento destas Indias y querer guardar nuestro soberano Señor Dios a los españoles, y cómo también castiga a los que son crueles para con los indios

Antes de dar conclusión en esta primera parte me parescio decir aquí algo de las obras admirables que Dios nuestro Señor ha tenido por bien demostrar en el descubrimiento que los cristianos españoles han hecho en estos reinos, y asimismo el castigo que ha permitido en algunas personas notables que en ellos han sido, porque por lo uno y por lo otro se conozca cómo le habemos de amar como a padre y temer como a Señor y Juez justo; y para esto digo que, dejando aparte el descubrimiento primero, hecho por el almirante don Cristóbal Colón, y los sucesos del marqués don Fernando Cortés y los otros capitanes y gobernadores que descubrieron la Tierra Firme, porque yo no quiero contar de tan atrás, mas sólo decir lo que pasó en los tiempos presentes; el marqués don Francisco Pizarro, cuántos trabajos pasó él y sus compañeros, sin ver ni descubrir otra cosa que la tierra que queda a la parte del norte del río de San Juan, no bastaron sus fuerzas ni los socorros que les hizo el adelantado don Diego de Almagro para ver lo de adelante. Y el gobernador Pedro de los Ríos, por la copla que le escribieron, que decía:

> ¡Ah, señor gobernador!;
> Miraldo bien por entero;
> Allá va el recogedor,
> Acá queda el carnicero (466).

Dando a entender que Almagro iba por gente para la carnecería de los muchos trabajos y Pizarro los mataba en ellos. Por lo cual envió a Juan Tafur, de Panamá, con mandamiento para que los trajese; y desconfiados de descubrir, se volvieron todos con él, si no fueron trece cristianos que quedaron con don Francisco Pizarro, los cuales

(466) Esta coplilla debió correr por todas las Indias, desde Panamá hasta el sur, pues la reproducen casi todos los cronistas.

estuvieron en la isla de la Gorgona (467) hasta que don Diego de Almagro les envió una nao, con la cual a su ventura navegaron; y quiso Dios, que lo puede todo, que lo que en tres o cuatro años no pudieron ver ni descubrir por mar ni por tierra lo descubriesen en diez o doce días. Y así, estos trece cristianos, con su capitán, descubrieron al Perú, y después, a cabo de algunos años, cuando el mismo marqués, con ciento y sesenta españoles, entró en él, no bastaron a defenderse de la multitud de los indios, si no permitiera Dios que hubiera guerra crudelísima entre los dos hermanos Guascar y Atabaliba, y ganaron la tierra. Cuando en el Cuzco generalmente se levantaron los indios contra los cristianos no había más de ciento y ochenta españoles de a pie y de caballo. Pues estando contra ellos Mango inga, con más de docientos mil indios de guerra, y durante un año entero, milagro es grande escapar de las manos de los indios; pues algunos dellos mismos afirman que vían algunas veces, cuando andaban peleando con los españoles, que junto a ellos andaba una figura celestial que en ellos hacía gran daño, y vieron los cristianos que los indios pusieron fuego a la ciudad (468), el cual ardió por muchas partes, y emprendiendo en la iglesia, que era lo que deseaban los indios ver deshecho, tres veces la encendieron, y tantas se apagó de suyo, a dicho de muchos que en el mismo Cuzco dello me informaron, siendo en donde el fuego ponían paja seca sin mezcla ninguna.

El capitán Francisco César, que salió a descubrir de Cartagena el año de 1536, y anduvo por grandes montañas, pasando muchos ríos hondables y muy furiosos con solamente sesenta españoles, a pesar de los indios todos, estuvo en la provincia de Guaca, donde estaba una casa principal del demonio, de la cual sacó de un enterramiento treinta mil pesos de oro. Y viendo los indios cuán pocos eran, se juntaron más de veinte mil para matarlos, y los

(467) Primero en la del Gallo y luego trasladados a la de la Gorgona, como ya anotamos.

(468) La ciudad es Cuzco. Durante el asedio de Manco II murió Juan Pizarro. La *figura celestial* dijeron muchos que era el apóstol Santiago, montado en un caballo blanco, y como el único caballo blanco que había en la hueste era el de Mancio Sierra de Legízamo y éste estaba en Lima entonces, nadie dudó del milagro. Hoy en el Perú hay una gran devoción, especialmente en Cuzco, al *Patrón Santiago.*

cercaron a todos y tuvieron con ellos batalla. En la cual los españoles, puesto que eran tan pocos, como he dicho, y venían desbaratados y flacos, pues no comían sino raíces, y los caballos desherrados, los favoreció Dios de tal manera que mataron y hirieron a muchos indios sin faltar ninguno dellos; y no hizo Dios sólo este milagro por estos cristianos, antes fue servido de los guías por camino que volvieron a Urabá en diez y ocho días, habiendo andado por el otro cerca de un año.

Destas maravillas muchas hemos visto cada día; mas baste decir que pueblan en una provincia donde hay treinta o cuarenta mil indios cuarenta o cincuenta cristianos; a pesar dellos, ayudados de Dios están, y pueden tanto, que los subjetan y atraen a sí; y en tierras temerosas de grandes lluvias y terremotos continos, como cristianos entren en ellas, luego vemos claramente el favor de Dios, porque cesa lo más de todo; y rasgadas estas tales tierras, dan provecho, sin se ver los huracanes tan continos y rayos y aguaceros que en tiempo que no había cristianos se vían. Mas es también de notar otra cosa: que puesto que Dios vuelva por los suyos, que llevan por guía su estandarte, que es la cruz, quiere que no sea el descubrimiento como tiranos, porque los que esto hacen vemos sobre ellos castigos grandes. Y así, los que tales fueron, pocos murieron sus muertes naturales, como fueron los principales que se hallaron en tratar la muerte de Atabaliba, que todos los más han muerto miserablemente y con muertes desastradas (469). Y aun paresce que las guerras que ha habido tan grandes en el Perú las permitió Dios para castigo de los que en él estaban; y así a los que esto consideraren les parecerá que Caravajal era verdugo de su justicia y que vivió hasta que el castigo se hizo, y después pagó él con la muerte los pecados graves que hizo en la vida. El mariscal don Jorge Robledo, consintiendo hacer en la provincia de Pozo gran daño a los indios, y que con las ballestas y perros matasen tantos como dellos mataron, Dios permitió que en el mismo pueblo fuese sentenciado a muerte, y que tuviese por su sepultura los

(469) Sentido providencialista: los conquistadores son protegidos por Dios y salvan la vida ante miles de indios, pero los *tiranos* y quienes se enzarzan en guerras civiles, reciben su castigo en esta vida.

vientres de los mismos indios, muriendo asimismo el comendador Hernán Rodríguez de Sosa y Baltasar de Ledesma, y fueron juntamente con él comidos por los indios, habiendo primero sido demasiado crueles contra ellos. El adelantado Belalcázar, que a tantos indios dio muerte en la provincia de Quito, Dios permitió de le castigar con que en vida se vió tirado (470) del mando del gobernador por el juez que le tomó cuenta, y pobre y lleno de trabajos, tristezas y pensamientos, murió en la gobernación de Cartagena, viniendo con su residencia a España. Francisco García de Tovar, que tan temido fue de los indios, por los muchos que mató, ellos mismos le mataron y comieron (471).

No se engañe ninguno en pensar que Dios no ha de castigar a los que fueren crueles para con estos indios, pues ninguno dejó de recebir la pena conforme al delicto. Yo conoscí un Roque Martín, vecino de la ciudad de Cali, que a los indios que se nos murieron cuando viniendo de Cartagena llegamos aquella ciudad, haciéndolos cuartos, los tenía en la percha para dar de comer a sus perros; después indios lo mataron, y aun creo que comieron. Otros muchos pudiera decir que dejo, concluyendo con que, puesto que nuestro Señor en las conquistas y descubrimientos favorezca a los cristianos, si después se vuelven tiranos, castígalos severamente (472), según se ha visto y ve, permitiendo que algunos mueran de repente, que es más de temer.

(470) Retirado, expulsado.

(471) Cieza no oculta los abusos de autoridad y las crueldades. A este respecto no hubo en España, entonces, una política de silencio o de ocultación de tales excesos. La obra de Cieza aparece con autorizaciones oficiales. Fr. Bartolomé de las Casas publica su *Brevissima* en 1552, en Sevilla, y en 1553 Cieza este libro.

(472) Juicio de la justicia divina, según Cieza.

CAPITULO CXX

De las diócesis o obispados que hay en este reino del Perú, y quién son los obispos dellos, y de la chancillería real que está en la ciudad de los Reyes

Pues en muchas partes desta escriptura he tratado los ritos y costumbres de los indios y los muchos templos y adoratorios que tenían, donde el demonio por ellos era visto y servido, me parece será bien escrebir los obispados que hay y quién han sido y son los que rigen las iglesias, pues es cosa tan importante el tener, como tienen, a su cargo tantas ánimas. Después que se descubrió este reino, como se hubiese hallado en la conquista el muy reverendo señor don fray Vicente de Valverde, de la orden del señor santo Domingo, traídas las bulas del Sumo Pontífice, su majestad lo nombró por obispo del reino, el cual fué hasta que los indios lo mataron en la isla de Puna. Y como se fuesen poblando ciudades de españoles, acrecentáronse los obispados; y así, se proveyó por obispo del Cuzco el muy reverendo señor don Juan Solano, de la orden del señor santo Domingo, que vive en este año de 1550, y es al presente obispo del Cuzco, donde está la silla episcopal, y de Guamanga, Arequipa, la nueva ciudad de la Paz. Y de la villa de Plata, de la ciudad de los Reyas y Trujillo, Guanuco, Chachapoyas, lo es el reverendísimo señor don Hierónimo de Loaysa, fraile de la misma orden, el cual en este tiempo se nombró por arzobispo de los Reyes. De la ciudad de San Francisco del Quito y de Sant Miguel, Puerto Viejo, Guayaquil, es obispo don García Díaz de Arias; tiene su silla en el Quito, que es la cabeza de su obispado. De la gobernación de Popayán es obispo don Juan Valle; tiene su asiento en Popayán, que es cabeza de su obispado, en el cual se incluyen las ciudades y villas que conté en la descripción de la dicha provincia. Estos señores son los que yo dejé por obispos al tiempo que salí del reino, los cuales tienen en los pueblos y ciudades de sus obispados cuidado de poner curas y clérigos que celebren los divinos oficios. La gobernación del reino resplandece en este tiempo en tanta manera, que los indios enteramente son señores de sus haciendas y personas, y los españoles temen los castigos que se hacen, y las tiranías y malos tratamientos de indios han ya cesado por la voluntad de Dios, que cura todas las cosas con su gracia. Para esto ha aprovechado poner audiencias y chancillerías reales y que en ellas estén varones dotos y de autoridad, y que, dando ejemplo de su limpieza, osen ejecutar la justicia y haber hecho la tasación de los tributos en este reino. Es visorey el excelente señor don Antonio de Mendoza, tan valeroso y abastado de virtudes cuanto falto de vicios, y oidores los señores el licenciado Andrés de Cianca y el doctor Bravo de Saravia y el licenciado Hernando de Santillán. La corte y chancillería real está puesta en la ciudad de los Reyes. Y concluyo este capítulo con que, al tiempo que en el consejo de su majestad de Indias se estaba viendo por los señores dél esta obra, vino de donde estaba su majestad el muy reverendo señor don fray Tomás de San Martín, proveído por obispo de las Charcas, y su obispado comienza desde el término donde se acaba lo que tiene la ciudad del Cuzco hacia Chile, y llega hasta la provincia de Tucuma, en el cual quedan la ciudad de la Paz y la villa de Plata, que es cabeza deste nuevo obispado que agora se provee.

CAPITULO CXXI

De los monesterios que se han fundado en el Perú desde el tiempo que se descubrió hasta el año de 1550 años

Pues en el capítulo pasado he declarado brevemente los obispados que hay en este reino, cosa conveniente será hacer mención de los monesterios que se han fundado en él, y quién fueron los fundadores, pues en estas casas asisten graves varones, y algunos muy doctos. En la ciudad del Cuzco está una casa de señor Santo Domingo, en el propio lugar que los indios tenían su principal templo; fundóla el reverendo padre fray Juan de Olías. Hay otra casa de señor San Francisco; fundóla el reverendo padre fray Pedro Portugués. De nuestra Señora de la Merced está otra casa; fundóla el reverendo padre fray Sebastián. En la ciudad de la Paz está otro monesterio de señor San Francisco; fundólo el reverendo padre fray Francisco de los Angeles. En el pueblo de Chuquito está otro de dominicos; fundólo el reverendo padre fray Tomás de San Martín. En la villa de Plata está otro de franciscos; fundólo el reverendo padre fray Hierónimo. En Guamanga está otro de dominicos; fundólo el reverendo padre fray Martín de Esquivel, y otro monesterio de nuestra Señora de la Merced; fundólo el reverendo padre fray Sebastián. En la ciudad de los Reyes está otro de franciscos; fundólo el reverendo padre fray Francisco de Santa Ana; y otro de dominicos; fundólo el reverendo padre fray Juan de Olías. Otra casa está de nuestra Señora de la Merced; fundóla el reverendo padre fray Miguel de Orenes. En el pueblo de Chincha está otra casa de Santo Domingo; fundóla el reverendo padre fray Domingo de Santo Tomás. En la ciudad de Arequipa está otra casa desta orden; fundóla el reverendo padre fray Pedro de Ulloa. Y en la ciudad de León de Guanuco está otra; fundóla el mismo padre fray Pedro de Ulloa. En el pueblo de Chicama está otra casa desta misma orden; fundóla el reverendo padre fray Domingo de Santo Tomás. En la ciudad de Trujillo hay monesterio de franciscos, fundado por el reverendo padre fray Francisco de la Cruz, y otro de la Merced, que fundó el reverendo padre fray ...... En el Quito está otra casa de dominicos; fundóla el reverendo padre fray Alonso de Montenegro, y otro de la Merced, que fundó el reverendo padre fray ......, y otro de franciscos, que fundó el reverendo padre fray Iodoco Rique, flamenco. Algunas casas habrá más de las dichas, que se habrán fundado, y otras que se fundarán por los muchos religiosos que siempre vienen proveídos por su majestad y por los de su consejo real de Indios, a los cuales se les da socorro, con que puedan venir a entender en la conversión destas gentes, de la hacienda del Rey, porque así lo manda su majestad, y se ocupan en la dotrina destos indios con grande estudio y diligencia. Lo tocante a la tasación y otras cosas que convenía tratarse quedará para otro lugar, y con lo dicho hago fin con esta primera parte, a gloria de Dios todopoderoso nuestro Señor, y de su bendita y gloriosa Madre, Señora nuestra. La cual se comenzó a escrebir en la ciudad de Cartago, de la gobernación de Popayán, año 1541, y se acabó de escrebir originalmente en la ciudad de los Reyes, del reino del Perú, a 8 días del mes de setiembre de 1550 años, siendo el autor de edad de treinta y dos años, habiendo gastado los diez y siete dellos en estas Indias.

INDICE

Págs.

Págs.

Págs.

Págs.

Págs.

Págs.

Págs.

Págs.